为了人与书的相遇

J.F.C. Fuller

西方世界军事史

II

从西班牙无敌舰队失败到滑铁卢会战

[英] J. F. C. 富勒 著　钮先钟 译

VOL II:

From the Defeat of the Spanish Armada to the Battle of Waterloo

广西师范大学出版社
· 桂林 ·

目录

大事记（一）

英格兰与西班牙的争霸

自从发现了新世界和绕过好望角以达东印度群岛的航线之后，欧洲的商业重心遂逐渐西移，逐渐远离地中海地区，而趋向大西洋海岸。如此，西班牙、葡萄牙和英格兰，以及后来的联合省（United Provinces）和法兰西，为了世界贸易和新发现地区的主权，都变成了互相竞争的劲敌。自此，一直到最近，帝国主义的发展都是趋于海外的殖民主义，而帝国也趋于海洋化的形式。

这种斗争的第一阶段，是发生于英格兰与西班牙之间，其开始是很和平的。当1558年11月17日，英国的伊丽莎白一世(Elizabeth Ⅰ,1558—1603年在位）继承其异母姐妹玛丽皇后（腓力二世之妻）而为英国女王时，英西两国还是在同盟之中，共同对抗法国。第二年，两国间的友谊似乎还是很坚固，所以在签订《卡托—康布雷齐（Cateau Cambrésis）条约》之前的谈判期中，腓力曾经准备代替伊丽莎白收复加来，这是在1558年1月6日，为吉斯公爵（Duke of Guise）从玛丽手中所夺去的。接着他又向伊丽莎白求婚，但却遭到了拒绝。

腓力这样热心地支持英国，完全基于自利的立场，而他的政策所针对着的为苏格兰的玛丽女王（1542—1587 年在位）。她是英王亨利七世的曾孙女，也是苏格兰詹姆斯五世与吉斯的玛丽所生的女儿。照天主教的眼光看来，她是英国王位的合法继承人，在 1558 年 4 月 24 日，她又与法国的弗兰西斯二世（1559—1560 年在位）结了婚。当时，她的舅父吉斯公爵在法国正当权，利用玛丽的关系，他想把法兰西、英格兰、苏格兰和爱尔兰联合成为一个伟大的吉斯帝国。这对于西班牙将是一个致命的打击，所以自 1558 年以后的 12 年当中，腓力都是在不惜一切的成本，以扶助伊丽莎白确保其王位，好来对于玛丽保持一个对抗的势力。对于西班牙而言，一个友善的英格兰具有极大的重要性，因为英格兰的位置恰好威胁西班牙到尼德兰之间的海上交通线的侧面。反之，自从加来丧失，只要尼德兰是控制在西班牙的手中，则英格兰对于其本国海面的控制也就不安全。在腓力和伊丽莎白的整个时代中，西班牙和英格兰两国的政策，始终受到这两个战略问题的支配。

尽管有了腓力的支持，伊丽莎白的地位还是很危险的。她不想有一场国外的战争，因为英国的本身，由于新旧教派的对立，在政治上是不稳定的。但是英国的加尔文派教徒，却一心只想支持欧陆上任何地区的同一教派，希望它能发扬光大。此外，又因为英国已经变成一个海权国家，并且也是一个日益发达的商业国家，所以英国的反西班牙党人认为，应用舰队向西班牙对于新世界的专利权挑战。坎登（Camden）说：“英国的军人和海员都跃跃欲试，想向西班牙挑战，但是女王对于他们的呼声，却掩耳不听。”话虽如此，伊丽莎白的力量还是不够强，无法完全制止他们的活动。

伊丽莎白即位不久，就突然发生了一个新变化：1560 年 12 月 5 日，弗兰西斯二世逝世，继承者为他的兄弟查理九世（1560—1574 年在位），并暂由他的母亲卡特琳 · 德 · 美第奇（Catherine de Medici）摄政。1561 年 8 月，玛丽回到苏格兰。1567 年，她在苏格兰暗杀了她的第二任丈夫达恩里勋爵（Lord Darnley），接着即被迫退位，并于1568年逃往英格兰避难。从此她就为伊丽莎白所拘禁，以终余年。这些演变，再加上反西党在英国的得势，遂使腓力改变了其对于玛丽的政策。因为玛丽已经不再是吉斯家族的直接工具，所以腓力现在不再站在伊丽莎白这一面，反而利用玛丽以此来当作制造反伊丽莎白阴谋的支柱。在这个工作上，他也得到了教皇庇护五世的支援，教皇在1570年，曾对英国女王处以破门之罪。

除了这些政治性的变化，经济上的冲突也更使西班牙感到怒恼。普利茅斯（Plymouth）的约翰·霍金斯（John Hawkins）开始插手非洲的运奴商业，这本是西班牙王室的专利买卖。因为这种不合法的生意能获极高的利润，所以英国女王居然与霍金斯合伙，把她自己的一艘船耶稣号借给他使用。1567年10月2日，他从普利茅斯出海，另外有伴船两艘，米尼恩（Minion）和朱迪思（Judith）号，后者由弗兰西斯·德瑞克（Francis Drake）指挥。霍金斯首先开往几内亚（Guinea）的海岸边上。在那里他捕获或购买了500多名黑人，就再驶往西印度群岛，秘密地把他们卖给西班牙的殖民者。在途中，他进入了圣胡安（San Juan de Ulua）港，去寻找饮水和掩蔽，并在港口上设防，不让西班牙船只进入。接着新上任的新西班牙总督恩里奎斯（Don Martin Enriques）也率领舰队来了。当时正有风暴发生，恩里奎斯害怕翻船，遂与英国人谈判，承诺只要让他入港，则绝不侵犯英国人，他们在补给粮水之后将自行离去。几天之后，恩里奎斯却突然地向霍金斯的船只开火。经过了一场战斗，耶稣号不得不放弃，可是另外两艘伴船却逃走了，于1569年1月回到了普利茅斯。

当霍金斯正在向祖国返航时，另外又发生了一个事件，而且是比较严重的。许多年来，当西班牙船只来往于西班牙与佛兰德斯之间时，经常受到胡格诺派（Huguenot）私掠船的拦劫。劫掠者中有许多人员都是普利茅斯市市长霍金斯的兄弟威廉的部下。为了不把英国女王牵涉进去，他们的船只都是挂着孔代（Condé），即奥兰治王室的威廉王子（William of Orange，1559—1584）的旗帜。在1568 年，这种私掠船有 50 艘，其中属于英国人的不下 30 艘。12 月，一群私掠船把一个西班牙的支队赶入了福伊（Fowey）、普利茅斯和南安普敦等英国港口中。船上所载的金条是属于热那亚银行的，准备交付给在安特卫普的阿尔瓦公爵（Duke of Alva）——腓力在尼德兰的主将。伊丽莎白将其没收，并获得了热那亚人的同意，借它供己用。为了报复起见，阿尔瓦把留在尼德兰的英国船只和货物一律没收，伊丽莎白也不甘示弱，照样没收了留在英国的西班牙船只和货物。正在此时，又传来了耶稣号丧失的消息，更激起了英国人的怒火。于是英西两国分道扬镳了，腓力支持英国的天主教徒，而伊丽莎白也开放英格兰，以供荷兰新教叛徒做避难之所。

此时，奥兰治的威廉已经建立了一支舰队，1569 年即有 18 艘船可以出海了。这是一个海权的开始，在下一个世纪中，荷兰的舰队远涉重洋，在许多陆地建立了殖民地。这对于事态的影响是立即可见的。在 1572 年，威廉的水手，号称为“海上乞丐”（gueux de mer），捕获了 300 艘船。因为他们缺乏避难的海港，伊丽莎白又暗中准许他们使用英国的港口。之后，他们奇袭了布里尔（Brill），并把它变成了一个极坚固的基地。自此，尽管她生性厌恶叛徒，伊丽莎白的政策却是尽量地鼓动尼德兰的叛变：不仅是为了消耗西班牙的国力，而且也是预防荷兰人在失望之余，会把他们国家的主权献与法兰西国王。于是危机变得非常严重，虽然阿尔瓦反对公开宣战，腓力却十分恼怒，遂在 1571 年支持所谓李多费（Ridolfi）阴谋。其目的是要想用阿尔瓦所部的 6000 人，来支持英格兰境内的天主教徒叛变，杀死伊丽莎白，使玛丽复位，并在英国重建天主教的信仰。这个阴谋被发觉了，并被扑灭，而其唯一的结果只是使仇恨更为加深。

为了增强她自己的地位，1572 年 4 月，伊丽莎白又与法国皇太后缔结了一个对抗西班牙的防御同盟。但是这个同盟却并未能达到它的目的，因为在此以后，法国的胡格诺派把查理九世争取到手了，于是伊丽莎白害怕法国会占领低地国家，遂又倒向西班牙方面。卡特琳害怕胡格诺派会把法国拖入对西班牙的战争，乃于8月24日制造了圣巴特罗缪(St. Bartholomew)大屠杀。估计在这次事件中，法国人死了5万之多。这样遂使吉斯家族在法国当权，于是伊丽莎白又与腓力开始谈判恢复自从1568年中断的贸易关系，到了1573年的春天，两国恢复了正常关系。

一年以后，法王查理九世逝世，继承者为其兄弟亨利三世（1574—1589年在位）。1576年3月，勒班陀会战的胜利者，奥地利的约翰，被任命为尼德兰总督。当他达到时，发现西班牙军队正在叛变中，而他们的暴行又更激起了当地人民的反抗。因为他知道伊丽莎白正在用金钱接济叛徒，遂力劝腓力侵入英格兰。但是腓力的财政正在紊乱之中，所以他派贝尔纳蒂诺（Bernadino de Mendoza）去安抚伊丽莎白，并重开在伦敦的西班牙大使馆，这是自从1572年就已经封馆的。

当使臣到达英国之后不久，约翰死了，在尼德兰镇压叛变的责任，就由帕尔马（Parma）公爵法尔内塞（Alexander Farnese）接替。他也是当时的名将之一，勒班陀一战中的老兵。在一连串的卓越战役之中，他收复了布鲁日、根特、安特卫普和尼德兰南部的多数地区。在失望之中，叛徒则把他们国家的主权献与亨利三世的兄弟阿朗松公爵。

虽然腓力仍继续不肯向英国公开宣战，可是教皇格列高利十三世（1572—1585年在位）却几乎迫使他不能不采取行动。教皇曾对于爱尔兰先后准备做两次远征。第一次是在1578年，完全流产了；第二次是在1580年，有少数西班牙人参加，在爱尔兰登陆之后，不久即全被消灭。1577年，德瑞克率领了5艘船，开始做周游世界的航行。他一路突袭了凡尔巴莱索（Valparaiso），抢劫了塔拉巴卡（Tarapaca），捕获了最大的运宝船卡卡弗戈号（Cacafuego），并驶入了旧金山湾，以伊丽莎白女王的名义，将其收为英国的领土，定名为“新阿尔比恩”（New Albion）。1580 年 9 月，他才返回英国，带来了大量的赃物，在他的旗舰金鹿号（Golden Hind）的后甲板上，由伊丽莎白封他为爵士。

当德瑞克正在做环球航行时，又有一个重要事件发生，对于英西两国之间的关系产生了极大的影响。1578 年，葡萄牙的青年国王塞巴斯蒂安（Sebastian）突然发了古代骑士的狂热，于 1578 年入侵了北非。8 月 4 日，他在克比尔堡（Alcazar Kebir）被杀，全军覆没。他没有子嗣，由他的伯父亨利红衣大主教继承，后者也是没有子嗣的，而且已经 77 岁。在他的后面，就又有一大群要求继承的人。其中最合法的是西班牙的腓力，而最孚人望的却是安东尼奥（Don Antonio），他是贝雅公爵路易（Louis Duke of Béja）的私生子，而路易则为葡萄牙国王伊曼纽尔（Emanuel）的儿子。这个继承问题，复使腓力在 1579 年对于英国采取温和的态度，因为他希望在亨利死后，可以自由地占领葡萄牙。他等待的时光并不太久。亨利于 1580 年 1 月 31 日逝世，不久，腓力即命令阿尔瓦公爵领兵进入葡萄牙。8 月 25 日，安东尼奥在阿康塔拉（Alcantara）被击败，于是腓力兼并了葡萄牙和葡萄牙的海外帝国。他不仅获得了广大的土地，那是没有宗教障碍的，而且也还有船只和海员，葡萄牙本是一个海洋民族。

在失败之后，安东尼奥逃往法国，后来又想到英国去避难。因为他自称葡萄牙国王，遂使伊丽莎白对他发生了承认问题。

这个权力平衡的变化使伊丽莎白和法国的太后卡特琳都大感恐慌。后者命斯特罗齐（Filippo Strozzi）组成了一支舰队，于 1582 年派它随同安东尼奥一起，去攻占亚述群岛，这是西班牙往新世界交通线的焦点。在提尔赛拉岛（Terceira）附近，他们为圣塔克鲁兹侯爵所击溃，他就是在勒班陀一战中指挥预备支队的老将。第二年，法国的海军将领恰斯特（Aymard de Chaste）在同一地点，又为圣塔克鲁兹所惨败。这两次胜利的影响是十分巨大的，它更进一步证明了在勒班陀所建立的印象，西班牙舰队是无敌的。它们也巩固了葡萄牙所属的大西洋基地，这是腓力要想攻英时所必需的。

在这第二战之后，圣塔克鲁兹就上书腓力，劝他立即侵入英格兰，并且说只有这样，才能收复尼德兰。这个观念并不新奇，因为在 1569 年，阿尔瓦公爵也曾做同样的建议，而在勒班陀之战以后，约翰更认为这是轻而易举的。腓力还在犹豫，但不久却又有两件事情引诱他接受这个建议。

第一件，因为他参与斯罗克莫顿（Throckmorton）阴谋，所以伊丽莎白于 1584 年 1 月命令西班牙大使贝尔纳蒂诺下旗回国。作为报复，腓力禁止一切英国船只进入西班牙的港口，于是伊丽莎白也采取同样的报复手段，并命令德瑞克侵扰西印度群岛。1585 年 9 月 14 日，德瑞克与弗罗比歇（Martin Frobisher）一同出发，在维德角（Cape Verde）群岛上洗劫了培亚港（Porto da Praia），蹂躏了圣多明哥（San Domingo），抢劫了哥伦比亚的卡尔塔吉那（Cartagena），威胁哈瓦那（Havana）和毁灭了佛罗里达的圣奥古斯丁（St. Augustine）。

此时，帕尔马公爵已经巩固了他的所得，由于奥兰治的威廉在 1584 年 7 月 10 日被暗杀，他的任务获得了很大的帮助。威廉死后，尼德兰的情况变得十分紧张，所以伊丽莎白尽管认为叛徒是“忘恩负义之徒，真正的乌合之众”，而在 1585 年 8 月，还是勉强与他们签订了一个条约，派了莱斯特伯爵（Earl of Leicester）率领 5000 名士兵往尼德兰去填塞缺空，以待威廉的儿子莫里斯（Maurice of Nassau，1584—1625 年在位）建立他自己的地位。这是第二个事件。经过了 27 年的和平之后，伊丽莎白终于发动了战争，只是尚未正式宣战而已。

腓力到此时也终于认清了，要想重建其在低地国家中的权威，除了侵入英国之外，实更无他法。以前他一直都在努力避免这个行动，但是莱斯特伯爵的武力侵扰，使他认为势在必战了。到了1586年3月12日，圣塔克鲁兹又再提出他的计划，但因为他现在所要求的是船只510艘，人员94 222名，并估计全部远征成本应为380万“达卡”（ducats，1达卡约值9先令4.5便士），所以腓力决定用一个规模较小的计划来代替它。不是直接把侵入军从葡萄牙送往英格兰，圣塔克鲁兹的任务仅限于控制英吉利海峡，然后在尼德兰的帕尔马陆军即可以渡过海去。

在此时，对于英格兰可以说最侥幸的是，伊丽莎白在风暴尚未爆发之前，居然能够先将内乱完全镇压。1586年的春天，在英国的玛丽余党认为只要伊丽莎白仍然健在，则任何侵入都不可能成功，于是又发动了一个阴谋——叫作巴宾顿（Babington）阴谋——想来刺杀她。结果前英国驻法国宫廷的大使贝尔纳蒂诺和玛丽本人都被牵涉在内。伊丽莎白的群臣重建女王的威望，使玛丽受审，1587年2月1日，她被判了死刑，7天后即被处决。

第一章

西班牙无敌舰队的失败

在 1558 年加来尚未丧失之前，从理论上来说，英国人为了安全，必须在欧洲大陆上作战以来保护其海岸，换言之，欧陆变成了英国防御上的外围。自从加来丧失了，所依赖的就变成了英吉利海峡的控制权了。可是当 1586 年危机爆发时，虽然伊丽莎白女王有一支私人的舰队，共为战船 34 艘，但却并无国家性海军的存在。不过一到战时，有许多武装的商船都可以临时拼凑成军，一直到国协时代为止，都还是这样的情形。此外，伊丽莎白也没有常备性的陆军——封建时代的民兵是早已不存在了——虽然依照撒克逊的古例，政府仍有权召集民兵，但除了伦敦地区以外，其余都只能算是毫无纪律的乌合之众。在战场上，是绝对不能对抗西班牙高度组织的精兵。

最大的困难，是诚如弗尔特斯纠（Fortescue）对于伊丽莎白的评论："因为它的简单性，她痛恨直接的行动；因为它的必定性，她痛恨确信；因为它的费用，她更痛恨战争。"[1] 因为思想上有这三

[1] 若无国会的帮助，她的岁入根本不够战争的担负。

种主观态度，而尤其是最后者，所以她宁愿依赖外交手段；又因为她缺乏必要的实力，来使其有效化，所以在斗智的战争中，经常受到帕尔马公爵的欺骗。直到无敌舰队（Armada）都已经出发了，他还在不断地提出和平建议，以此来掩护其在尼德兰的一切准备，可是伊丽莎白对于这些建议却大都深信不疑。

虽然如此，巴宾顿阴谋的暴露，遂显示出危机已经到达，1586年12月25日，伊丽莎白接受了群臣的劝告，命令其留在普利茅斯的舰队动员起来，在1586年至1587年的冬季中，在英吉利海峡内保持着一个支队，以防吉斯人拯救玛丽女王。1587年3月，玛丽已死，当主力舰队正在普利茅斯动员时，德瑞克爵士在普利茅斯也准备就绪了。他的任务是想要阻止西班牙舰队从各港口中驶出集中，当它们向英格兰或爱尔兰前进时，应尽量地加以截击，并阻止它们登陆。照惯例，这些命令下达了之后，伊丽莎白害怕这有挑起战争的危险，马上就想做极大的修正。德瑞克却深知女王的老脾气，所以在4月2日就马上出发，在新的命令到达之前，他早已在4月19日到了加的斯。他自己这样记载着：我们在这里留到21日为止，在此期间，击沉了一艘比斯开船（Biscayan），重1200吨；焚毁了克鲁兹的船一艘，重1500吨；另外还有31艘，其重量为1000吨、800吨、600吨、400吨、200吨不等。此外还带走了4艘装补给的船。此后，在补充了必要的补给之后，他又向里斯本进发。从那里他在4月27日这样写道："西班牙国王对于侵入战的准备，其规模之大可以说是古无前例的。"

里斯本是西班牙舰队的指定集中地，虽然克鲁兹已经在那里建立他的司令部，可是他还没有集中一个人。这是一个有坚强防御的港口。在港口之外向北去为卡斯卡斯堡垒（Cascaes Castle）所控制的投锚地，在它的紧邻又有圣朱利安要塞。5月10日，德瑞克在卡斯卡斯湾中投锚。这个港口中发生了极大的恐慌现象，所有的船只都纷纷砍断它的缆索，向最近的避难所逃走。被毁的船只吨数以千为计算单位，损失的物资更为巨大。以后据西班牙方面的计算，共损失船 24 艘，货物总值 17.2 万“达卡”。德瑞克并未携带陆上兵力，所以不能据守这个港口，于是他又转往圣文森角（Cape St. Vincent）——里斯本与地中海之间的战略要点。他们守住了这个要点，使敌人处于极为不利的状态。因为所有的船只都是分别地向里斯本集合。

在这里他们又使葡萄牙的渔船受到了重大的损失，此外还毁灭了许多吨数的制桶材料[1]。德瑞克若能留在这里不走，甚至可能完全阻止西班牙舰队的集合，但除非他能获得增援，否则是不可能的。5 月 17 日，德瑞克写信给英国大臣沃尔辛厄姆爵士（Sir Francis Walshingham）说：假使在这里再有 6 艘船，则我们便可以久留，下个月就是西班牙舰队从各地回国的主要时期，一定可以使他们蒙受更大的损失。

结果他无法久留，于是又转往亚述群岛。离开圣文森 16 天之后，6 月 8 日，他在圣米迦勒（St. Michael）的附近，发现了一艘大船，第二天就追上了。这是圣腓力号（San Felipe），是西班牙国王本人的一艘东印度船只，上面所装的货物价值 11.4 万镑，还有许多的文件，都是记载着有关东印度贸易的秘密。[2] 6 月 26 日，德瑞克回到了普利茅斯。他已经使西班牙舰队在这一年之内不再有出发的可能性。这对于英格兰而言，实在是太幸运了，假使真能如腓力的意愿，无敌舰队在 9 月底以前出海，则帕尔马公爵即可能已经渡过英吉利海峡。诚如他在致西班牙国王书中说的：假使侯爵能准时到达，则登陆将不会有任何困难。英国人和荷兰人都无力抵抗您的舰队。

此时，圣塔克鲁兹已经在赶紧补充他的损失，到了 1588 年 2

[1] 因为所有盐腌的食物、酒和水都要用桶装，所以这个损失是很严重的。

[2] 这些文件使伦敦的商人大感兴奋，后来他们组成了东印度公司，是为不列颠帝国在印度的基础。

月底，也就一切准备就绪了。可是他本人在1月30日却突然地死了。于是远征的行动再度搁置。他的死亡对于西班牙而言，是一个可与德瑞克的突袭相提并论的大祸，因为他是西班牙能力最强的海军宿将。腓力现在就派西多尼亚公爵（Duke of Medina Sidonia）去接替他的任务。这位公爵虽然是出身高贵，可是对于陆海军却从来没有经验。他上书国王要求辞职，但是腓力不准，只另派了一位合格的海员狄亚哥（Don Diego de Valdez）充当他的海军顾问。此外当西多尼亚公爵的舰队到达了海峡，就将任命帕尔马公爵为远征军总司令，率师前进。

当西多尼亚正在准备的时候，帕尔马公爵的主要准备则有如下述：从安特卫普和根特开一条运河到布鲁日，在华顿河（Waten）上建造70艘登陆艇，每艘可载30匹马，并装有上下起卸的跳板。在新港（Nieuport）建造200艘平底船，在敦刻尔克集中28艘战船，在汉堡、不来梅（Breme）、恩登（Enden）等地招募海员，在格拉沃利讷（Gravelines）制造2万个木桶，在新港和狄克斯莫德（Dixmude）等地为步兵2.06万人、骑兵4900人，制造营幕。

最先应分析这个时代中的海军发展，然后对于下述的作战才可以有较好的了解。

16世纪的战船，与以前各世纪不同的一个主要因素，即为重炮；尽管这种杀人的利器从14世纪起即已开始装在船上，可是一直到15世纪，这种火炮的威力才有足够的强度，能够一炮击毁当时的船只。这种兵器有两种显明的不同形式，一为前膛（muzzle-loader），一为后膛（breech-loader）。后膛炮的原始形式为一种“拼拢式”的火炮（built-up gun），即由许多根铁棒所组成，在上卷中已经有所详述。它的药室与炮管是分开的，在发射之前，用螺旋装上去。

一共有两种主要类型的前膛炮——加农和寇非林（culverin），都是装在炮车上。前者发射一吨重的铁弹，只有中等的射程。后者炮身较长，炮弹较轻，而射程也较远。这两种火炮的性质有如下表：

型式	膛	弹重	口径	最小射程	最大射程
加农	7. 25 英寸	50 磅（约）	18	340 步	2000 步
寇非林	5. 25 英寸	17 磅	32	400 步	2500 步

此外还有半加农（demi-cannon），其弹重 32 磅，以及半寇非林，弹重 9 磅到 10 磅（寇非林亦可称为长炮）。长炮中还有许多较小型的，例如 “Saker”，弹重五磅，“Minion”，弹重 4 磅，以及 “Falcon”，弹重 2. 5 磅到 3 磅，不过这些火炮全都只有杀人的效力。另外还有一种叫作皮里尔（Perier），射程较短，所发射者为 24 磅的石弹，到此时已经变得落伍了。

在 16 世纪开始时，在海上航行共有两种主要形式的船只。一为圆船（hulk），另一为长船（galley）。前者是用以载运商品，而后者则为标准的战船。但是不久，大洋的航行和火炮的进步又开始使船只的构造有了新的改变。在洋面上，风帆要比桨更重要，而用风帆的船只又更适用于使用船舷上的火力。

第一个转变时期是在 15 世纪，此时小型杀人性的海军火炮开始被采用。它们是装在两个炮台上面，一在船头，一在船尾——在过去未有火炮时，这种平台上是装置弓弩的，其目的是射杀登船的敌军。亨利七世的大船摄政号（Regent）上即装有这样的火炮 225 门——主要都是旋转式的火炮。

亨利八世带来了第二个转变期，他采用了前膛式的毁船火炮。因为这种兵器太重了，不能容纳在炮台之内，而且也不宜于作对付登船敌人之用。它必须装在上层甲板上，在主甲板上更好，必须在船只两侧开辟炮孔。第一艘装重炮的船为玛丽玫瑰号（Mary Rose），建造于 1513 年。

最后一个转变时期为船上的炮台逐渐变得没有需要了，而舷侧火力重量的增加，更要求甲板空间的增加。圆船逐渐发展成为正规的军舰，这种船的长度比宽度要大过三倍以上，而不像一般的圆船只相当于宽度的两倍。在 16 世纪中，这一类船中最著名者为德瑞克的复仇号（Revenge），这是一艘纯粹英国式设计的船。这种船是“竞赛”用的，又可以称为“平甲板”（flush-decked）式。虽然它的船尾和船头并不与腰部是完全看齐的，可是比起西班牙的战船，却要低到 25%—45%。这个事实使多数的英国船只都显得比西班牙的要较小，虽然双方海军中的最大船只其吨位是大致相等的。所谓“大帆船”（galleon）者，并非西班牙所独有，通常为四桅的帆船，具有当时一般船只所有的索具，但是其船壳的构造却比较接近长船，与宽度之比较大，也较为平直，船头低下，与长船相似，而不像圆船的船头拱起。这个时代中的英国战船，大约是两个船员摊一吨，而在西班牙战船上，则三个多人摊一吨。

火炮对于海军战术的影响，要比对于海军造船术的影响更大。在长船（快船）的时代中，主要的兵器为船头上的触角（beck），而主要的战术行动即为硬撞。虽然在接近敌人时，快船是可以采取纵队的形式，可是攻击的队形却是成横线的，正像陆战中一样，战斗就是突击或冲锋。在装有火炮的战船上，其主要的兵器——重型的毁船加农——不是装在船头上，而是在两舷上。当它们接近敌人时，一定要调动位置，使其侧面对着敌船——对于旧时代的快船而言，这是一种自杀的行为。所以在攻击时，其位置是与原有前进路线成直角的，为了使这种调动有秩序，并集中打击力量以对付敌人，所以在接近敌人时应采取纵队的阵容。

这个彻底的改变在当时尚未为人所认清，舰队进入战斗时还是蜂拥而上，其主要目的还是要攀登敌船。可是在英吉利海峡中与西班牙无敌舰队一经交手，纵队战术即开始成形了，这个理由可从双方舰队在军备方面的差异上获得解释。根据刘易斯教授（Prof. Lewis）的记载，可以列表如次：

舰队	船数	加农	皮里尔	寇非林	总计
英吉利	172	55	43	1874	1972
西班牙	124	163	326	635	1124
注：西班牙舰队除了这 1124 门重兵器，还有 1307 门轻型火炮					

英国人所有的长程火炮，要比西班牙人所有者多了两倍，反之在重炮弹中程火炮方面，则西班牙人也比英国人多了两倍。这种在射程和弹重上的差异，可以说明双方在战术思想上之不同。英国人集中全力在长程战斗方面，而西班牙人则注重中程和短程战斗。西班牙的战术目标为先使敌船丧失战斗能力，然后再攀登它。英国人的目标却是在远距离击沉敌船，或迫使它易帜投降。虽然英国人的火炮具有较大的射程，但是在长射程中，其威力却并不足以发生决定性作用。同样重要的，是这种火力并不准确，在远距离时能击中目标的弹丸并不太多。火力的不准确使海战也和陆战一样，变成了缠斗不休的状态，直到有来复线的枪炮发明了，这种情形才有所改变。所以在理论上，西班牙人宁愿依赖接近射程的打击力量，这样可以较易命中。

腓力对于英国人所将要采用的战术早已有所认识，所以当西多尼亚公爵开航之前，他曾经给予下述的警告："你应特别注意敌人的目的是想做远距离的战斗，因为火炮的射程较大；反之，我们的目的却是要接近敌船，钩住它们并登船作肉搏战。"可是很明显，他并未充分认清英国人的真正优势并不在于其较长程的火力上面，而是他们海员的技术较为优秀，事实上，他们的船只也比西班牙的更轻便，易于操纵。西班牙人惯于在良好天气中航行，而英国人却惯于与恶劣天气搏斗。西班牙的船只在外形上与其说像一艘船，不如说像一座堡垒。上面挤满了陆军的士兵，而真正的海员却感到人手不够，其地位也只比划桨的奴隶略胜一筹而已。在英国人的战船上，水手不仅驾船而且也打仗，虽然也是被迫服役的，但却每天还有四个便士的酬报。最大的区别，也是最大的优势，却是西班牙人仍继续使用快船时代的旧战船，船只分成集团以横队迎敌；可是德瑞克或霍华德（Howard）却介绍了一种新战术，大致以纵队的形式接战，这也是海战革命的先声。

对于英国海军将领而言，在西班牙舰队驶出之前的几个月当中，他们所遭遇到的极大困难却来自伊丽莎白本人。这个女人虽然具有很坚强的性格，可是在英国的历代君主中，她也许要算是最鄙吝的一个。而且她也真的害怕西班牙，这是不无理由的，因为西班牙在当时，本是世界上最强大的陆军和海军国家。她一直都只想和平，可是她却不了解，只要她仍然鼓励私掠的行为和支援尼德兰的叛乱，则和平永无可能。

在秋季中，一个小型的英国海军支队，在帕尔默爵士（Sir Henry Palmer）统率之下，与一个荷兰的支队联合在一起，一共只有 90 艘小船（只适合于内河与浅海中之用），开始封锁佛兰德斯的港口；但是一直等到 11 月 27 日，英国女王才召集了一个战争会议，讨论下述诸问题：可能的登陆地点，陆上兵力的使用，所使用的兵器和国内的安全。12 月 21 日，她任命霍华德勋爵（Lord Howard of Effingham）为“陆军中将，总司令，海上舰队和陆军的总管”。尽管德瑞克在她的海军将领中是能力最强的一个，但她却宁愿选择霍华德，这不仅是为了提高其舰队的威望，而且也因为霍华德的地位较高，容易获得部下的服从。德瑞克以后被任命为海军中将，在技术方面做霍华德的顾问。关于霍华德，托马斯 · 富勒（Thomas Fuller）曾经这样评价说：“诚然他并非一个内行的海员，但是他却能知人善任，而且从善如流。”

自从他从加的斯和里斯本回来，德瑞克就一直要求再做他那种冒险的突袭——在出发港口内去攻击西班牙舰队。假使当时他获得了准许，去再做一次这样的攻击，则西班牙舰队可能将永远无法出海了。最后，在霍华德已经受命为统帅后的第三天，他才奉命率领

30艘船只，向西班牙海岸进袭。可是接着，女王又害怕触怒西班牙人，收回了这个命令，并将舰队的员额减少了一半。这种犹豫不决的态度，使得霍金斯在1588年2月15日，曾经上书沃尔辛厄姆，表示严重的抗议。

他说："我们必须有所选择：是接受一个不光荣和不可靠的和平呢，还是决心一战，以求得一个安静的和平呢？照我看，最可靠和最有利的途径，就是决心一战，这也是全国人民的公意。"

霍金斯的意见正是与德瑞克一样的，认为攻击即为最可靠的防御。但是当他这封信发出不久，英国女王又获得了圣塔克鲁兹侯爵逝世的消息。于是她相信西班牙舰队现在又出发不成了，而且她也认为帕尔马公爵正处在困难情况之中。[1] 所以她就陷入了后者所布置的和平陷阱中，并派遣和谈代表团往尼德兰。关于这一点，霍华德在3月10日也向沃尔辛厄姆提出警告，说请女王小心，不要陷入敌人的圈套。此时，也不断有情报传来，说西班牙的舰队马上就要出海了。

假使伊丽莎白在天性上不是那样的趋向外交，则她应能认清帕尔马的建议实在是一个诡计，战争是绝对不可避免的，因为腓力相信他自己是在替天行道。他认为这是十字军的行动，其目的是想要把英格兰再收入天主教的怀抱。每一天，5万个教堂中都在做弥撒，腓力的海军船只都是以宗教圣哲命名的；他们的乘员禁止发誓、争吵、赌博和与不正当的妇女交游。船上都挂着帝国的旗帜，上面绣有基督和圣母的神像。

腓力对西多尼亚公爵下达了下述的命令："你接到我的命令之后，就应率领全部舰队出海，直向英吉利海峡进发，一直驶到马尔格特点（Margate）为止。然后再与帕尔马公爵取得联络，并保护他渡海。"他又警告他应该避免与英国舰队接触，并且说假使德瑞

[1] 大约一个月后，帕尔马报告腓力说，他的3万人当中只剩下了1.7万的有效兵力了。

克在海峡中出现，那么除了后卫行动，应该对他不予理会。他又给予西多尼亚公爵一个密封命令，那是留交给帕尔马的，告诉他假使这个远征失败了，他应该采取何种行动。

腓力交给西多尼亚公爵指挥的舰队一共有船 130 艘：20 艘四桅大帆船，44 艘武装商船，23 艘圆形船，22 艘差船，13 艘轻快帆船（pinnaces），4 艘中型帆船和 4 艘长船。[1] 这些船只的总吨数为 57 868 吨，火炮总计为 2431 门，驾驶的海员为 8050 人，所载陆军为 18 973 人。加上划船的奴隶和其他人员共计总数 30 493 万人。

全部舰队分为 10 个支队，其番号如次：

（1）葡萄牙支队，由西多尼亚公爵指挥，10 艘四桅船和 2 艘轻快船。

（2）卡斯蒂利亚支队，由狄亚哥指挥，10 艘四桅船、4 艘武装商船和 2 艘轻快船。[2]

（3）安达卢西亚支队，由皮德罗（Pedro de Valdez）指挥，10 艘武装商船和 1 艘轻快船。

（4）比斯开支队，由李卡尔德（Juan Martinez de Recalde）指挥，10 艘武装商船和 4 艘轻快船。

（5）古普兹可亚（Guipuzcoa）支队，由阿昆多（Miguel de Oquendo）指挥，10 艘武装商船和 2 艘轻快船。

（6）意大利支队，由柏登多拉（Martin de Bertendora）指挥，10 艘武装商船和 2 艘轻快船。

（7）圆船（Urcas）支队，由约安 · 哥米兹（Juan Gomez de Medina）指挥，共 23 艘。

（8）差船（Pataches）支队，由安东尼奥（Antonio Hurtado de Mendoza）指挥，共 22 艘。

---

[1] 其中实际可用的战船数在 60—70 艘之间。

[2] 狄亚哥本人与西多尼亚公爵在一起，同乘他的旗舰圣马丁号（San Martin）。

（9）中型帆船（galleasses）支队，由雨果（Hugo de Mon-ada）指挥，共 4 艘。

（10）长船支队，由狄亚哥（Diego de Medrado）指挥，共 4 艘。[1]

当西班牙人正在做种种准备时，伊丽莎白却仍在与帕尔马谈判，而德瑞克则被拘禁在普利茅斯，不准出海。3 月 30 日，因为他感到不能再久候了，他写了一封措辞极为强烈的信给女王的战争会议，据柯白（Cobett）说，这是纳尔逊所建立的新英国海军思想的起源。

他这样写道："假使陛下与诸位大人都相信西班牙国王是的确想要侵入英格兰，那么毫无疑问，他在西班牙必正在做充分的准备，而帕尔马的侵入也必须以这个舰队的行动为基础。若有方法阻止其舰队的行动，则他们即无法以征服者的姿态由海上来临，而帕尔马也被阻止在原地了。除了上帝的保佑，时间和地点的争取实为我们制胜的秘诀。假使我们能有 50 艘船，开往敌人的海岸边作战，则比更多的船在我们自己海岸边要大为有利。而我们出发得愈早，成功的机会也就愈大。"

4 月 13 日，他又直接上书女王说："在一切军事行动中，有利时间和地点的获得即等于胜利的一半，反之若是丧失了，则不可能重获。" 4 月 28 日，他又上书说："请恕我的直率陈词，因为我的良知逼得我必须指出危机的严重性。假使和平即不可能，则在西班牙的巨大军事准备必须迅速地加以阻止。将你的兵力送往远方去对抗他们，对于陛下和臣民而言，都是比较最廉价和有利的。"

结果，霍华德奉命将他的舰队主力开往普利茅斯。当他派遣了一个支队，交给西莫尔勋爵（Lord Henry Seymour）指挥，以去监视英吉利海峡之后，他本人于 5 月 21 日从英国北海方面出发，两天之后与德瑞克会合在一起。于是他就任最高统帅，而任命德瑞克

[1] 这个支队根本未出发。

为他的副帅，并自任战争会议主席。[1] 此后，霍华德就致书布尔莱（Burghley）说："我准备在此停留两天，以为舰队加水，以后，若是能获天佑，即将乘着第一次顺风的便利，驶往西班牙海岸。我的意图是停在英格兰与该国海岸之间，以来监视西班牙兵力的来到。"

此时，不断有谣言和情报从西班牙和公海上传来。4 月有一个谣言传来，说西班牙舰队将要进犯苏格兰。5 月 15 日，又谣传在里斯本已经集合好了 300 艘船，并且说他们都正在严加戒备之中，以防德瑞克的袭击。5 月 28 日，又获得了西班牙舰队已准备就绪，即将出发的情报。于是霍华德于 5 月 30 日率领舰队出海，德瑞克所一向主张的英勇计划似乎可以实现了。可是到了 6 月 6 日，受了逆风的压迫，英国舰队又退回到海峡中。几天之后，他接到了沃尔辛厄姆传来的命令，又可以证明英国政府还是在怯懦不前。女王又命令霍华德不要前往西班牙，而只是留在西班牙与英国之间的地区中，做无目的的巡弋。6 月 15 日，霍华德回报沃尔辛厄姆说：

> 关于我们应前往西班牙海岸的观念，我相信这是我们本国中所有具有最丰富经验的人经过深刻讨论后所做的判断。假使女王陛下认为可以与西班牙国王拖延时间，那实在是受了欺骗，大错而特错，可能会造成极大的灾难。因为这种对于和平条约的不正当利用，即足以明白地证明西班牙国王是想等到一切都准备就绪才开始行动。海洋是宽广的，但是我们若能留在他们的海岸边上，则他们就会不敢出海了，否则我们即可以打击他们的背面。

对于伊丽莎白和她的政府而言，比这种错误的战略更糟的，还

[1] 在德瑞克以下，英国的将领为托马斯 · 霍华德勋爵、希费尔德勋爵（Lord Sheffild）、威廉爵士、约翰 · 霍金斯、马丁 · 弗罗比歇和费纳（Thomas Fenner）。

是他们的行政。我们一再地发现霍华德对于补给的缺乏表示抱怨，一部分是由于逆风之所致，一部分是由于这个时代的效率不高，不过主要的原因却是伊丽莎白和她的大臣们都是鄙吝成性的。早在5月28日，霍华即曾致书布尔莱说："我的好勋爵，在这里所有的船长、军人和海员，照我看，其英勇的程度实为在英国所仅见的。可是当他们志愿为女王陛下捐躯赴难的时候，居然没有肉吃，那才是未免可怜了。"以后在6月15日，他又曾向沃尔辛厄姆提出同样的控诉。自此，霍华德和德瑞克两个人所写的一切文件，都可以大概分为两大类：一是"让我们攻击"，二是"看上天的分上，给我们送粮食来"。6月15日，霍华德向沃尔辛厄姆所上的报告中，曾经有下述的内容：

> 弗兰西斯·德瑞克爵士，霍金斯先生，弗罗比歇先生，以及其他具有最伟大判断力的人们的意见——这是我个人也表示同意的——都一致认为对付西班牙舰队的最可靠方法，就是在他们的海岸边，或在他们的港口中，将他们击败。我们的补给仍未到达，若是这种天气还继续不变，那我真不知道哪一天才会到达。

最后，6月17日，英国政府对于第一点算是表示让步了，并授权霍华德可以照他认为是"最适当的"办法去做。6月23日，补给品也已经送达，于是霍华德报告女王说，他马上就要出发了。他补充说："看在耶稣基督的分上，陛下，你应该彻底地醒觉，注意到包围在你周围的叛国阴谋，像一个伟大的国王一样，发挥你的力量以此来保护自己。假使你真能如此，则没有什么可怕的理由。反之，你若不能如此，则必将遭到危险。"

船只补充了给养之后——可能是在6月24日——霍华德、德瑞克和霍金斯就立即率领舰队出海。霍华德把舰队的主力控制在海峡的中流，德瑞克则率领一个支队，共20艘船，向阿善特（Ushant）

进发，霍金斯则率领另一支同样大小的支队，向西里（Scilly）前进。不久，风向又转向西南，于是舰队必须返回普利茅斯。从那里，霍华德于 7 月 16 日，向沃尔辛厄姆报告说："此时我们在西班牙海岸上留有 4 艘轻快船，但是你应注意为什么我们的补给会如此短少。"由此可知他的撤回并非完全是受风力的影响。最后在 7 月 17 日，他又上书给同一位大臣说："我从未看见过士气有比今天再高昂的，可是我还是寸步难移，因为我缺乏金钱。"

这就是当时英吉利舰队的情形，并且注定了四天之后，即将与西班牙的无敌舰队会面。它的组织如下：（1）皇家海军，34 艘，以皇家方舟（The Ark Royal）为其旗舰（重 800 吨）；（2）伦敦支队，30 艘；（3）德瑞克的支队，34 艘；（4）霍华德勋爵的支队，28 艘，全为商船与近海船只；（5）15 艘补给运输船和 23 艘志愿船，以及在北海边上的西莫尔勋爵的支队，共有船 23 艘。[1]

5 月 20 日，当英国舰队尚集中在普利茅斯时，西班牙舰队出海了。但是大西洋上的风涛是那样的险恶，6 月 9 日，西多尼亚公爵遂率部进入拉科鲁尼亚（La Coruña）避难。在那里使他感到惊慌的是许多补给品都腐烂了，并且有大量的饮水都已经从新制的木桶中漏光。他也发现有许多船需要修补，有许多人都已害病，在召开了一次战争会议之后，他送了一个建议给西班牙国王，主张暂停这次远征，到明年再图大举。腓力拒绝考虑这个建议，于是在采购了一些新的补给之后，尽管天气恶劣，西班牙舰队在 7 月 12 日还是再度开航了。7 月 19 日，可以望见理查德（Lizard），在那里西多尼亚公爵暂息了几个钟点，以等待其全部船只赶到。第二天，他向东航行，在午夜前不久的时候，从一艘捕获的英国渔船上，获得了

[1] 这些船只中多数都未参加战斗。在会战中，双方所依赖的都是全部实力中的一部分。英国方面为女王的船只及少数其他的船只；西班牙方面则为他们的四桅船、武装商船和中型炮船。

英国舰队在那天下午已经出海的消息。这实在是不确实的。

当西班牙舰队正在可以望见理查德的时候，弗莱明（Capt. Thomas Fleming）船长——他是留在海峡中监视敌军的 4 艘快船中之一的指挥者——就报告着说他们来了。这是一个完全的奇袭，霍华德和德瑞克发现他们自己现在的处境，正是和他们意图中所希望敌人的处境完全相同——即为在对方的海岸上或港口中攻击对方的舰队，并把他们击败。虽然如此，在这个星期六，7 月 20 日，霍华德还是马上率领其舰队中的 54 艘船，毅然地驶出了海峡。还没有走到艾地斯东（Eddystone），即发现西班牙军，可以明显地看到其全部的舰队，向西排开直到福伊为止。霍华德于是收帆，只留着光桅杆。

因为在伊丽莎白的朝代中，从来不曾颁发过关于战斗的训令，所以不可能说出霍华德所采取的是何种战斗序列。更可能根本上无序列可言，仅仅只是"跟着我的领袖"（follow my leader），因为在当时，他的舰队甚至尚未组成支队。此外，虽然有人形容西班牙舰队的阵容是好像一个新月形，但也无记录足以当作确证。我们所能确知的是，它也还是依照惯例，分为主力（main battle）、前卫（右翼）和后卫（左翼）。柯白认为根据假想的战略情况，这三个集团的船只，是可能组成两个区分（Division）——或半独立的舰队。主力部分，由西多尼亚指挥，在前面迎击霍华德，他是被假定留在达特茅斯（Dartmouth），而前后卫则都留在后面，以对抗德瑞克，据说他是留在普利茅斯的。这里的附图即表示他所假想的阵容，若从后方看去，则也似乎颇像一个新月形。

因为德瑞克在海峡中并未露面，所以西多尼亚认为他一定还在普利茅斯港中熟睡未醒。可以击毁他的机会是太明显了，所以西班牙舰队的总船长（Captain General）李弗亚（Don Alonzo de Leyva）和其他的人员都力劝西多尼亚应乘德瑞克尚未驶出海峡即先将其击毁。这也是常识，因为要施展他们的侧舷战术，英国人必

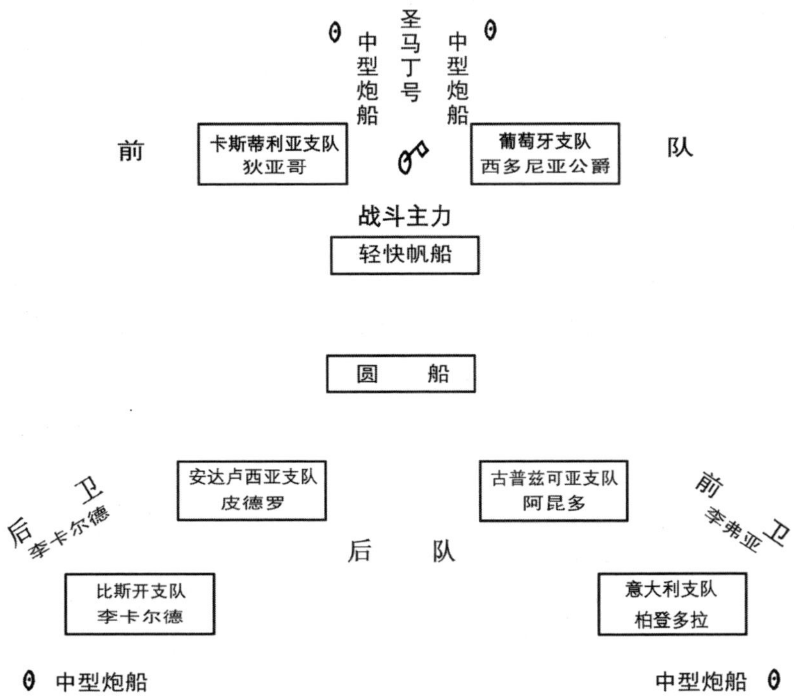

须有宽广的海面以供调动之用，而西班牙人则依赖攀登的战术，所以希望在狭窄的水面上作战。假使李弗亚的建议能够立即被采纳，则英国的舰队也会像勒班陀之战中的土耳其舰队一样，遭到一次惨重的失败。但是西班牙国王的命令却是一个拦路鬼，所以西多尼亚拒绝听信他的建议。

说来奇怪，在 7 月 20 日这一整天之内，西班牙人都不曾看见英国的舰队。一直到第二天凌晨 1 时，他们从几个俘虏的口中，才知道德瑞克和霍华德都已驶出了普利茅斯。西多尼亚立即投锚，命令他的各支队指挥官摆成战斗序列。

当他们正在采取这种行动时，月亮升起来了，把他们的位置显示了出来，使英国人看得很清楚。接着，西班牙人注意到有 8 艘英国船所组成的一个小队从普利茅斯港口出来，迎着风向海岸与西班牙舰队左舷之间疾驶，他们错误地认为这就是英国主力舰队的前卫。哪知道霍华德和他的 50 多艘船，却顺着风向艾地斯东的西方行驶，距离西班牙舰队只有两个“里格”。在拂晓的时候，西多尼亚不禁大吃一惊，他发现大批的敌方舰队正使他居于逆风的地位，准备来攻了。他认清了现在已经无法避免战斗了，于是升上王室的旗帜，这也是全面备战的信号。

英军占着“天气的便利”（weather gauge），使自己顺风而敌人逆风，可以获得主动和机动的便利，而且炮烟也顺风吹向敌方，足以蒙蔽敌人的视线。他们排成一条单长线——西班牙人称之为“Fnala”。依照柯白的记录，他们首先经过了西班牙的前卫，即后方区分的右翼和下风方面，一面行驶，一面从远距离发炮射击，然后打击在后卫的部分上，这只有在采取密接纵队时才能达到这个目的。这个效果马上就显示了出来，西班牙后卫中有一部分船长立即发生了可耻的恐慌现象。为了阻止部队溃逃，李卡尔德立即乘“Gran Grin”号赶上，于是又马上受到了德瑞克、霍金斯和弗罗比歇的包围，他们把强烈的火力向该船注射，其程度的强烈是在海上战争中所空前未有者。接着皮德罗的坐船也参加了战斗，不久，西多尼亚公爵也在他的旗舰圣马丁号中加入了战斗。可是直等到李卡尔德的船只完全丧失了作战能力，西多尼亚公爵才能集中足够的兵力来救援他。霍华德于是摆脱了这次战斗，不久，西班牙舰队军需处和金库所在的圣萨尔瓦多号（San Salvador）被击中起火，退出了战线。霍华德遂用信号通知他的部队，赶紧趋向这艘正在燃烧的船，结果又引起了一场新的战斗，此后他又命令撤退了。

两国舰队的这第一次交手，在精神上是具有极大的重要性。它证明英国船只和炮手都远比西班牙的优秀。后者因为未能攀登敌船和放弃了圣萨尔瓦多号，在精神大受打击。诚如西多尼亚公爵所说的：“敌人的船只是那样轻快便利，所以对于它们有无可奈何之感。”

那天夜里，霍华德指派德瑞克守夜，接着就在“皇家方舟”号上举行了一次战争会议，大家一致认为西班牙人一定会趋向怀特岛，以便在英格兰的土地上建立一个基地，并为其舰队寻找一个投锚地——很明显这是唯一的正确路线。西班牙的各船长也的确劝说西多尼亚公爵采取这条路线，因为英国人的战术使得西班牙人的弹药消耗得太厉害，所以他们认为必须在英国的南部海岸上占领一个港口或碇泊所——实际上即为怀特岛——于是西班牙舰队可以掩护着弹药补给，源源地自西班牙流来，并且坚守等到与帕尔马公爵取得合作之后再行动。为了阻止这个可能事件的发生，英军的战争会议遂决定向敌人立即实行追击。德瑞克在复仇号上点起船头上的大灯，率领舰队在夜间采取行动。

当深夜之后，突然他的灯不见了，于是在他后面的船只有些徘徊不前，有些保持着航向不变。结果乱成了一团，等到 7 月 22 日日出时，还不曾看见复仇号的踪影。

事实的真相有如下述：当德瑞克听说皮德罗的船只已经损坏了，不能动弹，于是他熄灭了他的灯，偷偷地前进，因为据说皮德罗船上存有大量的珍宝。在上午的时候，他捕获了敌船，把它护送进入了托尔拜港（Torbay），才又回来加入大队。[1] 很明显，他这次行动完全是见财起意，其他的人员都感到不平。弗罗比歇说：“他想使我们对于这 1.5 万达卡不能染指，可是我们见财有份，否则我就要请他肚子里流出鲜血来偿还我。”

英国舰队中途发生了混乱，使西多尼亚公爵获得了一个喘息的机会，有时间改组他的后卫——现在改由李弗亚指挥；至于前卫部分则仍保留旧有的组织不动。因为西莫尔的支队尚未遭遇着，所以他又扬帆前进。英国舰队等到了 7 月 22 日黄昏才重新集合完毕。此时风已经息了，双方舰队都停止行驶，在波特兰（Portland）和

[1] 他对于皮德罗的招待十分有礼貌，请他同桌用膳，住在他自己的舱里。

圣阿班头（St. Alban’s Head）之间，彼此相隔在炮弹射程之内。

次日拂晓时，风从东北面起来，这就使西班牙人占了风向的便利，西多尼亚公爵马上发出全面备战的信号，战斗又续起。不久弗罗比歇的坐船凯旋号（Triumph）——1100 吨，为英国最大的船只——和另外 5 艘船受到敌人的包围。西多尼亚公爵看见了这种情形，立即率领他的 16 艘最好的四桅大船，去阻止霍华德救援凯旋号。可是在突击之下，经过了一度激烈的战斗，西班牙人却被迫放弃，像一群绵羊似的被赶开了。据霍华德的记载：从上午到黄昏，这场战斗都是激烈地继续发展着，统帅也始终在英勇地战斗着。也可以说有史以来，都不曾看见大型炮弹会具有这种可怕的威力，也从来不曾见过如此激烈的战斗。虽然轻武器的数量也多至无限，可是在巨炮声中简直使人分辨不出来。

第二天，霍华德的记载又告诉我们说：几乎不能再战，因为大部分的弹药都消耗完毕了，于是他只好派快船和小艇到岸上去接运新的弹药补充。并且把他的舰队分为四个支队，由他自己、德瑞克、霍金斯和弗罗比歇四个人分任指挥。这是第一次，我们发现英军正式企图在混乱中整理出一个秩序来。在此以前，除了第一次交战，英国的船只也还是蜂拥而上地实行混战，在他们中间只有几艘最杰出的船只，担负着最重的战斗责任。现在这些船长就要分别率领自己的支队了，虽然这并不是说，霍华德和德瑞克已经决定此后采取纵队的战术，可是因为每个支队都会随着他们的领袖行动，所以这也就是朝这个方向走的一个具体步骤。此外为了便于进攻，霍华德又规定在夜间，每个支队中应抽出 6 艘武装商船来牵制敌人，使西班牙人经常在紧张戒备之中。

不幸，风又息了，于是这个牵制性的攻击必须放弃。此时，西多尼亚公爵决定以 40 艘船只为其后卫，而主力则继续前进，但不久，在怀特岛以南几英里远的地方，又因为无风而停止了。

第二天，7 月 25 日星期四的上午，霍华德发现李卡尔德的旗舰圣安娜号（Santa Ana）脱离了大队，留在较南的位置上，遂命令霍金斯放下一些小艇去攻击它，接着，在西班牙方面，有 3 艘中型的炮船也向这些小艇划去。但是霍华德的方舟号和金狮号，却使他们受到了重大的损失。于是风又起了，双方舰队再交手，一连激烈地打了几小时之久。卡里爵士（Sir George Carey）对于这一点曾有下述的记载："因为弹药消耗得太多，在这个时候，火力还是非常强烈，好像是在陆战中用枪弹一样，而不像是在海战中用炮弹。不过谢谢上帝，在这样的激战中，我方居然并无一两个人受伤。"——对于这样一场激烈的战斗，似乎可以算是一个反高潮。

西多尼亚公爵对于这一天的战斗本存有很大的希望，但是当他发现他的船只这一次又赶不上敌人时，就放弃了一切夺占怀特岛的希望，派了一艘快船去通知帕尔马，说他就要来了，同时立即向加来前进。于是霍华德也向多佛转进，以求与西莫尔勋爵和温特尔爵士（Sir William Wynter）的兵力相会合。

这一天的战斗真正决定了这整个冒险事业的命运。西班牙人并未被击溃，截至此时，其损失也极有限，但是英国人的拒绝接近战术，即拒绝为西班牙重炮所轰击，却使双方的弹药都消耗殆尽了。霍华德可以从附近的港口中获得补充，而西多尼亚公爵则在尚未达到佛兰德斯之前，即完全无法获得接济。

7 月 26 日星期五的拂晓时，霍华德说："西班牙人在英军的前面，像绵羊一样地退去了。"这并非由于他们害怕英国人，而是因为炮弹打完了。星期六的黄昏，西多尼亚公爵到达加来附近，就投锚在加来与格里内角（Cape Gris-Nez）之间。英国舰队所投锚的地点，距离敌方在长炮的射程之内。此时，西莫尔和温特尔的兵力都已经与霍华德会合在一起，于是他所统率的兵力增到了 136 艘船，其中 46 艘为"大船"，而西班牙舰队的实力则已减到了 124 艘。

战术情况已经完全改变了，因为霍华德在弹药方面，至少可以获得一部分补充，而西多尼亚公爵则完全不能够。所以霍华德现在可以从心所欲地进到轻兵器射程边缘上，用他的长炮作为真正毁船性的火力。现在已经到了紧急关头——西班牙舰队已经受困了。但是若想攀登西班牙的船只，则毫无疑问是一个无希望而成本昂贵的行动，因为他们军人的训练和装备，都是最适宜于应付这种攻击的。

这种情况是早已在预料之中，在西班牙舰队尚未进入加来碇泊所的前些日子中，沃尔辛厄姆即曾将一个命令送达多佛，搜集一些渔船、沥青和柴薪，以来制造火船。这个建议可能是得自霍华德和德瑞克，他们一定能够看清楚，假使敌人不能控制海峡，则势必被迫进入某些港口或碇泊所。

在 7 月 28 日（星期天）的清晨，英国方面又在皇家方舟号的主舱内召开了一个战争会议。会议决定，攻击的时机如此迫切，已经没有足够的时间来从多佛取得火船，于是直接在舰队中选择了 8 艘 200 吨以下的小船，改装作火船之用。因为准备时间太仓促，连船上的炮都来不及拆卸。

当他到达了加来，西多尼亚公爵立即派了他的秘书去催促帕尔马公爵赶紧采取行动。可是当他出发不久，以前那个乘船前往的使者又回来了，说帕尔马还在布鲁日，截至目前，尚无一人上船。接着，他这位秘书也回来了，说在 14 天之内，帕尔马是不能使其陆军上船的。

真正的事实似乎并不是帕尔马部队上船的行动迟误了，而是因为朱斯蒂尼安（Justinian of Nassau）所率领的荷兰舰队封锁了港口，使帕尔马无法出来。必须先把朱斯蒂尼安的船只赶走，否则他的部队即令已经上船，也还是毫无用处。这支封锁港口的荷兰舰队，对于这次战役具有极大的贡献。否则即令有西莫尔爵士支队的拦截，当西班牙舰队正在怀特岛附近的时候，帕尔马即可能有渡过海峡到达马尔格特点的机会。米特伦（Emanuel van Meteren）对于荷兰舰队封锁的效力曾经有下述的评论："荷兰的船只始终继续留在帕尔马的船只前面，不断地以火力来威胁他们，使他们感受到极大的不便。因为害怕这些船只，海员们都秘密地撤退了，因为他们害怕陆军登船之后，帕尔马公爵就会强迫他们冲出，以来突破荷兰舰队的封锁线，照他们看来因为港口的平直，这是完全不可能的。”

在西班牙舰队方面也极感失望，因为加来的总督已经向西多尼亚公爵提出警告，说这个碇泊所非常危险，同时他们又接到从帕尔马方面传来的坏消息。如路易斯（Don Luis de Miranda）所记载的：“我们全夜都在投锚之中，而敌人投锚的地点距离我们只有半个里格远。只有决心等候,因为没有其他的事情可做。预料敌人必将来攻，所以在星期日一整天中，我们都在加强戒备。”上述的记载并不完全正确，因为英军用火船进攻的机会至为明显，所以西多尼亚公爵已经命令用巡逻艇组成了一个支队，以便在火船放出时，即可加以拦截。

午夜已经过了，这是星期一的清晨，在万籁俱寂之中，西班牙的哨兵看到了有几艘潜装的船只向他们接近了，然后突然地发出了火焰。安特卫普的“地狱燃烧者”（hell-burner）在他们记忆中还是很新的——3 年前曾经使帕尔马损失了成千的人员——在火光照耀之下，西班牙人感到心旌动摇了。西多尼亚公爵发出了一个送命的命令，叫各船砍断锚索。他的原意是等到火船过去之后，再来重占这个投锚地，又是在混乱之中发生了恐慌现象，在黑暗之中，有许多船互相碰撞。有一个西班牙军官这样写道：这种火船使英军大获利益,因为只用 8 艘火船即使我们全部溃散,他们虽拥有船只 150 艘，都不敢做这种企图。

当火船等已流远——实际上并未造成任何损失——西多尼亚公爵即命令放了一声号炮，通知其所属舰队再集中到加来去。有少数船只立即遵从了这个命令，但是多数的船只因为丧失了两个锚，专靠剩余的一个锚已经系留不住了，于是沿着海岸向东北漂流。最后西多尼亚公爵才认清了因为风向是西南，所以这些船只是无法向他的旗舰圣马丁号靠拢的，于是也命令起锚，驶往中流随着其他的船只走。

拂晓之后，霍华德的部下发现他们已经居于有利的形势，胜利正在向他们招手：沿着海岸向敦刻尔克方面，西班牙舰队都分散着流开，不可能再回到加来碇泊所了。搁浅在沙滩上，紧靠城镇的炮口下，是一艘中型炮船卡皮塔那号（Capitana），上面有雨果所率领着的 800 人。现在霍华德对敌方舰队有了攻击的机会，他本来已经前进了，可是这艘大船对于他似乎是一个太具有诱惑力的香饵。于是他竟然不去追击逃走中的敌人，而先去攻击这艘孤船。经过了一番苦战，才俘虏了它，雨果也战死了。

德瑞克、霍金斯和弗罗比歇却立即发动船只，去追击敌人。他们的弹药已经极感缺乏，所以尽量地接近敌人以使弹无虚发。这种行动现在不算冒险，因为西班牙人的炮弹也早已打完了。在这种追击战中，他们的目的是想抢到西班牙船只的上风位置，而把其余的残敌向下风往西兰（Zeeland）的海岸上赶去。米特伦对于这次战斗有下述的评述：

> 英国船只善于把握风向，进退灵活，随时给予敌人以打击。他们常常非常接近西班牙船只，时而左舷时而右舷，不断地将大小炮弹向敌船发射。

沿着海岸向敦刻尔克，战斗在不断地发展，大约在上午 9 点钟时，双方舰队正在格拉沃利讷的岸边交战。这场战斗直到下午 6 时才结束。在西班牙方面，艾斯塔德（Estrade）的记载是颇有趣味的。他对英军火力的厉害有很生动的描写。

他说：“我们正在向北和东北航行，秩序异常混乱，彼此间距离都不一致。英军占着我们的上风，向我们做巧妙的射击，各炮并能彼此合作，使我方损失惨重。”这种对于英军炮术的赞扬也与温特尔的报道相符合。温特尔在 8 月 1 日致书沃尔辛厄姆说：“我的船只已经发射了500发炮弹，有时与敌船距离极近，彼此说话的声音都能听见。所有的人员都有良好的表现，毫无疑问，敌人所受到的损失极为惨重。当人员都已疲惫不堪，而且弹药也都已消耗完毕时，我们才停火，但仍然尾随着敌人追击。”

大约是下午6点钟的时候，战斗达到了最高潮，西班牙舰队的毁灭似乎已成定局。可是风向突然转变，向着敌人吹去，这使久战的疲兵大感欣慰。于是霍华德和德瑞克立即摆脱了战斗，[1]而李卡尔德的另一艘船，665吨的马利亚 · 约安号（Maria Juan）也在此时沉没了。随着这一阵风，会战也告以结束。西多尼亚公爵被迫退出了海峡，到了敦刻尔克以下的地点，与帕尔马携手的机会也就愈来愈小了。

当夜幕将垂时，风力增大，西班牙舰队中有3艘船都被吹上了海岸。7月30日（星期二）拂晓时，西多尼亚公爵从他的旗舰上，看到英军的109艘船正处在他这个分散了的舰队后方，距离不过半个里格而已。根据杜罗（Duro）的记载：

> 公爵放了两炮来集合他的舰队，并派了一艘快船去通知各船以船头向风和保持接近岸边的位置。因为同样的原因，敌人也留在隔离很远的位置，知道西班牙舰队是一定会全军覆没的。在旗舰上的驾驶人员和在这个海岸上有经验的人员都告诉公爵说：假使风向仍保持着西北不变，则西班牙舰队中将一艘船也救不住。所以每个人都应上岸去。只有上帝才有能力阻止它。这时舰队处在危险之中，在六英寻半的深水中，根本无处可逃避。幸亏是天意，风向转为西南，于是船只都没有损失。

在整整一星期的战斗中，尽管西班牙方面已经用去了10万发

[1] 事实上，他们的弹药也已经用完，无法再战了。

以上的大炮弹，可是英国船只中却并无一艘受到重创。阵亡的人只有一位船长和20余名海员。反之，专以格拉沃利讷一战而论，西班牙军即死了600人，伤了800人。

7月29日黄昏时，西多尼亚公爵召开了一次战争会议，决定假使风向转变，西班牙舰队即应再度企图控制海峡，尽管在此时，他的船只是既缺乏补给，又缺乏炮弹。在另一方面，若是不再能进入海峡，那么唯一可行的路线即为绕道北海回西班牙去。因为风向始终不变，结果采取了后述的路线。

这是一个令人丧胆的冒险，不仅因为他的多数船只现在都已经损坏，而且所有的补给也不够这样长程航行之用。虽然如此，尽管一方面碰着恶风，把他们向北吹，而另一方面又受到了德瑞克的追击，可是西多尼亚公爵还仍然有机会来挽回这个厄运。这就是他可以在福斯（Forth）登陆，以此来鼓动苏格兰人反对英国女王。可是此时他却一心只想回西班牙去。8月2日，经过了福斯，西班牙舰队结成一个整体，向奥克尼（Orkneys）群岛进发。第二天，霍华德放弃了追击的意图，于8月7日返回了英国北海方面的诸港口。

8月8日，他从马尔格特碇泊所上书与沃尔辛厄姆说："我祈祷上帝让我们可以听到补给的消息，我们大部分时间都是在挨饿的。"此外为了预防敌人再卷土重来，他又力劝英国政府应注重国防。

这个故事的后半段更是悲惨，当西班牙舰队向本国返航时，一路的损失极为巨大。许多船只都中途沉没。他们在5月从里斯本出发时，一共为130艘船，其中有63艘是认定丧失了。有2艘是为敌人所夺去，3艘在法国海岸边丧失，2艘在荷兰海岸边丧失，在格拉沃利讷之战被击沉了2艘，在苏格兰与爱尔兰之间的海岸边，一共损毁了19艘，还有35艘失踪，不知下落。英国人却连一艘船都没有损失。

那些在爱尔兰海岸边上失事的船只，其人员逃上岸后，又都为英国人所残杀，可是有些船虽未失事，但其乘员所遭受到的苦难却更有过之，因为创伤、疾病、饥饿和口渴，死亡者也数以千计——有些船只断水达到了 14 天之久。最后到了 9 月中旬，才有一个使者从艾斯柯列尔（Escorial）先赶回来，说西多尼亚公爵已经于 9 月 12 日回到了该港。当这位使者把这些坏消息报告腓力时，他正坐在桌前。听完了之后，腓力却并不改常态，只是这样说："我应感谢上苍，使我具有这样大的权力，假使我愿意的话，我可以很容易地再建立一支舰队，只要泉源不断，则一道流水虽有时被阻止，也并无太大的重要性。"

这显然是上帝的意志，他勇敢地接受他的失败。他对于这些英勇的将士在这次遭殃的十字军远征中所受到的苦难，却并非毫不关心。他倾其全力来抚慰他们，使其各安生理。他不但没有责备西多尼亚公爵，反而命令他重返加的斯，并继续做他的总督。

英国女王伊丽莎白的作风就完全不同了，她的第一个考虑就是裁减费用。她与腓力完全不同，在她的个性中，是毫无侠义和伟大的气概。而且假使她的心灵和她的头脑是一样女性化的，则在刚刚胜利之际，实不可能坐视她的英勇海员们因为贫困和疾病而走上了死路。

霍华德的书信可以作为铁证。8 月 10 日——这是他追击归来的第三天——他写信给布尔莱说："我们中间疾病和死亡的数字很奇怪地增加了，在马尔格特所看到的情况是十分凄惨，因为无处可收容他们，有些人就死在街头上。" 8 月 29 日，他又写信给布尔莱说："在这种忠勇的服役之后，再看到这些人员挨饿，实在太使人伤心了。所以我宁愿打开女王陛下的钱袋，以来多少解除一点他们的痛苦，假使对于这些人，不能有较好的待遇，而听任其穷困潦倒，或病或死，恐怕将来我们再也难找到人来服兵役了。"

虽然当时很少有人能够认清，可是这次战役对于海军战略和战术所产生的影响却是极为巨大。从这里逐渐演化出来许多原则，在蒸汽船尚未出世之前，所有的海上战争都莫不受到它们的限制。

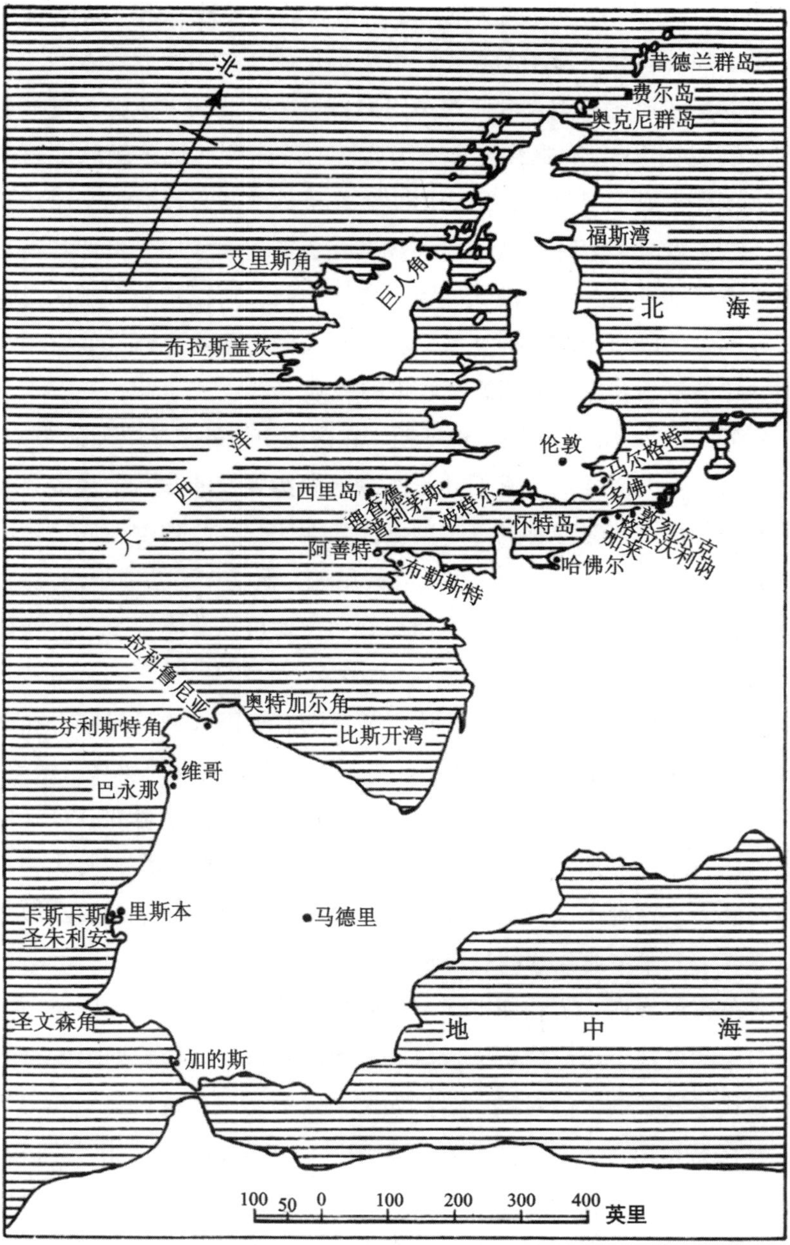

图一　无敌舰队之战，1588 年

第一，这次战役证明基地对于制海权的重要性。德瑞克在 1587 年对于加的斯和里斯本的攻击，对于保护英格兰不受到侵入的观念而言，实在要比在英吉利海峡中击毁西班牙舰队的方法更为可靠有利。假使在 1587 年能够再来一次这样的攻击，西班牙舰队即可能永远不会出海了。反之，因为西班牙在英格兰附近没有一个海军基地，这也就是西班牙舰队不能完成其任务的主要原因。自此，因为很少有可能性迫使一个敌人在海上接受会战，所以把敌人舰队封锁在其本国的港口中和同时使敌人无法在英国海岸附近建立其海军基地，这两点遂变成了英国海军政策的基础。

第二，这次战役也明白地证明，在会战中依赖武装商船的失策。在这次海峡的战斗中，它们几乎完全未做实际性的参与，最多只有助威的作用，使对方感到这个舰队庞大无比，在心理上造成一种威胁而已。作为突袭者，它们也还有其用途，但是作为会战中的主力，则是害多于利。假使英国人不使用它们，就可以节省很多的金钱而不会影响战局。

第三，双方的炮兵都未能达到其目的。英国人的长炮威力和命中率都不够，除非在接近的距离，否则不能击毁敌人的船只。诚然，在接近的射程中，西班牙的加农炮也同样能达到这个目的，可是他们的船只太不灵便，而海员的技术也较差，所以无法发挥其优势兵器的威力。这种不决定性继续成为海战中的通常现象，而加农炮也有变成了海军主要兵器的趋势。

在历史方面，照梅里曼（Merriman）在《西班牙帝国的兴起》一书中的说法，这次西班牙舰队的失败，其最大的影响即为使腓力的朝代蒙受了极大的灾难。话虽如此，战争还一直拖延到 1604 年，双方在筋疲力尽之后，才签订了和约。这个和约对于英格兰而言，是既非有害也不有利，同样对于西班牙也无任何重大的后果。西班牙的领土既未增加一亩，英国的也未减少一亩，两国的王朝均未改变，政策和宗教也都未受到任何影响。那么，这次会战的决定性又在哪里呢?

诚然，这一战使英格兰免于侵入之危难，但这却也是有条件的，因为荷兰舰队对于这次胜利的重要性，并不亚于霍华德和德瑞克的所为。即令霍华德和德瑞克的兵力不出海，西班牙舰队也不一定就能赶走荷兰的“海上乞丐”，因为他们的船只吃水较浅，可以在近海活动，而笨重的西班牙船只却不能够。不过姑且把这个假设摆开，则西班牙舰队的失败，对于英国人而言，要算是自从哈斯丁会战之后，第一个最具有决定性的会战。它救了英格兰，也使西班牙的国威受到了致命的重创。它使全世界认清了这个巨怪的脚是黏土做成的，西班牙权力大厦是建造在沙土上面的。这个帝国的安全和海市蜃楼一样不可靠。这是一种幻觉，差不多一个世纪以来，都使世界上的人对之望而生畏。而凭着西班牙的资源、财富和人口，是不足以造成这种威望的。

自从1492年格拉纳达的征服起，西班牙完成了许多惊人的伟业。突然，她的子民伸出了他们的手来，伸到这个已知世界的极限。他们征服了墨西哥和秘鲁，在南美、中美和北美，到处建立殖民地，跨过了印度洋，使人们对他们产生了不可以击败的神秘感。他们完成了这些近似神迹的事业，因为他们相信自己是上帝的选民。西班牙无敌舰队的失败，使他们的信念粉碎了，幻想消失了，这本是他们狂热的基础。30年之后，西班牙开始衰颓了，并不是因为与英国的战争时间太长使其国力匮竭，而是因为他们的信心已经丧失了，这才是一个致命伤。

这个精神上的崩溃也还另有一个原因：那就是当无敌舰队起航之前，西班牙人并未能了解海权的真正意义。假使他们真的懂得这一点，那么在他们企图充分控制其分散的土地之前，必须先控制海洋。制海权对于他们是非常重要的，为了防止其与新世界和印度之间的贸易被切断和确保其在尼德兰的立足点，他们都必须先控制海洋。因为缺乏制海权，所以霍金斯和德瑞克之流，才敢于到处抢掠西班牙的运宝船，洗劫西班牙的殖民地，甚至驶入加的斯和里斯本的港口，公开侮辱西班牙的国旗。因为缺乏制海权，联合省区才会丧失，它直接造成西班牙舰队的覆亡。西班牙一向即未曾获有制海权，而当西班牙舰队驶入英吉利海峡时为尤然。从今天事后看来，也许要比 1588 年还更为清楚：这支无敌舰队从一开始，就是命中注定了要毁灭的，不仅是因为他们在航海技术和战术两方面都不如敌人，而且因他们的指挥官对于海洋根本上缺乏认识。

从第一眼看来，似乎是很奇怪的，只有两个民族不曾为西班牙的神秘所迷惑，那就是英国人和荷兰人，都是弱小民族。但是再想一下，就会感到毫不足怪了，因为这两个国家都是海权国家，即令他们的地位是如此微弱，可是却至少能控制着他们的本土附近的海面。他们能够做到这一点，才能击败西班牙的舰队，并且开始向帝国主义的道路迈进。不到一个世纪的时间，他们彼此间又成为劲敌了。

这两个民族所学会了的一个教训即为：尽管是小国，其资源和本国的权力都极为有限，可是只要他们控制了海洋，则照样可以赢得和守住巨大的海外领土。反而言之，即令是泱泱大国，虽然他们可以在海外获得广大的土地，可是除非他们能够控制海洋，否则一旦面临着严重的挑战，即会感到无法应付了。[1]

西班牙舰队的失败，好像是一个耳语一样，把帝国的秘密送进了英国人的耳中；在一个商业的时代中，赢得海洋要比赢得陆地更为有利，也许在 1588 年，对这一点还并无太明确的认识，可是在以下的一个世纪中，这个耳语的声音就变得愈来愈大了，终于成为

[1] 直到这一次巨大的失败之后，腓力才开始着手建立一个远洋海军，以建立西班牙的制海权。为了确保其海外的财源，他放弃了用大舰队来载运的老办法，而改用一种叫作“gallizabras”的快速武装船只，虽然载重只有 200 吨，但却不需护送而自由航行。虽然这并非战船，并不能帮助其赢得与英格兰之间的战争，但却可以使英国的突袭者无法施其惯技，因此也可以使英国人无法赢得贸易的战争——实际上，这也是真正的战争。

每一个英国人的呼声。

所以西班牙舰队的被击败，其历史上的重要性是这样的：它为大不列颠帝国奠定了基础，使英国人获得了西班牙所丧失的威望。这种威望和对于其国运所具有的信心，促使英国人走上了帝国主义的道路。最后他们的旗帜飘扬在世界之上，成为亘古未有的海洋大帝国。这个帝国从兴起到衰颓，中间差不多经过了300年以上的时间。

大事记（二）

基督世界的分裂

封建欧洲的进入文艺复兴时代，经院主义的衰亡和人文主义的兴起，教皇地位的衰落和帝国的勃兴，理性主义和绝对主权的萌芽，印刷术的引进和火器的发展，新世界和通往印度的海路的发现，再加上城市生活、财富、奢侈与贫穷、商业、贸易专利和高利贷等现象的成长，最后终于达到了“着火点”，这就是宗教改革（Reformation），也就是这些酝酿已久的因素的宗教性表现。

两个最大的导火线是路德（Luther，1483—1546）和茨温利（Zwingli，1484—1531），而继起者是一个更大的火种，即为加尔文（Calvin，1509—1564）。因为想使宗教恢复其原始的纯洁性，这些人终于变成了宿命主义者。他们深信人类的罪恶是无可救赎的，不管他们怎样生活，怎样行为，可是永恒的上帝却已经注定了只有少数人能进入天堂，而极大多数都必须入地狱。这种教义是把重心由上帝移到了魔鬼的身上，而同时又更认为《圣经》应为一切信仰和崇拜的法典。这两点遂成为宗教改革者的两大基本观念。

这三个人当中，最可怕的还是加尔文，他是一个狂热的组织家。他以“上帝的代言人”自居，认为他的命令即代表神意。在日内瓦，他建立他的警察国家，他反对天主教会，而自己却只想取而代之。他创造了一种“新型的人类”，即所谓“清教徒”（Puritan）和一个新的朝代，这也可以很巧合地称为“圣经官僚主义”（Bibliocracy）。

施本格勒（Oswald Spengler）在其《西方的没落》一书中，曾经说过：“所谓宗教改革者只是把哥特神秘主义的光明和安慰性的方面全部取消了——马利亚的崇拜，圣哲的尊重，符咒，朝圣和弥撒等。但是魔鬼和魔术的神话却仍然存在，它本是内在刑罚的象征和原因，现在这种刑罚终于达到了其最高的恐怖程度。”恨的律令代替了爱的律令。不久即产生了一大堆以魔鬼为主题的新教文学，而使宗教受到了毒害。

从今天看来，似乎很难明了像这样的教条怎会对人们具有如此的吸引力。可是路德的热烈神学和加尔文的冷酷逻辑却居然能获得人们的信仰。他们做出巨大的努力，发动了广泛的宣传，以所有不满意现状的人为争取的对象。许多不守清规和堕落的教士或僧侣都愿意接受这种新教，以免除其旧有的义务。许多国王把它当作是一种工具，以来充实自己的力量和对付帝国，并没收教会的财产以增强其财力。新兴的资本家也拥护它，因为新教不反对高利贷和承认新的经济条件。被压迫的大众也认为这种教义可以使大家都获得自由和放纵。

这种宗教改革所引起的纠纷，在此处无法深论，但是为了结束它，1555 年 9 月 25 日，在奥格斯堡（Augsburg）曾经获得了一个妥协。一方面为斐迪南德，代表其兄长皇帝查理五世，另一方面为奥古斯特，为路德派的萨克森选侯（Elector of Saxony）。根据这个条约，所有的路德派君主对于主教的统治权，都可以获得自由，对于 1552 年《帕绍（Passau）条约》签订以前被没收的教产也仍可以占有不还。每一个君主都有权决定其人民应信仰何种宗教，换言之，日耳曼人民的信仰不再由教会来决定，而改由其地区性的君主来决定。虽然另有一个条款禁止没收天主教的土地和财产，可是路德派却宣布他们并不受这个条款的约束。

加尔文派本不包括在这个条约之内，同时也不能制止新教的发展，它在帝国境内迅速地传播着。《奥格斯堡条约》所能做到的，仅仅是建立了一个休战的状态，结果使日耳曼境内分成了两个“无所不在”的对立势力。诚如布莱斯勋爵（Lord Bryce）所说的：“两个互相敌对的制度在平行存在着的时候，是必然会互相寻求毁灭的。”由于加尔文主义的日益得势，而另外又有一个新成立的耶稣会（Society of Jesus），一心以消灭新教为目的，所以这种互相的毁灭更无可避免。

风暴的中心变成了布拉格，加尔文主义者在这里的势力已经根深蒂固。1526 年，波希米亚已经归于哈布斯堡王室的手中，1575 年，马克西米连二世（Maximilian Ⅱ）的长子鲁道夫（Rudolf）被加冕为王。1576 年，他继承了他父亲做了日耳曼皇帝，而以布拉格为其帝都。1609 年，被他的新教臣民所迫，他颁发了所谓“圣谕”（Letter of Majesty），这个文件不仅保证他们的宗教自由，而且还有称为“保卫者”（Defenders）的武力。1611 年，鲁道夫为他的兄弟马蒂亚斯（Matthias）所废，后者在 5 月加冕为波希米亚国王，一年后又当选为皇帝。

此时，在《奥格斯堡条约》签订了之后，又有两个人物出现，成为新的冲突中心：一为巴伐利亚公爵马克西米连，是一个天主教徒；另一为安哈尔特的克里斯蒂安亲王（Prince Christian of Anhalt），是一个加尔文主义者。前者认为这个条约是一个法理上的解决根据，所有一切的问题都应以其为基础。而后者则认为新教徒与奥地利之间是势不两立的。于是一个意外事件接着另一个意外事件，终于到了 1607 年，马克西米连占领了多瑙沃特（Donauwörth）自由城。这个事件促使安哈尔特的基督徒在次年建立了一个“福音同盟”（Evangelical Union）。面对着这个示威性的挑战，马克西米连也组织了一个“神圣天主教同盟”（Holy Catholic League），冲突已成必然之势。马蒂亚斯无子，帝国和波希米亚王位的继承人，可能将是斯提利亚的斐迪南德大公（Archduke Ferdinand of Styria），他是斐迪南德一世的孙子，也是一个狂热的天主教徒。马蒂亚斯害怕出乱子，把继承人的选举一直拖延到了1617年，此时已经不可再拖了。西班牙同意支持斐迪南德为候选人，但其默契中的条件为当他即帝位之后，愿意把阿尔萨斯的哈布斯堡采地让给西班牙王国。6月17日，国王的议员们，都是一些狂热的天主教徒，遂选举斐迪南德为波希米亚国王的继承人。于是波希米亚的新教徒，以图恩伯爵（Count Thurn）为领袖，拒绝承认斐迪南德为嗣王。12月，当布拉格大主教违反了“圣谕”的规定，下令强迫新教徒在这个国家的教堂中举行礼拜时，“保卫者”遂在布拉格召开了一个国会（Diet）。1618年5月21日开始集会。第二天，经过了一番激烈的争论，国王最宠信的大臣都被人从拉德卡尼宫（Hradcany Palace）的窗口里抛了出来，这个事件被称为“布拉格护教事变”（Defenstration of Prague）。接着，波希米亚人就成立了一个临时政府，并由图恩伯爵组成了一支军队。与奥地利之间的冲突开始于7月，当时似乎很少有人想到这会发展成为欧洲的第一次大战，长达30年。

1619年3月20日，马蒂亚斯之死更加速了事态的发展。波希米亚、卢萨蒂亚（Lusatia）、西里西亚（Silesia）和摩拉维亚（Moravia）等邦，宣布斐迪南德的选举无效，另选巴拉丁领地选侯腓特烈五世（Frederich V Elector Palatinate）为他们的国王。腓特烈是一个狂热的加尔文主义者，他的妻子是英王詹姆斯一世的女儿。

两天之后，选侯会议（Electoral College）在法兰克福召开，以求决定究应由何人来继承马蒂亚斯。这个会议为帝国的控制机关，不获得它的同意，日耳曼皇帝不能召开国会，制定税则，缔结同盟和宣战。这是1356年《金牛条约》（*Golden Bull*）所建立的。它包括着三个旧教、四个非旧教的君主。前者为美因茨（Mainz）、科隆（Cologne）和特雷沃（Trèves）三个选侯，都是天主教徒。后者为波希米亚国王、巴拉丁领地选侯、勃兰登堡（Brandenburg）选侯（两个人都是加尔文派）和萨克森选侯（路德教徒）。所以这是十分显明的，假使波希米亚国王为天主教徒，则天主教在这个机关中即可具有控制力；反之，若变成了一个非天主教徒，那么他们就变成少数了。这个微妙的平衡关系即成为三十年战争的祸根。

在法兰克福的会议中，只有天主教的三个选侯是亲自出席的，其余四个则均由大使代表。腓特烈的大使所奉到的命令为，首先投票选举巴伐利亚公爵马克西米连（天主教），但若其他的选侯都投票选举斐迪南德时，则他也应同意。如此，斐迪南德当选为皇帝，称为斐迪南德二世（1619—1637 年在位）。可是这个决定作出之后，马上就有消息传来，说斐迪南德已被波希米亚人驱逐退位了。这不仅是对于斐迪南德个人的挑战，而且整个帝国体系都发生了动摇，于是这个危机立即变成了一个欧洲问题。

因为斐迪南德并无军队可以驱逐腓特烈，他就向马克西米连求救，在日耳曼诸君主中只有他一个人有一支常备军。1619 年 10 月 8 日，马克西米连同意支援斐迪南德，其条件为在波希米亚的作战，都由他完全控制，而在腓特烈失败后，其选侯的头衔应移交给他。此外，以割让卢萨蒂亚为代价，斐迪南德也获得了萨克森选侯约翰 · 乔治（John George）的支持，这个人对加尔文派是并无好感的。此外，西班牙的腓力三世（1598—1621 年在位）也立即给予斐迪南德以财政上的补助，使他能招募 1 万人的兵额，并从尼德兰境内借兵 8000 人给他。在另一方面，福音同盟诸国都承认了腓特烈，联合省、丹麦、瑞典也是一样。而特兰西瓦尼亚（Transylvania）的国王伽柏（Bethlen Gabor），则更与波希米亚缔结同盟。

1620 年 7 月，天主教同盟的军队一共 2. 5 万人，由马克西米连、蒂里（Tilly）和布奎伊（Bucquoy）指挥，越过了奥地利的边界。同时，斯皮诺拉（Spinola）也率领了 2. 4 万人，从佛兰德斯向巴拉丁领地进攻。11 月 8 日，在布拉格附近的“白山”（White Hill），前者击溃了克里斯蒂安亲王所率领的波希米亚军，同时后者也侵入了巴拉丁领地。

假使斐迪南德能有较大的度量，则这一战即可以使福音同盟瓦解，而战争也可如此结束。可是他的主义却是：宁可统治一个沙漠，而不愿意国内充满了异端。他的迫害增强了加尔文派的敌忾。结果在曼斯费德伯爵（Count Ernest von Mansfeld）号召之下，这些残兵又集合了起来，许多人在失望之余也纷纷投效。曼斯费德是一个佣兵出身的加尔文派名将，不久即获得了“基督世界的阿提拉”的尊号，他把战争带到巴拉丁领地的境内。1622 年的春季中，不伦瑞克公爵（Christian Duke of Brunswick）和巴登 · 杜尔拉赫侯爵（Margrave of Baden Durlach）乔治 · 腓特烈两个人的兵力也与他会合在一起。在一连串的战斗之后，6 月，加尔文派在奥什斯特（Höchst）受到了一次决定性的失败，于是曼斯费德和基督徒退入阿尔萨斯的境内，以后就暂时留在东弗里斯兰（Friesland）。最后，1623 年 8 月，在斯塔德罗洪（Stadtlohon），不伦瑞克公爵的兵力被击碎了，于是巴拉丁领地的征服才终告完成。

1621 年 1 月，斐迪南德并无宪法上的根据，而把腓特烈废除了，1623 年 1 月，为了使他对于马克西米连的诺言能兑现，他决定把腓特烈的选侯头衔转移给马克西米连。因为他并无权力召开国会，于是他在雷根斯堡（Regensburg）召开了一个选侯大会，以此来批准这个转移。除了马克西米连的兄弟科隆选侯，几乎所有其他日耳曼的重要君主，连同西班牙国王在内，都表示反对。虽然如此，2 月 23 日，腓特烈还是被废了，两天之后，马克西米连终于如愿以偿。抗议之声如潮涌而来，萨克森和勃兰登堡两位选侯更拒绝承认他们的新同僚。

这些新教君主们的震惊不是没有理由的。不仅是这个违宪的事件威胁到他们本身的安全，而且马克西米连的加入，选侯会议中的权力平衡被破坏了，他们害怕自从 1555 年被他们所没收的教会财

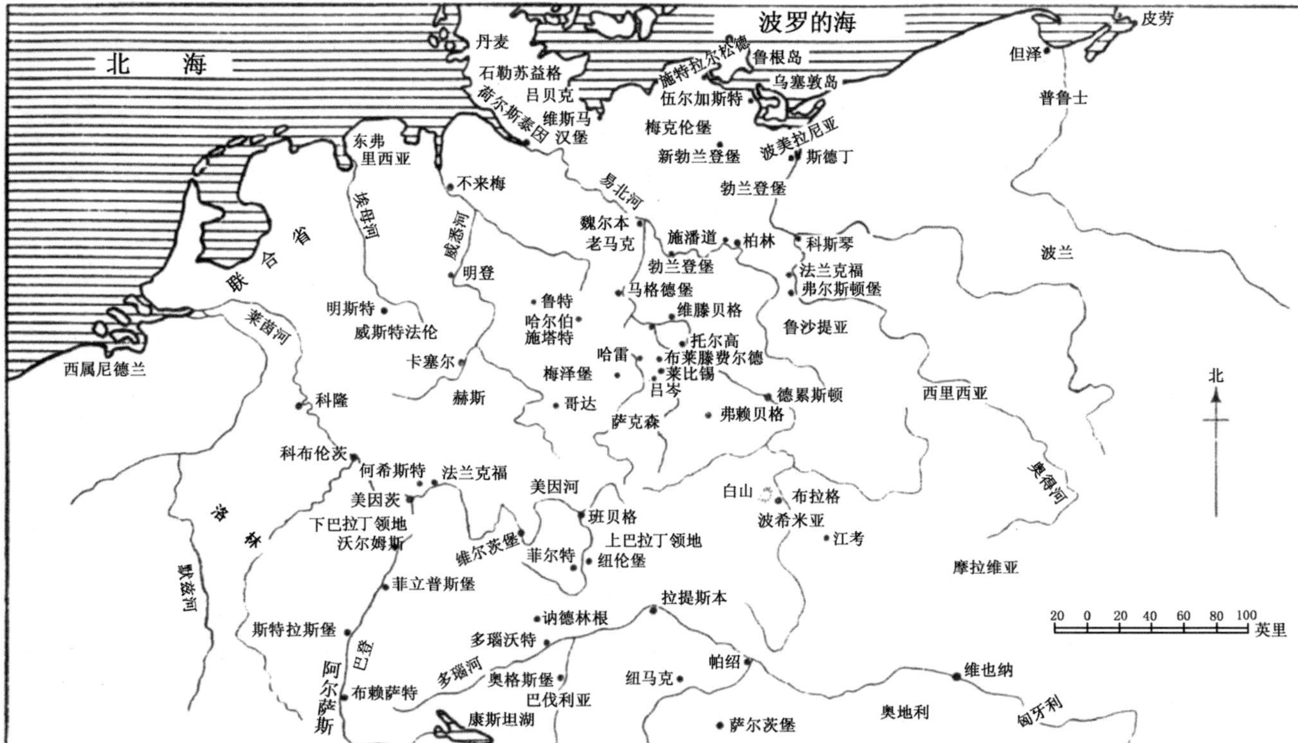

图二 三十年战争，1619—1648 年

产都要交还。为了预防这一点，他们就向丹麦国王克里斯蒂安四世（1588—1648 年在位）求援。他是属于路德派的，1624 年 5 月，他答应接受他们的要求。战争开始进入了它的第二个阶段，从一个全欧的问题，变成了一个全欧的冲突。

若与丹麦陆军相比较，天主教同盟的兵力是太微弱了，斐迪南德遂处于进退两难之境，他也不愿意再多割让领土，以来换取同盟国的支援。可是这个困难不久就自动消失了，有一位捷克的冒险家华伦斯坦伯爵（Count Albrecht von Wallenstein，1583—1643）很有钱，他自动向皇帝提出一个建议：愿意免费贡献兵力 4 万人，其条件为所有军官的任免由他个人操纵。斐迪南德立即接受了这个要求，并赐予华伦斯坦以弗里德兰公爵（Duke of Friedland）的头衔。这样，帝国总算是有了它自己的军队，它的成本等于零，而只要有仗打，这支兵力也可以无限期地维持下去，因为华伦斯坦的格言是“以战养战”。

当斐迪南德正在部署一切时，英王詹姆斯一世也为了左袒其女婿，而与西班牙发生了争论。同时，法王路易十三（1610—1643 年在位）的首相，红衣主教黎塞留（Cardinal Richelieu，1585—1642）也以打破自从查理五世的时代起即包围法国的哈布斯堡包围圈为其政策，所以与英国、联合省和丹麦都缔结了同盟。于是法国人开始采取干预日耳曼事务的政策，从此，这个政策就一直使中欧多事了。因为胡格诺教派（系指法国境内的清教徒）的叛乱使黎塞留无法采取行动，而詹姆斯一世则又害怕召开国会，所以最后只有克里斯蒂安四世一个人出兵。他很想使他的势力伸达北海的港口，1626 年，他进入了战场。

4 月，华伦斯坦也出发了。他首先攻击曼斯费德，在德绍桥（Bridge of Dessau）击败了他，接着就蹂躏了梅克伦堡（Mecklenburg）和波美拉尼亚（Pomerania），一面前进一面增加他的人数，直到 8 万多人为止。8 月 27 日，克里斯蒂安四世在卢特（Lutter）为蒂里所击溃。

巴伦堡（Barenberg）和不伦瑞克都被攻占。

巴拉丁领地的占领，使莱茵河中游开放了，从此又可以当作意大利与西属尼德兰之间的主要交通线，这对于西班牙具有极大的重要性。此后，华伦斯坦即开始去征服波罗的海地区。他的大军像潮水一样流入丹麦的本土，为了酬劳他，1628 年 3 月，斐迪南德又把梅克伦堡公国赐予他。这个高压手段，比封马克西米连为选侯，还更引起人的反感，使所有的新教君主都不自安，认为整个日耳曼变成奥地利一省的时间是已经快到了。所以他们都决心团结起来推翻华伦斯坦，可是面对着他的 8 万大兵，却都有力不从心之感。

对于波罗的海地区的征服工作还在继续推进，当汉堡和吕贝克（Lübeck）拒绝与斐迪南德的同盟要求之后，华伦斯坦就进到了施特拉尔松德（Stralsund），以使汉萨同盟（Hanseatic League）屈服。他的副将阿尼姆（Arnim）率领了 2. 5 万人，在 4 月达到了该城之前，可是敌人却早已有准备。他们已经与丹麦和瑞典建立了联系，并有援兵从海上开入。6 月 23 日，瑞典国王古斯塔夫（Gustavus Adolphus）的代表与他们签订了一个为期 20 年的同盟条约。在同一天，华伦斯坦开始围攻。以后，他知道克里斯蒂安四世的远征军已经到了鲁根岛（Rügen）的附近，于是在第二天就解围了。

克里斯蒂安的军队在施特拉尔松德的东南面登陆，占领了伍尔加斯特（Wolgast），以当作侵入梅克伦堡的第一步骤，但是在 8 月 12 日，却遭到了华伦斯坦的截击而溃败。1629 年初开始和谈，6 月 7 日，他们缔结了一个《吕贝克条约》，几乎所有的欧洲国家都被牵涉在内。

华伦斯坦现在手中握有大兵 12. 5 万人，自从克里斯蒂安四世失败之后，在欧洲更无敌人之存在，他就把这些兵分驻在各地，不分敌友都受到他们的骚扰。有一部分兵驻在萨克森的境内，这是并未获得皇帝同意的，在马克西米连支援之下，约翰 · 乔治遂向皇帝提出控诉。他们两个人都害怕华伦斯坦的权力如此日益增大，连斐迪南德本人也在害怕，因为他差不多已经变成一个傀儡了。但是，在斐迪南德还未解决这个棘手的难题以前，他现在已经是获得了最高的权力，所以决定先使一个在他心中已存在的心愿兑现，即归还自从 1555 年来被不正当没收的教会财产。他知道没有一个国会肯批准这个政策，于是决定用敕令来执行它。1629 年 3 月 6 日，他向一个毫无防御力量的日耳曼，宣布他的“归还敕令”（Edict of Restitution）。

如何削弱华伦斯坦的势力，依然是一个难题，虽然斐迪南德本人并未想去解决它，可是他的下一个行动却自动地走上了解决的途径。在西班牙唆使之下，斐迪南德同意参加对曼图亚（Mantua）公爵的战争，并调部队进入意大利。这个决定得罪了教皇，并使天主教之内发生了裂痕。于是黎塞留设法使瑞典与波兰之间达成休战，以便古斯塔夫可以出来领导新教徒对付日耳曼帝国。瑞典人已经占领了施特拉尔松德和皮劳（Pillau），波兰居于不利的形势，所以波兰国王西格蒙德三世（Sigismund Ⅲ）同意休战 6 年，1629 年 9 月 26 日签订了条约。

华伦斯坦本人强烈地反对这个“归还敕令”，因为他认为为了对付欧洲的异教敌人土耳其，应有一个平静无事的日耳曼。另一方面，他还在不断地扩充兵力，以防古斯塔夫的干涉。但因为斐迪南德与西班牙缔结了同盟，到了 1630 年 3 月，他奉命派 3 万人进意大利。接着，西班牙又要求斐迪南德帮助他们镇压荷兰人，于是在马克西米连领导之下，这些选侯提出条件来，说只要华伦斯坦尚握着兵权，他们就拒绝考虑这个问题。约翰 · 乔治并进一步要求收回这个“归还敕令”。

若是放弃华伦斯坦，斐迪南德可以安抚这些天主教的选侯们；若是收回了“归还敕令”，则也更可以使萨克森和勃兰登堡归顺。他决定采取前一条路线，于是在 8 月 17 日，他就在雷根斯堡与他的大臣们讨论如何解决华伦斯坦兵权问题。说来也够奇怪，当华伦斯坦知道了皇帝的心事后，他却一点都不抱怨，于 8 月 24 日自动提出辞呈。华伦斯坦的问题解决了之后，斐迪南德遂不再考虑第二个问题，将帝国兵权交给马克西米连和蒂里，又回到了战争开始时的态势。正当这个时候，古斯塔夫已经于 7 月 6 日在佩讷明德（Peenemünde）登陆，并正在巩固他在波美拉尼亚的基地。

第二章

布莱滕费尔德会战和吕岑会战

古斯塔夫（1611—1632 年在位）在日耳曼境内所打的两次巨大的会战，其所具有的军事重要性，在于战术和领导能力的改进方面，这对于战争艺术的发展，具有广泛的影响。所以在未检讨其后果之前，首先应分析在此以前陆战方面的发展，接着再分析古斯塔夫的将道，最后才考虑他所带来的战术变化。

虽然自从百年战争的后半期起，即已不缺乏军事上的新发明，甚至像达·芬奇（Leonardo da Vinci，1452—1519）这一流的人，已经玄想到潜艇、战车和飞机等问题，可是在火炮广泛运用之前的主要战术问题，还不是如何在野战中击败敌人，而是如何把敌人从要塞中赶出去。一直等到 15 世纪的后半期中，要塞的问题被克服了之后，如何在战场上对火器做最好的利用的问题才开始产生。[1]

[1] 下列的时间可以说明武器的发展趋势：手榴弹，1382 年；发烟弹，1405 年；计时火柴，1405 年；装盒的弹丸，1410 年；粒状火药，1429 年；火弹，1400—1450 年；打火机，1450 年；青铜爆炸弹，1463 年；炸弹，1470 年；炮车，约 1470 年；手枪，1483 年；燃烧弹，1487 年；来复线，1520 年；西班牙式火枪，1521 年；改良型手榴弹，1536 年；轮机式手枪，1543 年；纸弹壳，1560 年；一种榴霰弹，1573 年；热弹，1575 年；一般炮弹，1588 年；火药与弹丸合装的弹壳，1590 年；来复线手枪，约 1592 年；冲击式引信，1596 年。

1512 年，在拉韦讷的血战中，加斯东（Gaston de Foix）击败了神圣同盟的军队，炮兵在这一战中开始担负起决定性的任务。但是一直等到有了改良型的西班牙打火式火枪（matchlock musket）——第一次使用是在 1521 年帕尔马之围中——步枪手才开始显出他们的价值。这种新兵器有 6 英尺长，重 15 磅，从一个叉形的架子上发射。它的战术性运用是由佩斯卡拉（Pescara）侯爵所迅速发展成功的。1522 年，在比柯卡（Bicocca）之战中，他做了一个大规模的表演，证明火枪兵在开阔地中也有独立战斗的价值,这也是第一次使长矛兵（pikeman）仅仅变成了他们的辅助部队。第二年，在帕维亚之战中，用不断的射击和运动，佩斯卡拉的火枪兵为帝国主义者赢得了那个时代中最具有决定性的会战；这个会战也为近代步兵战术奠定了基础。直到刺刀发明时，火枪和长矛始终还是主要的兵器。在这些方面，都是西班牙人领先，其主要的原因，是自从格拉纳达被征服之后，他们从许多老兵中建立了一支职业性的军队，称为“tercios”。通常这种战斗单位有 2000—3000 名步兵，其中 1/3 为火枪兵，2/3 为长矛兵。有些“tercios”以皇室的王子（Infantas）为其荣誉指挥官，所以这种新型步兵又被称为“infantaria”,此即近代“步兵”(infantry)一词的由来。在 16 世纪中，这些重步兵组成长方形的队形，一共有 30 列的纵深，火枪手则构成方阵，位置在他们的角上。但是到了 17 世纪开始时，由于炮兵的进步，他们的纵深又常减为 10 列。

因为逐渐倚赖长矛以保护火枪兵，骑兵冲锋的机会遂大受限制，于是西班牙的骑兵训练又改以新发明的轮机手枪（wheellock pistol）为重点，而不再注重刀剑和长枪的使用。他们穿着重甲以抵抗火枪的火力，组成纵深的中队（squadrons），一列又一列地骑马冲到敌方长矛兵的身边，发射了手枪之后，即旋转着鱼贯退入后方，再重新装他们的弹药。

这些步兵通常集中在中央位置，野战炮兵列在他们的前面，前面更有散兵线的掩护。骑兵则位置在后方或两翼上。在会战时，总是使用平行的战斗序列，所以都要寻找一个开阔地带。若可能时，应背向日光和风向。通常都很少做追击，因为西班牙军的行李纵列都非常笨重，并携带有许多非战斗员和妇女。总而言之，西班牙人的战术迟缓、井井有条，但也非常笨重，可是对于一个训练不够良好的敌人而言，却是一个几乎无敌的力量。

在这个时候，其他多数的陆军大部分都还是倚赖佣兵来作战。在平时，他们的领袖都是一些职业军人，手中只保留极少数的专门人员，以供招募和训练之用，这也是他们的核心干部。一旦他们接受了一次战争的合约，其一般的兵员都是临时招募的，对于种族和宗教都一概不问。瑞士和意大利北部为主要的兵源供应地。这些人只要对他们的直接长官宣誓效忠就行了，当他们被俘，或是契约满期之后，常常也会调换到另一边去吃粮。在冬天里，这些佣兵通常被解散，等到第二年春季再行招募，以准备进行下一个夏季战役。若与训练和装备都优良的西班牙"tercios"相比较，他们通常都只能算是乌合之众。

火器对于政治的影响也同等重要。诚如塞万提斯（Cervantes）所说的："一个卑贱怯懦的火枪手可以夺取最英勇绅士的生命。"火器不仅使战争变得普罗化了，而且也使权力集中在王室的手中。任何个人都没有这样大的财力，以来购买火炮和装备火枪兵，所以只有国家才能担负得起。进一步说，由于政府握有如此巨大的权力，王室的地位遂逐渐升到了教廷之上，战争变成了政治的工具，而不再是道义上的考验。在17世纪当中，我们可以看到常备陆军制度的兴起，军备竞赛的发展和权力平衡的政策。军事服役不再是一个阶级的专利权，而成为一种民族性的职业。陆军虽尚未大众化，但战斗却已经大众化，这种发展实为这个时代的特色，三十年战争所表现出来的也就是这一点。

欧洲各国都已经普遍地仿效西班牙的军事制度，所以古斯塔夫所要对付的也就是这种西班牙式的陆军。

古斯塔夫为瑞典国王查理九世（1604—1611 年在位）的长子，1594 年 12 月 19 日出生于斯德哥尔摩。他的祖父为伟大的古斯塔夫一世，也是瓦萨（Vasa）王朝的创立者，他是一个有商业心灵的人，他爱好中等阶级而反对贵族，所以把新教引入了瑞典。1611 年，古斯塔夫继承了他父亲的王位成为瑞典国王。同一年在与丹麦人的战斗中，他第一次尝到了战争的滋味。正像亚历山大大帝一样，他的军事生涯是在儿童时期就开始了。诚如许多作者所批评的，他与这位伟大的马其顿人之间，在许多方面都是很相似的。他开创了一个新的时代，为法兰西人做先驱，这正好像亚历山大之于罗马人一样。此外他们的性格也是大致相同的。道奇在他的《古斯塔夫传》中说：除了亚历山大大帝以外，很少有其他的名将会像古斯塔夫这样对于会战具有热爱。他自己那样不怕死，他的军队自然不得不奋勇战斗。虽然他对于小事是很含蓄的，但是对于大事却会动感情。他是一个优良的骑师和体育家，具有卓越的幻想力，精力旺盛，爱好冒险，在战斗中总是身先士卒。虽然很易于激怒，但却也肯不念旧恶。他说：“我对于人民的过错，可以宽恕；但是他们对于我的疾言厉色，也应该不介意。”他对于朋友忠实，对于敌人慈悲，是一个具有高尚信仰的人，从不因为便利而牺牲他的主义。他对他的部下是很善于选择的，同时对于他所崇拜的英雄，也是同样善于选择，其中以拿索的莫里斯（Maurice of Nassau）为他所最崇拜的。他不仅会向敌人学习，而且也是一个历史学家。他精通各国语言，除了他本国的语言，还懂得拉丁、希腊、日耳曼、荷兰、意大利、波兰和俄罗斯语。在宗教方面，他是一个坚定的新教徒；在政治方面，他热爱他的祖国，而以统治波罗的海地区为其主要目标。

就其军事才能而言，古斯塔夫要算古今以来少数名将中的杰出者。拿破仑曾经说过：古斯塔夫是可以与亚历山大、汉尼拔和恺撒等人相提并论的。他的伟大在于其观念的新奇和执行时的勇敢。从

17 岁起，他就经常获得战争的经验，而且经常在学习、发明、改进，并且敢作敢为。对于他而言，在战争中为什么能有如许惊人的成就，其原因就是一般人都会认为那是不可能的。他对于战争艺术的最大贡献，就是在近代中，他是第一位认清了机动是以纪律为基础，而纪律的基础又是有效率的行政和领导能力的将军。他的多数军官都是青年人，他不喜欢 60 岁以上的将领，并且要强迫他们照管他们的部下。金德里（Gindely）在《三十年战争史》一书中曾经说过："他不仅使他的部下衣食无缺，而且还让他们拥有皮毛大衣，以御严寒；随时备有帐篷，以保护他们不受恶劣天气之苦和获得最合于人道的生活。在军营生活中严禁酗酒、赌博和说下流的言语。他也不准有放浪的妇女，他坚持所有的随营妇女都必须与士兵具有婚姻的关系。"此外，自从古代以来，他也是第一位把战术的基础放在兵器的威力上，而不放在人力上面的将军。以他的将道而论，克姆尼茨（Chemnitz）对此有综合的评论如下：

> 在领兵向敌人进攻，或是为了避免损失而退却，或是宿营和利用野战工事来增固他的营地时，几乎没有一个人可以与古斯塔夫相比拟。他对于筑城、攻击和防御的技术，可以说是超人一等。他又善于猜度敌人的意图，并在战争中利用各种机会，那也是无人能及的。他对于全局作了一个总览之后，马上就部署他的兵力，足以使所有的机会都对于他有利。他比所有其余诸将要高明的地方有三点：战术、组织和兵器。

另外一个与他同时代的人，对于他也有下述的评论：他一向都是以身作则的，凡是他自己不做的事情，绝不让人家去冒险。他自奉极为节约，真能刻苦。对于部下真能推心置腹，知道专靠严刑峻罚是不足以赢得信心和忠诚的。

虽然也有人在战术能力和战略远见方面可以与他相等，但是以军事组织家的身份而论，也许除了马其顿的腓力，再没有另外一个军人是可以赶得上他的。他的军事改革包罗万象，等于创立了一个近代战争的新纪元。他不仅改组了每一个兵种，合并他们的战术，更建立了一整套的国内经济体系和有效的补给制度。他认清了他这个时代的军事方法已经落伍，因为所有各国的陆军都是抄袭西班牙的制度而毫无变化，到了三十年战争开始的时候，各国的陆军都已经变得笨重不堪。

古斯塔夫在检讨了现有的军事组织之后，就看清楚了最优势的兵器还是火枪。所以他在改组时，减少了长矛兵的数量，削短他们的长矛，从 16 英尺减到 11 英尺，也减轻他们的装甲，并把他们与火枪兵混合在一起以编成一个连。每个连除了军官以外，共为 72 个火枪兵和 54 个长矛兵。在布阵时，由长矛兵居中央，构成六列纵深的横队，四连为一营，八连为一团，两个到四个团为一旅，在这每一单位中，都是左右翼为火枪兵，而中央为长矛兵。他减轻火枪的重量，以便可以不用支架。他又逐渐地以齿轮打火机（wheellock）来代替火柴引火机（matchlock），也采用了纸弹壳（paper cartridges），并让他的人员用弹带来携带弹药。

他使用了两种类型的骑兵：一为轻骑兵（cuirassiers），另一为龙骑兵（dragoons）。前者只有部分的装甲，而后者则实为骑马步兵。前者在中队的组织中，所用的为三列的纵深，而不是旧有的十列，所受的训练为用袭步（gallop）冲锋，而不是用跑步（trot），只有在混战中才使用他们的手枪。他们以横队前进，或前后鱼贯，或成棋盘格状，最后一线则为预备队。虽然古斯塔夫照平常的惯例，也是把他的骑兵放在步兵的两翼上，但他也常把骑兵摆在每一条步兵横线的后面，并且时常把火枪兵与他们混合编在一起。一般说来，都是在炮兵轰击的浓烟掩护之下，骑兵向前冲锋；当他们把敌人的散兵线逐退了之后，他们就退回好让步兵前进；接着，再在另一轮轰击之下，他们再度冲锋，这一次的目标为敌人的两翼，把他们向中间赶以造成混乱，因为维持一条有秩序而完整的正面，实为成功的要件。

虽然他的骑兵和步兵都很优秀，可是其会战的基础却是炮兵的威力。[1] 若说穆罕默德二世为第一个伟大的攻城炮兵专家，那么古斯塔夫就可以算是第一个伟大的野战炮兵专家。为了使火炮能获得机动性，他缩短了炮身，减轻了炮架，并减少了口径的种类，他一共采用了三种主要类型的火炮——攻城炮、野战炮和团属炮（regimental）。前两者的弹重可分为 24 磅、12 磅和 6 磅三种。攻城炮重有 60、30 和 15“百重”（cwt. ）[2] 三种。野战炮重量则有 27、18 和 12“百重”三种。所谓团属火炮是一种轻型火炮，炮弹重四磅，每一团有两门，有一定数量的弹药用木盒装着，使其在一个火枪兵发射 6 发枪弹的时间中，它们恰好可以发射 8 颗炮弹，通常在炮弹方面，野战炮和团属炮都使用葡萄弹和榴霰弹，而攻城炮则用整个的大弹丸。

在补给方面，古斯塔夫所用的为有良好设备和防御的仓库，每个仓库都有正规的管理人员。他减少了行李车辆的数量，一个骑兵中队只有 10 辆，一个步兵连只准有 8 辆。晋升以资历为依据，刑罚都能合乎人道，不准拷打。他的参谋长为克尼弗森将军（Gen. Kniphausen），他的炮兵司令为托尔斯登森（Torstensson），是一个卓越的军人，在 1630 年还只有 30 岁。

当华伦斯坦沿着波罗的海海岸前进时，古斯塔夫投入了战争。古斯塔夫对于这场战争的本质颇有明白的了解，因为在此时他写信给他的首相乌克森谢纳（Axel Oxenstierna）说 :“所有在欧洲的一切战争都会融合在一起，而变成一场单独的战争。”

[1] 他的骑兵和炮兵主要由瑞典人所组成。至于其步兵则以瑞典人为核心，其余则为苏格兰人、日耳曼人和其他为发财而当兵的人。

[2] cwt. 在英国相当于 112 磅。

4 年以前（1624），英王詹姆斯一世和法王路易十三都曾向他试探过，但是因为他的条件太苛刻，要求先付军费，并占领两个港口（一在波罗的海方面，一在北海方面），这两位国王觉得他难惹，遂转而与丹麦人商洽。1625 年 3 月 27 日，查理一世继承了英国的王位，也同意支援这场战争。直到华伦斯坦已经占了梅克伦堡和包围施特拉尔松德时，古斯塔夫才认清了哈布斯堡王室的野心，是要控制波罗的海和海峡。所以他与波兰之间休战之后，就于 1629 年 9 月 1 日写信给他的首相说：“假使我们在瑞典境内等待敌人，则可能会丧失一切而一败涂地。若是能侥幸在日耳曼境内一战成功，那么就只有利而无害了。所以我们必须到国外去作战。瑞典境内决不容有敌旗的出现。”基于这个原因，他才派军往施特拉尔松德，以便在波美拉尼亚海岸上可以安全地登陆。

法国也正在困扰之中。当 1628 年 10 月法国的内乱平定之后，黎塞留即派了一个大使去寻求古斯塔夫的援助。他的计划是想利用古斯塔夫来当作法国人的工具。这场战争希望不要在日耳曼的境内打，而应发展到皇帝的故土中去，即进到奥得河上，并深入西里西亚、波希米亚、摩拉维亚和奥地利。同时更由法、英、荷三国在财政上补助瑞典。可是瑞典国王却并不愿做法国的工具。他现在已经摆脱了波兰战争的束缚，他知道因为其统治手段的暴虐，华伦斯坦的股票已经跌价了，而这个“归还敕令”也使所有的新教君主都感到害怕。所以他单独地加速准备战争。1630 年 7 月 6 日，他率领了 1.3 万人在乌塞敦岛（Usedom）上登陆，以后又增援到 4 万人之多。从乌塞敦他进到了斯德丁（Stettin），强迫波美拉尼亚公爵波吉斯拉夫（Bogislav）向他投降。接着再进入梅克伦堡，使其被废的公爵复位，在 8 月初，并命令法尔根堡上校（Falkenberg）率领一支兵力去协助防守马格德堡（Magdeburg）。

他在波美拉尼亚站稳了脚跟之后，古斯塔夫就面临着一个艰巨的任务。比起他的敌人，他的资源才真是微小得不足道，而且也没有一个强大的同盟国欢迎他。[1]萨克森的约翰·乔治不仅始终保持中立，而且还是古斯塔夫的秘密敌人，因为他担忧日耳曼的团结，并认为古斯塔夫是一个外来的征服者。勃兰登堡选侯也不支持他。假使斐迪南德此时能撤销“归还敕令”，那么这两位君主都可以争取过来，而使古斯塔夫的任务变得不可能完成。此外，丹麦虽守中立但含有敌意，法国态度动摇，荷兰表示妒忌，英国也不可靠，而波兰则比“胆汁还更苦”。这种情况是我们心里应该记着的，因为以后两军中的战略都是从这里发展出来的。这又受到三个因素的支配。

其一，我们应该认清为什么日耳曼会分裂成为许多个小国，其原因之一即为在莱茵河以东，向来就缺乏罗马时代的国道。其二，古斯塔夫的主要基地为瑞典，所以在他往内陆进展之前，必须先获得波罗的海沿岸的控制权，这样才能巩固其在波美拉尼亚的前进基地和海上的交通线。其三，主要的天主教强国都位于莱茵河以西和多瑙河以南，即古罗马的旧域。使西班牙和奥地利能够携手的交通线即莱茵河的中段。不过在另一方面，奥得、易北、威悉等河又都流经新教的地区入海，而这个海也为新教势力所包围。

古斯塔夫对于这些事实都能有充分的认识，但是必须巩固了其基地之后，他才能向南行动。现在冬天已到，虽然这些选侯还是畏首畏尾的，可是法国人却已经与瑞典人签订了一个条约。1631 年 1 月 23 日，这个《巴华德（Bärwalde）条约》签字了，根据它，古斯塔夫提供步兵 3 万人，骑兵 6000 人，而法国人则一次付与 1.2 万“塔勒”（thaler，日耳曼银币），以后 5 年中每年更付予 40 万“塔勒”。古斯塔夫也保证给予天主教徒以信仰自由和不蹂躏马克西米连的土地。

---

[1] 在 1630 年，瑞典和芬兰的总人口约为 150 万人，而日耳曼帝国的总人口则约有 1700 万人之多。

1631 年的春季战役开始时，蒂里首先攻击新勃兰登堡，而他的将领巴本海姆伯爵（Count Pappenheim）则包围马格德堡。为了牵制前者，古斯塔夫进到了奥得河上的法兰克福，于 4 月 13 日将其占领，但是蒂里却很狡猾，并不追随他，而直向马格德堡前进，并与巴本海姆会合在一起。

法兰克福被占领之后，古斯塔夫的唯一念头即为援救马格德堡，但他未获同意之前，却不能通过勃兰登堡和萨克森的领土，否则这两个选侯的兵力又可以打击他的背面。经过了许多的口舌，他才获得了乔治 · 威廉的同意，可以占领科斯琴（Küstrin）。以后又浪费了三个星期的时间，才获得了进入施潘道（Spandau）的许可。此时，萨克森的约翰·乔治却坚持不动，因为他拥有 4 万人的强大兵力，所以古斯塔夫被迫只好让马格德堡去碰天命了。

蒂里率领了 2. 5 万人，到达了马格德堡，与巴本海姆一同围攻该城。5 月 21 日，该城被攻陷了，在洗劫和火焚之后，全城 3 万居民都葬身烈焰之中。[1] 这个暴行使所有的新教徒在心理上都大为震惊，于是古斯塔夫也就用恐怖以来对抗恐怖。他进到了柏林，在他的炮口威胁之下，勃兰登堡的乔治 · 威廉取消了中立。与赫斯–卡塞尔（Hesse-Cassel）的威廉和萨克森—魏玛（Saxe-Weimar）的伯恩哈德（Prince Bernhard）会师之后，古斯塔夫就暂时据守魏尔本（Werben），并击退了蒂里的来攻。这一战对于古斯塔夫颇有助益。因为各方面都已被切断，其军队有饥饿之虞，蒂里就率领了 4 万人侵入了萨克森，向莱比锡提出警告，要求该城投降，否则即以马格德堡为例。于是，约翰 · 乔治立即放弃了他的中立，并与古斯塔夫缔结同盟。这两支联军于 9 月 15 日在莫尔德河（Mulde）上的杜本（Duben）相遇。他们的总兵力共约有 4. 7 万人，第二天他们向莱比锡进发，准备向敌人挑战。

[1] 该城之被毁并非故意的，因为蒂里本来很希望利用该城来支援他的部队。

因为杜本在莱比锡的北方，相隔只有 35 英里，所以蒂里要想撤退已经没有可能，而且他的部队在经过了几个月的饥饿之后，现在突然进入这个富饶地区，已经完全丧失了控制，所以他最好的对策是坚守莱比锡城，准备接受围攻，以等候援兵的到达。但是巴本海姆却认为他已经是老将无能，而怀有不同的想法。9 月 16 日，他出发搜索敌情，遂乘机强迫蒂里出战。他派了一个使者向蒂里报告说：他已经看到敌人正在从杜本向南移动，他现在已不可能撤退，否则即将遭受极大的危险，并且要求蒂里立即支援他。这样他就成功地制造了一次决定命运的布莱滕费尔德（Breitenfeld）会战。

蒂里引兵出了莱比锡城，占领了一个在该城北面约 5 英里远的阵地，在其左方有一个小高地，上面即为布莱滕费尔德村落，而在右面即为斯腾堡村（Stenberg）。这个地方是一个古战场，号称“上帝的田亩”（God's acre）。依照一本古代的地理记载，这是一个非常优美的平原，上面布满了美丽的森林和许多果园。

蒂里是一员老将，出生于 1559 年，是一个谨慎理智的军人。詹姆斯·格兰特（James Grant）对他曾有下述的形容：“他身材很短小，样子瘦弱难看，两颊低陷，鼻子尖长，眼睛锐利深黑，蓄着长须。”他对于西班牙战术深有研究。他的战斗序列为由一线或两线的步兵所组成。一共为 17 个步兵大方阵，每个人数为 1500 人到 2000 人，两翼则为骑兵所组成的密集纵队。他的全军可能有 4 万人，其中 1/4 为骑兵。他自己指挥步兵，左翼的骑兵由巴本海姆指挥，右翼骑兵则由菲尔斯滕贝格（Fürstenberg）和依索拉尼（Isolani）指挥。他一共只有 26 门炮。重炮位置在中央与右翼之间的正前面，轻炮则在正中央的前面。孟罗（Col. Monro）说，他在地形、风向和日光三方面都占有优势。

9 月 16 日，古斯塔夫从北面而来，在距离敌军一英里远的位置上宿营。在夜间，他在他的旅行车中以通宵的时间与约翰·赫伯恩（John Hepburn）爵士、霍恩（Horn）元帅、巴内尔（Banér）元帅和陶费尔（Teuffel）将军会商，他们都是全身甲胄的。

第二天拂晓时，瑞典营中即开始吹号上马，打鼓进兵。整个平原均为浓雾所掩，瑞典兵从雾中可以看见一线红色的火光，那就是蒂里的阵地。在祈祷之后，古斯塔夫展开了他的部队，采取与敌人平行的战斗序列。但是他并未采用旧式的西班牙方阵，而是把步兵分成旅或半旅，这样使火枪兵可以得到长矛兵的掩护，而且又可以从他们之间鱼贯而出，发射了其排枪之后，再退回原处。所以不再是一个不动的正方形堡垒，而变成了一个小型的活动要塞，彼此间还可以互助。

中央和右翼都由瑞典军担负，萨克森军则负责左翼。关于后者的阵容，已经无可考。至于瑞典军则有如下述：在中央部分，第一线为四个步兵旅，支援他们的为一个骑兵团和孟罗与拉姆赛（Ramsay）的两个步兵旅。第二线为三个步兵旅，包括赫伯恩的苏格兰兵在内，支援他们的为一个骑兵团。以上全部兵力由陶费尔和哈尔（Hall）指挥。在中央的后方还有两个骑兵团充任预备队。在右翼方面，由巴内尔指挥，第一线由六个骑兵团组成，中间夹着火枪兵，另有一个骑兵团供支援之用。第二线为四个骑兵团。在左翼方面，由霍恩指挥，第一线为三个骑兵团，夹着火枪兵，第二线为两个骑兵团。团属的火炮都分别位于各旅团的前面。而重炮兵则集中在中央的正前方，由托尔斯登森指挥，在霍恩元帅的左面即为萨克森军。全军可能为 4. 7 万人，军帽上都飘着绿带，而帝国军则戴着白带。瑞典人的口号为“上帝保佑我们”，而帝国军的则为“圣马利亚”。

孟罗的记载上说：古斯塔夫亲自指示每一个高级将领，告诉他们应该如何行动。于是在鼓角齐鸣、旌旗招展之下，会战开始了。敌军首先发炮，瑞典军也立即还击。这样炮声轰轰彼此打了两个半小时之久。瑞典的步骑兵还是屹立不动，像墙壁一样。但是火炮已经使行列中出现了许多的缺口。

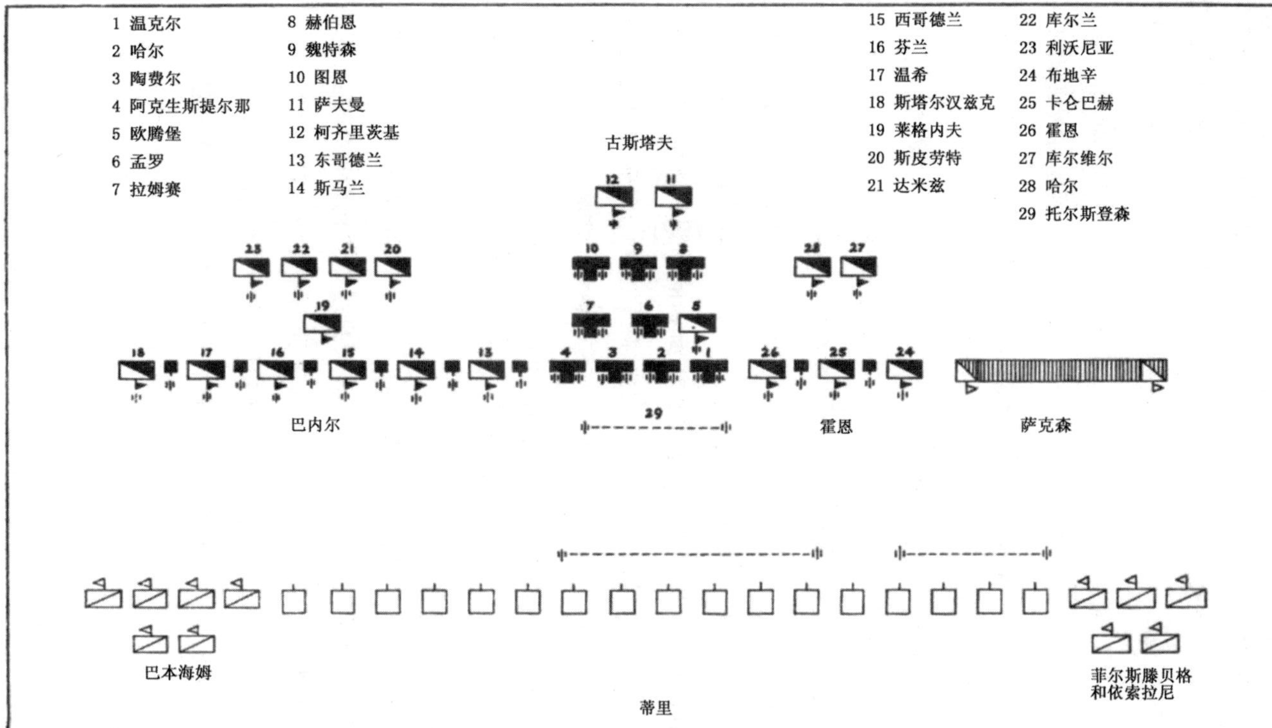

图三　布莱滕费尔德会战，1631 年

瑞典的火炮数量较多，其发弹数要比帝国军多 3 倍。这使敌人感到极大的痛苦，巴本海姆却是一个有勇无谋的战将，现在感觉到他们实在挡不住这样巨大的火力，于是不等待命令，即率领了 5000 名骑兵向瑞典军的右翼冲锋。这是一个愚蠢的行为，蒂里心里十分明白，不禁怒喊着说："他们使我的名誉和光荣都付诸流水了！"这不仅是一个大错，而且也是一个大败，因为骑兵的手枪绝对不是"火枪"的对手。瑞典军用火枪兵夹在骑兵的当中，用火力扫射帝国骑兵的密集队形。巴本海姆一直冲锋 7 次之多，都被逐退，在最后一次时，巴内尔发动了他的预备队来一个反攻，将敌军击溃，把他们逐出战场。[1]

帝国军的右翼方面，误以为巴本海姆的冲锋即为全面进攻的信号，于是马上也向萨克森军冲锋。在第一次冲突之下，萨克森军即开始逃出了战场，约翰 · 乔治拼命用马刺夹着他的马，向艾伦堡（Eilenburg）飞逃。这足以抵消巴本海姆的错误，因为古斯塔夫的兵力现在突然地被减去了 1/3 以上。蒂里也是一个能力卓越的战术家，对于这个机会绝不会放过。他看到瑞典军左翼现在已经丧失了掩护，而且更受到了其右翼兵力的威胁。于是他命令其兵力向右斜进，再向左旋转，以攻击敌军的左翼，同时又命令菲尔斯滕贝格攻击敌军的后方。

假使对方不是瑞典军，则他这样的一个行动即可以产生决定性的效果。但古斯塔夫的部下在调动上的速度要比帝国军快了两倍，蒂里就不能稳操胜券了。古斯塔夫立即命令霍恩元帅，也向左旋转他的兵力，以应付蒂里的迂回，同时又从中央的第二线中，抽出了魏特森（Vitzthum）和赫伯恩的兵力，用来增援霍恩的左翼。

---

[1] 依照西班牙的战术，骑兵冲锋时是跑步和只使用手枪，等到敌军的行列混乱瓦解之后，再使用刀剑。瑞典军的战术却恰好相反，骑兵在冲锋时用袭步和刀剑，在发生混战时才使用手枪。

苏格兰部队以密集的纵队前进。敌军首先屹立不动，准备迎击。但是瑞典军的炮兵火力要比敌人强过两倍，结果把敌军击散，于是长矛兵向前冲击，使敌军溃走。

正当左翼方面尚在苦战之际，古斯塔夫就抓着这个机会，来做决定性的一击。他骑马赶到右翼方面，命令巴内尔的骑兵攻击蒂里的左翼，自己则在四个骑兵团的前面，向尚有敌炮留下未动的山坡上冲锋。他扫过了它们，打击在蒂里步兵横线的左端上，并且用火炮痛击他们。同时，托尔斯登森也掉转了预备队的炮兵，向密集的西班牙方阵猛轰。接着还有一场困兽之斗，但是胜负却已经成为定局。不久，帝国军即已完全丧失秩序，开始溃逃。他们死了 7000 人，负伤和被俘共为 3000 人，损失了全部的火炮、90 面旗帜和其补给纵列的全部。古斯塔夫的损失，包括萨克森军在内，尚未超出 3000 人，大部分都是被敌方炮火所杀伤。

瑞典军的大部分开始宿营过夜，孟罗说："我们的营火所烧的东西都是敌人的弹药车辆和遗留下来的长矛，因为我们没有那么多人员来利用它们。整夜，我们那些勇敢的战友，萨克森人，还一直在逃跑之中，认为一切都已经完了。"但是还有 500 名瑞典骑兵并未休息，由古斯塔夫亲自率领，向敌军残部实行追击。9 月 19 日，在梅泽堡(Merseburg)俘获了 3000 人，于 9 月 21 日，在哈雷(Halle)才放弃了他的追击。

这次会战就这样结束了，它开创了一个新的时代，它不仅是新战术对旧战术的第一次大考验，也是近代的第一次伟大陆上会战，这也是机动与火力第一次战胜了数量和长矛的冲力；而且，不管是好是歹，它也使天主教同盟本已复苏的力量又被粉碎了，并决定了日耳曼不再变成一个受奥地利王室统治的天主教地区。所以加德纳教授（Prof. Gardiner）说：这是"归还敕令的坟墓"和"日耳曼的内斯比（Naseby)"。或者如布莱斯教授所说，它使欧洲得以免受耶稣会的统治。

从 1631 年 9 月 17 日开始，直到他逝世，古斯塔夫成了新教徒的英雄。日耳曼北部的“人民”都把他当作一个救世主看待。他给予战争以精神和指导，若是没有这种精神和指导，则新教徒即可能全部崩溃，而西方世界的历史也要改写了。加德纳教授的评论似乎是很有远见的，他说：

> 那些战术，总结起来说，不过是他们用来保护的宗教和政治制度的一个军事表现。这个刚刚被击败的固体纵队，正足以代表在耶稣会组织之下人类生活的形式：个人会被群众所吞噬。蒂里过去曾经凭借纯粹的重量，击败了许多强敌。但是现在却有一支新军兴起来了，证明除非以有个性的智慧来作为基础，否则秩序和服从也就脆弱无力了。这是一种主义的成功，而不仅限于战斗。在精神、政治、文学和科学等方面，也都莫不皆然。

在布莱滕费尔德会战获胜之后，常常有人提出这个问题来：“为什么古斯塔夫不接着进军维也纳，而使斐迪南德屈服于其意志之下呢？”有些历史学家认为他应该这么做，而弗拉德（Folard）更把他与坎尼会战后的汉尼拔相比较。但是这个比较是不恰当的，因为环境是完全不相同的。第一，通到维也纳的道路十分恶劣，它要通过厄尔士山（Erzgebirge）森林和波希米亚的残破地区，而且冬天快要到了。第二，维也纳并不是一个统一国家的首都，而只是一个“影子”皇帝的驻地，所以它所具有的政治意义，比不上半岛战争（1808—1814）中的马德里。第三，古斯塔夫已经距离他的基地数百英里，若再冒险前进，后方一旦发生了变乱，后果将不堪设想。勃兰登堡和萨克森的忠诚都不可靠，而巴伐利亚则威胁着他的侧翼。第四，当他最后决定进到莱茵河上时，虽然因为把战争带入了天主教地区中，会激怒黎塞留，但是他自己却可以获得新教的巴拉丁领地为基地，并获得了日耳曼最富有地区以来供养他的军队。过去这些地区对于天主教同盟，曾经供给了不少的人力和财力。第五，这是最后一点，但也并非最不重要的，在占领了巴拉丁领地之后，他就可以切断西班牙与尼德兰和意大利之间的联系。所以最后他决定向莱茵河上游前进，而萨克森选侯则把战争带入了波希米亚。

10 月 18 日，古斯塔夫占领了维尔茨堡（Würzburg），推进到美因河上的法兰克福，再进到美因茨，经过了两天的围攻，该城投降了。在他伟大胜利后的 3 个月以内，他征服了莱茵地区的全部；组成了同盟，也指派了政府；迫使莱茵地区的一切天主教君主都保持中立；并把西班牙部队赶回了尼德兰。他在莱茵河中游的两岸上，在阿尔萨斯、下巴拉丁领地和科隆等地，都已经站稳了他的脚跟。这些成就使黎塞留大感不悦，他对于这种征服的迅速和彻底，颇为震惊。他说："必须设法阻止这个西哥特人，因为他的成功对于法国和皇帝都同样是一个严重的威胁。"他这种震惊也并非无根据的，因为古斯塔夫的目的，很明显是要组成一个新教同盟，而以他自己为领袖。这就是要完全毁灭掉帝国的制度，而黎塞留却并不想毁灭它，而只要使其不发挥作用而已。

怀着这种观念，1632 年的春天，古斯塔夫又向蒂里挑战。后者自从在布莱滕费尔德战败之后，又招募了一支新军，此外洛林公爵（Duke of Lorraine）也率领了 1. 2 万人与他会合在一起，其总兵力一共达到了 4 万余人。古斯塔夫在多瑙沃特渡过了多瑙河，并在莱希河（Lech）上与敌人遭遇了。在烟雾掩护和炮轰之下，他在河上架了桥，于 4 月 16 日击败了蒂里。蒂里负了重伤，14 天后逝世了。

自从罢免了华伦斯坦之后，斐迪南德对于这个行动就一直很感到遗憾，在蒂里惨败之后，他就更想再起用他了，尽管事实上，他很害怕这位凶恶的魔王，但却又找不到另外的人选。这个人的眼光是超出了这个时代的。华伦斯坦的目的，很明显是想使这个帝国在一个虚名的王室之下统一起来，而由他自己任宫内大臣，总揽一切政权。所以他认为宗教纠纷必须停止，容忍之道必须讲求，为了相忍为国起见，只有用金钱贿赂为唯一有效的工具。他的一切行动都是以计算为根据的。他是一个占星家，一个生意人，毫无道德和慈悲的观念，累积了大量的财富。他的态度是沉静、含蓄、神秘，没有人敢问他。他是快要启蒙的权力时代中的标准产物，这样的人在以后的时代中，可以做一个工业或银行大王，受到万人的景仰。

在失望之中，斐迪南德又只好向他求救，华伦斯坦却提出了极苛刻的条件：对于军队应有绝对和无条件的控制权，皇帝对他应完全信赖，不得到他的同意不准下任何命令，一切被充公没收的领土都由他控制，加速取消“归还敕令”，他还要有一个选侯的头衔。这些条件都全部被皇帝接受了，于是这位捷克人，才又以“波罗的海和大洋将军”的头衔，再度出山了。

华伦斯坦的第一个行动是企图争取萨克森的约翰 · 乔治，第二个行动则为动摇勃兰登堡选侯乔治 · 威廉的信心。但是他都未能获得成功，于是在 1632 年 4 月，他开始进兵波希米亚，这本来是由萨克森人占领的。他攻占了布拉格，强迫萨克森人撤退，6 月 27 日，又与巴伐利亚的马克西米连会合在一起，其全部兵力增至 6 万人。他进到了安贝格（Amberg），并在纽马克（Neumark）与瑞典军发生了冲突。古斯塔夫遂撤往纽伦堡。华伦斯坦跟着他追击，于 7 月 16 日，到达了菲尔特（Fürth），就在它的附近掘壕安营。

两军对峙达几个星期之久，整个日耳曼和欧洲都在焦急和希望之中等候消息。9 月 4 日，由于补给的缺乏，古斯塔夫向对方阵地发动了一次突袭，结果被击退并损失了 3000 人左右。14 天之后，因为军中患病人数已经有几千之多，古斯塔夫放弃了这个对峙，而决定向维也纳进军，以吸引华伦斯坦离开萨克森，可是后者却看透了他的计划，不但不随着他走，反而直趋萨克森，而马克西米连则率领其兵力的剩余部分，去防御巴伐利亚。接着，华伦斯坦也派人去通知霍尔克（Holk）和巴本海姆——他们正留在威悉河上——与

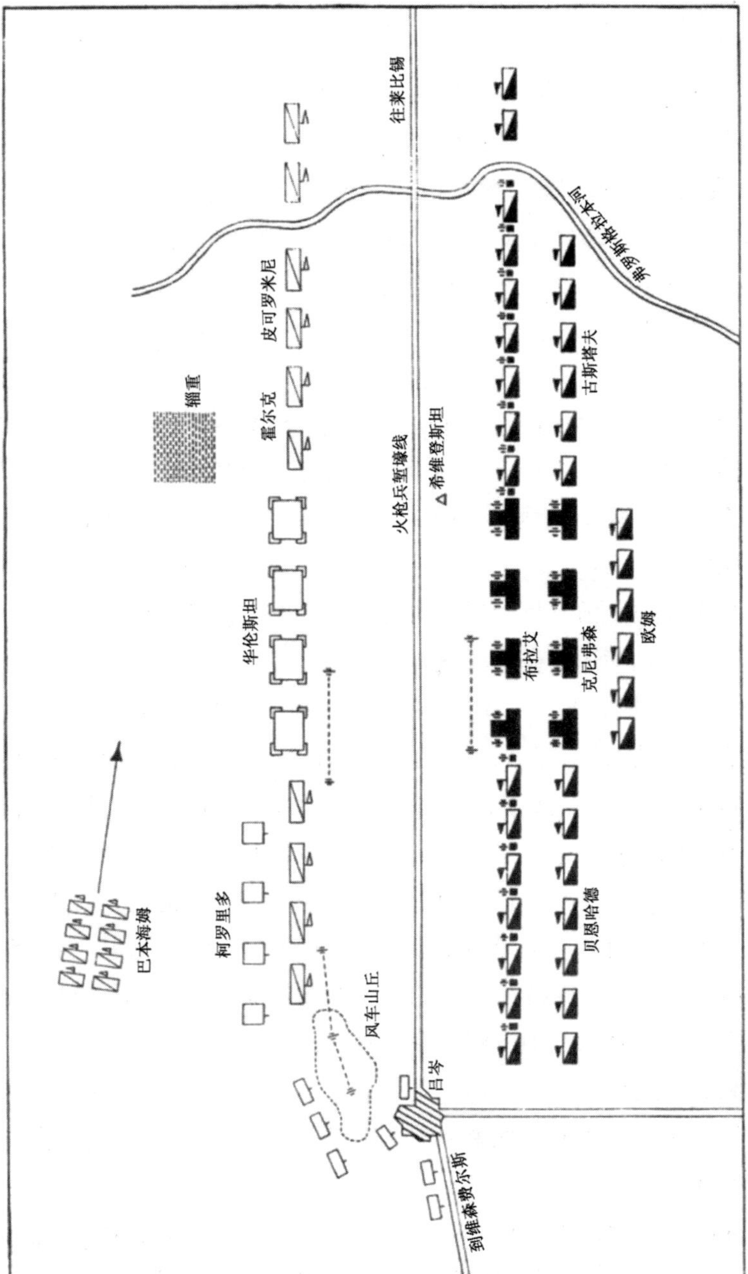

图四　吕岑会战，1632年

他会合在一起，其意图为集中兵力以对付萨克森，而使约翰 · 乔治退出战争。

这个行动的意图马上就变得很明显了，约翰 · 乔治遂拼命地向古斯塔夫求援。瑞典王此时本已在途中，10 月 22 日，又回到了纽伦堡。11 月 2 日，萨克斯—魏玛的贝恩哈德也在阿恩施塔德（Arnstadt）与他会合在一起，11 月 8 日，他占领了瑙姆堡（Naumburg）的柯森（Kosen）隘路。从那里他又催促约翰 · 乔治——他的军队正留在托尔高（Torgau）——率领所有一切能动用的兵力，来与他会合。

此时，莱比锡已经为霍尔克所占领，因为冬季将临，华伦斯坦假定古斯塔夫也一定会暂时休战，就决定在吕岑（Lützen）周围宿营过冬。为了避免人员过于拥挤，他又派巴本海姆与他的骑兵，去占领哈雷。

虽然在此以前，华伦斯坦的防御战略似乎都是比他的对手略高一筹，可是面对着古斯塔夫这样一位勇将，分散自己的兵力却未免是一个冒险的决定。11 月 14 日，古斯塔夫听到了这个消息，他就决定设法使敌人接受会战，尽管他自己在数量上还是居于劣势的。

11 月 15 日凌晨 1 点，他出发往皮高（Pegau），以求与萨克森人会师。他在那里停留了四个小时，但还没有听到萨克森军来到的消息，于是他就继续向吕岑前进，希望能对于兵力仍在分散状态中的敌人做一个奇袭。但是道路太坏，使他的行动大为延迟。在里巴赫（Rippach）他与一部分敌军遭遇，经过了一番激战，才把他们击散。那天夜间，他宿营的地方距离敌军有一英里左右。他举行了一个战争会议，克尼弗森主张迂回，贝恩哈德主张攻击，但是古斯塔夫却早已下定了他的决心。他说：现在骰子已经掷下了，他不能放过华伦斯坦而不攻击。

在敌方的营地中，华伦斯坦正在患着脚气病，必须用轿子抬着走。他整夜都在忙于设防，因为他是尽量避免战斗的。11 月 16 日凌晨 2 点，他知道了古斯塔夫的兵力逼近了，才派了人去送了一个紧急命令给巴本海姆，他写道：敌人已经接近，把其他一切的事情都摆开，率领你的部队和炮兵赶紧回来。你明天上午必须要到达此地，因为敌人已经越过了里巴赫隘路。

两军现在对峙着的吕岑平原，它低而且平，从西南到东北，中间有一条莱比锡大路贯穿着，这条道路的路基较高，两面都有沟道；在吕岑以东约两英里的地方，有一条曲折的小溪流，叫作弗罗斯格拉本（Flossgraben），有许多地方都是可以徒涉的。华伦斯坦还是想象在纽伦堡的时候一样，只打一个纯粹防御性的会战，所以他在莱比锡大路北面不远的地方对兵力做一线的展开。他的右翼倚托在吕岑城北的一个小高地上面，这上面有几个磨坊。他的左翼则直达那条溪流。他把沿着大路的沟道改掘成为战壕，把火枪兵布置在它里面。他的兵力确数已不可考，可能为 2. 5 万人，但巴本海姆的 8000 人尚不计算在内。他把全军分为中央、右翼、左翼三个部分。中央部分由四个步兵大“方阵”（tercios）所组成，由他自己指挥。右翼由柯罗里多（Colloredo）指挥，左翼由皮可罗米尼（Piccolomini）指挥，都是骑兵。他也守着吕岑城，这个城已为他所纵火焚毁。他的火炮约为 60 门到 66 门，分为两群，一在右翼的前方，一在中央右端的前方。

古斯塔夫在拂晓时即开始进攻，但大约在 8 点钟时，突然起了厚黑的浓雾，只好被迫停止。他就乘机向他的部下训话。他的目的为切断华伦斯坦与莱比锡之间的联系，这不仅可以使华伦斯坦丧失基地，而且也让约翰 · 乔治可以自由使用这条道路，这支兵力是他所昼夜期望的。他的兵力可能为 1. 8 万人，他将其分为两线，大致区分如下：中央两线的兵力都是四旅半步兵，分别由布拉艾伯爵（Count Brahe）和克尼弗森指挥。在两翼方面为骑兵，其序列与布莱滕费尔德会战中相同。他自己指挥右翼，贝恩哈德指挥左翼，在中央后方只有一个骑兵预备队，则由欧姆上校（Col. Ohm）指挥。

在步兵的前面，摆开了26门重炮。至于40门团属火炮则分布在火枪兵的前面。

根据当时参战的弗里伍德（Fleetwood）所记载的，战斗的情形有如下述：当雾开始消去的时候，炮兵就开始发射了，马上敌方也就加以还击。本来天气已经清朗，部队在10点钟左右开始前进，可是马上又起了大雾，彼此间几乎都看不清楚了。就是在那一个极短的清朗期间中，古斯塔夫就率领其右翼的骑兵，向前冲锋。他为战壕中的敌方火枪兵所击伤，他自己的手臂和坐骑的颈部都被射穿了，但是他仍不肯后退，跳过了壕沟，直向敌军扑去。[1] 他击散了华伦斯坦的火枪兵，击溃了一部分柯罗里多骑兵，并把皮可罗米尼的重骑兵也逐退了。此时，贝恩哈德也率领左翼前进，逐退了柯罗里多的骑兵。中央的步兵也前进，并夺获了华伦斯坦的中央炮位，但不久又退回了。

由于大雾的原因，关于这一个阶段的战斗情形，几乎没有两个相同的报道。很明显，当古斯塔夫听到他的中央兵力已经撤退了，就率领着一团骑兵，赶往接应。在大雾中与他的部下分开了，他带着三个护卫人员冲入了敌方一群骑兵之中，他的头部和身上都中了弹，立即毙命；两个护卫人员被敌人砍倒，但有一个人却逃走了。

古斯塔夫的阵亡，不但没有使他的部下丧失士气，反而激起了狂热的报仇心理。瑞典军现在改由贝恩哈德指挥，继续进攻。此时，巴本海姆也赶回来了，他打击在瑞典军的右翼上，又把他们逐回到原有的位置上。正当此际，巴本海姆也阵亡了，于是会战变成了一场混战。国王的遗体被抢回了，华伦斯坦的火炮曾经失而复得达两次之多。最后，瑞典军不惜一切牺牲，拼命苦战，帝国军终被击溃，当夜幕将垂时，战场上也已经无敌踪了。瑞典军并未追击，损失也无确实的估计。弗里伍德说帝国军被杀者约为三四千人，而瑞典军

[1] 当时，主将亲自作白刃战的风气还很流行，这样负伤战死的人也很多。

则约为 1500 人。同时他也这样感慨："假使上帝能愿意让他（古斯塔夫）今天不死，则我最确信他必可使日耳曼境内的一切战争，就此告一段落。"

这的确是很可能的，金德里在他的《三十年战争史》中说："这是绝对可能的，他是可以达到他的最终目的，在日耳曼建立一个国家，使该国在政治和经济上的进步，提早 100 年以上的时间。"布莱斯也说："在四次战役之中，古斯塔夫毁灭了皇帝的陆军和威望，蹂躏了他的土地，用空了他的府库，使他的力量削弱到了无法恢复的程度，即令今后再获得成功，也还是无法挽回这个颓势。"正和亚历山大一样，古斯塔夫也是在大业尚未完成之前，就先死了的。他所遗留下来的任务是太伟大了，使他的后继者担负不起。

假使不是有黎塞留的煽动，则战争可能就此结束。帝国崩溃了，华伦斯坦的信用也破产了，终于在 1634 年被刺身死。但是由于法国人尚未能获得莱茵河左岸的控制权，所以战争仍然继续进行。黎塞留继续鼓动战争，劝说所有各国应以全面和平为目标，并且说个别的解决是既不有利而又不可靠，这样他就逐渐使哈布斯堡的诸侯将他们的势力消磨殆尽，并收回了 20 年来法国因为不决和无能而丧失了的土地。

话虽如此，黎塞留虽然是一个第一流的政治家，但却并不是一个战略家，他从不曾认清战争是一种艺术。

1634 年 9 月 6 日的讷德林根（Nördlingen）会战为另一个转捩点。在这一战中，贝恩哈德受到了决定性的挫败。到了次年的春天，整个日耳曼南部的版图又重新归入皇帝的手中。1635 年 5 月 30 日，皇帝与约翰 · 乔治之间签订了《布拉格和约》，于是同盟也解散了。

在法国支持之下，瑞典不肯承认这个和约，这场战争遂进入了其最后阶段——侵入和征服——一面为法国和瑞典，另一面为奥地利和西班牙。前者的目的是一贯的，即拆散哈布斯堡的包围圈。现在一切的理想都消灭了，包括斐迪南德的、古斯塔夫的和华伦斯坦的。战争现在变得更为野蛮，也变成了波旁王室对哈布斯堡王室之间的战争，完全是一种权力之争了。农民叛变了，只有军人才能活命，一大群挨饿的妇孺跟在军队后面，好像是一条尾巴一样。（金德里曾经举了一个例证：一个 3. 8 万人的军队，却有 12. 7 万人的妇女、小孩和其他随营人员。）战火差不多延烧到了巴黎的城门口，使它的居民都惊惧不堪。战斗是互相胜负，而整个地区却已经人烟绝灭。慢慢地，大家都开始厌战了，于是才又有一线的和平曙光。

斐迪南德二世死于 1637 年 2 月 15 日。他的遗嘱希望他的国家从此永不分裂，这样就建立了奥地利王朝。法兰西王朝的创立者黎塞留也在 1642 年 12 月 5 日逝世。接着路易十三在 1643 年 5 月 4 日逝世，继承他的人为路易十四，他出生于 1638 年。14 天之后，即发生了罗克鲁瓦（Rocroi）会战，西班牙式的军事制度也就告以结束。托尔斯登森为当时的名将之一，于 1645 年 3 月 6 日赢得了江考（Jankau）的决定会战，于是萨克森与瑞典之间才建立了和平关系。这场战争在 1648 年秋季以瑞典人对布拉格的围攻为结束。

冲突无法再继续下去，因为斐迪南德三世（1637—1657 年在位）已经不再能抵抗法国的压迫，他的帝国变成了一片荒郊，不再能供养他的军队。和谈早已开始，1648 年 10 月 24 日，帝国与法国和瑞典之间，都分别签订了和约。这个条约就称为《威斯特伐利亚（Westphalia）和约》，使以后一个半世纪当中，这些欧洲国家都能继续维持其正常关系，再经过了轻微的修改，它一直维持到了 1789 年。

根据这个和约，加尔文教派取得了与路德教派同等的地位，并且规定 1624 年元旦日，为一切宗教纠纷总解决之期。这样就进入了一个新时代，于是所谓“宗教改革”获得了合法的根据。[1] 罗马

---

[1] 不过宗教改革的原有意义已经完全丧失了，新教已经不再是一种宗教，而变成了一种政治制度。

的宗主权被取消了，所谓基督世界的瓦解遂成定局。

欧洲的地图也开始要重画了。上巴拉丁领地归并入巴伐利亚，下巴拉丁领地则由腓特烈之子查理士·路易所有。勃兰登堡获得了哈尔伯施塔特（Halberstadt）、明登（Minden）、坎明（Cammin）和马格德堡的一部分。瑞典则分得了上波美拉尼亚、不来梅、威尔登（Verden）、梅克伦堡、斯德丁和鲁根岛。萨克森保留着卢萨蒂亚和马格德堡的一部分。瑞士共和国和联合省都变成了独立国。法国现在变成了欧洲安静的公敌，获得了上下阿尔萨斯、梅斯、图勒（Toul）、凡尔登等地。日耳曼分裂成 300 多个小国，在这些国里又产生了农奴制度，而迷信变得十分猖獗，许多被指控为巫师的人都被烧死。学校都已被毁灭，教育、文学和艺术都备受摧残。早在 1648 年以前，整个国家即已变成了野蛮兽性的世界。日耳曼市民有秩序和繁荣的生活都被毁灭了，他们的家庭妇女被拖在佣兵式军队的后面做尾巴，一半像妓女，一半像吉卜赛人。

1880 年，德国驻伦敦的大使哈茨费尔德亲王（Prince Hatzfeldt）向格兰维尔勋爵（Lord Granville）说："德国对于三十年战争和七年战争的损失，到现在仍未恢复，所以德国政策的重点应为决定阻止这种类型的灾难再发生。"这是毫不足怪的。这个国家所受到的损毁程度，可以说是史无前例的，连匈奴和蒙古人的入侵也不足与其比拟。据说人民死亡总数为 800 万人，此外在战场上被杀死者则为 35 万人。在图林根（Thuringia）有某一个地区，1618 年，在 19 个村落中共有房屋 1717 栋，而到了 1649 年，只剩下了 627 栋了。本来一共有 1773 户家庭，现在只剩下了 316 户，以此来占有这 627 栋房屋。在这同一地区中，本有牛 1402 头，现在只剩下了 244 头；本有羊 4616 只，现在一只都没有了。在波希米亚，原有 3. 5 万个村落，幸存者只有 6000 个；其人口由 200 万人减到了 70 万人。在亨纳堡（Henneburg）一地，人民死亡了 75%，牲口死亡了 80%，房屋毁灭了 80%。而愈是富饶的地区，损失也就愈重。

《威斯特伐利亚和约》为历史上的重要里程碑之一。哈布斯堡王室开始转而向东发展，一代人之后，奥斯曼帝国开始缩小了，他们向多瑙河上去企图补偿其在莱茵河上的损失。瑞典变成了一个巨强，直到 1709 年，波尔塔瓦（Poltava）会战之后，才开始衰颓。日耳曼的领导权移入了霍亨索伦（Hohenzollerns）家族的手中。由于日耳曼的分裂，法国的安全大为增加，于是仍继续与西班牙交战。此时，在北方又有两个新强国兴起了，联合省变成了一个正在发展中的商业帝国；此外还有克伦威尔统治下的英格兰。当《威斯特伐利亚和约》签字的墨迹未干之际，英王查理一世的人头就已经在威斯敏斯特教堂刽子手的笼中打滚。这是平民阶级向天授王权挑战的开始。

大事记（三）

英国的宪法战争

当三十年战争正在波希米亚境内势如鼎沸的时候，在英格兰也有一场平行的战争正在酝酿之中。这场战争终于使王权崩溃了，从而建立了一个君主立宪的政体。它的根源要从百年战争中去发掘。在这场战争中，英国人开始用缴纳代金的制度，来代替军事服役；而有给制的职业性军队，代替了封建式的征兵。在此以前，刀剑就是权威的象征，可是此后，钱袋却经常向刀剑挑战，而且掌握着钱袋的人不再是封建诸侯，而是商人和贸易阶级，早期的国会大部分都是由他们组成的。

15 世纪末叶和 16 世纪初叶，又有常备陆军制度的产生，这带来了另一个新的变化。对于大陆国家而言，除非他们真是没有养兵的力量，否则若无常备陆军，会感到安全没有保障，于是陆军变成了国王政府的一种必要工具。因为有了常备军，国王无论在平时还是在战时，都有了贯彻其意志的权力，所以欧陆国家不久即都取消了各自的国会。在西班牙，国会根本就被取消了，而在法兰西，从 1614 年到 1789 年，其国会始终不曾召开过。

英国占了岛国的地位，才未受到这种变化的影响。当詹姆斯一世在 1603 年嗣位时，英国的唯一大陆领土也丧失了，所以唯一可以建立常备陆军制度的理由也就随之消灭了。如此，国会制度才在英格兰生根。没有陆军，国王既无法摧毁公众的反对，也不能控制钱袋的权力。英国与欧陆国家之间还另有一个根本上的差异，当欧陆诸国正在废除国会时，亨利八世在英国解散寺院，使商人阶级的财富大增，更提高了国会的权力。结果是贵族和平民两院变成了一种民主政治的代表，这是注定了迟早一定要向国王的权威挑战的。

话虽如此，但却不要忽视了一直到 1688 年《权利法案》（*Bill of Rights*）通过之后，国会才开始获得统治权。在此以前，治理国家的还是国王和他自己所指派的大臣，而国会只有投票拥护他的权利。若是想象一个政府而没有国王，这正和想象一个天主教会而没有教皇是同样的不合理。此外，也并无宪法或法律上的根据，强迫一个英国的君主在他不需要援助的时候必须召开国会，对于国家而言，若是国王能够自己统治下去，就不必召开国会，则纳税人将觉得更为满意。当国王能够不要国会而单独统治下去，这却绝不是一种暴政，因为他的一切支出必定要在其合法收入之内，所以他的个人统治也正是良好政府的象征。

良好政府的意义，就是说国王可以自给自足，而不必向老百姓做额外的取索；为了不榨取人民，他又必须尽量地讲求经济节约之道，而最重要者为不要对外作战。这种政策是很难执行的，尤其是新世界被发现之后，大批的金银流入欧洲，使货币的价值下跌，这不仅足以引起社会秩序的不安，而且也减低了国王税收的购买力，使其更难于维持。由于财政上的困难，伊丽莎白的政策总是一方面希望防止战争，而另一方面却鼓励私掠行为。前者使她可以在固定收入限度之内统治这个国家；后者使她可以增加收入，而不必召开国会。詹姆斯一世的和平外交政策，其主要原因也在这里。1604 年，与西班牙恢复和平关系之后，他就设法与西班牙王室缔结婚姻关系，首先是他的儿子亨利与腓力三世的女儿马利亚（Infanta Maria）订婚，亨利死后又改为查理。1618年，三十年战争爆发，为了补助他的女儿伊丽莎白——巴拉丁领地选侯的妻子——詹姆斯召开了他的第二次国会。国会作为效忠的象征表示，投票表决捐献14万镑的微数后，即自动休会。1623年2月，查理由他的好友白金汉公爵（Duke of Buckingham）陪同往马德里，准备迎娶马利亚，并希望她的父亲能以使他的姐夫收复巴拉丁领地，来当作陪嫁的嫁妆。这个谈判破裂了，回到英国之后，白金汉公爵就开始领导一个反西班牙的群众运动。1642年，詹姆斯又勉强召开了另一次国会。这次国会建议取消与西班牙的婚约，并企图收复巴拉丁领地。但仅此而已，并无更进一步的措施。

白金汉公爵现在变成了英格兰的实际统治者，他正想制造一次对西班牙的战争，为了获得同盟国的支持，他就设法安排查理与法国亨利四世之女，路易十三之妹，亨丽埃塔·马利亚（Henrietta Maria）结婚。同时，他又派了1.2万名乌合之众，由来英求援的曼斯费德率领前往荷兰。因为缺乏粮饷，其中大部分人在荷兰都因为饥饿和疾病而丧亡了。

在这种情形之下，詹姆斯一世在1625年3月27日逝世了，为了应付未来的难局，他的儿子实在需要一种完全不同的作风。查理不仅缺乏其父亲所具有的常识，而且头脑死硬，不能了解他人的动机。但他也和他的父亲一样，坚信王权神授的思想。他逃避现实，沉溺在其乐观的幻想中，他有艺术家的禀性，并且是一个有高度文化水准的人。他爱读莎士比亚的著作，使他的那些清教徒臣民大感震惊。他的私生活是无可指摘的，照克拉伦登（Clarendon）的意见，他是一个高尚的绅士，一个最好的主人、最好的朋友、最好的丈夫、最好的父亲，而且也是这个时代中所能产生的最好的基督徒。在一个革命的时代中，他是完全不适合的，甚至在正常的时代中，他也是不适合做皇帝的。

也可以说是太不幸了，当他即位之始，就受到了两个不良因素的影响。（1）他在5月1日，用代表的形式与亨丽埃塔·马利亚结婚，因为她是天主教徒，所以清教徒的国会和新教的臣民都大感不悦。（2）他受着白金汉公爵的影响，而忽视了当前的事实：只有遵守其父亲聪明的和平政策，才能维持统治权。白金汉公爵这个人是一个政治上的赌徒，胆大妄为，沉醉于大而无当的计划中，而缺乏实干的才能。

白金汉公爵是主战的，可是无钱就不能打仗，查理的第一个行动就是命令改选一个新国会，6月18日，新国会集会。这个新国会是代表新教徒的，虽然查理所要求之数字接近100万镑，但是所通过的却在14万镑之下。此外为了控制国王，国会又违背惯例，把国王本应终身享受的吨税和磅税等项收入，规定只暂有一年的期限，所以，查理才即位三个月，国会与国王的关系即已形成了一个死结，解决之道只有两种：不是向国会屈服，即只有诉之于武力。8月12日，国会被解散了。

白金汉公爵又召集了8000余名流氓盗匪，模仿德瑞克的遗风，于10月8日，将他们送往海外，以夺占加的斯为目的。可是这次远征却完全不像德瑞克那样成功，结果全部溃败，造成了一个严重的局势，使得查理不得不再召开第二次国会。1626年2月6日，国会开会后，马上就对白金汉公爵发动了激烈的攻击。5月8日，上院又正式提审他，虽然查理并未能获得一文钱，但是为了营救他的宠臣，他在6月15日又解散了国会。

在财政困难的情形之下，查理只好使用强迫贷款的手段。而白金汉公爵虽然手中已经有了一场战争，还感到不满足，于是又投入了另一场战争之中，这次是以法国为对象。接着向拉罗谢尔（La Rochelle）发动了一次远征，可是其失败之惨重要比加的斯那一次更甚。为了做第二次远征，他就劝查理再召开他的第三次国会。这次国会于1628年3月17日召开，对于国王表示着极强烈的敌意。5月28日，国会起草了一个《权利请愿书》（*Petition of Right*），其中最重要的条款为，不经国会两院的同意，政府不得强迫人民交纳任何捐献、贷款、租税等。查理最先表示拒绝，但是白金汉公爵仍然希望国会能够补助战费，所以力劝查理接受。接着国会又攻击白金汉公爵，并辩论吨税和磅税是否应当作租税的问题，使查理丧失了耐性。6月26日，他命令国会闭会。

现在在查理的朝代中，发生了第一个巨大的转变：8月23日，当白金汉公爵正在普利茅斯准备他的远征时，他突然为约翰·芬顿（John Fenton）所刺杀。这次远征军还是继续出发，结果仍然是大败。

当国会在1629年1月复会的时候，其中的极端派，在约翰·皮姆（John Pym）领导之下，对于国王发动了猛烈的攻击，同时对于教会也发动了一个宗教性的攻势。教会本是查理的最后堡垒，只有通过它，他才能掌握民心。3月2日，他又解散了他的第三次国会，并不是因为他想不要国会而单独统治，而实在是因为有了国会，他就无法统治了。4月24日，他与法国讲和，1630年11月5日，他又与西班牙讲和。于是白金汉公爵的劳民伤财政策总算是被放弃了。

虽然现在没有国会，查理可以自由地统治了，可是严重的问题还是没有解决。国会并不想推翻这个宪法，只想控制国王，使其变成国会的“橡皮图章”。假使没有国王，则国会对于政府就找不到一个宪法上的基础。所以第一个要点是国王仍继续为元首，而第二个要点则为国会凭着国王的名义，以此来作实际上的统治。现在查理既已摆脱了国外的纠缠，所以他所留下来的唯一问题，就是如何解决国内的困难。可是这一点他最后却还是失败了。

他的两个主要顾问为温德沃斯爵士（Sir Thomas Wentworth），他后来又做了第一代的斯特拉福德伯爵（Earl of Strafford），以及坎特伯里（Cantebury）大主教威廉·劳德（William Laud）。前者在查理的时代中，要算是最有才能的政治家之一。1629年，查理任命他为北方会议的主席，他为了解除平民的痛苦，不惜与约克郡纺织业中的资本家相冲突。1632 年，他又调往爱尔兰任总督。在那里他打倒了伦敦富商的投机行为，并且为一支小型而有效的陆军奠定了基础，由爱尔兰国会出钱供养，此外也创立了阿尔斯特（Ulster）的麻纺工业。假使环境能许可他继续进行这些具有创造性的工作，则毫无疑问，虽然仍会更进一步地开罪富人阶级，可是只要能够小心不得罪一般的平民，则查理即可以获得一个颇孚人望的地位，而不必再召开另一次的国会。

可是劳德却使温德沃斯的一切善政都白费了。他是一个狂热的宗教改革家，他的主要目的就是肃清教会。面对着激烈的反对，劳德把英格兰的教会肃清之后，又将目标移到了苏格兰。[1] 这可以说是一个超级的愚行，因为苏格兰人都是最狂热的加尔文派，一旦他们反叛，查理就必须招募一支陆军去平乱，可是若不召开国会，则无法供给军饷。

但是劳德却不顾一切地清算苏格兰教会，结果苏格兰开始准备武装叛变。在三十年战争中，有许多苏格兰人曾经在古斯塔夫的部下服务过，这些老兵只要一呼就集合了起来。查理也开始备战，可是他所能召集的却只有地方性的团队，装备和训练都感不足，只能算是乌合之众。尽管如此，养兵还得花钱，因为他无法举债，所以在 1639 年 6 月，查理又在贝尔维克（Berwich）谈判了一个休战条约。9 月他把温德沃斯召来伦敦，温德沃斯却劝国王再召开一个新的国会。[2] 查理照办了，因为他每个月至少需要 10 万镑来维持他的军队。次年 4 月 13 日，国会开会，不特不投票捐献军费，在皮姆和汉普

[1] 劳德的宗教热忱对于不列颠帝国的成长，具有很重大的影响。在他尚未开始工作之前，新开发的美洲殖民地有一个严重的问题，即为如何增加其人口。他的迫害对于这一点颇有贡献。从 1628 年到 1640 年，差不多有 2 万人——多数为清教徒——迁往美洲。以后，克伦威尔的迫害——主要为王党——又使许多人逃往新世界。

[2] 次年 1 月，他就被封为斯特拉福德伯爵。

登（Hampden）领导之下，他们开始与苏格兰的代表勾结，阴谋造反。三个星期后，国会又被解散，这就被称为“短命”国会。

斯特拉福德伯爵建议把爱尔兰的陆军调入英格兰来，可是苏格兰人却抢先行动。他们越过了边界，在纽普恩（Newpurn）击溃了一部分英军，并占领了纽卡斯尔（Newcastle）。查理被逼得走投无路，只好下令再召开另一次国会。

这就被称为“长命”国会，于1640年11月3日在威斯敏斯特开会。这简直是一个不加伪装的革命团体。它认为劳德有叛国之罪，同时也指控斯特拉福德伯爵，此外更通过了一个法案，认为未经国会同意，国王不得解散国会。1641年5月8日，这两个法案在国会中都已经三读通过。于是为了对查理施加压力，皮姆可以说是深通心理战术，在伦敦发动了几千个流氓去包围“白厅”（Whitehall）——这是国王和其家属的住所。本来查理对于斯特拉福德伯爵是有约在先，他以国王的“金口玉言”，保证他一生荣华富贵，可是现在因为害怕王后和她的儿女会被暴民凌辱，经过了一番犹豫，并未否决这两个法案——照法理上说他是可以否决的——而在5月10日，都表示同意了。两天之后，斯特拉福德伯爵在塔堡山丘（Tower Hill）上被斩首示众。查理这种卑劣软弱的行为，是自毁长城，在这个重大危机之中，在他这个王国中，也许只有斯特拉福德伯爵一个人还具有克制其敌人的能力。查理签署了这种法案，无异于判决了自己的死刑。

接着就是许多新的改革：第一为国会每三年必须召开一次，会期至少为50天，有制定法律的权利。司法权也脱离了国王的控制，宗教法庭被取消了。船税被宣布为不合法。当国王在政治上和财政上都已饱受拘束之后，皮姆之徒遂开始向教会发动攻击。他们的目的是要把主教逐出国会，并没收教会的财产以赔偿苏格兰人，从而减轻英国纳税人的负担。此外又与苏格兰人谈判了一个条约，接着在8月10日，查理出发前往苏格兰，其目的是使他这个分裂的王国重归于好。这是一个很不幸的行动，因为它使皮姆有机会对人民实行精神战，说国王有武装镇压的阴谋。更不幸的是，自从斯特拉福德伯爵死后，爱尔兰的政治又恢复了旧有的腐化状况，于是开始发生叛变，这样就更刺激了北部的人民，使他们害怕武装政变。

皮姆为了使正在发展中的危机赶紧结束，乃对国王发动了一个全国性的控诉，他拟了一个冗长的文件，叫作《大控诉》（*Grand Remonstrance*）。他指使国会赶在查理从苏格兰回来之前，就先通过它。在这个文件中对于查理在位期间的一切行动，都加以检讨，把所有的罪状都归之于天主教徒、主教和国王的大臣。同时也夸称现有国会的贡献，其结论则为要求国王取消主教的一切政治权力。

查理于 11 月 25 日回到伦敦，六天之后，以皮姆为首，国会派了一个代表团去把这个文件呈送给他。当宣读了之后，查理即用闪烁之词作答，并命代表退出。皮姆看到这条合于宪法的路线已经走不通了，就想用另外一种手段来迫使国王屈服。他在国会中控告王后私通爱尔兰的叛徒，换言之，即犯了叛国之罪。

查理最好是不必理会这种恐吓，因为在多数的国家中，若是有人提出这种控诉，都是会激起公愤的，而使多数人都会拥护王后。查理却不此之图，因为他到苏格兰去的时候，获得了皮姆过去勾结苏格兰人谋叛的证据，于是在 1642 年 1 月 3 日，他就命令检察长对于皮姆等五个人提出叛国的控诉。为了拖延时间，贵族院组成了一个委员会，考虑这个起诉是否合法。查理本应立即采取行动，将这五个人从床上予以拘捕，他又迟疑不决，到了第二天在王后催促之下，他才率领了 400 名士兵到下院中去拘捕他们。可是他们却都已经逃走了。这是一个不可饶恕的大错，并非它本身不应该，而是它不应该失败。

查理现在感觉到在伦敦已经不安全，于是带着他的家属，迁往汉普顿宫（Hampton Court）。王后从多佛，于 2 月 23 日渡海往荷兰避难。在她启程之前，查理曾和她商量，因为亨伯河（Humber）

以北的人民绝大多数都还是效忠于他的，所以他的意图是想暂时以约克（York）为其行都。3 月 19 日，他出发往该城。可是又犹豫不决，未能占领赫尔（Hull）城，这里却藏有大量的军火。以后他才以纽卡斯尔为其基地港口，接着王后开始把第一批军火运往该地。

最后，当叛徒已经动员了他们的兵力时，在 9 月 22 日，一个风雨满天的日子，国王才命令把他的王旗升扬在诺丁汉（Nottingham）的堡垒山（Castle Hill）上。这是对于他的人民所发出的一个呼吁，也是对于皮姆的永久性国会的正式挑战。

第三章

内斯比会战

蔷薇战争为两个王室之间的冲突，大叛乱则为两个社会阶级之间的冲突；一个代表垂死的封建社会，另一个代表方兴未艾的资本家阶级。双方对于战争都并无准备，所以这场战争具有一种混乱的性质。军队兴起了之后，打了一阵又自动地消失了，可以说每一个郡县都有它自己的战争，所以围城战的情形是非常的普遍。过去承平已久，对于这种情形的形成也不无关系。这也是一种常例，长期和繁荣的和平养成了自私和不负责任的风气。霍布斯（Thomas Hobbes）认为这也是造成大叛乱的最后一个（第七个）原因。

他在《长期国会》一书中，曾经这样写道："一般的人民对于他们的责任毫无认识，也许一万人当中还没有一个人会知道为什么要有国王或国家，他们认为对于自己的财产是具有绝对的主权，任何基于公共安全的理由来要他们出钱，都是违背他们的本愿。他们认为国王只不过是一个具有最高荣誉的头衔，而公侯伯子男等项爵位也都不过是虚位而已。在他们的生活中，并无法律，只有成例和习惯。他们认为一个国会愈是不肯把钱给政府用，则愈是聪明和称职。"

在这个战争中造成混乱现象的另一个原因，是常备军的缺乏。所谓有训练的部队，实际上是一种略经训练的乡镇民兵。而当招募一支新军的时候，其水准甚至还要更差。譬如詹姆斯一世所勉强给予曼斯费德的人员就是属于这一类的。这些人都是贫民、流氓、罪犯、盗贼之流，与其说是被领导着，不如说是被驱策着走上战场。当大叛乱爆发时，所招募的兵员也都大致类似。

当查理在诺丁汉升起他的王旗时，英格兰的西部和北部大体都是拥护他的，至于南部和东部则大致都是拥护国会的。[1] 英国人民一共可以分为三个集团：一部分拥护查理，一部分拥护国会，还有一部分在政治上保持中立态度，但希望双方的斗争不要扰乱他们的生活。最后一类人最多，比前两类都多出了很多。

制造业中心、海港和大城镇——最重要的为伦敦——大部分都是属于清教徒的，所以在物资和财力两方面，都是国会远占优势。也可以说金钱实为战争中的决定性因素，要从平民中招募军队并不困难，可是这些人却只是为了军饷和抢劫才当兵的。此外，由于海军是反对查理的，所以国会又能获得海岸的控制权，并且在这些港口中获得关税收入，差不多每年在 25 万镑以上。

在领导能力方面，最初毫无疑问是查理方面占了优势，虽然他在数量上是处于劣势，可是在战争初期，缺乏人力并不太重要，因为双方都是乌合之众，谈不上有组织。但是由于缺乏船只和金钱，查理不能与法国、荷兰自由交通和从海外购买军需物资。所以，海权对于他的最后失败，是一个决定性因素。虽然如此，但在战争初期，国会方面采取一种委员会式的指挥系统，结果引起无穷的辩论，不仅浪费时间，而且措施也都是不彻底的，所以使这种优势都大部分被抵消了。

查理在诺丁汉募集兵力，并任命林赛伯爵（Earl of Lindsey）

---

[1] 英国的人口此时约为 500 万人，其中伦敦共占了 35 万人。

为统帅，这是一位 69 岁衰老无能的将领。而叛军——号称圆颅党（Roundhead）——则集中在北安普敦，由埃塞克斯（Essex）公爵任统帅。双方都感到金钱缺乏，都不能按时发饷，所以部队纪律废弛，逃亡颇多。兵器和弹药也都不够，一切工作都无效率之可言。首先，是纷纷要求人马的补充；其次，是准许军官们自由招募新单位，而已有的旧单位则听其自动消失；最后，终于采取强迫拉夫和征用物资的办法。双方的军队都算不得是一个有组织的战斗兵力。在这种环境之中，突然有鲁珀特亲王（Prince Rupert，1619—1682）和他的兄弟莫里斯（Maurice）从荷兰来到英国。这对于查理可以说是天上送来的救星。

鲁珀特为那个不幸的巴拉丁领地选侯的第三子，也就是查理的外甥，虽然还只有 23 岁，但却早已经是一个有经验的老兵，他从 14 岁时起，就一直在参与丹麦和日耳曼境内的战争。他到了英国之后，查理就命令他指挥骑兵，并很聪明地决定他与林赛伯爵保持着独立的关系。鲁珀特这个人有无限的勇气，头脑僵化，性情活泼而暴躁。他对于科学和炮术也很有研究，不仅是一个好军人，而且也是一个好海员。他穿着猩红的上衣，镶上银边，骑着黑马，走到哪里都带着一只猴子和一只白色的哈巴狗。

对于王党而言，鲁珀特正是他们所需要的领袖人物，他能给予他们以精神上的鼓励，正像以后的缪拉（Murat）一样，他是一个超级的骑兵将才，所采用的为古斯塔夫的冲力战术，横刀跃马直向敌人冲去。虽然他比起克伦威尔是略有逊色，但却应该注意在内战刚刚开始的时候，一切的环境却都与克伦威尔成名的时候有很大的差别。和克伦威尔不同，鲁珀特并没有时间来训练他的人员，其中多数都是青年和头脑僵化的骑士。要调度他们可以说是够困难的，在冲锋时要想掌握着他们，则更是不可能，这正好和在滑铁卢之战中的情形差不多。这些人是训练不足而热心有余，所以鲁珀特所采取的战术就是为了配合他们的这种情况，领导着他们对着组织尚未坚强的敌人，作旋风式的攻击。一时他的英名大振，使圆颅党见之生畏，正好像当年西班牙人看到德瑞克时一样。诚如沃里克爵士（Sir Warwick）在《剑桥近代史》中所批评的：“他使国王的军队获得了新的精神，使人人都奋勇向前。若是他的谨慎能与其勇敢相称，则一定会一帆风顺了。”

虽然这个战争中的战略很复杂，但是双方的战略目标却十分单纯。对于国会党而言，他们第一就是要坚守伦敦，这是他们在政治上和行政上的基地。其次，为了使他们的叛乱合法化，就必须俘虏国王，因为若不利用国王的权威，则他们的行为在人民眼中看来总还是不合法的。所以埃塞克斯公爵所奉到的命令是：“救出陛下本人，以及威尔士亲王和约克公爵等，以免他们受到失意分子的包围。”王党的目标就是要攻占伦敦城，因为这也就是叛乱的中心。可是要想达到这个目标，既不能用封锁，因为查理并无舰队；复不能靠围攻，因为查理又无攻城纵列。唯一可能的途径就是引诱圆颅党离开伦敦城，在野战中将他们击碎，再乘着他们在失败之后士气颓丧之际，一鼓作气冲入城中，而不让他们有设防守城的机会。

要想执行这样一种战略，则查理需要更多的兵力。可是他现在在诺丁汉只有 1 万人，而埃塞克斯公爵在北安普敦却有 2 万人。所以查理决定向西移动，进到什鲁斯伯里（Shrewsbury）和威尔士的边界上，那里的人民比较拥护他，可能招募更多的兵力来对抗埃塞克斯公爵。于是为了训练和组织，他可能要稍息一下，接着就准备迅速地直趋伦敦城，在途中击败埃塞克斯公爵，并希望他的失败能刺激在城内的王党起事，里应外合地把该城攻克。这固然是一种赌博，但却并不是一个毫无希望的冒险。

9 月 13 日，查理在诺丁汉拔营启程，向什鲁斯伯里进发，并于 9 月 20 日到达该地。一旦到了那里，他又夺占了切斯特（Chester），这个地方控制着到威尔士的道路——这是他最理想的招募地区——并且从那里又可以与爱尔兰取得接触。因为这个行动很诡秘，埃塞克斯公爵一时不知所措，直到9月19日，他才开始向伍斯特（Worcester）进发，其目的为使他自己位置在什鲁斯伯里与伦敦之间，以此来掩护后者。在全国之中，各地区内都已有战斗爆发，普利茅斯也为国王所占领。

查理于10月12日从什鲁斯伯里出发，经过布里奇诺斯（Bridgnorth）、伯明翰（Birmingham）和凯尼尔沃斯（Kenilworth）等地前进。他的意图是要想迂回埃塞克斯公爵的北面侧翼，然后一直进到他的后面，切断其与伦敦之间的关系。国王的前进使国会大感震惊，于是一再命令埃塞克斯公爵设法使国王接受会战。同时，在伦敦城中的有训练兵力，都集中在沃里克公爵的指挥之下，开始准备守城。埃塞克斯公爵转向东面，花尽了一切的脑筋，以求与查理取得接触，于10月22日到达了基尼顿（Kineton）。此时，国王正在艾德考特（Edgcott），在前者的东面，相距约7英里。

10月23日，就发生了边岭（Edgehill）之战。虽然战斗颇为激烈，但却并不具有决定性。当埃塞克斯公爵退向沃里克（Warwick）和考文垂（Coventry）时，查理与伦敦之间就不再有其他的障碍物了。但是他的陆军已经解体，弹药都已用尽，所以在他尚未建立一个基地之前，是不可能向前再推进的。他决定进到牛津（Oxford），并于10月29日到达。到了那里，他又感到犹豫不决了，不知道是应该宿营过冬还是继续前进。最后由于受到了鲁珀特的催促，才决定采取后者，但是时间浪费了许多，所以埃塞克斯已经可以取道圣奥尔本斯（St. Albans），赶在他的前面先到伦敦。11月12日，鲁珀特把叛军的前哨赶出了布伦特福德（Brentford），第二天在图恩汉草地（Turnham Green）与埃塞克斯的主力相遇。双方兵力的对比为二比一，查理若对一个已经掘有工事的敌人进攻，则所冒的危险实在是太大。所以在经过短时间的炮战之后，查理仍然回到牛津，以后在整场战争中，这里都一直是他的司令部。

伦敦具有如此重大的价值，所以查理决定作另外一次的努力，以此来夺取该城。他的计划是集中两支辅助性的军队，以与自己在牛津的兵力相会合：一支是由纽卡斯尔公爵指挥，位置在约克；另一支由霍普顿爵士（Sir Ralph Hopton）指挥，位置在康沃尔（Cornwall）。等到三支兵力都已准备周全，在牛津的一军遂取道泰晤士河谷，进到伦敦；而那两支兵力也分向南北两面会师城下，这两支兵力封锁泰晤士河上的一切船只，而国王的陆军则切断其陆上的补给。

在纸面上，这是一个非常卓越的计划，但是以查理所率领的这种乌合之众而论，则实在太不适合。就地招募的士兵都不愿意离开他们的家乡，因为害怕当他们离去时，家乡会遭到敌人的蹂躏。进一步说，因为圆颅党在赫尔和普利茅斯都占有坚强的阵地，所以那两支兵力若向伦敦进发时，则即无足够的兵力来掩护他们自己的家乡。除非他们先能解决敌人，否则就难免有后顾之忧。

正在讨论这个计划时，王后也从荷兰回来。在1643年的上半年，全国之内到处都有局部性的战争。7月26日，鲁珀特攻下了布里斯托尔（Bristol），这是英国的第二大城，这使查理的威望也升到了最高点。

向伦敦发动三面攻击的机会似乎成熟了。可是当正要开始行动之际，纽卡斯尔公爵的人员却因为赫尔仍在国会军手中，而不肯南行；同时霍普顿的人员也坚持必须等到普利茅斯攻下之后，再向东进军。威尔士人对格洛斯特（Gloucester）仍有国会军驻守，也感到很不放心，因为这里也威胁到在南威尔士的王党。查理既然现在无法向伦敦进攻，遂决定先攻取格洛斯特。8月10日，他开始围攻该城。埃塞克斯奉派赴援。

9月5日，当埃塞克斯接近格洛斯特时，查理解围转移到科茨沃尔德（Cotswolds）的阵地上，在那里受到了敌军的迂回，又退到纽伯里（Newbury）。9月20日，双方发生了激战，假使第二天查理再继续压迫，那么埃塞克斯就可能会被击败，其与伦敦的联络也会被切断。可是相反，查理于该夜却退回了牛津，从此伦敦遂不再受到威胁了。

当查理正在忙于作战时，皮姆却作了一个重要的决定。自从1640年以来，反对党的领袖与苏格兰人之间，是一向就有暗中勾结的。现在两院就决定采取积极行动，派代表往苏格兰去寻求军事援助。8月7日国会的代表团到达了利斯（Leith）。

詹姆斯·格雷厄姆（James Graham），即蒙特罗斯侯爵（Marquis of Montrose），为苏格兰的王党领袖，一听到这个消息，即赶往在格洛斯特城下的国王营中。他劝说查理允许他集合在苏格兰境内忠于王室的兵力，抢先发动攻击。但是查理这个人却是太拘小节，认为这是不合法的，拒绝了他的请求。

皮姆却是一个肆无忌惮的小人。当代表团在利斯提出签订一个政治同盟的建议时，苏格兰人拒不接受，相反，他们却主张建立一个与1638年相似的宗教条约（Covenant），国会代表却马上接受了。这就是说取消主教制度，使英格兰的教会改走苏格兰教会的路线。进一步说，也就等于要扑灭在爱尔兰的天主教。

9月初，这个协定完成了，9月25日，神圣议会（Assembly Divines）和英国的众议院都宣誓接受。这违反了多数英国人和爱尔兰人的愿望，长老会在三个王国中成为国教，为了酬报如此巨大的让步，苏格兰人同意派一支兵力去帮助英国的国会，而一切维持费则仍由国会负担。

皮姆死于11月8日，所以这个条约是他的最后杰作，从两方面来说，它是具有极重大意义的：（1）它使国会赢得了第一次内战。（2）它在宗教方面引起了所谓独立主义者（Independents）的兴起，主张各教会应有自治权（即宗教中的民主制度），结果遂造成了国会与陆军之间的裂痕。这又导致第二次内战，使国王被杀，并建立了克伦威尔的护国制度（Protectorate）。

1644年1月19日，苏格兰军共为步兵1.8万人和骑兵3000人，由利文（Leven）指挥，渡过了特威德河（Tweed）。为了封锁其进路，纽卡斯尔公爵立即赶往北方，以增援在纽卡斯尔的王党兵力。他所指挥的兵力，步兵不多于5000人，骑兵不多于3000人。4月11日，在约克郡指挥国会军的费尔法克斯勋爵（Lord Fairfax）父子向塞尔比（Selby）进攻。因为害怕会腹背受敌，纽卡斯尔公爵遂自动撤回，4月18日进入约克城闭关自守。利文接踵追来，4月20日与费尔法克斯父子在塔德卡斯特（Tadcaster）会合，不久即开始围攻约克城。6月2日，他们又与曼彻斯特（Manchester）公爵所率领的东部同盟部队（约1万人）会合。

查理在牛津感觉到约克城若沦陷了，则整个北方也就完了，他必须援救约克城，于是只好从南方抽调兵力，去增援在什鲁斯伯里的鲁珀特，并派他去解救约克之围。这样的做法也就等于不惜置牛津于丧失的危险中，因为埃塞克斯正在艾尔斯伯里（Aylesbury），而沃勒（Waller）也在法纳姆（Farnham）。查理决心冒险。5月16日，鲁珀特从什鲁斯伯里北上。2月13日，蒙特罗斯侯爵也已奉派为英王在苏格兰的副将（中将），此时也率领了一支小型兵力，越过边界以来分散敌军的兵力。

虽然纽卡斯尔公爵认为会战是不利的，但是鲁珀特却是性如烈火，他在7月2日进到了马斯顿荒原（Marston Moor），面对着国会军和苏格兰军，展开了他的部队。敌军的位置是在托克维兹（Tockwith）与朗马斯顿（Long Marston）之间。双方都各有骑兵约7000人，但王党步兵仅1.1万人，处于一对二的劣势。

清晨5时开始会战，结果王军大败，主要原因为国会军的左翼骑兵，在克伦威尔指挥之下，做了很巧妙的运动。在这次战争中这是最大的一次会战，对于查理而言是一个第一等的灾难。纽卡斯尔公爵放弃了一切希望，辗转逃往欧陆。鲁珀特收拾了6000余名残余的骑兵，退往里士满（Richmnond），从那里再回到兰开斯特。7月16日，约克城投降了，两天以后，王后从法尔茅斯（Falmouth）

逃往法国，从此与国王遂成永别了。

现在战争的命运操在国会党的手中，因为他们只要把费尔法克斯和利文的兵力向南推进，以与正在牛津附近的埃塞克斯与沃勒的兵力相会合，即可以围捕查理了。可是结果并不如此，在北方的三支兵力却分散了；利文去围攻纽卡斯尔城，曼彻斯特公爵回到林肯郡（Lincolnshire），费尔法克斯出发削平在约克郡境内的其他王党据点。在南方，沃勒的部队大部分为民兵所组成，开始涣散了；而埃塞克斯进入了康沃尔，于 8 月在福伊被困。9 月 2 日，他的步兵都被迫投降了。虽然如此，对于国会方面，马斯顿荒原会战在这次战争中，还是一个极大的转捩点。最重要的是，它使一位英雄人物出头了，他就是克伦威尔（Oliver Cromwell）。

克伦威尔出生于 1599 年 4 月 25 日，其先世亦为贵族，他在 1640 年被选为剑桥的议员，战争爆发时，被任命为第 67 骑兵队的队长。在马斯顿一战之后，鲁珀特给他取了一个绰号，叫作“铁甲”（Ironsides），这个绰号对于他是很适合的，等到这次战争将终之际，他的整个部队也都号称“铁骑”了。他的出身和教育都是非军事性的，克伦威尔从未受过战争的训练，虽然如此，他却具有稀有的指挥能力和决断，这都不是可以学而致之的。而且，当他开始投笔从戎之时，他占了一个很大的便利，即有许多亲属与他合作，使他能以自己为核心，组成一个克伦威尔系统的军事集团。他的儿子奥利弗（Oliver）为骑兵第 8 队的掌旗官（cornet）；他未来的女婿艾尔顿（Henry Ireton）为骑兵第 58 队的队长；他的表兄弟约翰 · 汉普登为步兵第 20 团的团长；他的妻舅沃顿（Valentine Walton）为骑兵第 73 队的队长；他的表兄弟华里（Edward Whalley）为骑兵第 6 队的管旗官；他的邻居曼德维尔勋爵（Lord Mandeville）即为后来之曼彻斯特公爵，为步兵第 10 团的团长。在克伦威尔的精神领导之下，这个集团产生了联合的理念。如此，在 1642 年 12 月 12 日（边岭之战的前夕），国会才通过组织地方防御同盟的决议，于是成立了东部联防军（Eastern Association），包括诺福克（Norfolk）、萨福克（Suffolk）、埃塞克斯、赫尔福特郡（Hertfordshire）、亨廷顿（Huntingdon）和林肯等地区，而以剑桥为其核心——克伦威尔即为剑桥的国会代表。这个同盟以后变成了国会军的骨干。

克伦威尔虽在精神上为这个同盟的创造者，他第二天是否曾参加边岭之战，却已不可考，不过大约是在此时，他曾经与汉普登做过一次值得追忆的谈话。15 年后他在他的第二次国会中致辞时，还曾经提到。他说：

> 当我第一次参加战斗的时候，我看到我们的人员，几乎无往而不失败。我就向汉普登说：你的部队都是一些残兵败卒，而敌人的部队都是绅士阶级出身的青年人。你想这些卑鄙的人，在精神上敢向那些具有荣誉、勇气和决心的绅士们挑战吗？所以你首先应使部队具有精神，否则其失败是毫无疑问的。

这就是他的伟大理念，若无具有纪律的群众，则卓越的领导能力也无用处；而所谓纪律者，不仅要求官兵应该知道他们是为什么而战，而且还要对于“他们所知道的事情产生热爱”（love what they know），因为若无热情则纪律还是会落空。所以他就以神道设教，告诉部下应敬畏上帝，激发他们的良知。

1643 年 1 月，克伦威尔回到了剑桥，开始对他的部队实行精神教育。3 月，他的兵力扩充为一团，下辖 5 队，他自己升任团长（上校）。到了年底，他的兵力增到了 9 队以上。巴克斯特（Baxter）告诉我们说：“他特别注意把有宗教信仰的人吸收到他的部队中去，这些人要比一般军人更具理智，而不仅是为了金钱打仗。”另外有人在 1643 年 5 月，对于他做下述的新闻报道：“克伦威尔上校有 2000 名勇士，具有良好的纪律。凡是说下流话的，都要罚款 12 便士；酗酒的人都要受禁闭。若是谁喊他们为‘圆颅党’，也要受罚。他们到处都受到欢迎。假使所有的部队都能像他们这样有纪律，那该有多好呀！”

1643 年 9 月，克伦威尔曾经写了两封有名的书信，也可以说明他内心中的观念。他写信给斯普林格爵士（Sir William Springe）说：“我希望你对于骑兵队长的人选必须慎重。以骑兵而论，素质要比数量还要重要。假使你选择敬畏上帝的人为队长，则全队中的忠实者都会追随他。”9 月 11 日，他又写信给他的朋友奥利弗（Oliver St. John Fsquire）说：“我已有了一群可爱的伴侣，你应该敬重他们，你知道他们是谁。他们是忠诚的基督徒，他们希望把他们当作人来使用！”这最后一句话也是克伦威尔在建立纪律时的全部秘诀。

马斯顿会战之后，从 1644 年 11 月到 1645 年 2 月，就开始了一段终归失败的和谈。克伦威尔此时即认为非采取激烈的手段不可，否则军事方面绝难有起色。长老会的领袖曼彻斯特公爵是主张和平的，克伦威尔也主张和平，但却认为应从胜利中寻求和平。当危机加深之后，许多有思想的人都愿意接受克伦威尔的领导。沃勒早就已经向国会报告过说，一个由地方民兵所组成的军队，是永远不会赢得战争的。

克伦威尔决定把将领的问题提到国会中去求解决，并坚决主张肃清一切政治将军，例如曼彻斯特公爵和埃塞克斯公爵等。这个提议遂成为“自动辞职的决议”（Self-denying Ordinance），所有上下两院的议员都一律免除军政的职务。12 月 19 日，下院通过了，到了 1645 年 4 月 3 日，才勉强为上院所接受。同时在 1644 年 11 月 23 日，国会又决定组成两国（英格兰和苏格兰）的委员会来研究改革军制的问题。最后的建议为成立一支总数为 2. 2 万人的陆军——其中 1. 44 万名为步兵，7600 名为骑兵和龙骑兵——这些人员应有正规的薪饷，其费用由遭受战祸最少的地区担负。1 月 11 日，下院通过了这个“新军制方案”，2 月 15 日也为上院所采纳。不久即成立了一支常备性的国家军队，这是职业化的部队，其纪律则大致依照克伦威尔的观念。这个观念不仅仅是一种军事革命，诚如哈里逊（Frederic Harrison）在《克伦威尔传》中所说的："以铁骑军为骨干而组成的新军，使全国的兵权都归入独立派的手中，使其能做彻底的改革。"新军不仅是一支军队，更是一支"《圣经》的部队"，"它本身已经变成了一个国会，这个国会比起那个在威斯敏斯特正式开会的国会，要更大、更坚决，在精神上和意志上也更团结。从这个时候起，革命的动力遂从下院转入军队的手里"。

一旦大家同意，在克伦威尔提议之下，国会通过了小费尔法克斯（Sir Thomas Fairfax）为总司令，他是一个纯正的军人，完全不带有地方色彩，现年还只有 33 岁。在他下面为中将级的骑兵司令、少将参谋长兼步兵司令等人。所有的将领和军官都经过谨慎的选择，但有人却说，他们与其是良好的军人，毋宁是良好的基督徒。他们可以完全靠薪饷维持生活，那在当时是很宽裕的。

步兵的招募却较不令人满意，虽然所需之数不过 1. 44 万人，但是沃勒全军只能供应 600 人，埃塞克斯约 3000 人，曼彻斯特约 3500 人。为了补足缺额，又只好采用拉夫的方式。尽管如此，到了 1645 年 5 月，步兵总数比应有的编制额还是要少三四千人。他们分编成 12 个团，每团 10 个连，每连平均为 120 人，又分为 78 名火枪兵和 42 名长矛兵，在战斗时列成 6 线纵深的横队。骑兵的招募似乎比较容易，只需要 6600 名骑兵和 1000 名龙骑兵。前者分为 11 个团，每团为 6 队，每队 100 人，其武装为刀剑、两支手枪、一顶钢盔和只有胸背两面的轻甲。龙骑兵只有一个团，共 10 连，所使用的兵器为火枪。他们的正常战斗队形为 10 列，在战斗时，有一列人负责守马的任务。

火炮，过去一直被忽视，现在也改组了。全军的火炮总数增到了 56 门，其中有许多都是六七英寸口径的，还有少数达到了 12 英寸——那是攻城用的臼炮。每门火炮配三名人员，一名炮手，两名弹药手。另外有两个团的火枪兵担负随护之责，但是驾驶人员却还是和从前一样的混杂。纵列中也有少数的工兵，不过也还是和现在一样，英国军人一向都是不喜欢挖掘工事的，但必须围攻，像 1650 年对爱丁堡要塞的围攻，英格兰和苏格兰的煤矿工人就被迫来担负这种工作。

还有一个有趣的事实：虽然红衣首先并未被认定为制服，但克伦威尔的步兵却早已采用了，以后新军成立它遂成为步兵的通用军服，一直沿用到 1914 年。这些人员带有背囊，但无水壶，也有分拆成块的帐幕，其主要的口粮为面包和干酪。虽然并无野战病院的设立，但却有军法总监和宪兵司令，指挥少数的骑兵宪兵，以加强军纪和提高士气。体罚是准许的，但不得超过 60 鞭，虽然这支部队是由“圣人”所组成，但少数犯罪者也还是有的。

这一支新军规定只向国王与国会效忠，现在集中在温莎（Royal Windsor），由斯基朋（Skippon）少将指挥，穿上他们的红衣，开始接受训练。

当新军正在组织成形之时，在牛津的查理，正焦急地向两个方向看去：向西为康沃尔、德文（Devon）、萨默塞特（Somerset）和多塞特（Dorset），其目的是想在海上建立一个基地，并组成忠于国王的西部同盟，以此来对抗那个忠于国会的东部同盟。向北则为苏格兰，在那里蒙特罗斯侯爵已获得胜利，使王党的希望增加了。为了执行前一个计划，他派了哥林勋爵（Lord Goring）去围攻汤顿（Taunton），哥林于 1645 年 3 月 11 日，到达了该地。关于后者，国王的军政部长沃克（Walker）爵士曾经说它是鲁珀特的主张，因为他极想击败苏格兰人，以雪前一年失败的耻辱。

为了准备北方的战役，鲁珀特到格洛斯特等地去强征兵员，而查理则在牛津准备一切，以便与他会合，但是突然一切情形都发生了变化。4 月 20 日，克伦威尔（尚未解职）奉命进到牛津以西，以阻止查理与鲁珀特的会合。他在以后 7 天之内，连续攻下了几个王党的坚强据点，并扫清了骚扰四乡的马匹。不久，国会对于汤顿的被围又感到恐慌，遂命令费尔法克斯率领其尚未编训完成的新军，约 1.1 万人，从纽伯里前进以去救援该城。费尔法克斯于 4 月 30 日出发，于 5 月 7 日到达了布兰德福德（Blandford）。

克伦威尔的突袭使查理丧失了机动性，因为没有挽马，其炮兵无法行动，所以查理把鲁珀特召回到牛津，等到发现他的骑兵实力还不够保护国王前进时，就又召回哥林。哥林把围攻的任务交给格伦维尔爵士（Sir Richard Grenville），在费尔法克斯从纽伯里出发的那一天，哥林也启程回牛津。5 月 7 日，查理在牛津举行了一次战争会议。当时有人劝他放弃北上的计划，并用全部兵力打击正在布兰德福德的费尔法克斯。鲁珀特却表示反对，主要的原因是他手下的北方骑兵在兰格达尔爵士（Sir Marmaduke Langdale）指挥之下，希望回家去，同时他对于才智过人的哥林感到妒忌，不想在指挥上有这样一个对手。查理是一个不求甚解的人，遂决定采取折中方案，虽然可能会使双方都高兴，但却种下了其最后毁败的根源。他全部兵力不过 1.1 万人，居然还分为两部分，让鲁珀特往北，而哥林往西。

这个决定又引起了另外一个变化。国会方面一听到国王已经在行动中的消息，马上就命令费尔法克斯也前进，并围攻牛津。沃克说："这把我们的计划全破坏了。"克拉伦登指出："牛津的防御情况非常良好，是不可能被攻陷的。"所以费尔法克斯若屯兵坚城之下，对于查理是最为有利的。虽然如此，国王和他的群臣还是不能决定。此时蒙特罗斯于 5 月 9 日在奥地恩（Auldearn）赢得了一个卓越的胜利，于是现在是向北与他会师呢，还是向南以迎击费尔法克斯呢？结果又是采取一个折中办法，同时改向南行并引诱费尔法克斯离开牛津。想要引诱费尔法克斯离开牛津，最好的方法当然就是攻击国会方面所占有的某要地。

合于这个条件而距离最近的城市即为莱斯特（Leicester），这城由派爵士（Sir Robert Pye）据守，守兵也很充足。王党决定攻占它，于 5 月 31 日，经过了相当艰苦的战斗，终于达到了目的。几天之后，查理写信给他的王后说：“自从叛乱发生以来，我觉得希望从来没有像今天这样强烈。”

实际上，查理的处境是非常的危险，因为利文在其北，而费尔法克斯在其南。他本应暂留在莱斯特，先集合兵力再动，可是他却贸然地跳入了最后的一个泥沼。他本已从西部召回哥林，此外吉拉德（Gerard）也率领了 3000 名步骑兵，正向南威尔士前进，奉命来援。可是此时，他却又收回了成命，改嘱后者不要动，并命令哥林先占领纽伯里，以此来压迫费尔法克斯以解牛津之围。他自己则决定从莱斯特直接向牛津前进。他决定了之后，又绕道前往达文特里（Daventry），在那里停留了五天，其目的是搜集一些绵羊，以便带往牛津饲养。到了 6 月 13 日，他才知道费尔法克斯已经离开牛津，率领了一支远比自己实力更强大的部队，进到了北安普敦，在他的东方约 15 英里。这才使他大吃一惊。

事实的真相有如下述，当国会知道莱斯特已经沦陷的消息之后，就命令克伦威尔确保艾勒夫伊利（Isle of Ely），以来保护东部各县，又命令费尔法克斯解围前进。后者遂于 6 月 5 日，采取东北向的路线开始行动，6 月 7 日，在谢灵顿（Sherington）与费尔默伊登上校（Col. Vermuyden）的 2500 名骑兵会合在一起。他们在这里开了一次战争会议，并向国会要求以克伦威尔升补还空着的中将缺，并指挥所有的骑兵。6 月 9 日，又进到了斯托尼 · 斯特拉福德（Stony Stratford），6 月 12 日，遂到达了北安普敦大路上的基斯林伯里（Kislingbury）——距离达文特里只有 8 英里。

这个前进使查理受到了奇袭，斯普里格（Sprigge）的记载说：“国王正在狩猎，全军毫无秩序，马匹都在吃草，对于我们的来到事先毫无所知。”但因为步兵尚未能赶上，所以费尔法克斯决定暂不前进，就宿营在那里。第二天清晨 6 时，他们正在举行战争会议，克伦威尔突然率领 600 名骑兵来到了，当即受到了全军官兵的热烈

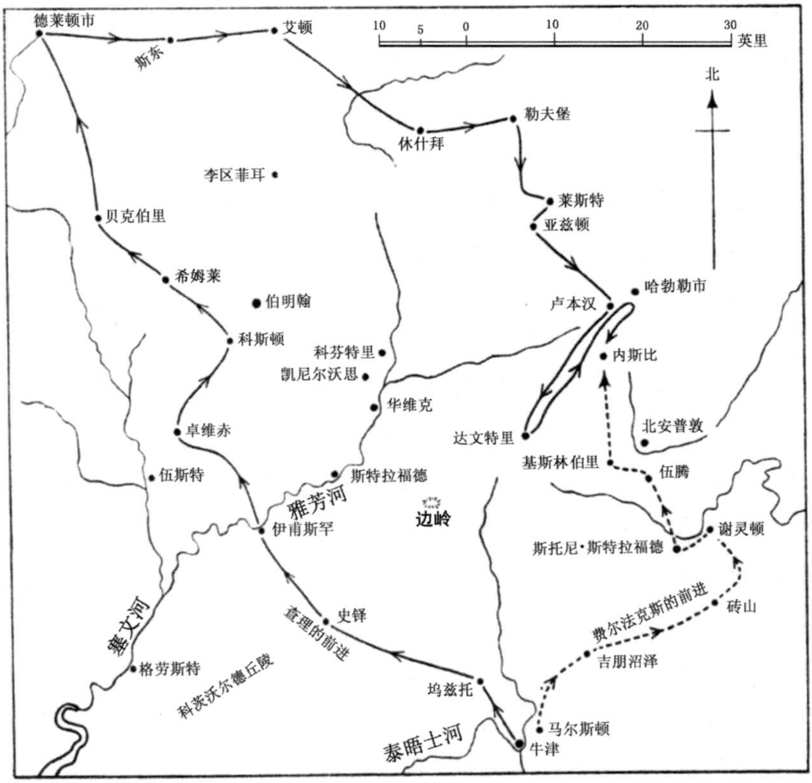

图五　内斯比会战，1645 年

欢迎。查理也不敢再耽搁一分钟，集合了散开的人员，退到了哈勃勒（Harborough），其意图为退回莱斯特，再从纽瓦克（Newark）方面去调集部队。到了黄昏时，又听说艾尔顿已经把鲁珀特的一部分兵力逐出了内斯比（Naseby）。王军方面又召开了一次战争会议，决定不再退往莱斯特，而仓促应战。6 月 14 日，查理把他的兵力展开了，地点是在哈勃勒南面 1 英里远的一个长岭上面。

在哈勃勒以南约 7 英里远的地方，即为内斯比村落，位置在一个小山顶上。在它周围的地区都是空旷地，也缺乏树木，中间为一些宽岭所分隔，称为“丘陵”。其中有一个夹在东法恩登（East Farndon）与阿克生登马格那（Oxenden Magna）两村之间，阿斯特里爵士（Sit Jacob Astley）所指挥的王党步兵即位置在这里。当圆颅党尚未出现之际，大约在上午 8 时，鲁珀特感到不耐烦了，遂命令他的搜索部队去寻找他们。当他们回来之后，仍无有关于敌军的情报，于是鲁珀特亲自策马前进，到了克里普斯顿（Clipston）村南面的高地上，看到诚如他所幻想的，敌军已经在全面撤退之中。他立即送了一个命令给阿斯特里，叫他前进到灰山（Dust Hill）。阿斯特里遵办了，遂放弃了其良好的防御阵地。

当时鲁珀特并不明了，事实真相却有如下述：6 月 14 日凌晨 3 点，费尔法克斯在内斯比以南约 4 英里到 4 英里半远的地方，检阅了他的部队，因为相信查理会继续撤退，他就命令全军取道克里普斯顿，直向哈勃勒前进。可是当他们前进不久，即发现王党不但不后退，反而已经向哈勃勒以南前进。当费尔法克斯看到远方的敌军时，克伦威尔就建议说，磨坊山（Mill Hill）是一个较好的阵地。所以全军开始背进。当领先部队正在由斯基朋集合时，他又奉命令从山地的北坡移到南坡上，其目的是希望使敌人猜不到他们采取何种部署。鲁珀特误以为敌人是全面撤退了，遂使王军放弃了良好的防御阵地，并且在匆忙之中把许多兵器留在他们的后面。

现在查理也开始集合其兵力。全部数量是步兵不多于 3500 人，骑兵不多于 4000 人，共分成三线。第一线，中央为阿斯特里所指挥的步兵，右面为鲁珀特的骑兵，左面为兰格达尔的骑兵，都是以中队为单位分为两线。第二线由霍华德（Howard）的步兵所组成，在步兵团中间又夹着骑兵中队。第三线为国王和鲁珀特的步兵团，再加上国王的近卫骑兵，共约 500 人。

费尔法克斯也采取了平行的序列，骑兵及龙骑兵 6500 人，步兵 7000 人，共分为二线。第一线，由斯基朋的步兵居中央，前面没有前哨，左翼为克伦威尔，右翼为艾尔顿，都是骑兵。第二线为三个步兵团。为了保护左翼，阿克（Okey）的龙骑兵团又沿着兰特福（Lantford）树篱布防，这道树篱横越战场，从费尔法克斯的左面到查理的右面。

10点钟时会战开始，王军冲入了宽沼（Broad Moor），开始向对面的山脊攀登。此时，圆颅党也进到了峰顶。接着艾尔顿为枪弹所击中，受到了重伤，他那一翼立即发生混乱。鲁珀特一看见这种情形，就立即冲锋，把敌人这一部分骑兵逐出了战场。又是和平常的习惯一样，他控制不住他的人员，于是在疾驰之下，他们追入了内斯比村。在那里，鲁珀特命令费尔法克斯的辎重纵列投降，但却为对方掩护的火枪所击退。

现在再说到中央方面，沃克的记载说："当我军进到山顶时，叛军虽向他们射击，但都瞄得太高，未能命中。双方步兵进到了短兵相接的距离时，才彼此可以看得清楚，于是立即发生了肉搏，我们的刀剑和枪托发挥了很大的功效。我看见他们的军旗纷纷倒下，其步兵发生了巨大的混乱。假使我们左翼方面在此时的表现，也能有右翼和中央两方面的一半好，则在几分钟之内即可以获得光荣的胜利了。"在这个决斗中，斯基朋受到了重伤，他的正面已经混乱不堪，向后撤退。诚如加德纳教授所说的："在这个混乱之中，还能转败为胜的将领，则其能征服英国将无疑义。"

这位将领即为克伦威尔，他正率领着3600名骑兵，冲下山坡迎击对面来的兰格达尔的骑兵。当双方接近之后，克伦威尔命令冲锋，立即把敌军击溃，使敌人秩序大乱。

现在克伦威尔就显现出他是一个真正高明的骑兵将领了。他并不像鲁珀特那样的乘胜穷追，他只命令三个团去对付已经击退了的敌方骑兵，而把其余的兵力向左旋转，打击在阿斯特里暴露的左翼上。此时，查理也和他预备队中的骑兵，一同前进以来阻止那三个骑兵团的追击，于是就发生了一个非常重要的意外事件。克拉伦登的记载是这样的：当国王领着他的近卫骑兵，正要开始向敌人冲锋

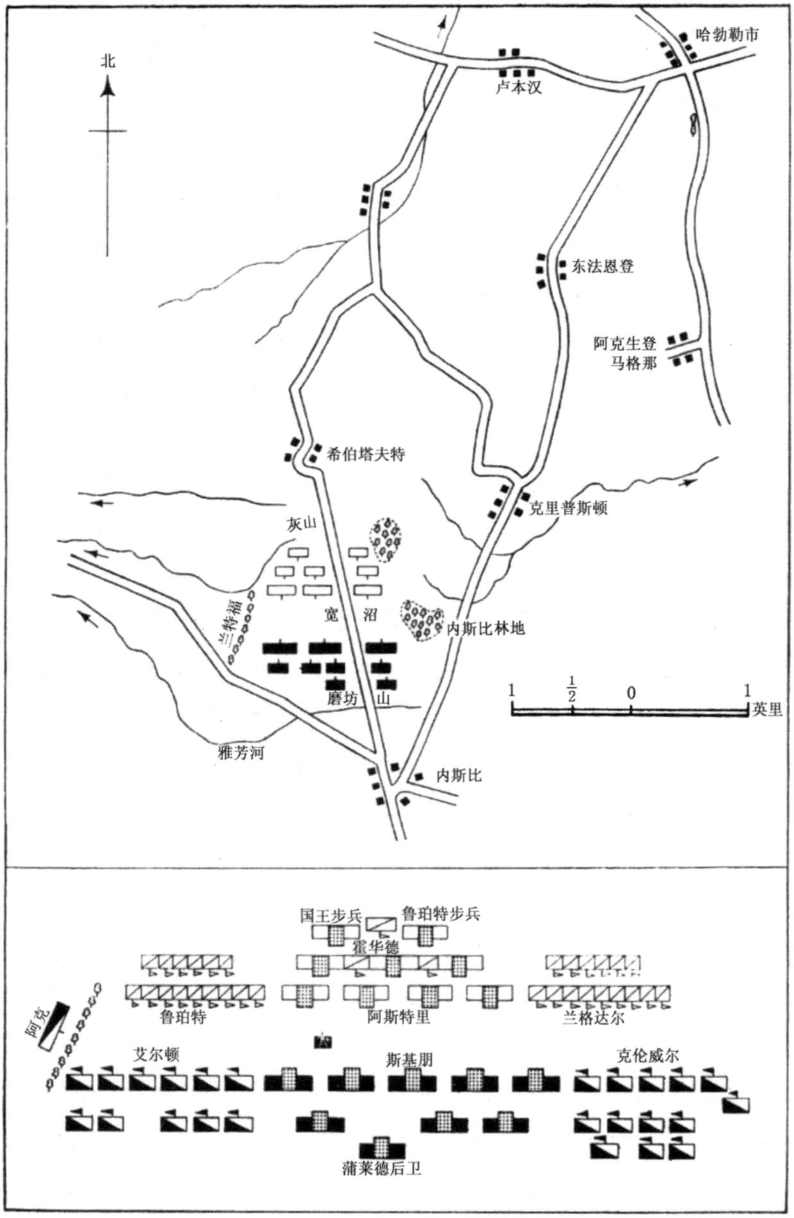

图六　内斯比会战，1645 年

时，在他旁边的卡尼华斯（Carnewarth）公爵突然用手抓着国王的马鞭，嘴里用苏格兰的粗话向他说："你找死吗？"不等国王会意，就掉过马头，率领部队向右跑，就这样既不向敌军冲锋，也不去援助自己的部队。

于是王军的中央部分完全孤立了，克伦威尔控制着他们的正面和攻击他们的侧翼。而阿克的龙骑兵则攻击他们的背面。王军完全丧失了秩序，当国会军接近时，他们就纷纷弃械投降。正当此际，鲁珀特回来了。他认为要想救出这些步兵是已经没有希望，赶紧追上国王与他们会合在一起。他本来还想回头阻止追兵，但是他的部下都不肯听命令了，只好一直逃走，而敌军即跟在后面追。查理的残余兵力一直跑到了莱斯特才收缰。

这是一次完全的胜利，诚如克拉伦登所说的："国王与王国都在这一战中输光了。"5000 名战俘，12 门火炮（查理一直都未使用）和王军的全部纵列和辎重都落入了费尔法克斯的手中。此外还有 8000 套兵器，40 桶火药和 112 面军旗。王军的死伤数字已不可考，估计在会战中损失约为 700 人，在追击中再加上 300 人，其中包括一些营妓和军眷在内。

国王的最重要损失为他私人的文件，其中包括许多他写给王后的信件草稿和副本。从这些文件中又发现他曾经寻求爱尔兰和其他外国部队的援助，并且准备取消反对英国天主教的法律。于是国会把凡是可以诬赖他的文件都公开发表，这对于国王的声望是一个极沉重的打击。

但是内斯比会战的最重要结果不是查理的失败，也不是他的名誉损失，而是这次会战为新军的第一次大胜，而这支新军主要又是由独立主义者组成的。由于内斯比的胜利，宗教独立派的气焰大涨，对于长老会实为一个致命的打击。[1]

[1] 英国的主教制度是代表一种王室控制的宗教形式。长老会是宗教中的贵族政治，由长老们做集体的控制。而独立派则主张在宗教中实行民主的原则。

克伦威尔在这一战之后，即 6 月 14 日黄昏，曾在哈勃勒向国会议长提出一个简单的报告。其结论是说：“在这一战中最诚实的人曾为你们做忠诚的服役。先生们，他们是可以信赖的，我以上帝的名义要求你们不要使他们丧气。我希望这一战能使所有参战人员获得其应有的酬谢。他们曾为国家的自由而冒生命的危险，我希望他们为了其良知的自由而信赖上帝，你们为了他们所争的自由而信赖上帝。”这是对于长老会的寡头政治做直接的挑战，所以后来下议院在发表这个报告时，特别把这一段删去了。

内斯比会战与马斯顿会战不同之点有如下述：后者若能继之以激烈的扩张，则可以使国会战胜国王，而前者则可以使独立主义者战胜国会。它使英格兰免受苏格兰教会（Kirk）的瘫痪性寡头政治的统治，而使这个国家接受了克伦威尔的统治，虽然也是寡头政治，但却是具有刺激的活力。在摄政时代（Interregnum）中，就可以找到内斯比会战对于历史的影响。

战争又拖了一年，查理的情况是日益黯淡，最后因为害怕落入国会的手中，1646 年 5 月 5 日，他向苏格兰人投降了。可是苏格兰人因为想取得欠款 40 万镑，遂于 1647 年 1 月把查理送给英国国会以为交换，但并未将纽卡斯尔交还给英国。

国会重新获得了国王，也就等于获得一切宪法上的权利根据，为了能自由利用他，以在英格兰各地建立长老会的制度，国会两院在 1647 年 3 月通过了一项计划，解散陆军中的全部步兵。但是艾尔顿和克伦威尔却知道只有陆军是唯一足以约束长老会迫害热忱的工具，所以在他们心里却另有计划。他们认为国王为权威的基础，军队是权力的来源，二者若能结合在一起，则独立派的地位就可以绝对稳定了。所以在 5 月 31 日，即军队预定解散的前一日，克伦威尔命令掌旗官乔治 · 乔伊思（George Joyce）骑马到国王被监禁的地方霍姆比（Holmby），把国王弄到在纽马基特（Newmarket）的陆军司令部中来。到了 6 月 7 日，为了避免惩处，克伦威尔和费尔法克斯都到了那里。

7 月 17 日，艾尔顿本是独立派中最激烈的分子，他的态度远比克伦威尔更积极，现在就拟定了一个新政策。它的内容为主教应取消司法权，宗教条约也应废除，所有新教各派都有完全的宗教自由，现有的国会自动解散，未来的新国会任期为两年。在国会之下另设国务会议，其责任为执行外交政策和控制海陆军。这的确像一个政治家拟定的政策，当它被提交国会之后，军队也就奉命向伦敦进军，并且于 8 月 6 日进入该城。

从这时起到 10 月底，克伦威尔曾竭尽他的力量来使国王复位，其条件则为应遵守这个新计划。可是查理却拒绝合作。反之，他却又秘密地与苏格兰人勾结，后者答应拥护他复辟，其条件为在英国建立长老会的统治，并压迫其他一切的教派。这就又造成了第二次的内战，到了 1648 年 8 月 17 日，经过了普雷斯顿（Preston）会战，才为克伦威尔所扑灭。

艾尔顿对于查理完全丧失了耐性，10 月他拟定了陆军的请愿书，坚持主权在民的观念，并要迅速审判国王。国会害怕艾尔顿尤过于查理，并拒绝受陆军的支配。为了消除下院中对于国王有利的分子，12 月 6 日，艾尔顿派蒲莱德上校（Col. Pride）率领一团兵到国会中，捕去百余人。

在圣诞节不久前，查理被送到了温莎，并拒绝了最后的说服。在他拒绝接见上院的代表邓比（Lord Denbigh）之后，下院遂组建了一个法庭来审讯国王的叛国罪。当上院——现在议员总数已经少于 12 人——反对时，下院却不顾一切在 1 月 6 日组成了一个法庭，实际上这是没有合法根据的。1 月 19 日开庭审理，查理直接向这个法庭的权威挑战，虽然如此，在 1 月 27 日他仍被判处死刑。1 月 30 日，他以高贵和冷静的态度，在白厅的前面接受了死刑。民众观看的态度是沉默而恐惧。

为什么克伦威尔一直都是想营救查理，可是到了查理拒见邓比勋爵之后，才一改其态度，也力主审讯国王呢？我们必须先了解克伦威尔这个人，否则就会感到其莫测高深了。

克伦威尔这个人的个性是一个非常复杂的混合物。实际上，克伦威尔不是一个单纯的人，而好像是几个人的混合体。他活力惊人，无论在哪一方面的表现都是强有力的：（1）他是一个非常具有人性、单纯和多情感的人，一个具有浪漫性和幻想力的人。（2）他是性情激烈、刚强的人。（3）他是一个具有决断和钢铁意志的军人。（4）他是一个工心计，善投机的政客，一切并无固定方针。（5）最后他自认为上帝的代表，替天行道，所以敢做任何残酷的行为。

作为一个政治家而论，他几乎只是一个投机的政客。事实上，除了完全信奉上帝以外，他根本就无任何具体的政策。所以他对于每一个情况的处理，照他说都是遵从上帝的指导，换言之，他只看需要与否，而不顾及其后果。他口头讲容忍，而自己却毫无容忍的度量；他坚持应做公开的讨论，而实际上却压迫言论自由。一直等到他继承了查理的地位之后，他才明白了国王所面临的一切问题。他如何来解决呢？他不仅步查理的后尘，而且他所实行的暴政，比之查理其残暴的程度更是有过之而无不及。

至于说到“替天行道”一层，他是一切都归之于天命，对于任何问题的解决，无不托之于祈祷。像所有的清教徒一样，他可以被称为一个“自欺的伪君子”，对于任何残酷的行为，照他看，在《圣经》中都可以找到有理的根据。所以他是以“自欺”的方式来“欺人”。

对于他的一切暴行，有些未免夸张，有些未免掩饰，不过下述的事实却是不能改变的，在 12 年的战争中，爱尔兰一共牺牲了 50 万人的生命，其总人口减到了 100 万人以下。

当查理受审时，克伦威尔首先是不断地跪在地上，祈求上帝的指示。可是不等到宣判，他在死刑执行令上就早已签好了字。以后，当某些审判官不愿在这个命令上签字时，他却把他们拖到字台边上，握着他们的手签字，并向他们发出歇斯底里式的狂笑。

查理被杀头之后，英国就受到克伦威尔的统治达10年之久。以上所述就是这个人的个性——自大、暴烈、不稳定和神化。

假使查理与国会之间的争执仅仅为财政问题，那么他一死之后，一切问题当可自动解决。但是这在骨子里却是一个宗教上的纠纷，独立派与长老会之间的仇恨，并不亚于长老会之于主教制度。所以查理死后，克伦威尔即补上了他的空缺。关于克伦威尔在宗教方面的措施，不是本书所要讨论的，现在只说他为了使人民不注意到其国内的暴政，遂决定对外采取侵略政策。最首要者即为建立一支强大的海军。这又可以说是内斯比会战的一个真正具有永久性的后果。

虽然不无牵强之处，但却可以说查理凭借"军舰准备金"（Ship-money）所建立的舰队，完全不用武装商船，可以算是英国职业海军的始祖。在11年当中，皇家海军所增加的新船，不在207艘以下。

1638年，查理已经任命了一位海军元帅（Lord High Admiral）去指挥他的舰队。当叛变爆发之后，海军宣布拥护国会，由沃里克伯爵出任斯职。同时，国会设立了一个海军委员会（Navy Commissioners）以代替旧有的海军局（Navy Board），1649年又撤销海军元帅，而代之以一个海军小组委员会（Committe of Admiralty）。以后在国务会议之下，就是由这两个委员会来进行建立新型海军的工作。前者改善了海军的待遇，使他们能按时获得优厚的薪饷，后者则注重司法问题，其所出版的《战争条例》（*Articles of War*），成为以后一切海军法律纪律的基础。在委员会以下，有三个"海军将领"（Generals at Sea），分别由波帕姆（Edward Popham）、狄恩（Richard Deane）和布拉克（Robert Blake）来充任，负责海上船只的分配和调动。这三个人当中，布拉克对于海军的指挥和战术具有广泛而深远的影响。[1]

[1]　前二人也都是新陆军中的上校。波帕姆在青年时代也曾任海军军官，而后二人都曾经在商船上服务。

在 1649 年，布拉克的年龄为 50 岁。他本为商人，但对于海军却具有相当的知识。当时的商船都有武装，以来对付海盗和私掠者，所以他可能也有海战的经验。在第一次内战中，他曾在新陆军中做过团长，因为既有战绩复有海上的经验，遂为克伦威尔选拔为“海将”之一，不久他们就被称为“Admiral”了。关于布拉克，克拉伦登曾有下述的评论：

> 他是第一个不遵守旧规的人，显示出来新科学的价值。他也是第一个使船只与岸上炮台相格斗的人，在过去大家都认为炮台是无敌的，现在他却发现炮台只有虚声，而无实效。他把一股新的勇气输入了海军，使他们知道只要有决心，则无事不可为。他教会了他们不仅在水上打仗，而且还要在火中打仗。

有强大舰队的支持，克伦威尔就采取了古斯塔夫的路线，想在欧洲建立一个新教帝国，而以英格兰为其领袖。以后在 1653 年，他更向荷兰人提出这样一个惊人的建议，主张英格兰和联合省应把欧洲以外的一切有人居住的地区加以瓜分。可是荷兰人在英国内战期间，已经把英国的大部分海运贸易都接替过来了，而且现在也不再受法国的威胁，当然不愿接受这个建议，因为这毫无疑问会使它在商业方面要比英国落后。当荷兰人表示拒绝之后，1651 年 10 月 9 日，克伦威尔就以《航海法案》(*Navigation Act*) 为报复，禁止荷兰船只载运英属殖民地的货物。这是对于荷兰人商业优势的直接挑战。1652 年 5 月 19 日，当荷兰海军拒绝英国人执行搜查权利时，第一次荷兰战争（The First Dutch War）爆发了，到 1654 年 4 月 5 日才结束，英国算是胜利了。

由于在欧洲建立一个新教帝国的企图失败了，所以荷兰战争结束之后，克伦威尔即决心支持法国以对付西班牙，这一次的目的比较实际，是为了寻觅一个海外帝国。可是他的动机还是混合的。一方面把西班牙人逐出其殖民地，这对于上帝是一种服务；另一方面获得大量的财富，又是对于英国有实惠的。他设计一个对于西印度群岛的远征，西班牙是一个天主教国家，他觉得对它实行奇袭也并非不光彩。1654年12月，这支远征军出发并攻占了牙买加(Jamaica)，西班牙遂向英国宣战。其次，克伦威尔又与法国订定攻势同盟，其条件为在英国舰队和6000名陆军协助之下，法国人应代英国人征服敦刻尔克、格拉沃利讷、马尔戴克（Mardyke）等西班牙属地，以便英国人可以在欧洲建立一个桥头堡，以支持北欧方面的新教徒。说也奇怪，法国人居然表示同意，1657年5月，英军在布伦（Boulogne）登陆。9月25日，马尔戴克投降了，次年6月14日，又赢得了杜尼斯（Dunes）之战，敦刻尔克投降，并移交给英国人。其他沿海各城也都迅速降服。

1658年9月3日，克伦威尔逝世。现在西班牙也已经力竭，遂与英法议和，1659年11月7日，签订了《比利牛斯和约》。依照这个和约，阿韦讷（Avesnes）、鲁西永（Roussillon）、菲立普维尔（Philippville）和马里恩贝格（Marienburg）都割让给法国，此外还有阿尔萨斯和洛林，也在附带条件下，让与法国。西班牙又同意把腓力四世的女儿特蕾西亚(Infanta Maria Theresa)嫁给路易十四世，并有一个但书说，假使她的嫁妆付清了，则她应放弃其对西班牙王室的继承权。但以后始终未付清，所以路易十四也就不承认这个但书了。

虽然荷兰战争曾使英国获得一些经济利益，但西班牙战争却是一个灾难。它使法国在欧陆上称雄，但却破坏了英国的贸易，而让荷兰坐收渔人之利。它使英国发生了严重的经济困难，国债增高到了250万镑以上。詹姆斯（Margaret James）曾经说过："摄政时期，经济的不安定和政治的不安定是平行的，所以无怪其然，伦敦本是反对查理一世的重心，以后反而对他的继承人表示莫大的欢迎。"

虽然他的外交政策失败了，在国内也完全不能建立一个国会式的政府，但是克伦威尔对于他的国家还是留下了一笔极重大的遗产。在 1647 年，他说他不知道要往何处去，这不无先知之明。9 年后，他又说一切都是天命支配的，这种说法也并非完全错误。诚如詹姆斯对于这个时代的问题所评论的：

> 在国内，一种积极信仰的教条帮助工业主义开始成长。在国外，它也象征着帝国主义的开始。一个上帝的选民，应该比其侪辈居于较高的地位，基于同样的理由，一个上帝所选择的国家，也应该支配他的邻国。

于是从清教徒的宗教雾幕中，爬出来了工业主义和帝国主义，而变成了英吉利文明的基础。虽然这种文明并非克伦威尔之流所能梦想得到的，但是自从内斯比一战之后，他的权力政策却使这种文明醒觉了。牺牲已经烧过了，神签的表示也是吉兆，一个新的时代开启了，不久英格兰在这个时代中所担负的角色，即可以与古罗马相提并论，在以后的 250 年之内，把它的帝国之网撒遍了七海。

大事记（四）

法兰西的称雄

虽然《比利牛斯和约》已经把三十年战争的最后一颗火星都扑灭了，但是法国人所想要解决的问题还是没有解决。西班牙人手中还控制着里尔（Lille）、贝桑松（Besançon）、两西西里等地，必要时，西班牙仍然能够与日耳曼帝国联合起来，而使法国陷于包围之中。马萨林（Mazarin）在1671年死去之后，路易十四遂握有充分的权力。他还只有25岁，却具雄才大略，奋发有为。他想继承查理曼的遗风，使法兰西称雄于世界，而其最迫切紧要的问题即为如何打破哈布斯堡的包围圈。

在解决这个问题时，他的两大贤臣卢瓦（Louvois）和柯尔贝尔（Colbert），对于他是极有帮助的。前者使陆军的行政中央集权化，取消了贵族的权力，而使国王的权威变得至高无上。除了严格要求诚实作风以外，他也改进了装备，引用刺刀和换发新型的火石枪（flintlock），提高步兵和工兵的地位，把炮兵也列入与各兵种平等的地位。此外，他更建立有良好组织的兵工厂和伤残病院。但是其对于路易十四的最大贡献还是为他确立了建国的目标——战争、荣誉和领土——路易本人的个性也正具有这样的趋向。柯尔贝尔重组了法国的海军，当他在 1661 年初建海军时，只有 20 艘船，到了 1671 年，增到了 196 艘，到了 1677 年，又增到了 270 艘。他改革旧有的港口和兵工厂，使土伦（Toulon）、罗什福尔（Rochefort）、布勒斯特（Brest）、勒阿费尔（Le Havre）和敦刻尔克（1662 年从英王查理二世手中买回的）等港口都变为现代化。在沃邦（Vauban）协助之下，他辛辛苦苦地使法兰西变成了一个坚固的要塞。

路易十四不必等候太久，即获得了一个发动其侵略政策的机会。1665 年 9 月 17 日，西班牙的腓力四世逝世，继承者为其子查理二世，只有 4 岁，而且是一个低能儿。因为查理为腓力第二个妻子所生的，而第一个妻子所生的子女中，现在只有特蕾西亚还活着，依照继承法的习惯，第一个妻子的子女是应比第二个妻子的子女占有优先权，所以路易以他的妻子的名义，要求接管西属尼德兰全境。

英格兰正在与联合省交战，是谓第二次荷兰战争，依照条约，路易有援助荷兰人的义务，所以他在 1666 年 1 月对英国宣战。但是英王查理二世却不想树敌太多，1667 年 3 月，他与路易之间达成了一个秘密的谅解；查理不反对路易侵入尼德兰，而路易则以撤回对荷兰人的援助为酬报。在获得了这个协议之后，法军即越过尼德兰的边界，并占领了里尔。接着为了阻止西班牙人从意大利增援尼德兰，1668 年 2 月 4 日，路易十四又侵入了弗朗什孔泰（Franche-Comté），在 14 天之内将其克服。

在他发动这次侵略之前，为了使皇帝利奥波德一世（Leopold I）保持中立，在 1 月路易又引诱他同意签订了一个协定：假使查理二世死后无子（这是很可能的），即瓜分西班牙帝国。这个安排为：西班牙、美洲和米兰地区属于利奥波德，而路易则分得两西西里、西属尼德兰、弗朗什孔泰、纳瓦尔（Navarre）、菲律宾及西班牙在非洲的领土。

路易侵略的立即结果即为，1667 年 7 月 31 日，英国与荷兰人签订了一个《布雷达（Breda）和约》；1668 年 2 月 13 日，西班牙与葡萄牙签订了和约，并承认后者的独立。同时——1668 年 1 月到 4 月——英国、联合省和瑞典又组成了三角同盟，以此来对抗路易。于是路易感觉到他已经前进过度了，所以 5 月 2 日在艾克斯拉沙佩勒（Aix-la-Chapelle）签订了一个和约。依照这个和约，他的收获颇丰，不过对于弗朗什孔泰、康布莱、圣奥梅尔（St. Omer）和艾尔等地则仍应放弃。这却是他可以同意的，根据他与利奥波德的秘密协定，一旦查理死后，这些领土还是应归属法国。

可是路易对于西属尼德兰还是不想放过，于是他设法破坏三国同盟。第一个步骤是在 1670 年 6 月，与英王查理缔结了一个秘密的《多佛条约》，使后者同意支援法国向荷兰人作战。当他的左翼稳定了之后，又设法稳其右翼，占领洛林并与巴伐利亚选侯缔结了一个条约，这使两国之间的友谊一直维持到 1813 年。最后，他又用大量金钱去收买瑞典。到了 1672 年 4 月，三国同盟遂化为乌有。

同年 3 月 17 日，查理已向荷兰人宣战，5 月路易也向他们宣战。在孔代（Condé）与蒂雷纳（Turenne）指挥之下，法军最初的进展颇速，但不久荷兰掘开了他们的水坝之后，法军即受到了阻止。以后，奥兰治的威廉（William of Orange）被宣布为荷兰和西兰的摄政，于是全欧为之震惊，神圣罗马帝国皇帝、勃兰登堡大选侯腓特烈 · 威廉和西班牙都参加了对抗法国的斗争。

在海上方面，英国史中称之为第三次荷兰战争爆发，荷兰的勒伊特（Ruyter）屡次获胜。最后到了 1674 年，英国人一方面害怕法国的势力日益强大，另一方面也痛恨法国的海军在每次会战中都临阵脱逃，而使英国人备受损失，所以国会才强迫查理单独与荷兰人媾和，在 2 月 17 日，签订了《伦敦条约》。陆上的战争一直继续到 1678 年，还是法国比较有利，但是各交战国都已疲惫不堪，遂缔结了一连串的单独和约，统称为《尼米根和约》（*Peace of Nymegen*，自 1678 年 8 月到 1679 年 2 月）。

这个和约使法国获得了一个强大的地位，远胜于过去《威斯特伐利亚和约》所给予它的。根据这个条约，法国获得了西属尼德兰的大部分、阿尔萨斯、洛林、弗赖贝格、布赖萨赫和弗朗什孔泰等地。虽然如此，实际上却是英国人坐收渔人之利，因为在战争中法国人花了许多血肉和财富，而不知不觉之中，却使英国人在殖民事业和海洋上，变成了他们的劲敌。作为分赃，英国也分得了新阿姆斯特丹（New Amsterdam，即今之纽约）和新泽西（New Jersey），使它的南北两美洲的殖民地可以连成一气。此外他们也获得了圣赫勒拿（St. Helena），以作其东印度商业舰队的基地。而更重要的，却是自从英国在 1674 年与联合省签订了和约之后，由于欧陆战争的延续，荷兰的海运贸易大部分为英国人所接替了。所以当《尼米根和约》签订之际，英国已经变成了世界上的领袖海军和商业强国了。如此，它的本土安全确有保障，再加上其制海权，各国的殖民地都要向它乞怜了。

在这些战争当中，路易不仅获得了查理二世的援助，而且获得了土耳其人的援助。在这个时期中，土耳其正在与日耳曼帝国做最后的决斗，这也牵制住了皇帝，使他对于西欧不能作实质性的干涉。对于欧洲而言，这可以说是太侥幸了，在三十年战争时，奥斯曼帝国恰好是处于无政府状态之下，可是到了 1656 年，在穆罕默德四世（1648—1687 年在位）统治之下，秩序又逐渐恢复。1663 年，他们向帝国宣战。但是帝国将军蒙特库科利（Montecuccoli）于 8 月 2 日，在圣戈达（St. Gothard）会战中将土耳其人击败了。土耳其人的第二次行动是以波兰为目标，经过了几次战役，到了 1673 年 11 月 11 日，由科普律吕（Ahmad Kiuprili）所率领的土耳其大军，终于在柯青（Khoczim）为约翰 · 索别斯基（John Sobieski）所击毁。10 年以后，为了击毁利奥波德，路易又引诱土耳其苏丹再向帝国进攻。路易的设想是这样的：当奥地利被推翻后，日耳曼诸国就一定会被迫拥他为盟主，于是他就可以使法兰西再重建查理曼的旧业了。穆罕默德果然相信路易的劝说，集中了一支大军，号称25万人，由穆斯塔法（Kara Mustafa）率领，渡过了特拉华河，向维也纳实行围攻。索别斯基现在已经是波兰的国王，号称约翰三世，马上与洛林的查理会合在一起，率领了7万人（波兰人、巴伐利亚人、萨克森人和日耳曼人都有）去救援该城，并于1683年9月12日击溃了土军。虽然如此，战争还是继续发展下去。1687年8月12日，土军在哈尔卡尼（Harkány）遭到了一次惨败，以后在1697年9月11日，又于森塔（Zenta）在欧根亲王（Prince Eugene）手中再吃到一次大败仗。两年后，在1699年1月26日，双方签订了《卡罗维兹（Carlowitz）和约》。所有匈牙利和特兰西瓦尼亚的领土都割让与奥国；而波多利亚（Podolia）和乌克兰则归属波兰。这就是土耳其祸害的结束，自从曼齐克特之战起，它使东欧始终在其威胁之下。这也可以说是十字军的最后回音。

1683年，土耳其人在维也纳城下被击败之后，接着在1685年2月16日，詹姆斯二世（1685—1688年在位）又继承了英国的王位，这使路易处于一个很困难的境地。前者的意义为奥地利的实力增加了；后者的意义为，假使这个顽固的天主教徒詹姆斯二世不能久于其位时，则其继承人必为奥兰治的威廉，他在1677年曾与詹姆斯的女儿结婚。所以，从政策上来看，首先应稳定詹姆斯的地位；可是路易的牌却打得太坏了，结果他最害怕的事情终于出现了。在詹姆斯即位不久，路易即撤销了南特诏令，对于法国的胡格诺派实行迫害；使事态变得更坏的是，詹姆斯好像是与他争胜一样，也企图使用非宪法的手段，强迫他的臣民接受天主教。结果即为1688年的“光荣革命”，詹姆斯被迫逃出王国，而使他的女儿和女婿变成了英格兰的联合统治者。阿克顿勋爵说：“国王的神权为自由不动产所有者（freeholders）的神权所代替了。”英国政府从此受到了两个政党的统治，辉格党（Whig）和托利党（Tori），前者代表小地主和乡村的教会，后者代表大地主、商人和贸易家。国家的权力最后由王室移到了国会的手中，国王变成了虚君元首，言论自由确立了，1694 年英格兰银行也建立了，这是英国银行制度的起源，以后遂造成了金钱万能的局势。

1688 年的革命使英法两国之间展开了长期的殖民地争夺战，前后长达一个世纪以上。此时，法国具有世界上最强大的陆军和可怕的海军，所以当路易侵入巴拉丁领地时，所有的日耳曼君主都开始联合起来对付他。为了巩固这个抵抗力，现在已经是英王威廉三世（1688—1702 年在位）的威廉，在 1689 年组成了一个大同盟，包括英国、联合省和帝国在内，以使对法国的战争双方可以立于平等的地位。1690 年 6 月 30 日，在詹姆斯二世于爱尔兰的博因河(Boyne)战败的同一天，联合舰队在比奇角（Beachy Head）为图维尔（Adm. Tourville）所击败；但是到了 1692 年 5 月 19 日至 24 日，图维尔的法国舰队又为罗素（Adm. Edward Russell）所率领的英荷联合舰队在巴弗勒尔—拉奥格（Barfleur-La Hogue）大败。这一次大胜的重要性是不可以低估的，当时在英国只有极少数的部队，而 3 万名法军，在贝尔方丹元帅（Marshal de Bellefonds）率领之下，正在等候着越过海峡，侵入英格兰，以扶助詹姆斯复位。

这一次胜利使威廉能够集中全部的注意力来进行尼德兰的战争；虽然如此，他却似乎是最不幸的。1692 年，他丧失了那慕尔（Namur），并在斯坦克尔克（Steinkirk）遭到了一次失败，第二年，又在内尔温登（Neerwinden）再失败一次。1697 年，大部分是因为英国海军在地中海的胜利，路易才表示愿意交出战争中所已经征服的东西。9 月 20 日，签订了《赖斯韦克（Ryswick）和约》。路易承认威廉三世为大不列颠和爱尔兰的国王，并承认安妮公主（Princess Anne），詹姆斯二世的次女，为其王位的继承人。大同盟终于解散，而法国仍保持其欧洲最强国家的地位。

为什么路易愿意缔结这个和约呢？其原因之一为，他预料西班牙查理二世会早死，所以想保存其实力以便乘机提出对西班牙王位的继承要求。诚如米格尼特（Mignet）所说的：西班牙继承权实为路易十四整个朝代的总关键。

对于欧洲可谓不幸之至，这个关键是三方面的：一旦查理二世死了，一共有三个可以要求继承的人。除了安茹公爵腓力（路易十四的孙子）以外，还有奥地利大公查理（利奥波德皇帝之子）、约瑟夫·斐迪南德（巴伐利亚选侯之子），即利奥波德之女马利亚·安托尼亚（Maria Antonia）之子。路易与利奥波德均为腓力三世之孙，也都曾与他们的表妹，腓力四世之女结婚。

因为路易将不会同意把整个西班牙帝国都给予奥地利王室，利奥波德也不会同意把它全部都给予法国，为了防止战祸爆发，唯一的解决是等到查理二世死后，就让约瑟夫·斐迪南德继承，因为在他的统治之下，西班牙帝国仍能独立，而不并入到法奥两国。诚如特里维廉教授（Prof. Trevelyan）所指出的，这个解决方案也非常合于英国的愿望，因为自从威廉与安妮的朝代起，到乔治五世的朝代，只有为商业上的争衡和欧陆上的均势局面被破坏时，英国才会参加大陆上的战争。以现在的情况而论，由于西班牙人在他们自己的工商业方面毫无发展的能力，所以近年来，他们已经允许英荷两国的商船冒充西籍船只以此来担负西班牙与其殖民地之间的贸易。假使西班牙帝国归入法国人的手中，不仅这个利润颇丰的贸易会丧失，而且他们的船只将不再能利用地中海，同时在尼德兰境内，英国和联合省也都要受到法国的威胁。

不过路易和利奥波德在没有补偿条件之下，是不愿同意由约瑟夫·斐迪南德继承查理之位的，所以在1698年10月，为了克服这些阻难，决定采取一个折中方案，由法国、英国和联合省，共订了一个第一次瓜分条约（First Partition Treaty）。依照这个条约，西班牙帝国的大部分都给予约瑟夫·斐迪南德，米兰给予查理大公爵，法国则分到了那不勒斯和西西里。虽然大致是对于奥地利方面有利的，但是利奥波德却拒绝放弃其儿子对于整个西班牙遗产的继承权，

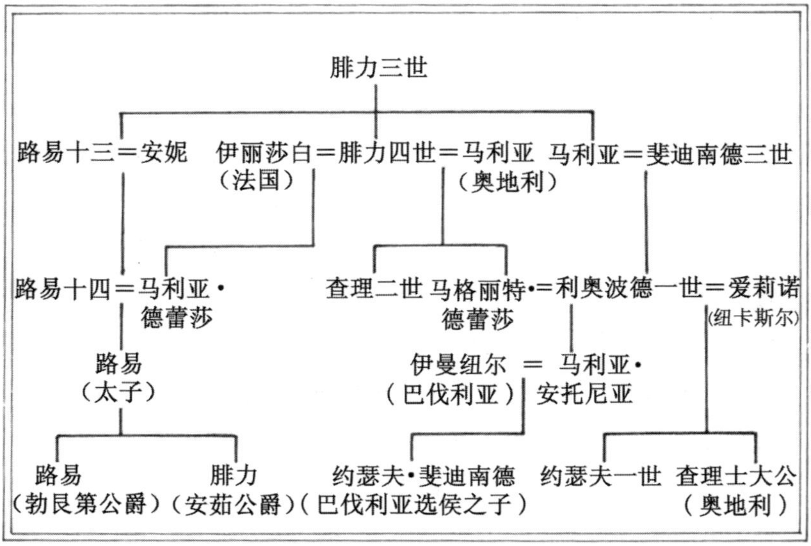

而西班牙人也激烈反对任何形式的瓜分——这当然也是人之常情。

这种情形一直延续到 1699 年 2 月，约瑟夫·斐迪南德突然死了，使局势发生了一个大变。路易和威廉遂开始草拟第二次瓜分条约。这一次的决定为查理大公爵应为西班牙和西印度群岛的国王兼尼德兰的统治者；法国接管那不勒斯和西西里，洛林公爵把洛林让给法国——实际上早已经是法国的领土——为了补偿起见，就把米兰给予他。

利奥波德再一次拒绝同意，这真是一种令人难以置信的愚行。此外，英国的商人也强烈反对把那不勒斯和西西里给予法国，因为他们认为这将使地中海对于英国的船只闭门不纳。西班牙人也仍然反对瓜分的计划，并决定宁愿把西班牙的王冕献给腓力，而不献给查理，因为他们觉得路易能比皇帝使西班牙帝国获得较多的保护。

最后危机终于爆发了。1700 年 11 月 1 日，查理二世逝世，根据他的遗嘱，他把他的整个帝国都给予腓力，但却有一个但书，假使路易不愿以腓力的名义接受，则这个帝国即应给予查理公爵。换言之，这即是说假使路易拒绝接受，则法国就会回到像查理二世时代的旧有情况，受到完全的包围。路易此时已经不能顾虑其条约上的义务，除了接受这个遗嘱，更无其他选择之余地，决定派腓力往马德里。接着在 1701 年 2 月，以保护他们为借口，路易又侵入了西属尼德兰，也占领了米兰。接着他又采取了一个行动，使战争遂成为定局，他占领了荷兰边界要塞（Dutch Barrier Fortresses），这是有条约保障的。[1] 假使说这个行为还不够刺激，他又禁止英国商人从事对美洲的贸易，这就是说英国必须挺身而斗，否则它的商业繁荣就会给法国人夺占去了。

对于这些侵略行为的答复即为 1689 年大同盟的复活。1701 年 9 月 7 日，奥地利和联合省在海牙签订了条约。在原有的形式上，同盟承认腓力统治西班牙和西印度群岛，其条件则为法西两国永远保持独立，绝不合并。此外奥地利则应分得米兰、那不勒斯、西西里和尼德兰。此外，他们又要求腓力应保证同盟国仍享受在查理二世时代中所有的商业特权。另外又与普鲁士国王汉诺威选侯（The Elecotor of Hanover），以及其他的日耳曼诸侯签订条约，由英国和联合省供给军费以来招募部队。

在大同盟成立 10 天之后，英国废王詹姆斯二世在圣日耳曼莱昂（St. Germain-en-Laye）逝世，路易即不顾《赖斯韦克和约》的限制，而承认他的儿子为英王詹姆斯三世。假使说这个行为对于英国还不够刺激的话，他又更进一步禁止英国货输入法国。英国马上也就采取了报复的行动。英国下议院在两年以前，已经解散了大多数的陆军，现在又投票通过大量军费，以此来招募 4 万名英国水兵和 4 万名陆军，其中 1. 8 万人为英国人，其余则为外国人而由英国供给军饷。战争的准备日渐积极。正当此时，威廉三世坠马负伤，

[1] 这是在尼德兰境内的一条要塞线，依照《赖斯韦克和约》，应由荷兰部队据守。

于 1702 年 3 月 8 日逝世。继承他的人为他的姨妹詹姆斯二世之女，安妮公主（1702—1714 年在位）。

第四章
布莱尼姆会战

从外表上看来，威廉三世之死使法国占了优势，使它所希望的统一局面有确保的希望。英格兰的统治者变成了一个并无特殊能力的女人，联合省为之大感震惊，而帝国也仍然还是显出其年老无能的惯态。可是天下事往往有奇迹发生，天命注定了应由一个人来扭转乾坤，这就是约翰·丘吉尔（John Churchill），第一任马尔伯勒公爵（First Duke of Marlborough，1650—1722）[1]。更巧的是他又有一个能干的帮手，他的妻子萨拉·詹宁斯（Sarah Jennings），能深得女王的信任，对于国事的指导具有重大的影响力量。

他是温斯顿·丘吉尔爵士的儿子，1650 年 6 月 6 日出生于阿希（Ash）。从 1667 年开始从军，到 1701 年 8 月 8 日威廉三世任命他为驻联合省大使兼联军总司令（Captain-General），中间他经过了许多次的陆海战役。这些经验对于他是非常有价值的，使他对于战争的现实有所认识。他是一个有见识的人，对法国人的性格有了深刻的了解，以后他对于他的对手是常能判断如神的。

---

[1] 他是在 1702 年才晋封公爵的。

当他证明了自己是当时英国最伟大的军事天才之后，很自然地成为同时代许多小人物的妒忌对象。虽然如此，他的德行也并非无可指摘，在他那个时代中，权谋术数也正是成功的基础，假使他不是那样，也就不可能升到如此的高位了。所以我们判断一个人才的时候，必须以他那个时代的标准为准则。有人指控他是投机小人，曾经阴谋叛国，诚然他曾经与流亡在圣日耳曼莱昂的废王派通信，可是到了 1701 年，威廉三世却任命他主持军政。这个选择是很聪明的，因为这个军事和外交上的重任所需要的正是机智绝伦的性格。

不管他在人格方面的得失如何，以将才和治术而论，马尔伯勒在其同时代诸人之中，实在可以算是高出一等。他有礼貌和耐性，对于愚蠢的人能很愉快地加以容忍，在天才之中很少人能有如此的性格。虽然他具有至高无上的勇气、活泼的想象力和充分的常识，但是其最不可及的特点还是他的自制力。没有任何东西可以使他在心智上丧失其平衡，不管是其同盟国的顽固、政客们的愚笨，还是敌人的运用能力。以将才而言，他具有一种很少见的魄力，能够对于一场战争做总体性的观察，他能够把海权与陆权，战略与政策都融为一体。没有一件事情能逃出其观察力之外，即令是在战术方面或行政方面，任何细节也都不会被忽视。他是一个谋略家，总是经常使敌人感到神秘莫测；他也是一个管理家，他的人员对于任何东西都不会感到缺乏。在计划一场战役时，他可以忍受无限的痛苦，在执行一个计划时，他又能不怕无限的困难。在他那个时代中，大家都相信防御是较坚强的战争形式，他却总是在设法引诱敌人接受会战，而最后更证明一个有活力的攻势通常也就是最理想的防御。有一个同时代的人对于他曾有下述的评论（见佛德蒙亲王［Prince of Vaudemont］致威廉三世书）：

> 寇克（Kirke）有火气，拉尼尔（Lanier）有思想，马凯（Mackay）有技巧，柯契斯特（Colchester）有勇气，但是对于马尔伯勒公

爵却很难加以适当的评语。他的性格中似乎有一种无法说明的因素，上述的诸美德好像会集中在他一个人的身上。在军事方面他实在是一个全才。

罗伯特·帕克（Capt. Robert Parker）曾经在马尔伯勒的麾下服务。他也有下述的批评：

> 至于说到马尔伯勒公爵，所有的人都会同意承认在法国的诸将中，没有一个人是他的对手，连法国人本身也有同感。这是在他的十次战役中都有确证的。他从来不会让机会溜走。在所有的情况之中，他都是具有如此强大的判断和预测的能力，他从来不打没有胜算的会战，从来不围攻没有必克把握的城镇。他的态度乐观，心智清明，脾气冷静，即令在会战的高潮，其思想还是同样的敏锐惊人。

这就是那个为其部下所敬爱，被称为“约翰班长”（Corporal John）的人。最值得玩味的，是百年之后另有一位最杰出的人物，也为他的部下称为“小班长”（Le Petit Corporal）。这个班长实为那个班长的先驱，他也可以说是古斯塔夫大王的继承人，因为他打破了17世纪末叶的战争公式，而又回到了那个瑞典名王的旧路，所以马尔伯勒也正是为腓特烈大帝和拿破仑做了开路的工作。要了解这一点，我们又应首先分析1648年以来战争艺术方面所曾经发生过的变化。

在这个时期，交通还是停留在原始状况，陆军的数量还是不太大，因为骑兵仍为决定性兵种，所以战略大部分受到粮秣的影响。水运和草地是最重要的，此外还有弹药库的建立，结果又使围城战压倒了野战，使大家都一致承认防御要比攻击更为重要。由于希望避免会战，又导致所谓“闪避的战略”（Strategy of Evasion），它是重视运动而非战斗。蒂雷纳（1611—1676）为这种战略的名手，但却并非它的奴隶。但是他最著名的对手蒙特库科利（1609—1650）却曾经定下了下述的原则："成功的秘诀就是要有一个坚固的实体，无论在哪里或是走到哪里，都是如此强硬而不可透入的，它好像是一个机动的要塞，可以随时阻止敌人，而且还应有自卫的能力。"

马尔伯勒却摆脱了这一类的战争形式，而又回到了古斯塔夫的攻势战略和孔代及克伦威尔的攻击战术。他能够如此，是因为他具有丰富的想象力，能够认清他这个时代中的军事变化，并了解其意义。自从 1648 年以来，一共有两个最重要的变化：（1）普遍地采用火石枪，（2）用刺刀代替了长矛。[1] 除了火石枪兵（fusiliers），在 1667 年又新创了一种榴弹兵（Grenadiers），以后也编成了连，每一营有一个连。所以在 1650 年到 1700 年，我们发现有四种不同的步兵，即为长矛兵、火枪兵、火石枪兵和榴弹兵。到了 1703 年，又缩减成一种主要形式，都使用火石枪和接合式的刺刀。

这种兵器数量的减少，使队形和战术都大为简化，火线均为四列，通常也用三列，代替了纵队和六列的横队。一个营通常为 800 人，在组织上分为左右两翼，每一翼又分为师或连（Divisions）、排（Platoons）和组（Sections）。英军一排为 50 人，而法军则为 100 人。过去是一列连续地放枪，现在是各连或排在接近射程——30 步到 50 步——时开始射击，然后在浓烟掩护之下，即开始用刺

[1] "刺刀"（banet）一词可能是由"bayonett"一词演变而来的，这是在 15 世纪的末叶，在巴约讷（Bayonne）地方制造的一种短匕首。1647 年在历史上才第一次有人提及枪上的刺刀，这种刺刀是插在枪口中，会使火枪不能同时发射。1663 年在丹吉尔之战中，英国兵即曾使用它。到了 1687 年，沃邦才建议路易十四世采用"接合式"的刺刀（The Socke-bayonet），这种刺刀可以装置很稳定而又不妨碍射击。两年以后，法国陆军全部采用了它，在 1697 年以后，英德两国也采用了。到了 1703 年，法英两国也都已完全取消了长矛。霍姆上校（Col. Home）说：刺刀的引用代表中世纪的结束和近代战争的开始。这柄 12 英寸长的短刀使战术发生了革命性的变化。

刀冲锋。

马尔伯勒认清了这些变化都是对于攻势有利的，所以他的战略和战术都以攻势为主。用持久性的步兵攻击，他把敌军先钉住，然后再用骑兵的冲力来将其击破。他的骑兵中队是分为三线，像克伦威尔的骑兵一样，手持刀剑疾驰冲锋。在布莱尼姆（Blenheim）之战中，帕克曾经告诉我们说："骑兵奉命首先是缓缓前进，到了与敌人非常接近的时候，才拼命地向敌军冲击。"康恩（Kane）也告诉我们说："马尔伯勒只准每一名骑兵在一次战役中携带三发弹药，这是专准备在马匹吃草时供掩护之用的，而不是为了做正式的战斗。"此外对于步兵，则特别重视射击的训练。

应该记着的是马尔伯勒所指挥的军队是由许多不同国籍的人员所组成的，荷兰、日耳曼和英国人都有，这也给他增加了很多的困难。当战争刚刚开始时，英国的陆军和其海军不同，兵员并非强迫征召而来的。每个上校（团长）自己招募他的部下，所有薪饷被服都是包发给他的。这又造成了广泛的腐化情形，使行伍中常常完全是由罪犯来充数，所以纪律必须十分严厉。特里·维廉曾经提到有一名士兵在1712年被罚鞭笞1. 26万次，但是打到了1800次时，他已经快要死了。从1703年到1704年，英国逐渐通过了一套征兵法案，于是这种招募的方式被取消了，在某种限度之内，承认强迫征兵为合法的。通常是在夏季中作战，而在冬季中补充兵员和训练他们学会当时那种复杂的操法。

1702年5月15日，开始宣战了，马尔伯勒所面临的情况，其困难的程度可以说是从未曾有。法西两国形成了一个统一的阵线，而所谓大同盟者则分裂成为两个集团，一为英国与联合省，另一为奥地利。在奥地利以西为巴伐利亚，虽仍守中立但态度很可怀疑；它与法国之间又隔着一个巴登，他的统治者马格雷夫·路易（Margrave Louis），却决定站在利奥波德那一边。在奥地利的东面为匈牙利，正为叛乱所苦，在其南面则为在意大利境内的西班牙人。

所以奥国正是三面受敌。萨伏依的维克多·阿马戴乌斯二世（Victor Amadeus Ⅱ）也与法国缔结有同盟关系，由于这个便利，法军早已占领了波河上游，可以对米兰的西班牙人实行增援。从全局上来看，法国占有内线的便利，可以分别向联合省或奥地利出击，西班牙人可以直接支援法国，或是以意大利为基地以此来向奥国作战。

马尔伯勒的战略任务，第一是要阻止联合省遭受到法军的蹂躏，第二为防止奥地利为法西联军所压倒。前者所要求者为以联合省为作战基地，在北面击败法军；后者所要求者则为在南面击败西班牙。关于后者，由于在1701年6月，葡萄牙已经与法西两国缔结同盟，西班牙的地位遂大为增强。因为英荷两国海军已经不再能利用葡萄牙的港口，所以无论是在伊比利亚半岛上或是在意大利境内，要想对西班牙作一次攻击，则其先决条件又为在地中海内或其附近，获得一个海军基地。

为了适应这种战略情况，马尔伯勒决定了一个两面的计划：（1）因为巴登的路易撑住了黑森林的隘路，所以他决定攻击布夫莱元帅（Marshall Boufflers）所率领的9万法军。他们正占领着马斯河（Mass）上的一切要塞——只有马斯垂克（Maestricht）为例外——并且也占领了科隆选侯国，所以也就切断了联合省与奥国之间的交通线。（2）同时，罗克将军（Adm. Rooke）和一支英荷合组的远征军应攻占加的斯，并为舰队建立一个基地，从这里就进一步企图获得地中海的控制权，以切断西班牙与意大利之间的海上交通线，并从南面威胁法国。

1702年的战役是从意大利境内开始的，指挥帝国陆军的欧根亲王（1663—1736）发现旺多姆元帅（Marshall Vendôme）所指挥的法西联军，在数量上远占优势，使他很难维持其在莫德尼斯（Modenese）的位置。接着在7月，马尔伯勒率领4万人开始走上战场，因为配属在他司令部中的荷兰代表既怯懦又顽固，所以错过了四次机会，使他未能把敌人引上钩。虽然如此，法国人却被逐出了马斯河和下莱茵河流域，从列日以下的马斯河都可以通航无阻了，若非如此，则 1704 年对于多瑙河的远征将不可能成为事实。

8 月，罗克的海军出现在加的斯面前，陆军 1. 4 万人则由奥蒙德公爵（Duke of Ormonde）率领，但由于计划错误，缺乏主动精神，人员的行为也很卑劣，攻占这个港口的企图终成泡影。在返航的时候，10 月为了掩饰这次失败的耻辱，他们对于维哥（Vigo）做了一次临时性的攻击。法军损失很惨重，船只不是被焚毁即被俘虏。虽然维哥不足以据守当作基地，可是这次突袭所完成的工作，却几乎可与加的斯的攻占相等。但是在此之前，恰好又发生了另外一个事件，结果使它的成功全被抵消了。9 月，巴伐利亚与法国合作，其条件为马克西米连 · 伊曼纽尔（Maximilian Emanuel）的领土应大量扩张，而且一旦皇帝利奥波德被击败，就应由伊曼纽尔继承帝位。换言之，即维特尔斯巴赫（Wittelsbach）王室代替了哈布斯堡王室。这个同盟使路易十四可以由守势转为攻势，而一直进到维也纳。

马尔伯勒已经控制了马斯河和莱茵河下游，在 1703 年，侵入科隆选侯国，并于 5 月 18 日占领了波恩（Bon）。被召回了尼德兰之后，他的那个构思颇巧的占领安特卫普计划，又因为荷兰将领柯贺恩（Cohorn）的不服从而被破坏了。此时，法国诸元帅中最能干的一个维拉尔（Villars），于 1702 年 10 月 14 日已经在弗里德林根（Friedlingen）击败了巴登的路易，并于 1703 年的春季，攻占了基塔拉斯堡对岸的基尔，越过了黑森林，并于 5 月在乌尔姆（Ulm）附近与巴伐利亚选侯会合。他立即主张向维也纳进攻，但是这位选侯却反对，他把他的兵力送入蒂罗尔（Tyrol），企图把这块土地并入巴伐利亚的版图，并且搜集增援的兵力，建立巴伐利亚与意大利之间的联系。此时，维拉尔则监视着路易，以求掩护这个作战。而后者则从斯托尔霍芬（Stolhofen）前进，并已经与斯蒂鲁姆（Styrum）元帅所率领的 1. 9 万名奥国军队相会合。同时，在波河上的旺多姆，也奉了路易十四的命令，取道布雷讷（Brenner）隘路，以求与这位选侯携手，以便把战争带入帝国的心脏部分而结束战争。但是旺多姆浪费了许多的时间，到了 8 月，巴伐利亚留在蒂罗尔的驻兵终被逐出，同时蒂罗尔的山地部队也阻塞了布雷讷隘路，旺多姆遂不能达成会师的任务。

假使巴登的路易和斯蒂鲁姆能趁着巴伐利亚选侯不在时，即联合兵力进攻，那么维拉尔即可能被压倒了，但是他们却很愚笨地把兵力分散了。维拉尔在奥格斯堡首先击退了马格雷夫 · 路易的攻击，然后再于 9 月 20 日在赫西施泰特（Höchstädt）使斯蒂鲁姆受到了决定性的失败。路易也立即放弃了奥格斯堡，退回宿营过冬，虽然这个季节已经太迟了，不适宜再继续作战，可是维拉尔仍然劝巴伐利亚选侯，再做一次突击维也纳的努力，因为匈牙利的叛变正在使奥国人感到头痛。但是这位选侯又不肯听话，双方发生了激烈的争吵，结果维拉尔被召回法国，而由一位能力颇低的马尔辛（Marsin）元帅代替。同时，塔拉尔（Tallard）元帅占领了老布赖萨赫（Old Breisach），11 月又占领了兰道（Landau），使法国本土与在巴伐利亚境内宿营过冬的 4 万法国部队之间的交通情形大为改善。到了 1703 年年终时，奥国的情形是已经困难到了极点，于是利奥波德把欧根从意大利境内召回，并将拯救帝国命运的重责全部交付给他。

不过同盟方面也有两件有利的事情，足以使这一连串的灾难减少了一部分影响。第一是葡萄牙与法国脱离了关系，第二是萨伏依也背叛了法国。前者应归功于英国驻里斯本大使梅休因（Methuen）父子。他们使用巧妙的外交手段，再配合维哥突袭的心理效果，遂使葡萄牙的彼得二世转移到联军方面，于是 5 月签订了《梅休因条约》。依照这个条约，葡萄牙同意接受英国的布匹，以求交换葡萄酒。而联军则同意派遣一支英荷联军往里斯本，并宣布立查理大公为西班牙国王。

至于说到萨伏依，维克多 · 阿马戴乌斯对于法国的诚恳一向都是表示怀疑的，而且觉得法国愈强，则愈不可靠。当旺多姆要求把都林（Turin）交给法军统治时，他就决定倒向联军方面，于10月25日与皇帝签订了条约。这个事件的重要性，至少就当时而论，使得奥地利的南面侧翼有了安全的保障。

尽管有了这些重要的收获，可是1703年的秋天，情况还是非常危急，所以马尔伯勒提出警告说：除非他的部下肯服从命令，否则他就不愿意再指挥下去了。10月12日，他写信给荷兰代表吉尔德马森（Herr Guildermalsen）说："我认为这是我的责任，也是为了同盟国的公共利益，我必须告诉你，根据过去的一切经验，我们知道我军颇少成功的原因，主要是缺乏纪律。除非这一点能有所改善，否则毫无希望。"于是他就返回英国去思考其来年的计划。

到了现在，马尔伯勒已经认清，在未来的战役中，法国人的企图必为把皇帝逐出战争。这个目的达到了之后，他们就可以将其大部分兵力集中到尼德兰了。

为了预防起见，马尔伯勒的任务即为设计一个计划，一方面能拯救皇帝的危难，而另一方面又能为荷兰人所接受，若果不能如此，则至少应该能瞒住他们。上两次战役的经验使他认清了，因为法军的战线和要塞是如此坚固，所以要想在尼德兰迅速获得决定性的成果，似乎是不可能的。于是他就决定，其唯一可行的途径，为把他的军队移到多瑙河上游，以求阻止法国人和巴伐利亚人向维也纳进攻。他清楚地了解那里是主要的决战场，而且也认清了荷兰人将永不会同意他进到那里去。即令他们如此做，这种运动也还是非常危险的。不仅是这个距离相当长，一支大军是很难迅速通过的，而且这种运动是要包括着一种越过法军中央的侧进在内，而马尔伯勒手中的唯一掩护兵力即为路易的小型部队，他们现在驻在斯托尔霍芬，对于这种任务明显是不能胜任的。所以，这次行军的最后目的，不仅应使在摩泽尔河（Moselle）上和阿尔萨斯境内的法军无从知悉，而且同样也不能让荷兰人知道，否则他们马上就会大感惊恐了。此外,为了依照《梅休因条约》的规定,他又决定派罗克护送查理大公,率领一支远征军先到里斯本，当他们已经登陆之后，罗克的舰队即应继续进至利维拉（Riviera），利用萨伏依所供给的陆军，并与法国境内的叛徒联合起来，向土伦攻击，以击毁在该港中的法国舰队，并把法军向南方引去。[1]

到底是谁最先提出应在多瑙河上做主力打击，这个事实已不可考。寇克斯（Coxe）在《马尔伯勒公爵回忆录》中说："做这个决定者为欧根亲王，马尔伯勒曾与他密商全盘的战役计划。"这种说法似乎并不正确，因为在那个时候，马尔伯勒和欧根还并不相识，且并无通信足以当作这种说法的佐证。我们所知道的，在 1703 年 8 月，马尔伯勒对于 1704 年的计划是取道摩泽尔河以侵入法国，同时在那年秋天，他曾接到帝国的大使弗拉提斯拉夫伯爵（Count Wratislaw）的许多通信，其中指明若是没有帮助，则维也纳的丧失将成定局。虽然如此，似乎直到 1704 年 3 月，马尔伯勒还是坚持他的摩泽尔计划。1 月，他又经过海牙与荷兰当局商谈，他们害怕联合省会丧失了掩护，所以表示强烈的反对。当他于 2 月回到英国，又继续受到弗拉提斯拉夫伯爵的紧急呼吁。最后到了 4 月，弗拉提斯拉夫也直接送了一个备忘录给安妮女王，说："巴伐利亚选侯已经获得了法国的大量援兵，帝国的处境已经十分困难。所以要求陛下能下令让马尔伯勒公爵迅速往援。"自此之后，马尔伯勒才开始

[1] 差不多在 1704 年 2 月底，罗克和远征军到达里斯本，当军队登陆之后，大公爵即被宣布为西班牙的查理三世——这就是前后历时 8 年的半岛战争的开始。罗克的舰队进到土伦，但当他发现萨伏依公爵不能拨出任何部队以来参加联合行动，于是就回到直布罗陀海峡。在那里他获得了强大的增援，整个舰队增到了 50 艘以上。他决定做一次一向想做的冒险——攻占直布罗陀。8 月 4 日略经困难之后达到了目的，因为这个岩石上的防御并不坚强。3 个星期之后，他在贝莱斯马拉加（Velez Malaga）的海外，击败了图卢兹（Adm. Toulouse）所率领的法国援兵，这支舰队也有 50 艘战船。这一战使英国人赢得了地中海的控制权，因为在此后的战争中，法国人对于英国人在该海中的优势，再未做有力的挑战。

提及这个计划。最后多瑙河战役计划终于代替了那个摩泽尔计划，这个新计划中之一部分为起用欧根亲王，以代替斯蒂鲁姆，奉皇帝之命他应进到日耳曼战场上，与马尔伯勒和路易比肩作战。

马尔伯勒对于他这个计划严格保密，1704 年 4 月 21 日，他回到联合省，5 月 10 日到达了马斯垂克，在那里他发现情况有如下述：面对着他的为维勒鲁瓦元帅（Villeroi），他的位置是在米海根（Mehaigne）之线以内（即安特卫普—迪斯特—那慕尔之线）。只有科伊格涅伯爵（Count de Coignies）率领 1 万人看守着摩泽尔河。在维也纳周围，所有的帝国陆军约为 3 万人，从乌尔姆有巴伐利亚选侯和马尔辛元帅所率领的 4. 5 万人监视着他们。在 4 月，有 1 万余法军取道霍伦沙（Höllenthal），越过黑森林以与他们会合。巴登的路易正率领着 3 万人驻在斯托尔霍芬，但却并不设法阻止敌军援兵的前进，欧根手中只有 1 万人的兵力，不足以阻止敌人的进展。为了掩护这个增援部队，并保护法国与巴伐利亚之间的交通线，塔拉尔率领着 3 万人布置在斯特拉斯堡和基尔。

尽管敌军的兵力分布已经很难对付，最大的困难却还是荷兰人。为了使自己不受他们牵制，在离开英国之前，马尔伯勒先决定了所有由英国人发饷的部队，均应由其本人直接指挥。这是一个重要的决定。当他告诉荷兰的代表说，未来的战役是在摩泽尔河上时，他们马上就开始阻止他了。虽然如此，他还是把联合省的防务和 7 万人的兵力，交给奥费奎尔克将军（Gen. Auverquerque），于是把自己部队的第一个集中点定为贝德堡（Bedburg），在科隆以西 20 英里处，时间为 5 月 16 日。他所指挥的兵力总数为 90 个中队的骑兵和 51 个营的步兵，其中分别有 19 个中队和 14 个营，连同火炮 38 门，是由英国人组成的，从贝德堡他写信给英国驻维也纳的代表斯提普尼先生（Mr. Stepney），要他向皇帝报告其进军多瑙河上的意图，但却嘱咐不要让荷兰人知道了。5 月 18 日，他检阅了他的部队，两天以后即向莱茵河进发。5 月 23 日进入了波恩。他在那里得知维勒

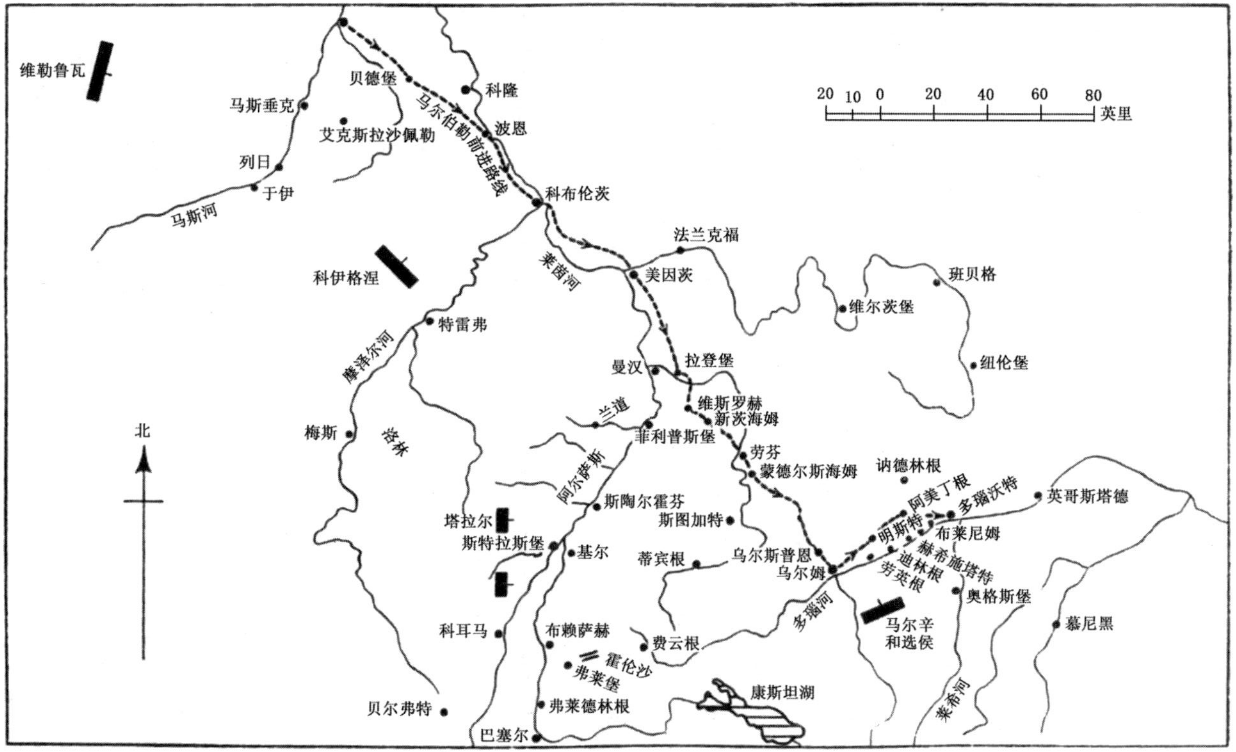

图七　马尔伯勒向多瑙河上的进军，1704 年

鲁瓦已经渡过了马斯河，正在骚扰于伊（Huy）；马尔辛也获得了增援。而奥费奎尔克却发挥其主动精神，也正在输送援兵给他。帕克对于这次进军有下述的记载：

> 我们时常是连走 3 天，有时 4 天，然后再停息 1 天。通常总是凌晨 3 时开始行军，每天走 4 个里格或 4.5 个里格（League，约 3 英里），大约在晚上 9 时达到宿营地。因为我们是在同盟国中行军，所以有指定的官员为我们人马供应一切的必需品。当我们尚未到达地点之前，这些东西就都已经预备好了。军人根本无事可做，除了撑帐幕、煮东西以外，就是躺下来休息。的确，从来没有哪一次行军比这一次更有秩序和规律，人马更不疲倦。

5 月 25 日，马尔伯勒和他的骑兵到达了科布伦茨，4 天以后他的步兵也都赶上了，却不向摩泽尔河上前进，全军越过了两座浮桥，向美因茨进发。照帕克的记载，所有的人都感到莫名其妙，法国人也是一样，他们现在猜想敌人是向菲利普斯堡（Philippsburg）进军，因为最近在那里已经建造了桥梁。6 月 3 日，骑兵在获得一部分日耳曼部队增援之后，在拉登堡（Ladenburg）渡过了内卡河（Neckar）后，6 月 7 日，遂不向菲利普斯堡前进，从维斯罗赫（Wiesloch）全军转向新茨海姆（Sinzheim）。现在他的最后行动已经无法保密了，马尔伯勒才把他的真正意图告诉荷兰当局。法将塔拉尔本是在兰道等候着，以便当马尔伯勒在菲利普斯堡一渡过莱茵河之后，即可以加以迎击。所以当他掉换方向之后，塔拉尔不免大吃一惊，而法国宫廷在巴黎获得这个消息之后，也是一样。现在黑森林保护着他的右翼，马尔伯勒开始直向劳芬（Lauffen）前进。

6 月 10 日，马尔伯勒到达了蒙德尔斯海姆（Mondelsheim），欧根亲王和巴登的路易也在那里会师。6 月 27 日进入了京根（Gingen），开始分配职务。决定巴登的路易与马尔伯勒在一起工作，而欧根则控制莱茵河，以防维勒鲁瓦和塔拉尔增援巴伐利亚军。马尔伯勒的兵力总计约 7 万人，分为 200 个骑兵中队，96 个步兵营和 48 门火炮，在前进了 250 英里之后，才终与敌军相接触。敌军共约 6 万人，由马尔辛和选侯指挥，正在乌尔姆东北 25 英里处的迪林根（Dillingen）挖掘工事。欧根只率 3 万人留在斯托尔霍芬之线，面对着留在斯特拉斯堡的维勒鲁瓦所部，约 6 万人。

6 月 30 日，马尔伯勒进到巴麦尔霍芬（Balmershofen），7 月 1 日又到了阿美丁根（Amerdingen），位于重要要塞多瑙沃特以西约 15 英里。后者是一个重要据点，他必须赶紧占领，一旦他占领到手，他就可以到达通讷德林根的道路，来另开辟一条新的交通线，并且也可以在多瑙河上占领一个桥头堡，以此来打通到奥格斯堡和慕尼黑的道路。若是要想对多瑙沃特实行围城战，那是不可能的，因为这必须要花费好几个星期的时间。而且当马尔伯勒围城时，不仅塔拉尔可以切断他的交通线，而且还可以打击在他的背上，与马尔辛等做前后的夹攻。早在 6 月 30 日，选侯已经匆匆地派了戴阿柯元帅（D'Arco）率领 1. 4 万人到多瑙沃特，他们到达之后便立刻固守施伦贝格（Schellenberg），这是一个卵形的小山，正控制着这个要塞。

既然不能围攻，马尔伯勒遂决定实行突击，尽管他的部将反对，认为经过了 15 英里的行军，部队已经疲惫不堪了，可是他仍然命令应于 7 月 2 日攻下施伦贝格。他认为若赶紧攻击，则不仅可以使戴阿柯损失 24 小时的工作时间，而且在这段时间之内，马尔辛和选侯也可以在迪林根渡过多瑙河，进到其北岸上，来增援施伦贝格。从战略上来说，整个问题的关键就是马尔伯勒到多瑙沃特的距离，要比马尔辛等较近 10 英里。这等于在行军上占了半天的便利，他决定不听诸将将攻击之期延到 7 月 3 日的劝告。

7 月 2 日的清晨，英军的前卫即开出了阿美丁根，路是又长又坏，一直走到正午，才到达了多瑙沃特正面的沃尔尼茨河（Wörnitz River），为了架桥暂停了三小时。为了使戴阿柯误信在7月3日以前他们是不会进攻的，英军就在这里开始架设营帐。此时，马尔辛和选侯为了支援多瑙沃特已经前进，而戴阿柯则忙于掘壕。

马尔伯勒的攻击计划是既简单又大胆。他决定从西面攻击施伦贝格，这也是它最强的一个侧面；不仅是因为这一面与他最接近，而且这面也受到多瑙沃特的保护，是敌人认为最安全的一面。他集结了两个纵队，左面主要为英国步兵，负责突击工事的西北顶点，或是把它攻破，若不可能，则用激烈的攻击把戴阿柯的预备队吸引过来，以便为右面纵队铺路。右面这个纵队在路易指挥之下，从多瑙沃特与施伦贝格西南顶点之间前进，以便从后方攻击这个阵地。

清晨5时，马尔伯勒的炮兵开火了；但是一直等到过了中午1点1刻之后，高尔中将（Lt-Gen. Goor）才率领左纵队前进，6000人共分三线，以8个营为支援，8个营为预备队，只有35个骑兵中队。据当时一个目击者的叙述，其经过如下：

> 我们前面的斜坡是如此险陡，所以当敌人（英军）纵队开始前进时，即不见了踪影，等到再看见的时候，距离我们的堑壕只有200步了。他们运动的速度，加上他们的喊杀声，真是来势惊人。当我听到了之后，即命令我方也击鼓冲锋，盖过他们的声音，以使其不能对于我方人员产生恶劣影响。英国步兵奋勇攻来，一直冲上了防壁，但是我军的抵抗勇气也至少可以与他们相等。第一次攻击历时一小时以上，对于激战的情形是很难于叙述。双方都在做极惨烈的肉搏，死伤枕藉，对于这种活地狱的惨状，我相信真是难以形容。

这次突击被击退了，英军都退到了丘陵以北的谷地中。接着第

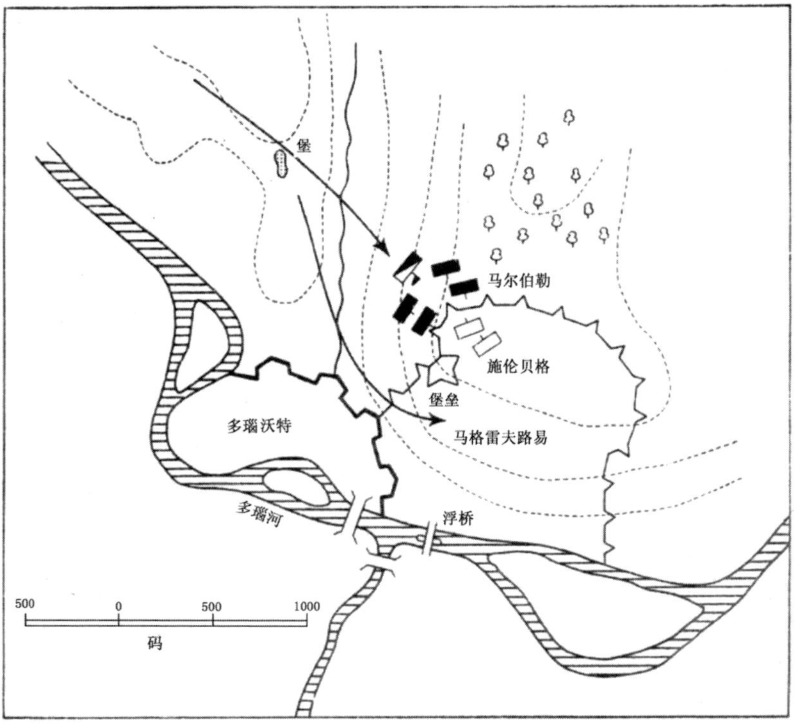

图八　施伦贝格，1704 年

二次突击和第三次突击也是一样的，虽然如此，攻击者付出了重大的代价，却达到了他们的目的，钉住了戴阿柯的预备队，换言之，为右面纵队打开了进路。

多瑙沃特的守军指挥官本应防守联络要塞与旧堡（Old Fort，古斯塔夫所建）之间的掩护防线，它恰好在挡着施伦贝格的西南侧翼，现在他却反而把兵力撤入主要要塞了。这不仅便利于路易的前进，而且因为地形的关系，施伦贝格的守兵也无法得知这些运动。此外，戴阿柯也认为他稳操胜券了，因为到夜幕将垂时，即将有强大的增援从奥格斯堡来到。现在的时间已经快到夜间 7 点钟，沿着丘陵的南面，只有奈克谭考特（Nectancourt）一个团的兵力成单线布防。于是柯罗尼（M. de la Colonie）的记载有如下述：

> 大约在傍晚7点半时，他们到达了距离我方侧翼在枪弹射线之内的地点，我方几乎无人认为这种事情有发生之可能性。当我突然注意到我方的步兵做了一个很特殊的行动，突然立即停火了。我向四周一看，想去发现这个行动的原因，于是看到有几线步兵，穿着灰白的制服，在我方左翼出现了。因为他们停着不动，从衣服和方向上来看，我相信这是我们的援兵到达了，其他的人员也都与我的推断相似。

在这个时候，马尔伯勒就开始做最后一次突击了，敌军夹在两条火线之间，终于溃裂了。最后，那35个中队的骑兵也发动追击，敌军损失惨重，大败而逃。这样就结束了这次十分冒险的会战，这也证明了拿破仑所说的话，在战争中没有冒险，就没有胜利。它一共花了一个半钟头的时间就结束了，等到会战结束，选侯的援兵才赶到，但却只好坐看戴阿柯被歼灭，因为在他的总兵力中，一共损失了1万多人。马尔伯勒的损失也很惨重——死1400人，伤3800人。

这场会战的结果也可以与其观念和执行的冒险程度相称。多瑙沃特攻陷了，通到讷德林根的道路和多瑙河上的桥梁都已经到手了，同时，马尔伯勒获得了一条退却线和一条进入巴伐利亚的前进线。当他听到了战败的消息，这位选侯立即拆毁莱希河上的桥梁，并在奥格斯堡掘壕固守。马尔辛向塔拉尔求援，后者于7月1日已经渡过了莱茵河，在7月16日，正当要围攻菲林根（Villingen）时，就听到了这次惨败的全部消息。7月22日，塔拉尔解围进到乌尔姆，于7月29日到达。这个运动立即使欧根处于极困难的境地，因为本来他应追踪塔拉尔，但却同时又要监视维勒鲁瓦。于是他向北进到蒂宾根（Tübingen），于7月27日到达，其目的是要想欺骗维勒鲁瓦，使其相信他不是在追踪塔拉尔。接着他在斯华比亚丘陵中失踪了，而率领全军开向多瑙沃特。

重要桥梁到手之后，在这个惊人战役中的第二幕也就展开了。因为塔拉尔快要来到，所以最重要的事情就是设法引诱巴伐利亚选侯出战——这也可以证明马尔伯勒的情报很完善，当法军越过莱茵河两天，他就获得了消息。因为巴伐利亚选侯拒绝会战，又因为塔拉尔仍在战场上，所以马尔伯勒也不能进行围攻，于是他在7月8日渡过了莱希河，开始蹂躏巴伐利亚，对居民采取恐怖手段，使他们纷纷向他们的选侯要求保护与和平。7月13日，在选侯夫人劝诱之下，该选侯已经准备讲和，可是正当此际又听到塔拉尔来了，他又决定继续奋战下去，但却很愚笨地分散了其大部分兵力来保护他的“地产”。这对于联军而言，当然是一个具体的利益，但是现在塔拉尔已经接近了，秋天也快到了，而英国国会在11月又将集会，所以马尔伯勒也必须赶紧获得一个胜利。为了达到这个目的，马尔伯勒必须摆脱路易的牵制，因为后者是个脑筋迟缓的人，而且也难以信任，所以他假装同意围攻因戈尔施塔特（Ingolstadt）。7月31日，他写信给欧根亲王说出了其计划的大纲：他应派遣一个支队去协助路易围攻因戈尔施塔特，而欧根和其余的兵力则与马尔伯勒集合在一起，不仅是为了掩护这个围攻，而且更要引诱塔拉尔、马尔辛和选侯的联合兵力出战。

8月10日星期六，塔拉尔和他的同盟军开始向北运动，想要在迪林根渡过多瑙河。第二天，欧根从他设在明斯特（Münster）的营地中——距离多瑙沃特只有两个小时的行军里程——写信给马尔伯勒说：“敌人已经行军了。可以判断其全军都会在劳英根（Lauingen）渡过多瑙河，迪林根平原上已经挤满了部队。所以我决定在今夜命令步兵和一部分骑兵，开进到我在多瑙沃特之前所指定的一个营地。关键就是速度，希望你明天赶紧赶来援助我，否则恐怕会太迟了。”马尔伯勒得书后，立即出发去支援他的同僚。

此时，塔拉尔已经进到了赫希施塔特（Höchstädt），沿着多瑙河向下走，距离迪林根约为 5 英里，在那里听到马尔伯勒与欧根会合的消息。因为路易不在一起，这位选侯（名义上的总指挥）遂假定马尔伯勒会退向讷德林根，于是力主攻击。塔拉尔却怀疑这个建议的可行性，只同意采取一种折中方案——向下游挺进 3 英里，到达布莱尼姆（Blenheim）村落略西的一个位置；他们在 8 月 12 日到达了那里。以后，他们就自己安慰自己说，胜利已经在握，幻想马尔伯勒会被迫撤退。诚如泰勒（Frank Taylor）在《马尔伯勒战史》一书中所指出的，他们不相信欧根和马尔伯勒会那样不尊重战争的规律，对于一个占有坚强阵地而数量占优势的敌军，居然发动一个正面的攻击。那一天夜间，在法巴联军的营地中，精神达到了最高潮，谁都相信马尔伯勒和欧根是一定会撤退的。

法巴联军的营地设在一个平缓高地的顶上，在一个叫作尼贝尔（Nebel）的浅沼泽溪流以西，相距约 1 英里。它的右翼倚托在布莱尼姆村上，它接近多瑙河，塔拉尔的司令部就设立在那里。有一条泥泞的溪流毛威尔（Maulweyer）通过该村。在尼贝尔河的左岸上，向上游约行 1. 5 英里即为下格劳（Unterglau）村。再进 1. 5 英里即为上格劳（Oberglau），马尔辛的司令部即设在此处。上格劳以西又隔了 1. 5 英里，就是在破碎地区中的吕特金根（Lutzingen），即选侯司令部所在地。这些营地为这 4 个村落（或堡垒）所保护着，而尼贝尔河在第一和第三个村落之前，又构成了一道护城河。从防御的观点上来看，这是一个坚强的阵地，右翼有多瑙河，而左翼则有森林和丘陵的掩护。

8 月 12 日拂晓时，马尔伯勒用他的望远镜观视敌军的营地，照米尔讷（Serjeant Millner）的报道：“大约下午 1 点钟时，我们可以看见敌人在扎营，从布莱尼姆到吕特金根都可以看见他们的帐幕。”双方兵力的确数还是不可考。米尔讷估计联军为 5. 2 万人，法巴军为 6 万人。丘吉尔在他的《马尔伯勒传》中估计前者为步兵 66 营（马尔伯勒本人所说的数字为 65 营），骑兵 160 中队，火炮 66 门，共为 5. 6 万人；而后者为步兵 84 营，骑兵 147 中队，火炮 90 门，共约 6 万人。

当法巴军营中都已安寝之时，联军方面却正在忙碌不堪。8 月 13 日凌晨 2 点钟，联军每部分各组成 4 个纵队，前面有 40 个中队的骑兵，开始沿着小径向西进发，1 小时后利用已架好的桥梁，渡过了基塞尔溪流（Kessel Stream）。这个时候是黑暗而有雾，欧根在右而马尔伯勒在左，炮兵和工兵则沿大路向赫希施塔特前进。他们在莱亨溪流（Reichen Stream）上的塔夫汉（Tapfheim）小村西面不远处略停了一下，以便收回前哨的兵力。一共为 20 个营，15 个中队，包括 3 个英国步兵旅在内。他们构成第九个纵队在左面前进，由寇特斯勋爵（Lord Cutts）指挥，继续前进到了施文林根（Schwenningen），又再停顿了一次。马尔伯勒和欧根就带了大约 40 个中队的骑兵，前进到了沃尔皮特斯腾（Wolpertstetten）以北的高地上，去侦察敌情。现在已经 6 点钟，再过一个小时，雾幕升起了，敌人才惊醒，于是放了两炮。

奇袭可以说是非常突然，即令到了现在，这两位法国元帅和选侯还沉醉在他们自己的幻想之内，认为敌人是非撤退不可，所以首先还是判断这是一个掩护主力退却的行动。甚至到了大约 7 点钟时，塔拉尔写信给路易十四，还是说敌人已经撤退。等到敌军仍前进不已时，塔拉尔才突然认清了真相，于是立即下令打鼓吹号，接着在法巴阵营中就紧张万分了。据当时目击者的报道，对于这次奇袭有下述记载：

> 首先放号炮召回采集补给的人员，战鼓雷鸣之中，大家都来不及拆营，即赶紧在营前列阵。在忙乱之中，大家都感到混乱和害怕，那些突然听到号炮归来的人，也都感到士无斗志。敌人的突然出现，使指挥官的精神失常，尤其是他们已经进入了宿营过冬的阶段，都在收拾抢掠得来的财富。对于这样一个

大规模的会战，若事先毫无准备，那当然是居于不利的地位。

大约到了 8 点半钟时，联军进到了敌军炮火射程之内，英国炮兵也开炮还击。此时，塔拉尔匆忙地决定了他的计划，因时间太短不能做其他的部署，遂采取守势。除了他的两翼被多瑙河和森林丘陵保护得很好之外，其 4 英里长的正面上还有沼泽式的尼贝尔河掩护着。至于他的部队与选侯及马尔辛的部队没有照习惯联成一气，而分为两个分立的部分，则是时间迫促的缘故。

塔拉尔决定：他自己防守右翼，从多瑙河到上格劳村为止（该村本身在外）；马尔辛据守中央，选侯则在左翼上。他还决定左翼和中央都应尽量接近尼贝尔河的右岸，阻止敌军任何渡过的企图。至于右翼则退后 1000 码，以便让敌军的左翼渡河后，立刻受到布莱尼姆和上格劳两面火力的夹击，然后法国骑兵再在正面上加以逆袭，即可以把敌人逐入沼地之中。虽然这个计划有许多地方是可以批评的，可是若考虑到时间的仓促，则这个计划用以对付任何普通的敌人，似乎也还算是合理的。

依照他这个计划，塔拉尔又把他的兵力分配如下：（1）对于布莱尼姆，他用 9 个营的步兵担负防守，以 7 个营供支援，而以 11 个营充预备队，留在该村的后方。（2）在布莱尼姆与上格劳之间，他展开了 44 个中队的骑兵（共 5500 人），分为两线，以 9 个步兵营和 4 个中队的龙骑兵供支援。（3）在他们的左面，他把马尔辛的 32 个中队骑兵，再加上 14 个营步兵，部署在上格劳。（4）在上格劳的左方为 32 个中队和 17 个营——也是属于马尔辛的。（5）最后由选侯指挥，共为 51 个中队和 12 个营，位置在吕特金根，其中一部分留置左后方。

从他们的侦察结果上，马尔伯勒和欧根看出来敌军是右翼强于左翼，所以，还是和在施伦贝格时一样，他们决定了应攻击右翼，因为这样可以获得奇袭的功效。大概思路有如下述：欧根应努力攻击敌人的左翼，以此来分散敌军的注意力，而马尔伯勒就乘机对右翼方面做决定性的打击。

马尔伯勒又发现塔拉尔对于防御兵力的分配是很有能力的，其枢纽即在布莱尼姆和上格劳两个村落上面。假使对于这两个村落中的守军若不能牵制住，则他前进时就不免要冒极大的危险。所以他决定对这两个村落应以相当强大的兵力来攻击，以使那些敌方的步兵都忙于自卫，于是当他在两个村落之间前进时，他们就不能向其侧翼实行反击了。若能攻下两村，当然是最好，否则也应该控制着他们，而不让他们的牙齿合拢。此外，因为他不知道在渡河时是否会受到狙击，所以他所采取的战斗序列也是不合常规的。他把兵力一共分为四线：第一线为 17 个营的步兵，以占领右岸为目的；第二线和第三线分别为 36 个中队和 35 个中队的骑兵，负主力突击之责；第四线为 11 个营的步兵，据守尼贝尔河左岸，以便在突击若失败时，可以掩护骑兵撤退。在左翼方面有寇特斯的纵队，其任务为突击布莱尼姆。最后，他更命令其工兵在河上修建五座桥梁，并修补那一座已经被破坏了的桥梁。

当欧根的纵队还正在沃尔皮特斯腾以西的丘陵森林地区中辛苦地前进时，寇特斯却已经肃清了布莱尼姆以东，尼贝尔左岸上的敌人，把法军逐出了磨坊，占领了河的右岸。接着他就和他的纵队据守在接近布莱尼姆村的一个谷地中，在前方的高地上有敌炮五六门，他们在几个小时之内，都以奇异的决心，忍受着炮击。双方炮兵对战达 4 个小时之久，在这个时候为了鼓舞士气，马尔伯勒命令牧师举行一次礼拜。而且在法军炮手可以完全看得见的情况之下，他为了以身作则，亲自纵马缓行于行列之间。一颗炮弹飞到他的马前，使所有的人员都大惊失色，因为顷刻之间，他在灰尘中完全失踪了。

现在已经是 11 点，因为欧根方面还没有任何消息传来，马尔伯勒很是焦急，连连派传骑到右翼方面去探听消息。泰勒对于当时的情况有很生动的描写：“太阳照耀在田野上，农作物显出金黄的

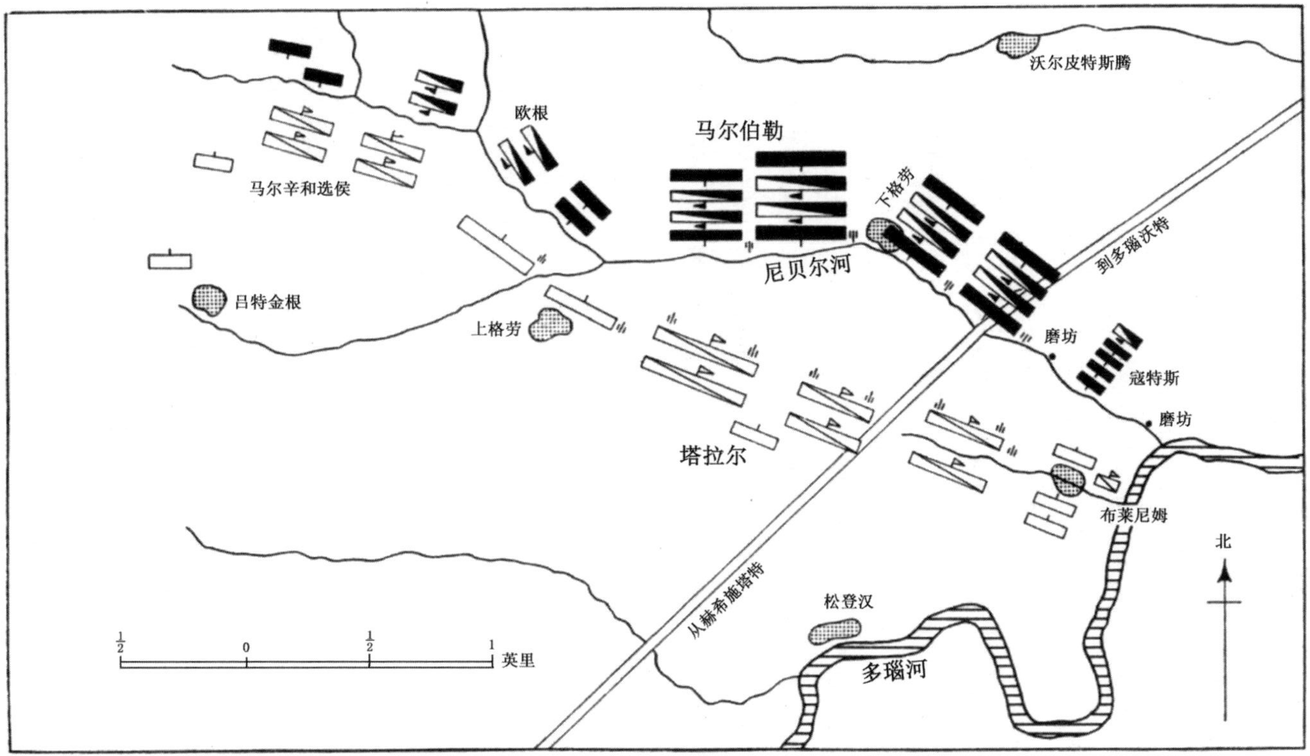

图九　布莱尼姆会战，1704 年

颜色，与红色和蓝色的军服、闪亮的钢铁相映成趣。两军的军乐相对而奏，起伏呼应。隔着这一条沼泽式的河流，炮火横飞，人马单独或是成群地被击倒，负伤的人员被慢慢地向后方运送。现在已经是正午了，天气炎热异常。时间过了一半，而联军的死伤数字已经多到了 2000 人，欧根的副官才从遥远的右方跑来。时机已经到了。”

现在的时间是 12 点半，马尔伯勒转向他的将领们说："先生们，各就各位。" 15 分钟后，寇特斯命令他那领先的英国旅，由罗伊（Gen. Rowe）率领，向布莱尼姆突击，在其掩护之下，罗伊右面的部队就趋向尼贝尔河。罗伊命令一直等到他用刀剑砍在法军所建栅栏之上时，大家才准放枪。当他前进到了距离敌军 30 步以内时，他自己和所属部下的 1/3，都已经被敌人所击倒。可是这个旅仍继续挺进。在浓烟之中，布莱尼姆的法军守将克雷昂包尔中将（Marquis de Cléambault）感到恐慌，就召集他的支援兵力 7 个营，不久更丧失了头脑，又召集其预备队 11 个营，这额外的 1. 2 万人都挤在这个小村之内，有许多人简直无法动弹。所以这一大堆部队对于塔拉尔已经不再有价值了，而在采取守势中的塔拉尔，却正在盼望他们的援救。

虽然如此，第一和第二两次突击都还是被击退了。接着法国的禁卫军（Gendarmerie）——这是他们最优秀的骑兵——也从布莱尼姆的两翼方面前进，但不久也被联军逐退。在北面侧翼上，他们遇到了巴尔米斯上校（Col. Palmes），他用 5 个中队击败敌军 8 个中队。当正在准备做第三次突击时，马尔伯勒却突然叫停，他发现他的目的达到了，法军被固定在这个村落之中。此外，他的领先步兵已经过了尼贝尔河，其骑兵的主力也正在渡河之中。

当激战正在布莱尼姆周围展开之际，在上格劳又发生了一个危机。在这一方面，一共 10 个营的兵力，由荷尔斯泰因—贝克亲王（The Prince of Holstein-Beck）率领着，已经进了该村，但却为守军所逐回。守军由布隆维尔侯爵（de Blainville）所率领，一共 9 个营，包括爱尔兰旅在内,这就是绰号为“野鹅”的单位。当荷尔斯泰因—贝克的兵力在混乱中向尼贝尔河上败退时，马尔伯勒的中央右翼上，就暴露在敌方攻击之下。此时，马尔辛在上格劳的后方，集结了大量的骑兵，正准备从这个缺口中打击在其对方中央右翼上。情况严重到了极点。马尔伯勒认清了这一点，立即亲自驰往该地，并派了一个副官去通知欧根，要求他马上派遣弗格尔（Fugger）的骑兵旅，来掩护这个缺口。虽然欧根本人是正在最恶劣的地形中做着最激烈的战斗，情况也是同样紧急，但是他却立即答应了这个要求。于是当马尔辛的骑兵正向尼贝尔河冲去时，弗格尔就恰好打击在他的左翼上，并把他们逐回了。这个冲锋也救了荷尔斯泰因—贝克亲王，于是他又再度前进，这次就把布隆维尔的步兵逐入了上格劳村中，并把他们围困在那里。现在联军就可以自由地从他们面前经过，并攻击敌人的骑兵。

虽然马尔伯勒对于这一点是看得很清楚，到了下午 3 点钟时，布莱尼姆和上格劳这两个堡垒即丧失了其攻击力量，可是从一般人的眼中看来，则胜利似乎是属于法军的。白天的时间所余不多，欧根正在与选侯作殊死战，却毫无进展，假使联军再不能前进，就会被迫后退，法军的骑兵现在还大部分完整未用，若在他们的前面退走，其结果无异于溃败。但是马尔伯勒却深知，只要欧根能够继续坚持下去，则胜利就是属于他的，因为许多的法国步兵都被封锁在这两个村落中，做着纯粹消极的防御，中间门户洞开，这也就注定了塔拉尔的覆亡。

虽然欧根明知在他的正面上是不能获得决定性胜利的，但也知道除非他能坚持，否则马尔伯勒即无法获得胜利，所以这两位名将之间的合作非常良好。到了 4 点钟时，马尔伯勒的全部中央兵力都已渡过了沼地，他又改变了他的攻击序列，把骑兵分为两线摆在前面，步兵也分为两线摆在后面。在决战地点上，他展开了压倒优势的兵力，因为塔拉尔的兵力不过骑兵五六十中队和步兵 9 个营，而他的兵力却分别有 90 个中队和 23 个营。他一直等到了 4 点 30 分，当他听到了欧根攻到吕特金根的周围时，才让他的整个中央部分开始行动。一直到了这个时候，塔拉尔才认清了敌人的内心里是在想些什么。他命令他的预备队 9 个营在上格劳以南展开，来阻止联军的前进。马尔伯勒也立即命令三个汉诺威营和一些炮兵去对抗他们。经过了一番苦战，这三个营被逐退了，马尔伯勒的骑兵全线也随之退回去。现在可算塔拉尔的最后机会，但是他的骑兵却未能配合。

大约在下午 5 点 30 分，马尔伯勒命令他的炮兵用葡萄弹向这英勇的 9 营敌军发射，在火力掩护之下，他命令部队再全面前进。在鼓号齐鸣之下，分成两线的骑兵，高举着军旗，用整齐的行列向敌人前进。突然的他们加快了速度，直向敌人冲去。

敌人骑兵中的大多数都发生了恐慌现象，胡乱放了一阵枪之后，即拨转马头向战场以外逃跑，包括近卫骑兵在内。有些逃往赫希施塔特，有些逃向多瑙河上，有 30 多个中队，冲下了险陡的河岸，到达了低湿的河边。此时那 9 个营的步兵已全部被歼灭，不留一人。帕克记载说："第二天上午我骑马从那里经过，还看到他们成行列地倒在地面上。"

法巴联军此时已经崩溃。塔拉尔虽向马尔辛等求救，但也枉然，因为此时，欧根正在猛攻吕特金根。他的求救只使马尔辛和选侯产生了一种全面的危机感，于是在其右翼尚未遭到迂回之前，即下令退却。现在已经是 7 点钟，马尔伯勒暂时收住他的缰绳，匆匆地用铅笔在一张酒店的账单背面写了一个短简给他的妻子："我没有时间多说，但请你报告女王，让她知道她的陆军已经获得了一个光荣的胜利。塔拉尔元帅和其他两位将军都已被俘，而我仍在追击中。送信的人是我的副官帕克上校，他将当面把会战的经过讲给她听。"10 天内这个捷报送到了温莎宫中。

写完了这封信，他的骑兵仍在追击已溃的法军，而欧根也在追击马尔辛和选侯，于是马尔伯勒把他的注意力移到布莱尼姆的头上。这里的敌军 27 个营仍在寇特斯和增援的奥克尼勋爵（Lord Orkney）的监视之下。克雷昂包尔疾驰向多瑙河逃走，跳入水中淹死了。到了 9 点钟，他的这些无头的部下都投降了，会战遂告结束。

这一战代价如何？联军的损失为死 4500 人，伤 7500 人，其中包括英军 2000 人在内，即相当于其原有兵力的 20%。依照米尔讷的估计，敌军的损失共为 38 609 人，包括战死、溺毙、负伤、被俘和逃亡者都在内。对于选侯和马尔辛未能做进一步的追击，这却并非马尔伯勒的错误，因为他手中已经没有新的预备队，夜色已深，而他又已经拥有 1. 5 万名的俘虏和无数的战利品，使他难以处理。

马尔伯勒对于他这一次压倒性的胜利，感到意气风发，这也的确应该如此。8 月 14 日，他写信给他的爱妻说："这是一次空前的伟大胜利。"诚然，布莱尼姆会战已经使路易十四的伟大计划为之破灭了。它也决定了欧洲的命运，诚如丘吉尔先生所说的："它改变了世界政治的轴线。"假使马尔伯勒这一战败了，则巴伐利亚选侯就会代替哈布斯堡王室而继承帝位，于是慕尼黑就会压倒维也纳，而帝国的本身也会变成法国的附庸。现在却是选侯被逐出国，其国土也为奥国所兼并。同样重要的是，布莱尼姆一战也击毁了斯图亚特王室（The House of Staurt）的阴谋，假使法国统一了整个的西欧和中欧，则毫无疑问，英国将陷于孤军的苦斗了。

对于英国而言，自从阿金考特之战以后，布莱尼姆之战为他们在外国所赢得的第二次最伟大胜利。它击破了法国陆军的常胜威名，使他们陷入耻辱和嘲笑的深渊中。从 1704 年以后，路易十四所寻求的就只是光荣的和平，虽然战争还继续拖了 8 年之久，其中又加上拉米伊（Ramilles，1706）、奥德纳尔德（Oudenarde，1708）和马尔普拉凯（Malplaquet，1709）三次胜利，使马尔伯勒的英名更为增强，但是路易十四的目的却是一贯的，即赶紧结束战争。最后到了 1711 年，英格兰为了恢复其贸易，也呼吁和平。于是 1712 年

1 月 29 日,开始谈判,到了 1713 年 4 月 11 日,在乌特勒支(Utrecht)签订了一连串的和约。法国保持着其在上莱茵河左岸的领土，在默认法西两国永不合并的条件之下，安茹的腓力被承认为西班牙和西印度群岛的共主，称为腓力五世。路易总算打破了哈布斯堡的包围圈，完成了黎塞留和马萨林两位贤相的工作，也使法国获得了安全的保障，直到 1792 年。此外，他也承认了英国的新教继承权。西属尼德兰给予奥地利，以后即被称为奥属尼德兰，此外还有那不勒斯和米兰，一直保持到 1866 年。联合省也分得了某些边界要塞，萨伏依也升格为王国，并获得了尼斯和西西里，以后在 1720 年，这个岛又与撒丁交换了。在一切分赃者之中，最后还是英国人分得了最大的部分：从法国方面获得了阿卡地亚（Acadia，即今加拿大的新斯科细亚［Nova Scotia］)、纽芬兰和哈德逊河（Hudson）附近的地区——这也是法国势力在北美被逐出的开始。从西班牙方面获得了直布罗陀和梅诺卡（Minorca)，这保障了其海权在西地中海的地位。此外，英西两国之间又签订了一个极有利的商约，其中最重要的条款为英国获有输入黑奴往西属拉丁美洲的专利权，为期 30 年。

在《乌特勒支和约》签订之后，英国在海洋上和在世界市场中都获得了优越的地位，诚如马汉少将（Adm. Mahan）所说的："不仅是在事实上，而且也在它的自觉心中。"特里维廉教授却说："这个伟大而无声的海权革命，其完成却是由于马尔伯勒陆军在欧陆上的胜利和外交上的成功。马尔伯勒认清了海战在同盟国对付路易十四的整体努力中是一个不可或缺的部分，所以从 1702 年到 1712 年，英国海权的基础都是以任何敌人所不能击败它为原则。"

但是这个革命却还要往下深入，因为有英格兰银行这个机构和国债，才能使英格兰用黄金和钢铁来赢得战争。威廉的战争前后达 9 年，共值 3000 万镑以上，而西班牙继承权战争则拖了 12 年，共值 5000 万镑左右。在这个总数 8000 万镑中之一半，是用租税来支付的，其余的完全是借债。这个办法的发明，就是能预支未来的繁荣，以此来救济现在的贫困，所以战争从此以后即用负债的方式来当作基础。伦敦银行家在政治权力上所获得的地位日益增高，远过于地主，这个国家和帝国，其疆界已经变成了海洋，其命运也就逐渐把握在他们的手中。

大事记（五）

莫斯科帝国的兴起

现在有两个新的权力开始踏上西洋历史的舞台，这就是俄罗斯与普鲁士。第一卷中的大事记（十二）中已经说过，前者的历史是开始于公元 10 世纪的中叶。此时，北蛮人（Norsemen）占领了伊尔门湖（Ilmen）地区，并在诺夫哥罗德（Novgorod）建立了留里克王朝（The House of Rurik）。接着就有第二个重大事件迅速发生了：这就是瓦兰吉亚人（Varangians）和他们所征服的民族，在基辅大公（Vladimir Prince of Kiev，980—1015 年在位）强迫之下，开始皈依基督教。基辅大公曾经与东罗马皇帝巴西尔二世的妹妹安妮（Anna）结婚，所以就选择了希腊正教。这个皈依实为俄罗斯与西方文化的第一次真正接触，但是由于采取了希腊的信仰，俄罗斯人与天主教的欧洲遂处于敌对的地位。

1147 年又有另一个事件发生，结果使整个俄罗斯历史都发生了改变。那就是苏兹达尔王子（Prince of Suzdal）多尔戈鲁基（Yuri Dolgoruky）在莫斯科（Moscow）建立了一个军事殖民地。莫斯科在过去不过是一个部落性的村落，现在遂逐渐变成了大俄罗斯的中心，它不仅使整个东斯拉夫民族的历史与欧洲分道扬镳，而且因为在战略上，莫斯科这个地区好像是陆海中的一个岛屿一样，并无可供防御的疆界，出于安全感的要求，它不仅成为一个军事化的国家，并且进一步向所有方向的领土扩张。此外，这也使东西两个斯拉夫民族之间发生了明显的分裂：前者以莫斯科为中心，后者则以维尔拿（Vilna）为中心。1204 年，十字军攻占了君士坦丁堡之后，拜占庭帝国日益衰颓，所以到了 13 世纪，东斯拉夫民族与欧洲之间的接触就更受限制了。

之后的另一件大事即为蒙古人（鞑靼人）的到来，这是由成吉思汗的孙子拔都所率领的。1224 年发生了卡拉（Kalla）会战，1238 年又发生了奥卡河（Oka）和西特（Sit）会战。在这三次大会战中，蒙古人都击败了俄罗斯的骑士。而除了诺夫哥罗德城以外，在这个阶段，几乎所有俄罗斯境内的重要城镇，都无一不被焚劫一空。虽然不久，成吉思汗所建立的这个庞大帝国即已崩溃，可是拔都所统治的金帐汗国（Golden Horde）却在伏尔加河下游的草原上站定了脚跟。拔都以萨莱（Saray，在现在的伏尔加格勒附近）为其首都，控制着俄罗斯，此后百余年俄罗斯即完全与西方文明脱节了。

在向鞑靼人投降之后，俄罗斯的王公们就变成了鞑靼人的税吏和警察，这个职业是非常有利的，所以弗拉基米尔（Vladimir）大公爵伊凡·卡利塔（Ivan Kalita，即“钱袋”之意）的实力日益增强，终于兼并了莫斯科，压倒一切政敌。在他的朝代中，第一件大事就是从弗拉基米尔迁都莫斯科，不久莫斯科即变成了一个重要的首都。虽然如此，尽管鞑靼人的势力颓丧了，可是其控制还是很严密的。然后帖木儿（Timur）出世了，他在 1390 年到 1394 年，击败了鞑靼人，削弱了其对于俄罗斯的控制。之后，莫斯科大公才又恢复了其与拜占庭帝国的接触，直到 1453 年该帝国灭亡。虽然此后一个世纪，他们与西方又完全丧失了接触，但是由于在 1472 年，莫斯科大公伊凡三世（1462—1505 年在位）与东罗马最后的皇帝君士坦丁十一世的侄女结婚，莫斯科变成了希腊正教的圣地，而大公也变成了拜占庭恺撒的继承人。伊凡宣布摆脱鞑靼人的统治，上尊号为沙皇（Tsar=Taesar=Caesar），在他的朝代中是一面努力摆脱鞑靼人的枷锁，一面扩大莫斯科的统治。他使他那公国的领土增加了一倍，并聘请意大利人来到他的宫廷中充当顾问。其中有一个就是米兰的苏拉里（P. A. Sulari），克里姆林宫就是由他建筑的。

伊凡三世于1505年逝世之后，莫斯科人的扩张工作就由他的儿子瓦西里三世（Vasili Ⅲ，1505—1533年在位）继续执行。接着就是他的孙子伊凡四世（1533—1546年在位），这个人又号称"恐怖"（The Terrible），因为他的罪恶和暴虐即令以一个沙皇的标准而言，也都是不正常的。他是一个完全的独裁者，正好像400年后的斯大林一样，把他的臣民都变成了卑劣的奴隶。他曾经与克里米亚可汗（The Khan of the Crimea）交战，后者于1571年曾火焚莫斯科城。在1557年到1560年，他征服了利沃尼亚（Livonia）。当他征服了顿河流域的哥萨克人之后，就又越过了乌拉尔山脉，进兵到了额尔齐斯（Irtysh）和鄂毕（Ob）两河之间的领域中。他是一个具有人类智慧的野兽，是历代沙皇中最伟大者，也是后代一切斯拉夫暴君的模范。

在他的朝代中，西方人也重新发现了俄罗斯。1553年，在英王爱德华六世的朝代中，威洛比爵士（Sir Hugh Willoughby）和钱塞勒（Richard Chancellor）共乘了三艘船，去找寻通往中国的东北水道。当他们到达了拉普兰（Lapland）海岸之后，其中有一艘船由钱塞勒指挥，进入了白海。他在德维纳（Dvina）河口登陆后，才意外发现他已经进入了莫斯科的国境内。他到达了莫斯科，受到了伊凡的良好招待。等他回来之后，玛丽女王就派了一个特使到莫斯科去，与沙皇谈判展开两国间的贸易关系。由于白海每年都有几个月的封冻期，为了获得一条比较便利的航路，伊凡遂于1557年侵入了利沃尼亚。接着就与波兰之间发生了一场七年战争（1563—1570），瑞典和丹麦两国各为自己的利益，也曾参加。

贸易使西方接近俄罗斯，而战争也使俄罗斯接近西方，于是自13世纪起的孤立状况终被打破了。这个效果立即显示了出来。16世纪前夕，害怕亚洲人侵入的旧心理在欧洲又重新觉醒了。西欧海权国家的政策是与俄罗斯开展贸易关系，而东欧诸国则希望把它限制在野蛮界限之外，不让西方的思想和工艺来增强它的力量。波兰国王对英俄间的贸易协定大感震惊，所以不惜向伊丽莎白女王提出抗议说："为了基督世界的利益，因为俄罗斯是一切自由国家的公敌，所以反对把军火输入该国。"

1580年，伊凡在一阵狂怒之下，把他的长子杀了，等到他在1584年逝世时，皇位遂由次子狄奥多尔（Theodore）继承。接着就是30年的无政府状态。狄奥多尔驾崩于1598年，留里克王室遂告以结束，而波兰人也于1605年占领了莫斯科。8年后，波兰人又被赶走了，大主教菲拉雷特（Metropolitan Philaret）的儿子米哈伊尔·罗曼诺夫（Michael Romanoff，1613—1645年在位）被选举为沙皇，靠婚姻的关系，他与前朝也可以扯得上。此即罗曼诺夫王朝的建立。这个王朝一直延续到1918年7月16日，尼古拉二世全家被害时为止。

在米哈伊尔的朝代中，与波兰的战争仍时断时续，到了他的继承者阿列克谢（Alexis，1645—1676年在位）在位时，若非瑞典国王查理十世出面干涉，则俄罗斯可能已经兼并了白俄罗斯。查理的干涉并非出于安全上的要求，而完全是因为军事上的野心。

查理为古斯塔夫大王的侄子，于1654年继承了瑞典的王位。他在思想上是一个纯粹的军人，即位不久，即进攻波兰，于是勃兰登堡、俄罗斯、丹麦和荷兰等国也都被卷入旋涡，这就发展成为第一次大北战争（First Great Northern War）。受到勃兰登堡选侯的援助，当他征服了波兰的大部分地区之后，查理即开始与小俄罗斯（乌克兰）的哥萨克人缔结同盟关系。阿列克谢遂与波兰人媾和，共同对付查理。1621年，利沃尼亚已为瑞典人所夺占，俄国现在就开始企图夺回。最后到了 1661 年，瑞典与俄国之间终于签订了《卡尔迪斯（Kardis）和约》，利沃尼亚又交还瑞典人。但因为波兰人拒绝执行这个条约，所以俄波战争又重新爆发，一直拖到 1667 年。双方签订了《安德鲁索沃（Andrusovo）条约》，不仅斯摩棱斯克（Smolensk）交还沙皇，而且他也获得了小俄罗斯，直到第聂伯河（Dnieper）为止。于是俄罗斯向西方又前进了一步。

《卡尔迪斯和约》使瑞典变成了波罗的海的主人，在查理十一世的朝代中（1660—1697），这个情况一直都没有变化。在战胜了丹麦之后，查理在晚年遂专心致力于国内的和平复兴工作。当他于 1697 年逝世时，他的儿子还只有 15 岁，是谓查理十二世（1697—1718 年在位）。他所继承的这个大帝国包括了整个的斯堪的纳维亚半岛（挪威除外）、芬兰、卡累利阿（Carelia）、因格里亚（Ingria）、爱沙尼亚（Estonia）、利沃尼亚、西部波美拉尼亚（Pomerania）、维斯马（Wismar）、不来梅和威尔登（Verden），以及大多数波罗的海中的岛屿。所以瑞典人不仅控制了波罗的海，而且除了尼门河（Nieman）和维斯杜拉河（Vistula）以外，所有流入该海的各大河河口也都在其控制之中——包括涅瓦（Neva）、杜那（Duna）、奥得、易北和威悉等河在内。这个帝国在外表上固然是威势赫赫，但是却已经潜伏着内在的毁灭种子：在东面阻塞了俄罗斯向波罗的海的发展；在南面受到神圣罗马帝国和勃兰登堡的威胁；在西方也受到丹麦和挪威的威胁。

阿列克谢于 1676 年逝世，继承者为其子狄奥多尔（1676—1682 年在位），他到了 1682 年，又由他的异母弟弟彼得（Peter，1682—1725 年在位）所继承，这就是历史上所称的彼得大帝（Peter the Great）。虽然他是强迫俄罗斯接受西方文明的第一个功臣，但是罗曼诺夫王朝的头三个沙皇亦功不可没，因为他们使西方观念到达了俄罗斯可以触及的位置。虽然如此，当彼得即位时，俄罗斯还只算得上是一个野蛮国家，土地和人民都是沙皇的私产。那里绝对没有自由，法律是可以买卖的，租税是无异于抢劫，腐化、酗酒和暴力成为常例，各种无法形容的罪恶是一种普遍现象，迷信流行并被西欧当作地狱看待。在阿列克谢的时代中，有一个叫作柯托希金（Kotoshikhin）的人，曾经逃往瑞典避难，他对于当时的俄罗斯曾经有下述的描写："俄罗斯人粗鲁而无能，他们除了骄傲、无耻和撒谎以外，就再未受到其他的教训。他们不愿将他们的孩子送往国外留学，因为害怕孩子们知道了其他国家的生活方式和宗教，以及自由的幸福之后，就会乐而忘返了。沙皇更禁止俄国人民去国外旅行，害怕他们看到了外国的自由现象。"我们对于彼得大帝的一切改革，以及他强迫执行的方法，必须以此种落后的背景为批评的标准，然后才能算是公正。同样地，对于其在波尔塔瓦击败查理十二世的胜利，也应以此为评价的准则。

第五章

波尔塔瓦会战

《彼得大帝传记》的作者华里斯周斯基（Waliszewski）曾经这样说："彼得就是俄罗斯，他的肉和血，他的脾气和天才，他的美德和罪恶……我从来没有看见过一个民族的集体性格，无论是好还是坏，会这样汇集在一个人的身上，使其注定成为一种英雄的典型。"

彼得生于1672年5月30日，在体形方面很是英俊威严，在精神方面则是一个强弱互见的混合体：他有亚洲人的狡猾和斯拉夫人的阴险。他冲动、粗鲁、野蛮，缺乏自制力。他玩世不恭，生活放浪，有时怯懦，有时勇敢。虽然易怒多变，可他却具有坚定的决心，只想使他的国家变成一个半欧洲的强国。他不怕疲乏，不动感情，这也许即为其决心的来源。对于凡是能够吸引其注意力的东西，他马上就能够学以致用。他学会了使用航海罗盘、刀剑、木工工具，甚至牙科手术的钳子。他曾经亲手造船，训练士兵，有时还自己煮羹，整理床铺和为其臣下拔牙。他经常私访，而且很少有一天不闹酒。他最大的乐事就是把女伴们灌醉和亲自鞭挞罪犯。但是总体来说，他却是俄罗斯沙皇中最伟大的一个，完全凭着意志力和令人难以忍受的野蛮，迫使其臣民勉强地接受西方。因为他的臣民都是那样的不成材，若非他这样一个野蛮的组织家，则将毫无成功的希望。俄国人在性格上本来都很野蛮，所以需要一个超级野蛮的人来做他们的主人。

彼得继承了两大任务：第一是确保俄罗斯的疆界，尤其是在南面和西面，免受敌人的攻击；第二为巩固对俄罗斯人民的统治。他的先人对于这两个任务已经做了一部分的解决，但是一直到了1667年《安德鲁索沃条约》签订之后，数百年来的俄波旧仇才算是告以结束，于是这两个工作才可以分别迅速地展开。其次，到1686年，依照《莫斯科条约》，俄波两国又建立了同盟关系，这才使彼得在1696年可以从土耳其人手中夺得亚述（Azov）。这是莫斯科人对于土耳其赢得的第一次胜利。它使彼得的威望大为提高，于是他决定派遣一个大使节团遍访西方各国，要求他们合作共组反土耳其的十字军。

1697年3月21日，大使节团出发，他自己化名为彼得·米海伊洛夫（Peter Mikhailoff），乔装成一名水手，以便可以研究造船术，并和一般人做自由的交游。这一次旅行使他游遍了日耳曼、奥地利、法兰西、荷兰和英格兰等国，在英国他曾在德特福德（Deptford）一个造船场上工作。当他在回程中，正拟向威尼斯进发，突然听到其国内的“射击军”（Strelsy）发生叛变的消息，于是立即改变方向，向克拉考（Cracow）前去。之后他又听到叛乱已经平定，于是就在拉瓦（Rawa）暂停，与萨克森选侯腓特烈·奥古斯特（Frederick Augustus）[1]在一起盘桓了几天。这个选侯于1697年被选为波兰国王。在他的宫廷中，彼得与他签订了同盟条约，准备参加第二次大北战争，并使俄罗斯变成一个半欧洲式的强国。

这个重大事件的起源如下：在瑞典国王查理十一世的朝代中，有一位利沃尼亚的贵族，叫作巴特库尔（J. R. Patkul），被夺去了自

[1]　著名的萨克森元帅（Marshal de Saxe）即为其私生子。

己的地产，于是就逃往萨克森。到了1698年，他就劝这位选侯与丹麦和俄国缔结同盟，以瓜分瑞典帝国。当奥古斯特与彼得讨论到这个问题时，后者马上认清了向波罗的海发展比向黑海还更为有利，于是同意参加。他们所拟定的计划如下：先由丹麦的腓特烈四世把查理十二的兵力引向西面去，然后萨克森人和俄罗斯人同时侵入波罗的海方面各省区。这个时机似乎是很有利的，因为查理十一世已经在上一年去世，现在瑞典的政权是握在一个16岁的小孩子手中。

欧洲的漫游使彼得认清了外国人的内在优势，当他回莫斯科的当天夜间，在他的本性行动之下，他决定立即开始一个新的时代。他从外表上做起，第二天就把所有的大臣集合在一起，以便在他们的外表上先西洋化一下。他自己拿了一把剪刀，把他们的长胡子全部剪光了。接着为了教训那些士兵，让他们知道叛变是不上算的，在此后的六个星期当中，亲自对他们加以严刑峻罚——亲自动手砍头或拷打。

不久他又进行另外一种改革：不准俄国人穿旧有的服装，而改穿西欧人的衣服。之后，他又把他的皇后叶夫多基亚（Eudoxia）锁在一个尼姑庵中，而把莫斯科大街上一个卖肉包子的女人，当作是他的宠姬。此时，他又设法与土耳其政府媾和，于是在1700年7月，俄土之间签订了为期30年的休战协定。8月8日，他听到了和约签字的消息，即命令他的军队侵入利沃尼亚。但是对于奥古斯特和彼得而言，可以说是不幸之至：他们对于查理十二世的能力未免估计错误了。虽然他实际上还不过是一个大男孩子，可是他却立即证明他是历史上少数名将之一。

查理十二世出生于1682年6月17日，他的个性很特殊，是一个游侠之士，也是一个狂醉之徒。他是以战争为生活的，他对于战争的困难和冒险具有癖好，甚至有过于胜利本身。前途愈无望，情况愈恶劣，他反而更起劲。他的城府极深，不可测度，他的自信是无限的，而他的自欺能力也是无边的——照他看，没有什么目标是

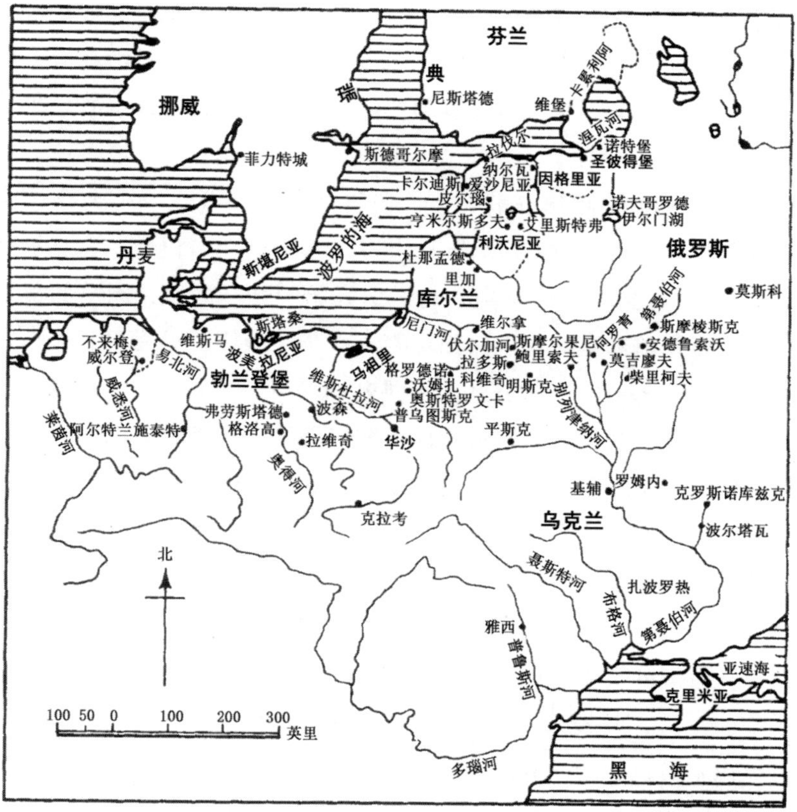

图十　大北战争，1700—1721 年

他不可以实现的。敌人的数量优势，敌军阵地的强度，他自己部队的疲惫，装备和补给的缺乏，恶劣的道路，泥泞，雨雪，冰冻，烈日，一切的一切，照他看都是上天故意设置的障碍，以此来考验他的天才。没有东西能够阻止他，任何的危险和困难都只能激励他更前进。他精神高昂，但也颇有自制力，言而有信，对于纪律颇知重视。他在战场上，能使他的部下把他当作神话中的英雄看待，对于他的领导产生无限的信心。他的无畏精神是非常特殊的，他的精力极旺盛，此外他也具有一种战术性的慧眼，只要看一眼，即能够发现敌人战线上或阵地上的弱点，于是就立即像雷霆一样向那里打击。对于这样一位奇才，奥古斯特和彼得却把他当作小孩子看待，一心只想瓜分他的领土。

为了对欧洲打开一扇天窗，彼得率领了4万人，由戈洛夫金元帅（Field-Marshal Golovin）指挥，于10月4日到达了纳尔瓦（Narva），等到攻城炮赶到之后，即开始围城。据说，围攻的部队环绕着要塞前进，好像一只猫绕着一盆热汤一样（见克鲁契夫斯基［V. O. Kluchevsky］所著之《俄国史》）。

该城被占领之后，俄军阵营中即接获了一个极惊人的消息。他们本来以为查理还在与丹麦人纠缠着，想不到他却已经率领“无数”的大军，迅速向纳尔瓦前进了。彼得并不知道，西面的战事完全不如计划中的那样发展。腓特烈四世相信自己的强大舰队可以守住海峡，不让瑞典人渡过，于是在4月已经侵入了荷尔斯泰因。哪知道在英荷海军的友善示威行动掩护之下，查理已经迅速地溜过了这个狭窄的海峡，并侵入西兰。这个果敢的行动直接威胁到哥本哈根，丹麦遂不敢再战，于8月18日签订了《特拉温德（Traventhal）和约》，结束了战争。

摆脱了丹麦的牵制，查理就立即向东进攻。10月6日，到达爱沙尼亚的皮尔瑙（Pernau），本拟解救里加（Riga），该城正受到萨克森人的压迫；但是当他听到纳尔瓦已经受到围攻时，遂马上转向北面，在温堡（Wernburg）停留了五个星期，来集中他的兵力，于11月13日再度前进，11月19日就到达了拉格那（Lagena），距离纳尔瓦只有9英里远。

直到此时，彼得才知道他的敌人已经接近，这个奇袭来得太快，使他感到恐惧无比，于是指定了克罗伊亲王（Prince de Croy）任总指挥，他自己却与戈洛夫金元帅先溜走了。尽管敌军在数量上占有五比一的优势，查理却还是意气自若，第二次他只率领了8000

人，在风雪掩护之下进攻，他大声喊着说：“这是天赐的良机，风雪在我们的背后，敌人无法看清我们的人数是如此稀少。”半小时后，他攻入了外围，俄军马上弃城而逃了。

在这次胜利之后，查理即在多尔帕特（Dorpat）宿营过冬；他的意图是想等春季解冻之后，再攻击奥古斯特。虽然有人批评他为什么不追击彼得，可是从战略上来看，他的观念是正确的，因为假使他继续再向莫斯科追击，结果将使奥古斯特有了切断其交通线的自由，这才是真正的愚行。

查理留下了1. 5万人去防守波罗的海诸省，到了1701年6月，他就出发进行其波兰战役。7月8日，他在烟雾掩护之下，渡过了杜那河，在杜那孟德（Dünamünde）击溃萨俄联军3万人，并蹂躏了库尔兰（Courland）。1702年1月，他又开始向华沙进发，于5月14日占领该城；并于7月2日，在克里索（Klissow）击溃了萨克森军。三个星期之后，他手中只握了一根手杖，站在克拉考的城前，凭着惊人的勇气把该城攻占了。1703年4月21日，他在普乌图斯克（Pultusk）又再度击败了萨克森军。6月6日，他宣布废除奥古斯特，另行指派斯坦尼斯瓦夫（Stanislaus Leszcznski Palatine of Posen）为波兰国王。在这许多次会战中，他的军队在数量上总是处于一比二或三的劣势。

当查理正在波兰境内作战时，彼得的神经恢复正常了，又侵入了因格里亚。1702年1月7日，彼得在艾里斯特弗（Errestfer）用奇袭击败了希里彭巴赫将军（Gen. Schlippenbach）所指挥的瑞典军；7月18日，又在亨米尔斯多夫（Hummelsdorf）用奇袭击败了另一支敌军。获得了这些成功之后，他于12月11日，又占领了诺特堡（Nöteborg）小镇，并改名为希鲁斯堡（Schlüsselburg，即“锁钥之城”）。彼得已经征服了这个具有历史意义的涅瓦河口，在9世纪中瓦兰吉亚人曾经经过这里，向南进到诺夫哥罗德。次年5月16日，他就建立了圣彼得堡（St. Petersburg）。于是他终于达到了他的目的，向欧洲打开了一扇天窗。

1704 年的春天，在蹂躏了因格里亚之后，彼得又包围多尔帕特和纳尔瓦。前者于 7 月 24 日投降，后者于 1 月后为欧格维将军（Gen. Ogilvie）——苏格兰人，在俄军中服役——所攻陷，居民全遭屠杀。彼得现在希望媾和，但是查理却不愿理会。于是到了 1705 年，前者决定援助奥古斯特。6 月，欧格维出现在普乌图斯克之前。瑞典将军李文豪普特（Adm. Lewenhaupt）于是退向里加，俄军在占领了库尔兰之后，即在格罗德诺（Grodno）宿营过冬。

1706 年 1 月，查理突然在东波兰出现，但是在格罗德诺的欧格维拒绝出战。同时，奥古斯特从格罗德诺进入波森（Posen，波兹南的旧称），企图击毁李恩斯科德将军（Gen. Rehnskjöld）麾下的一支小型瑞典部队。这个目的达到后，即可以打击在查理的背上，而欧格维也可以从前面加以夹击。这个计划完全失败了，因为在 2 月 3 日，李恩斯科德在弗劳斯塔德（Fraustadt）——在格洛高（Glogau）之北——击败了萨克森军，于是彼得命令欧格维放弃其重炮和辎重，撤过已经冰冻了的尼门河。查理一直追到了平斯克（Pinsk），于是才又撤回了沃利尼亚（Volhynia），这才使彼得松了一口气。他把部队安置在这里，然后赶回萨克森，想从根本上解决奥古斯特。

查理和其陆军在帝国的心脏部分出现，使欧洲各国的宫廷都大感震惊。英格兰和他的同盟因最近刚刚获得了拉米伊之战的胜利，所以他们怀疑瑞典人是受了路易十四的收买而赶来捣乱的。于是马尔伯勒公爵被派至莱比锡与查理会晤。他获得了一个结论，认为查理并无帮助法国人的意图，所以主张维也纳政府应设法敷衍他。结果是在 1706 年 9 月 24 日，选侯的代表在德累斯顿（Dresden）与查理签订了《阿尔特兰施泰特（Altranstädt）和约》，于 10 月 20 日受到了奥古斯特的批准。依照它的条款，奥古斯特废弃与彼得的同盟条约，并承认斯坦尼斯瓦夫为波兰国王。现在彼得已处于孤立的地位，于是希望与查理言和，但是查理却拒绝与他通信，彼得只好准备独力作战了。他决定避免决战，而把敌人引入一个残破的国家，并且信托“冬将军”（Gen. Winter）来完成其余事。诚如《彼得大帝传记》中所说：“沙皇是要使用整个儿的俄国来对付瑞典人，而时间、空间和寒冷、饥饿都是他的堡垒。”

在1707年春天，彼得就开始工作，成群的鞑靼人和卡尔梅克人（Kalmuks）被送入波兰直达西里西亚边界，他们到处蹂躏，许多村镇都被焚为赤地，包括拉维奇（Rawicz）和李沙（Lissa）在内。同时对于莫斯科的防御和克里姆林宫的要塞工事，也都在加紧修补和增强之中。情况之紧张已经到了极点，所以莫斯科人的谈话中除了战斗与死亡，简直没有什么其他可说的了。这是毫不足怪的，因为查理的威望现在已经达到了最高峰，除了极少数的明眼观察者，全欧洲都预测他可以击毁沙皇，并在克里姆林宫中接受俄罗斯人的投降。

9月初，查理率领骑兵2.4万人，步兵2万人，从西里西亚出发，装备的精良和兵力的强大，在他所指挥的部队中，可以说是仅见的。彼得听到了他已经前进之后，就把主力3.5万人集中在格罗德诺，骑兵则在明斯克（Minsk）以供支援。查理在维斯杜拉河上的斯武普斯（Slupce）停留4个月之久，其正确原因已不可考，可能他是想等到冬季结冰之后，使道路凝固和河流可以越渡时再前进，因为俄国人已经把一切的桥梁都破坏和焚毁了。查理留下了克拉索将军（Gen. Krassow）率领8000人驻在波兰，以支援斯坦尼斯瓦夫不稳定的政权。接着在1708年的元旦，他渡过了维斯杜拉河，向立陶宛进发，但是他并不采取通过普乌图斯克、奥斯特罗文卡（Ostrolenka）和沃姆扎（Lomza）的大路，而经过马祖里（Masuria）的森林和沼地前进。照一般人的看法，他是要想找一条过去一直没有任何军队走过的路线。

彼得听到他来了，就匆匆赶到格罗德诺。当查理在1月26日接获了这个报告，他立即率领骑兵900人加速挺进，冲开了俄军派往守护尼门河上桥梁的骑兵2000人，一直冲入了这个要塞，才发现彼得已经在两个钟点之前溜走了。从格罗德诺，查理转向东北，到达了韦利亚河（Velya）上的斯摩尔果尼（Smorgonie）；于是再转东南，到达了拉多斯科维奇（Radoszkowicze）——在明斯克以北——他在那里宿营直到6月为止。摆在他的前面现在有两条路:（1）收复波罗的海沿海失地，（2）继续追击彼得。对于瑞典人而言可以说是很不幸的，他采取了后者，而彼得则以为他会采取前者，所以已经开始把那些可能同情敌人的居民撤往内地。在多尔帕特等地，老幼病危的居民，也都在隆冬之中，被装上了雪橇运往内地，以补充俄国的奴工营。

6月17日，查理在拉多斯科维奇拔营前进，于6月29日，在鲍里索夫(Borisov)强渡过别列津纳河(Berezina)。接着于7月4日，他在华比斯河（Wabis）上，与缅什科夫（Menshikoff）和希里米提夫（Sheremétief）所率领的俄军遭遇着，并在何罗青（Holowczyn）附近将他们击败。虽然如此，俄军却打得很精彩，自从纳尔瓦之围以后，他们学到了不少的经验，可是不幸得很，查理对于敌人却还是那样的轻视，所以他一点什么新东西都没学到。从何罗青，查理又进到了第聂伯河上的莫吉廖夫(Mogilev),7月8日该城开门投降。

当查理正在莫吉廖夫时，乌克兰的首领（Hetman）马泽帕（Ivan Stephanovich Mazeppa）[1] 派了代表来见他。马泽帕建议，若是查理肯保护乌克兰的独立，则他愿意出3万人的哥萨克兵力来支援查理。此时的乌克兰，在名义上分属波兰和俄罗斯，可是实际上，它却是完全独立的。在过去俄国人、波兰人和鞑靼人之间的战争中，它经

[1] 此人本为一个波兰贵族的私生子，青年时期曾在波兰宫廷中任侍卫，因为诱奸王后，遂被裸体绑在马背上，放逐在乌克兰草原中。后为哥萨克人所收，到了1687年，被选为他们的首领。

常是一个决定性的因素。在土耳其战争中，马泽帕曾经为彼得担负通信的任务，并且对他很友善，但是现在却为彼得的改革运动所吓怕了，害怕最后会使他们丧失独立。所以当查理登场之后，他就决心倒到瑞典人这一面来。查理认为这是解决其补给问题的一个良策，因为乌克兰在水草、作物、牲畜等方面都是很富饶的，于是他接受了马泽帕的建议。因为他在莫吉廖夫还有相当的补给，可以使他的部队维持一些时间，所以他决定在那里等候。一方面李文豪普特已经从里加出发，带来了兵力 1.1 万人，一个补给纵队和一个炮兵纵列，另一方面也在等候乌克兰的反叛爆发。他的个性是不耐长久的等待，6 月 16 日，他越过了第聂伯河，进到索日河（Sozh）上的柴里柯夫（Tcherikov）。彼得和俄军的主力于是从高尔基进到姆斯季斯拉尔夫（Mstislavl）。查理又转向北面，9 月 9 日在多布里（Dobry）遇到了俄军。经过了两个钟点的战斗，俄军开始撤退，瑞典军跟着追击，到达了在鞑靼斯克（Tatarsk）的俄国边界；从那里向前一看，瑞典军顿感惊慌，因为除了焚烧中的俄国村落的烟火以外，看不到其他什么东西。

有生以来第一次，查理开始感到犹豫不决了。他召集了一个战争会议，在会议中，李恩斯科德将军主张慎重，建议他等待李文豪普特的到达，因为现在补给纵队是不能缺少的了，并劝他退入利沃尼亚宿营过冬。但是查理却拒绝考虑撤退，而更不幸的是，当会议正在举行时，他接到了马泽帕的紧急通信，要求他立即前进不要延迟，否则马泽帕的部下中有一部分就会变心，而倒向沙皇那边去。这个呼吁即决定了这个问题，查理拒绝等候李文豪普特——他此时已经进到了第聂伯河上的希克罗夫（Shklov）附近，距离在 60 英里以外——而决定向南前进，以便与马泽帕会合在一起。他认为只要他自己在那里出现，这个计划就不会失败。

这个计划的确实内容已不可考，不过据阿德勒菲尔德（Adlerfeld）所著的《查理十二世战史》一书中的记载是有如下述：双方约定，当瑞典军在希费里亚（Severia）——夹在得斯那河（Desna）与索日河之间的地区——宿营过冬时，马泽帕即应动员其哥萨克人，并与拜尔格勒（Byelgorod）和顿河流域的哥萨克人缔结同盟，此外还有卡尔梅克人，若可能还应联合克里米亚境内的鞑靼人。同时，他也应从拜尔格勒和乌克兰等富饶地区中，搜集补给物。照阿德勒菲尔德的判断："这个计划若能顺利进行，将迫使沙皇向北退到莫斯科附近和伏尔加河上，那里的经济状况远不如南方富饶，很难供养他那样巨大的陆军。而且尽管在数量上他们是处于优势的，他们却不敢在野战中与瑞典军正面冲突，所以这样可以使瑞典统治着任何地区。在军队缺乏补给的状况之下，沙皇的力量必然会自动崩溃，或向征服者投降。"

与这个过分乐观的作战计划相配合，波兰国王斯坦尼斯瓦夫和克拉索将军也各率领了一个纵队，进入了俄罗斯：前者进到了基辅，后者则到达了斯摩棱斯克。李比克尔将军（Gen. Lybecker）率领兵力 1. 2 万人，从芬兰侵入因格里亚，并将焚毁圣彼得堡。阿德勒菲尔德说："所有这些计划都是很具体的，任何有理智的人只要对它们加以观察，就一定会认为瑞典人是会成功的。"

这种说法与真实情况实在相差太远了。不仅因为查理是一个性情冲动的人，从来不肯完全依照计划行事，而且诚如拿破仑所指明的，在这个战役中，查理几乎违背了所有的战争原则：他没有集中兵力；他放弃了作战线，切断了自己与基地之间的联系，并在敌军的前面做侧进的行动。除了一个攻势的观念以外，查理几乎毫无计划可言，而且尽管马泽帕的情况是如此迫切，但不等候李文豪普特，从战略上来看仍然还是一个愚行。自此以后的查理，在行动上都显示出了其心灵已经丧失了平衡：一方面是他对自己过分自信；另一方面是他太轻视他的敌人。

早在 5 月，李文豪普特在里加奉命准备 1. 1 万人的部队，一个炮兵和弹药纵列和一个补给纵队，其分量足够支持其自己的兵力达

12 个星期和全军达 6 个星期之久。接着在 6 月初，他又奉命应进到伯利及那河上，但是命令到达太迟，所以他在 7 月以前已经无法出发。而等到他出发时，他也不曾获得通知，并不知道查理已经决定向南移动，以与马泽帕会合在一起。当他于 9 月 28 日到达希克罗夫之后，才大吃一惊，因为查理早已南进，并命令他越过第聂伯河和索日河，向乌克兰境内的斯塔罗杜布（Starodub）前进。李文豪普特觉得这个命令简直是一个死刑执行书，因为在这两河之间驻有大量的俄军，但是他除了服从别无选择。他发出一些假情报，溜过了第聂伯河，并于 10 月 9 日到达了李斯那（Liesna），距离索日河上的普罗普斯克（Propoisk）只有几英里远。在那里他受到了攻击，在激烈战斗掩护之下，补给纵列进到了普罗普斯克。到了夜幕将垂时，他的情况已经变得如此严重，于是他焚毁了他的火炮和弹药车，把多数疲惫的人员安置在马上，撤入普罗普斯克。他发现已经无法把补给纵列送过索日河，就命令将其焚毁，之后他一直进到河边，找到了一个徒涉场，渡过了该河。10 月 21 日，他终于与查理会合了，但是其原有的 1. 1 万人已经只剩下了 6000 人。

此时在北方，李比克尔也同样遇到了灾难。他于 9 月出发，并渡过了涅瓦河，但是当他快接近圣彼得堡时，却发现其防御太坚强，是他所不可能攻克的，于是被迫退到维堡（Viborg），在途中损失了 3000 人、6000 匹马和所有的辎重。于是阿德勒菲尔德所认为极有希望的全盘计划已经是破灭了。三支辅助性的兵力已经有两支被各个击破，而查理和他的主力则被孤立在乌克兰的边境上。

查理现在的希望就寄托在马泽帕的身上，希望他能鼓动乌克兰的哥萨克人造反，并把一切战争中的必需补给供给他使用。但是由于最近瑞典军累次战败，这个消息对于马泽帕的部下在心理上产生了很大的影响，于是这个计划被泄露，让沙皇知道了。

11 月 6 日，查理到达了一个叫作何尔基（Horki）的小镇，马泽帕率领了 1500 名哥萨克人来与他会合。第二天，斯塔罗杜布的守将斯柯罗帕德斯基上校（Col. Skoropadsky）立即把查理来到的消息报告彼得。彼得也就马上命令缅什科夫用最快的速度，赶在瑞典军之前，先占领巴杜林（Baturin），马泽帕的首都。缅什科夫于11月13日完成了这个任务。据阿德勒菲尔德的记载："这个损失相当可观，因为在那里储存有大量的火炮、弹药、钢铁，而更重要的是大量的补给品。"5天之后，马泽帕被废，斯柯罗帕德斯基上校被指派为首领。这个叛乱成为泡影，瑞典军的处境就好像是沙漠中的一个湖沼一样，各方面的水源都已经被切断了。不过更坏的情况却还在后面，因为欧洲恰好碰到了一次严寒的冬天，使不幸的瑞典军更难以应付。

查理于11月15日到达了得斯那河，发现俄军已经据守着对岸，但是他却一点都不害怕，他用木筏把部队运送过河，并将敌军击败。接着，他又进到了苏拉河（Sula）上的罗姆内（Romni），在那里他的饥军获得了丰富的补给。此时，俄军采取与敌军平行的运动，占领了苏梅（Sumi）和皮索尔河（Psiol）上的李比丁（Lebedin），每日都能获得哥萨克人的增援，他们更不断地袭击瑞典军的搜劫粮食人员。

12月，在圣诞节之前不久，开始封冻，冬季的严寒程度为当时全欧人民所从未经历过的。波罗的海冻结了，法国的罗讷河也结了冰，连意大利威尼斯的运河也为冰块所塞满。在中欧，果树都为严霜所冻死；在乌克兰平原上，天气是这样冷，以致飞鸟都会冻僵了落在地面上，酒罐中的酒都冻成了一个整块。

虽然查理在罗姆内住得很舒服，但是俄军就在他附近，对于他的虚荣心却似乎是一种侮辱。彼得对于敌人的心理是很能了解的，他就制造了一个陷阱。当时加地亚兹（Gadiatz）镇驻有4营瑞典军，他就把大部分兵力开往那个方向上，而同时另派了一个强大的支队，命令他们等到查理一离开罗姆内，即设法攻占该城。尽管天气严寒，当查理听到了加地亚兹受威胁时，就不听诸将的忠告，亲自领兵去援救。接着俄军就攻占了罗姆内，并纵火焚毁加地亚兹，然后撤出了该地。当查理到达了加地亚兹之后，发现有三分之一的建筑物都已被焚毁，已经缺乏足够的房屋来屯驻他的部队。

在从罗姆内到加地亚兹的行军中，瑞典军人所受到的痛苦是无法形容的，他们衣食两缺，冻死者在3000人左右，另有许多人被冻伤而丧失作战能力。不过查理却还是意气甚豪，并且也仍能以身作则，与士卒同甘苦，照他看，任何可怕的灾难都不过是其传奇中的另一章而已。1月初，为了报复罗姆内的丧失，他又攻占了费普里克（Veprik）这个小镇。到了2月底，他只用400人又在克罗斯诺库兹克（Krosnokutsk）击溃了俄军7000人，以后又在阿波查那亚（Oposzanaya）以300人击败了5000人。在这两次战斗中，都可以说是他的英名把敌人吓败了，而并非靠真正的力量。

2月底，天气解冻了，春季的泥泞使双方都不能作积极的活动，这种状况持续达数月之久。彼得前往沃罗涅日（Voronezh）去检阅他的黑海舰队，而查理则宿营在鲁地斯克齐（Rudiszcze），夹在皮索尔河与沃尔斯克拉河（Vorskla）之间。当李文豪普特加入之后，全军原有4. 1万人，现在已经减到了2万人，其中还有2000人是跛子，他的火炮减到了34门，所剩余的火药也大部分都已损毁。虽然如此，查理对于他所完成的工作，还是感到十分满意，4月11日，他写信给波兰王斯坦尼斯瓦夫说："我和我的军队都处于非常良好的条件之下。"但是他的首相皮普尔伯爵（Count Piper）所讲的故事就完全不同了。差不多在同时，他写信给他的妻子说："军队所处的情况，其可怜的程度已经无法形容。"

到了1709年春季，情况已经是恶劣不堪，瑞典的诸将都力劝查理返回波兰。查理不听劝告，因为他认为最后的胜利是有把握的。最近他已命令斯坦尼斯瓦夫率领克拉索的军队来与他会合，同时他也在与扎波罗热（Zaporozhye）的哥萨克人约定，要他们从南面攻击俄军，而且他也还希望鞑靼人能帮助他。对于查理的心理，只要用一句话即可说明：当他决定要做什么事的时候，他的结论不是说它已经完成了，就是说一定会完成的。拿破仑曾经说过："一位将军绝不可以作画，这在他所能做的事情中是最坏不过的。"他的意思就是说一切的计算必须以事实为基础，而不可以用幻想来当作基础。从来没有一位将军会像查理这样沉溺在自己的幻想中而不能自拔。他是经常在作画，而把自己放在前景上，这些计划都是其幻想的表现，几乎毫无现实感。他所寻找的不过是自我表现的借口而已。

尽管有这些幻想，但是却必须争取时间，因为斯坦尼斯瓦夫还在 900 英里以外。更重要的是补给已经快要完了，为了补充它们和增强其地位，查理拒绝了诸将的劝告，决定围攻波尔塔瓦（Poltava）。这是一个小型的设防城镇和仓库，位置在基辅—卡尔可夫大路之上，靠近沃尔斯克拉河的西岸，这条河是南北向的。他的炮兵已经不适用，弹药多已损坏，其兵力也不够做完全的包围，而缅什科夫的 8 万俄军就在附近，只要一听见枪声即可赶到，可是查理对于这许多不利的因素，却一律不加考虑。当 5 月 2 日围攻开始时，查理看到该城在听到第一声枪响时并未投降，不禁骇然喊道："什么！我真认为俄国人是疯狂了，会照正规的方式来防御他们自己！"6 个星期以后，俄军还是没有投降。

这个围攻一开始之后，缅什科夫的军队就进到了沃尔斯克拉河的东岸上，正对着波尔塔瓦，掘壕相望，河对岸上也有一支瑞典的掩护兵力。此时，彼得本人正在忙于削平扎波罗热哥萨克人的叛乱。这是马泽帕所鼓动的，必须等到哥萨克人在第聂伯河中各岛屿上的巨大水上要塞被攻陷了之后，彼得才能与他的军队会合。到了6月初，他才达到这个目的。于是他决定：（1）派遣突击部队去限制敌人搜劫补给，（2）用佯渡沃尔斯克拉河到达波尔塔瓦南面的行动为掩护，出其不意地把他的主力送到该河的西岸上，到达波尔塔瓦以北的位置。这个计划在 6 月 17 日开始执行。

围攻还在进行，瑞典军的情势继续转劣，直到情况变得十分紧急，查理才又求教于李文豪普特。李文豪普特又劝查理退过第聂伯河，并与波兰保持接触，查理还是不听。6月17日是查理27岁的生日，一清早他为彼得所发动的佯攻噪声所惊醒，就在李文豪普特随护之下，骑马向沃尔斯克拉河上探视。他们到了敌人火枪射程之内，首先是李文豪普特的坐骑被击毙，接着查理的脚上也中了一枪。他拒绝下马，仍然继续侦察敌情。回营之后，才发现整个脚掌都被射穿了，从脚跟到脚趾。这个伤是如此严重，使查理不能亲临战场，而在这个时候，他的出现却是最需要的，对于瑞典人而言，这是一个最大的不幸。

彼得本来一直都是以避战为原则的，当他听说查理负伤，即决定接受会战。为吸引他的敌人到开阔地区，他在黑夜的掩护之下，撤出了他从6月17日以来在波尔塔瓦以北所已经建立的设防营地，向下游移动，在距离该城两英里之内的地方，另建了一个新营地。和以前那个完全一样，营地采取长方形的形式，其东面位置在沃尔斯克拉河畔，南面为一个为溪流所穿过的森林所掩护着。

当查理负伤卧病时，他收到了下述的消息：斯坦尼斯瓦夫和克拉索都被牵制住了，不能离开波兰；而苏丹也不会直接或间接地越过鞑靼人的地区来援助他。现在非常显明，查理既然拒绝解围和撤退，为了避免受饿和失败，那么唯一的出路就是进攻。6月27日，他召集了一个战争会议，在指定了李恩斯科德元帅代行指挥之后，即命令他在第二天向俄军营地进攻。此时，李文豪普特认为应集中最大数量的兵力以供进攻之用，主张应该首先解除围攻。但是查理并不同意，于是留下了2000人监视这个要塞，2400人保护行李，1200人留在西岸上，以防俄军攻击其侧翼。结果李恩斯科德所剩下来的兵力，一共只有1.25万人，一半步兵，一半骑兵，前者的弹药是那样缺乏，所以奉命在攻击中只准用刺刀。此外，除了4门轻炮以外，查理决定把其余的全部炮兵都留在后面。

这计划看似毫无希望，却也并不尽然，因为查理的战术并非以

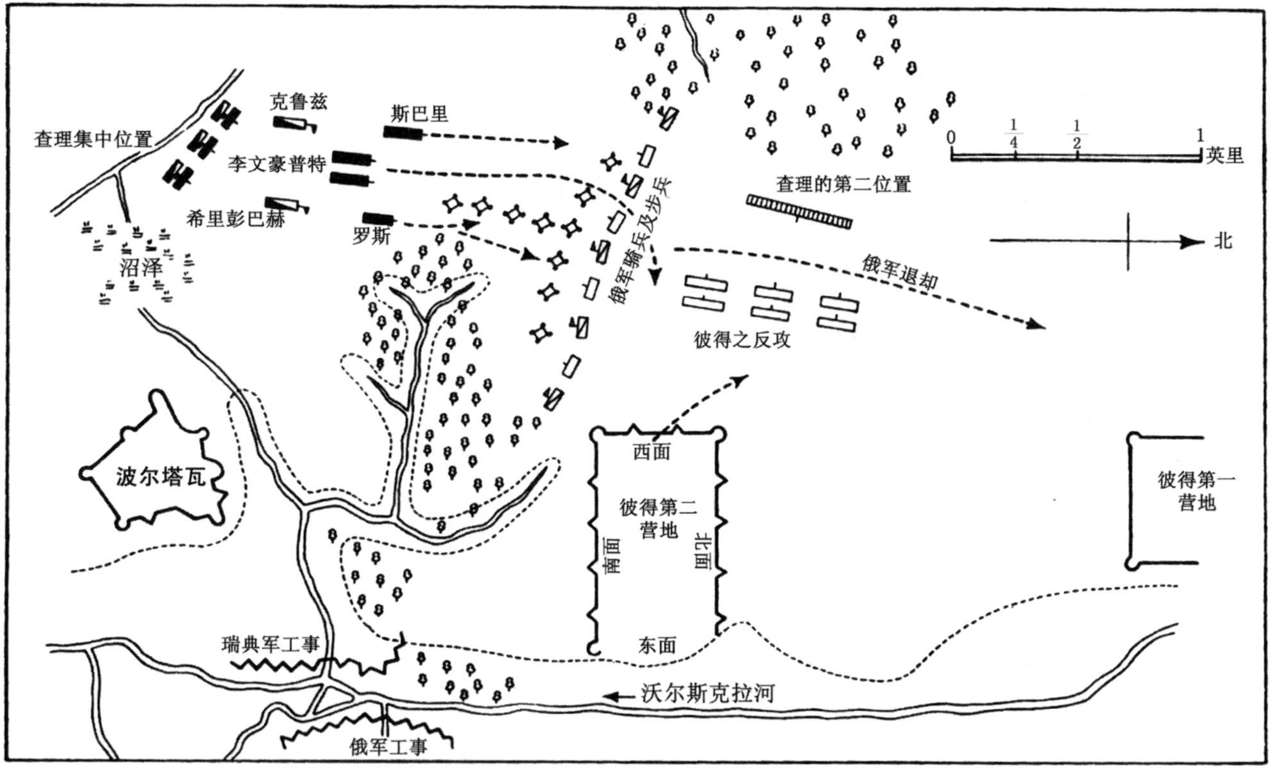

图十一　波尔塔瓦会战，1709 年

数量或火力为基础，而是以速度和冲力为基础；他的目的总是趁着会战刚刚开始即做决定性的攻击，使敌人马上丧失平衡。像亚历山大用骑兵突击以对付纪律和领导较差的部队一样，查理的攻击方法也曾经一再地成功。不过这一次却是注定了要失败，不仅是因为俄军占有数量优势，更因为俄军的纪律和领导都已经进步了，而尤其重要的是，由于查理负伤，瑞典军的统一指挥已经不再存在。

据说李恩斯科德并无计划，这是可以了解的，因为查理并无交出其统帅权的意图，当他指定这个元帅为总指挥时，实际上最多不过把他当作副手看待而已。我们必须要了解这一点，否则对于波尔塔瓦会战即无法加以解释。

查理有一个非常具体的计划，或者可以说是一个攻击的观念，虽然并非是书面的。不过在未说明它之前，首先应该了解战场的情况。

上文说过，彼得的设防营地是一个大长方形，其东面濒临沃尔斯克拉河，所以对于这一面是不可能加以攻击的。在南面，又是森林又是溪流，也是无法加以攻击的，至少是不适宜于这种突袭。在营地西面有一片相当宽广的平原，平原之外即为一片森林。在这个森林与营地南面的那一个森林之间，有一个开阔的缺口。要想从波尔塔瓦的方向来攻击这个营地，则必须通过这个缺口，所以彼得也早有准备，在这里建立了 6 个碉堡作为保障。此外，为了进一步限制这个缺口的交通，他在会战时，又向南面增建了 4 个碉堡，与原有的 6 个成直角。换言之，在战术上，把这个缺口分成了两个甬道。

若其非查理，而换了另外一位将军，则对于突破这个缺口一定会采取有秩序的方法，先派炮兵击毁这些碉堡，然后再打开进入这个战场的门户。查理却一样工具也没用，他不是一个“轰击”将军，而是一个“突击”将军。所以他准备先不消灭这些碉堡，而直接冲过这个缺口；其次用突击的手段，以击散碉堡后面的敌军；最后，把他的兵力迅速地向右旋转，把击溃了的敌军赶进他们的营地，而自己也就跟踪追入了。

假使他没有负伤，则查理可能达到他的目的，因为在会战的过程中，他会纵马驰骋于战场之上，从这一点到那一点，亲自指挥一切。现在却被迫睡在一个马驮的担架上，他的习惯性活动遂大受限制。这个结果也曾经为阿德勒菲尔德所注意到，他对于这次会战的批评如下：

> 简言之，这一天的情形与平常完全不一样，在国王未负伤之前，他总是来去如飞，到各处激励士气。所以他的负伤实为一切不幸的根源。因为他睡在担架上，当然不能迅速来往以传达他的命令，所以在这一天之内，实际上并无真正的指挥，最后部队发生混乱，每个人都各行其是了。

也许有人要问：为什么他的副帅李恩斯科德不能代理他的行动呢？这个答案是否定的，因为在查理所惯用的战争形式中，一切成败的基础就是主将的个性和战术眼光，李恩斯科德所能代替查理的程度，绝不会比帕尔美尼奥（Parmenio）所能代替亚历山大者为多。若是我们心里能存着这个概念，则对这次会战的混乱性质即可以充分明了。

集中了 1. 25 万人以后，为了在拂晓时能奇袭敌人，在 6 月 27 日的午夜，李恩斯科德先进到了一个面对这个缺口的位置；但是不幸得很，尽管瑞典人已经很谨慎地实行保密，可是彼得对于这次行动还是事先风闻，并已经把相当数量的骑兵和步兵，展开在这些碉堡的后方。

拂晓时，瑞典步兵分成 4 个纵队前进，在那 4 个尚未完成的碉堡两侧分开，接着在后面即为骑兵，分成 6 个纵队。但是从那一天会战的情形上看来，似乎所采取的攻击序列中有一个中央步兵纵队，由李文豪普特率领着。两翼方面，左为斯巴里将军（Gen. Axel

Sparre）的步兵纵队，后为克鲁兹将军（Gen. Creuz）所率领的一半骑兵；右为罗斯将军（Gen. Roos）的步兵纵队，后为希里彭巴赫将军所率领的另一半骑兵。左翼向 4 个未完成碉堡的西面前进；右翼则向其东面前进。查理和李恩斯科德也都随着前者走。[1]

这 4 个碉堡好像是一个分水岭一样，这个会战立即发展成为两个独立的行动。并未经过太多的困难，左翼兵力就把碉堡后方的俄军逐退了，尽管碉堡中不断地发射枪弹，可是俄国步兵却已经溃散，而其骑兵则直向沃尔斯克拉河边逃走。

在这个攻击中，我们可以发现查理的出现使左翼的瑞典军都能不顾碉堡中的火力，而奋勇地冲过其间的缺口。但是右翼方面的情形则完全不同，因为罗斯企图用白刃战的方式，把每个碉堡逐一攻陷，而不知道学习其国王的榜样，从缺口上冲过。结果是罗斯所部损失惨重，而更坏的是他与全军其余部分脱节了。彼得注意到了这一点，立即派伦塞尔将军（Gen. Rensel）率领了 1 万人去把他切断。差不多在此同一时间之内，希里彭巴赫将军——他是一个骑兵军官，对于查理的战术也许比罗斯要了解更多一点——认清了罗斯的错误，于是由巴门费德上尉（Cant. Palmfeld）陪同着，驰马去见国王，准备把情况向他报告，但是很不幸，他碰到了伦塞尔的巡逻队，遂被俘虏。不久以后，罗斯看到有一大批部队向他前进，就派芬克上尉（Capt. Funck）去察看。芬克看到希里彭巴赫将军和他们一起，就误认他们为瑞典军，于是也就落入了敌手。接着罗斯的部下全被包围。

当这些不幸事件正在发生之际，瑞典军的左翼已经进入了平原，查理命令他们暂停在敌人的营地与碉堡之间。查理遥望着伦塞尔的俄军，误以为是罗斯的部队，就派吉仑克罗克将军（Gen. Gyllenkrok）回去命令马泽帕，率领所部和炮兵来协助和支援对于

---

[1] 关于中央纵队的进攻路线未有记载，似可假定它是在左翼的右方或后方。

敌营的攻击。因为照阿德勒菲尔德所说的，“国王在上午会战尚未开始时即作了一个决定，假使他等到炮兵再前进，将损失太多时间，而会影响到其冲过碉堡线的计划”。但是当吉仑克罗克走近伦塞尔的部队时才发现他们是俄军，就匆匆跑回来报告国王，不久之后，查理即知道罗斯已经被俘，他的人员非死即逃。

似乎是在此以后，就立即发生了整个会战中争论最多的不幸事件。当罗斯被围，查理在平原上列阵之际，李文豪普特所率领的中央纵队也已经突破了碉堡线，进入了平原，正拟向彼得营地的西面前进，并准备向其冲锋。此时，据他说，从“国王的一个忠仆”手中接到了一个命令，叫他停止前进。虽然他感到震惊不解，因为他相信胜利已经在握，但是他却还是无条件地服从了。是谁发出这个命令，却始终搞不清楚，李恩斯科德和查理都矢口否认有这样一回事。事实上的真相也许是这样的，在整个会战中，查理和李恩斯科德经常是轮流着发命令，而在瑞典左翼初期胜利之后，即开始混乱了，于是各种互相矛盾的命令就在战场上前后追逐着。

李文豪普特一旦停止，这个最后的机会也就稍纵即逝了。当瑞典军最初获胜之时，彼得差不多已经吓得要逃走了，而罗斯的被俘又使他恢复了勇气，现在他看到查理还正在准备中，于是就下令集中一切可用的火炮，以对付瑞典军的最后突击。查理却决定不等待马泽帕和炮兵到达，立即发动打击，因为他一向相信“打铁趁热”的道理。

对于查理而言，也许是太不幸了，因为现在这块铁已经冷了。彼得现在神经已经恢复正常，当查理还在等候罗斯时，他就已经把4万人的兵力，从其设防营地中拉了出来，在差不多100门火炮支援之下，摆成了战斗序列。查理还是一点都不害怕，仍然命令前进，于是4000名瑞典步兵，两翼在骑兵掩护之下，立即向敌军直冲过去，他们的态度真是旁若无人，而且也获得了相当的成功。接着敌人炮兵登场了，瑞典步兵在猛烈炮火之下，终于无法保持其秩序，差不多一半的瑞典步兵均为炮火所击倒，其余的则被俄军的人海所吞噬了。大约在正午时，会战结束。

彼得在这场战斗中表现出非凡的勇气，曾三次为枪弹击中，一颗穿过帽子，一颗穿过马鞍，一颗擦过颈边的十字架。查理也还是和平常一样亲冒矢石。他的担架兵和随从人员共 24 个，一共死伤了 21 个人，其担架也为炮弹所击碎。他被移到一匹马的背上，匆忙地随众逃出了战场。几个钟点之后，瑞典军的残部又在旧有的营地中集合起来,原来的 1. 25 万人中,死伤了 3000 人,被俘者 2800 人。后者中有李恩斯科德元帅，4 位将军和 5 位上校。俄国的死伤数字一共约为 1300 人。

彼得大喜过望，所以他并未马上追击正在撤退中的敌人，而先设宴庆功，并请俘虏中的高级人员也一同参加，一直到下午 5 点钟之后，才命令格里提辛亲王（Prince Michael Galitsin）开始追击。

查理把残余兵力集中起来之后，即从沃尔斯克拉河向第聂伯河退却,6 月 29 日,到达了两河的交点皮里弗罗茨那（Perevolotchna）小村。在那里，他们发现一切的船只和架桥材料都已经为俄国人破坏或移去，但是他们还是扎成一些木筏，使查理、马泽帕和 1000 余名骑兵渡过了第聂伯河。查理留下李文豪普特指挥残余的部队，他自己率领着这些随护的骑兵，在他的创伤许可限度之内，尽量加速退向布格河，然后再到聂斯特河湾，在那里受到土耳其的优厚招待。此时，李文豪普特企图越过沃尔斯克拉河向黑海进发，但是当他发现无法完成这个任务时，遂于 6 月 30 日率领 1. 2 万余人向缅什科夫做了有条件的投降。

彼得听到了这个投降的消息，遂写信给阿普拉克辛海军上将（Admiral Apraksin）说："现在，凭着上帝的保佑，圣彼得堡的最后一块奠基石也都已经安放好了。"于是他派遣了一部分兵力到里加，另外一部分往波兰与斯坦尼斯瓦夫作战，而自己则进到基辅。他在圣索菲亚教堂中举行了一次庄严的谢恩礼拜。主教普罗柯波维齐（Theofan Prokovitch）致辞说："当我们的邻国听到了这个消息，他们就会说，瑞典陆军和瑞典的权力，所冒险侵入的不是一个外国，而是一个巨大的海洋！他们投下去就失踪了，好像铅块为水所吞噬了一样。"这可以算是一个预言，未来的俄罗斯征服者，都有机会尝试这个味道。

继波尔塔瓦会战之后所发生的战役，却几乎把彼得所已经赢得的东西都输光了。对于其伟大对手所犯的错误，彼得似乎是一点教训都没有学会，并且还犯了那使查理惨败的同样错误——在缺乏交通和补给的情况之下，深入到敌境内。他本应该听其自然，不必去理会，可是却偏要命令他的大使，向土耳其政府要求引渡查理和马泽帕。土耳其人认为若能延长俄瑞战争，则对于他们是有利的，同时查理也表现出来他的外交天才是不亚于军事天才的，在他鼓动之下，土耳其政府于 1710 年 10 月，把俄国大使关进监狱，并命令其首相（Grand Vizier）梅赫美特（Baltaji Mehemet）率领大军 20 万人，直压俄罗斯的国界。

情况变得如此严重，到了 1711 年 3 月，彼得遂向土耳其宣战，6 月，指挥俄军的希里米提夫将军就发现土耳其人所使用的焦土政策，已经使自己的人员无法获得给养。接着，彼得也亲自与他会合。他也和查理一样愚笨，决定仍继续前进。7 月 16 日，他到达了雅西（Jassy）。到了这里，补给上的困难开始使他吃不消，所以当他听到土耳其大军将到的消息，即退回到普鲁斯河上，准备挖壕固守，其兵力因饥饿而减到了 3. 8 万人。8 月 11 日，土耳其的首相领兵 19 万人，直扑俄军的营地，但被击退了。假使土耳其军能一直加以围困，则彼得不出数日之内即将被迫投降，于是莫斯科国境内必将发生叛乱，而全部历史的过程都要改道了。但是土耳其人却与彼得展开谈判，结果是准许了彼得撤回其饥军，而其条件则为割让亚述，拆除塔甘罗格（Taganrog）等要塞，不再干涉波兰的国事，并给予查理自由通过回国的权利。查理本来曾为梅赫美特拟定作战的计划，听到这些条件之后，不禁大怒，遂指控他为奸贼，要求将其撤换。

结果战争在时谈时打的情况之下，一直拖到了1713年。土耳其苏丹因为害怕其禁卫军的反对，遂要求查理离开土耳其。可是查理却毅然拒绝了，到了2月1日，他在河湾上受到了包围，土耳其人想把他俘获为人质。在8个小时之内，他手里一共不到40个人，防御着一个未设防的房屋，面对着1.2万名土耳其军和12门炮，他杀死了敌军200人——有10个是丧生在他宝剑之下——才力竭被俘。此后土耳其才又继续与俄国谈判，于7月16日签订了《亚得里亚堡和约》，使两国之间的争端获得了一个最后的解决。

1714年9月20日，查理终于离开了土耳其，几乎是单骑走过了奥地利和日耳曼。11月，他突然在施特拉尔松德（Stralsund）出现了。在1715年全年之中，他以超人的英勇防御该城，面对着汉诺威、俄罗斯、普鲁士、萨克森和丹麦的联军作战。12月23日，施特拉尔松德城变成了一片废墟，他又逃回了瑞典，召集了一支军队继续作战。到了1718年12月12日，才在挪威的腓特烈斯塔（Fredrikstad）要塞被围，在堑壕中为枪弹所杀死。这就是古今战史中一个最奇怪的英雄的结束。

瑞典现在已经是力竭了，在1719年9月，为了继续对俄作战，它与汉诺威、普鲁士、丹麦三国签订了和约，把不来梅、威尔登割让与第一者，把斯德丁割让与第二者。接着瑞典又英勇地再打了两年，此后才真正打不下去，然后始与俄国进行谈判。结果到了1721年8月30日，签订《尼斯塔德（Nysted）和约》，结束了第二次大北战争。依照这个条约，俄国人获得了利沃尼亚、爱沙尼亚、因格里亚、芬兰的克学尔门（Keksholm）省和维堡要塞。瑞典从此丧失了巨强的地位。

波尔塔瓦会战的意义，不仅是两个邻国之间的一般斗争，而且是两大文明——欧洲与亚洲——的角力。所以尽管当时很少有人注意到，可是这一次俄国人在沃尔斯克拉的胜利，却注定了是西方世界近代史上的一件大事。它使瑞典丧失了北欧的统一权，使乌克兰的独立告以结束，使斯坦尼斯瓦夫丧失了波兰的王位。俄罗斯在本质上是一个亚洲国家，现在却已经在东欧获得了一个立足点。

但是就当时而言，波尔塔瓦的重要性却是建设意味多于破坏的。它向彼得指示出来，他的主要任务即为建立一支正规陆军和一支波罗的海舰队，以求维持其对欧洲的地位。进一步，又告诉他要想维持这样的兵力，就必须做财政上的改革，而要想做这样的改革，则必须用欧洲式的行政制度，以代替东方式的旧制度。诚如克鲁契夫斯基在他的《俄国史》上所说的："他的主要立法性改革都是在波尔塔瓦以后，所以战争实为一个主要因素，使他把国家的行政制度化。他本人原来只是一个造船家和军事组织家，现在却开始走上了全盘改革的路线。"克鲁契夫斯基又指明出来："因为彼得一切行动的推动力都还是战争，所以其一切工作的起点都是军事改革，而其最终目标则为财政改革。彼得开始工作时，只想改革其国家的国防制度，以后才推广及于国家的内政制度。"所以假使他在波尔塔瓦一战中被击败了，则这些伟大的计划将永远不会形成了。最触动欧洲的，是他在有生之日，一共建立了正规陆军 21 万人，并有 19 万人非正规兵力作为支援，还建造了一支舰队，共有大战船 48 艘，其他小船 787 艘。正好像波斯王薛西斯的大军一样，在西方的东面地平线上，照耀出来一股可怕的杀气，成为亚洲人另一次侵入的预兆。所以波尔塔瓦也可以说是马拉松的倒影。

除了这些重大的改革，从彼得思想丰富的脑海中，也还涌出了无数的小改革：例如禁止强迫婚姻制度，把妇女从绣房中解放了出来，为莫斯科铺路，设立医院、医事学校和卫生检查制度，采用新的字母，开发铁、铜和银矿，用镰刀收获作物。他所要学的是西方的效率，而不考虑其成本。

因为其人民的野蛮程度和他本人意志的坚强，他被迫采用恐怖和压迫的手段。诚如华里斯周斯基所说的："彼得大帝是一个工厂也是一座营房，因为他把俄国人制造成为满国的官吏、劳工和军人。”在 1708 年，他派了奴工 4 万人去建造圣彼得堡，当他们死在涅瓦河的沼泽中时，他马上又再派了 4 万人去，接着又送了 4 万人去。这种暴虐的手段曾经引起了许多的反对，在 1713 年，他又采取告密的办法，凡是对诽谤沙皇的人告密者，都可以获得奖励。这也正是赤卡（Tcheka）和格别乌（Ogpu）的始祖。据说在他的朝代中，俄国人口减少了 20%。

当他审判和执行其儿子的死刑时，他的野蛮兽性也就发展到了最高潮。1718 年 1 月的《生活》（*La Vie*）杂志，对于当时圣彼得堡曾经有下述的描写：“在这个城里真是人人自危，好像是一个遭劫的地方一样，每个人不是控诉者，就是被控诉者。”人民遭到车裂和炮烙之刑，割掉舌头、耳朵、鼻子是常事。他的儿子阿列克谢（Tsarevitch Alexis）备受毒刑，终于屈打成招，由 127 位审判官判定了死刑。他似乎是被活活打死的。

彼得使这种野蛮兽性与欧洲的效率结合成一体，这样就产生俄罗斯，不仅是一个帝国，而且也是一个半欧洲性的强国，其正式的生日即为 1721 年 10 月 22 日。在那一天，为了庆祝《尼斯塔德和约》，曾在圣彼得堡的托提沙大教堂（Troitsa Cathedral）中举行了一个庄重的感恩礼拜之后，彼得即被宣布为“祖国之父，彼得大帝和全俄罗斯的皇帝”。这时他的版图已经从波罗的海延展到鄂霍次克海（Okhotsk），从北极圈到里海上的阿斯塔巴德（Astrabad）。

这些都是波尔塔瓦会战以后的收获。莱布尼茨（Leibniz）说：“你可相信，这个地方的革命已经使许多人都发生了恐慌。大家都认为沙皇在欧洲是无敌的了，好像是一个北方的土耳其人。”查理十二世在波尔塔瓦被击败之后，整个欧洲也都已经被击败了。在这个胜利的第二天，莫斯科人就占据了小俄罗斯（东乌克兰），从而第一次在欧洲获得了立足点。欧洲又面临着一个新威胁，亚洲又在运动了，但是这一次，蒙古的骑士却是穿了西方的甲胄。

大事记（六）

普鲁士的勃兴与扩张

普鲁士，比较更适当的称呼应为勃兰登堡—普鲁士王国，是 17 世纪中第二个新兴的强国。但是它的起源也和俄罗斯一样，应该回溯到 10 世纪，它的扩张是出于军事上的需要，因它是一个内陆国家，四周都受到敌国的包围。

公元 919 年（参看卷一大事记［十二］），萨克森公爵亨利建立了勃兰登堡，以作为对抗斯拉夫人的堤防。接着一个巨大的殖民运动开始了，在接下来的三个世纪中，易北河与奥得河之间的一切土地都并入了日耳曼的版图，变成了基督世界的一部分。在 1226 年，斯普雷河（Spree）地区也被兼并了，并建立了柏林城。同年，波兰的马索尼亚公爵（Duke of Masonia）向条顿武士团的领袖萨尔查（Hermann von Salza）要求使原有的普鲁士人皈依基督教。这本是一个斯拉夫民族，住在维斯杜拉与尼门两河河口之间的地区中。结果是在 1231 年到 1310 年，这个后来被称作东普鲁士的地区被征服，埃尔宾（Elbing，埃尔布隆格的旧称）、哥尼斯堡（Königsberg）和但泽（Danzig）等城镇都已建立了起来。原有的普鲁士人大都被绝灭，而代之以日耳曼的移民。1313 年，条顿武士团的总部遂以马林堡（Marienburg）为永久性根据地。

在它的传教任务结束之后，由于汉撒同盟的丧颓、斯堪的纳维亚国家的联合及波兰亚盖沃（Jagiello）王朝的兴起，这个武士团遂一蹶不振。到了1410年，他们在坦嫩贝格（Tannenberg）的战场上，为波兰人所惨败，从此即永未恢复。7年后，勃兰登堡侯爵由腓特烈·霍亨索伦（Frederick Hohenzollen），纽伦堡城主（Burgrave of Nuremberg）所继承。1466年，依照《索恩永久和约》（*The Perpetual Peace of Thorn*），普鲁士分为两部分：西普鲁士（亦称Royal Prussia）包括但泽在内，变成了波兰之一部分；东普鲁士（亦称Ducal Prussia）则仍由武士团所有，但臣属于波兰。最后在1618年，当三十年战争爆发时，东普鲁士遂与勃兰登堡永远地联合成为一体，于是17世纪的新普鲁士也从此诞生。

三十年战争结束了日耳曼中世纪文明，也创出了法兰西、日耳曼对立的局势，这个局势使全欧受其影响达300年之久。当战争在1648年结束时，法兰西变得强大而集中，日耳曼却已分崩而力竭。不过勃兰登堡虽已丧失了其人口之一半和全部的工业和贸易，但普鲁士却完整无恙。因为英吉利海峡阻止其不能向北发展，而比利牛斯山脉又阻止其不能向南发展，所以法国就只好向东以日耳曼为侵略的对象。从1648年《威斯特伐利亚和约》签订之时起，到1704年法兰西在布莱尼姆受到决定性失败时为止，日耳曼西部是一再地受到入侵。布罗伊（Duc de Broglie）曾经说过："路易十四曾经派遣他的军队，屡次渡过莱茵河，甚至一点借口都没有。结果使对方的爱国心被唤醒了。蒂雷纳的士兵当然不知道在他们蹂躏之下，日耳曼人的内心里已经埋下了仇恨的种子。"这是日耳曼民族主义的起源，正好像法兰西民族主义是在百年战争中培养出来的一样。当1640年12月腓特烈·威廉继承了勃兰登堡侯爵时，这种民族主义也就在那里油然而生。

腓特烈·威廉首先设法使他那个残破的领域能吸收新的人口。

因为他表示对于所有的移民，都可以允许保有完全的宗教自由，所以有数以千计的荷兰人和法国人，以及其他的民族，纷纷移入勃兰登堡，后来他们也就变成"真正土生的普鲁士人"了。其次，他也认清了一个国家的权力是用它的战斗力来测量的，他的父亲在1637年曾建立一支小型常备军，他就把它加以扩大，使人数达2.5万人。他把这个兵力当作外交性和战略性的工具使用，阻止了东普鲁士落入波兰人和瑞典人的手中，1675年他在费尔贝林（Fehrbellin）击败了后者，此后他在历史上即被称为"大选侯"了。他死于1688年，由其子腓特烈继承。1701年1月18日，腓特烈在哥尼斯堡（即"王城"之意）自己加冕为普鲁士国王，是谓腓特烈一世。1702年5月，作为共同对付法国的大同盟之一分子，腓特烈曾出兵1.4万人，最后增加到了4万人，这些兵力在布莱尼姆、拉米伊、奥德纳尔德和马尔普拉凯诸战中，都颇有贡献，虽然普鲁士在《乌特勒支和约》中所获甚微，但是腓特烈的军队在西班牙继承战争中，却实在具有相当的地位，所以到了1713年该战争结束时，勃兰登堡—普鲁士人就变成一个崭新的普鲁士民族，对于法兰西也成为一个经常存在着的威胁。

在《乌特勒支和约》签字的两个月之前，腓特烈一世就先死了，由他的儿子腓特烈 · 威廉（1713—1740年在位）继承。他当时还只有24岁，为一个具有历史上伟大重要性的人物。和同时代人物彼得大帝完全一样，他具有勤勉、暴戾、野蛮的个性，其态度很像一个操场上的小班长。他在政府各部门中都厉行节约，把他这个王国的财政整理得上了轨道，有条不紊，并将4万名南日耳曼人移殖到东普鲁士地区去。他的吝啬，对于一个绝对专制的君主而言，可以说是破例的，所以他才能有财力把他的陆军从5万人扩充到8万人。兵员的来源是强迫服役，或是用猎取奴隶的绑票方式。军官的来源，是强迫所有合于服役年龄的贵族都必须进入军校（Cadettenhaüser）受训，并在结训后入部队服务。他的陆军力量的基础并不是它的数量，而是它的纪律和训练，这种训练是如此野蛮，所以他的儿子认为，实际作战也许要比在军营中的生活还要舒服一点。他的唯一消遣物就是他的巨人榴弹兵团，为了组成这个部队，他不惜到各国去绑票，包括去遥远的爱尔兰。在欧洲任何地方，只要是特殊的长人就不会是安全的，甚至在意大利的迎神赛会中，表演的长人要用链条锁住。任何身材高大的妇女也会被他们抢去，以便与这些榴弹兵配合。

他精力充沛，他的王后为他生了 14 个孩子，其中第四个孩子出生于 1713 年 1 月 24 日，定名为卡尔 · 腓特烈（Karl Frederic），以后在历史上即被称为腓特烈二世，或腓特烈大帝。他的父亲对于他的态度是极不正常的，正好像彼得大帝之于阿列克谢一样。他不准卡尔多吃东西；1730 年，他企图把卡尔绞死，以后又判决卡尔的死刑。当群臣反对时，他又当着他儿子的面，把儿子的好友卡特（Katte）射死。1740 年 5 月 31 日，腓特烈 · 威廉一世逝世，当许多人在他的周围唱着诗歌说“我赤裸裸地来到这个世界上，我也赤裸裸地走开”时，他还勉强挣扎着说：“不，不能完全赤裸着，我要穿上我的军服。”

腓特烈二世现在发现他所统治的是一个高效率的国家，拥有充满了财物的府库和欧洲训练最优良的陆军。但是普鲁士在战略形势上是很脆弱的，它没有天然的陆疆，并且为强邻所包围着。在这种环境之下，要维持其强国的地位，就必须向外扩张，但是也要有一个借口，即令是很勉强也不要紧，于是腓特烈发现有一个现成的借口在那里，那就是奥地利的继承问题。

当约瑟夫皇帝在 1711 年逝世时，他没有儿子，于是他的兄弟查理就继承他为帝，是为查理六世。因为查理也没有儿子，所以在皇族之间就达成了一项协议。依照这个原则，查理的女儿马利亚·特蕾西亚（Maria Theresa）要比约瑟夫的女儿马利亚·阿马利亚（Maria Amalia）在继承权方面占有优先地位。后者于 1722 年做了巴伐利亚选侯查理 · 艾伯特（Charles Albert）的妻子。经过了长时间的谈判，所有欧洲各重要国家都承认了这个协议，只有巴伐利亚例外。当 1740 年 10 月 20 日查理六世逝世时，其情形就是这样的。

认清了这个协定是很脆弱的，而欧洲诸国又是四分五裂、意见分歧，并且也知道奥地利毫无战争的准备，于是腓特烈一面动员其陆军，一面派高特尔伯爵（Count Gotter）到维也纳去，说明他承认特蕾西亚的继承权（1740—1780），必要时准备以武力协助她，其条件为由他占领西里西亚。奥国拒不接受，于是 12 月 16 日，他命令军队越过西里西亚边界，向布雷斯劳（Breslau）进发。这就是奥地利继承战争的起点。

特蕾西亚立即向其他国家求援，但是他们的地位都不比腓特烈高。1741 年 4 月 10 日，什未林元帅（Field-Marshal Schwerin）在莫尔维兹（Mollwitz）大败奥军之后，这个战争才开始全面化。巴伐利亚的查理 · 艾伯特为了争取帝位，也侵入了波希米亚；法国人想称雄欧洲，也越过了莱茵河而成为巴伐利亚的同盟国；萨克森人和萨伏依人也参加对奥国的攻击；而英国和荷兰则准备进攻法国，以此来间接支援奥国。5 月 17 日，腓特烈在霍图西采（Chotusitz）又再度大败奥军，并与法国缔结同盟。于是在英国人的督促之下，特蕾西亚向他求和，把下西里西亚割让给他，以便此后可以集中全力来对付法巴两国。接着腓特烈即退出了战争，萨克森人也采取了同样的行动。

在摆脱了普鲁士和萨克森的压力之后，特蕾西亚遂准备兼并巴伐利亚，以来抵补西里西亚的损失。在隆冬之际，她迫使法军退出了布拉格。1743 年 6 月 27 日，英国和汉诺威的联军在莱茵河上的代廷根（Dettingen）又击败了法军。腓特烈对于这些事情颇感震惊，因为他认清了奥国的胜利即足以导致普鲁士的衰亡。1744 年 9 月，他又再度加入战争，并侵入奥国，但为陶恩元帅（Marshal Traun）所击败。慢慢地，法国人又转为优势了，1745 年 5 月 11 日，萨克森元帅（Marshal de Saxe）在丰特努瓦（Fontenoy）击败了英军，接着在 1746 年 7 月 2 日，又在劳费德（Lauffeld）获得了胜利。此时，腓特烈已经被迫退出了奥国，奥国和萨克森的部队跟踪追击，进入了西里西亚，到了 1745 年 6 月 4 日，在霍亨弗里德堡（Hohenfriedberg），普军又被击败了一次。不过到了该年 12 月 15 日，由布莱尼姆会战中的老将利奥波德所率领的奥萨联军，在凯瑟尔斯多夫（Kesselsdorf）受到了一次惨败。这一战具有足够的决定性，遂迫使特蕾西亚再向普鲁士求和。这是合乎腓特烈的本意的，为了不让法国坐收渔人之利，他并不想在奥国人的身上寻求完全的胜利。

1745 年圣诞节那一天，奥普双方在德累斯顿签订和约。西里西亚和格拉兹（Glatz）都割让与普鲁士，其条件则为腓特烈支持特蕾西亚的继承权。这样，他获得了 1. 6 万平方英里的土地和 100 万的新人口，回到柏林之后，他就上尊号为“大帝”了。

虽然战争还拖了 3 年，腓特烈却完全置身事外。最后，所有交战国，除了奥国以外，都感到厌战了。于是在 1748 年 10 月到 11 月，交战国签订了一个总和约《艾克斯拉沙佩勒和约》。依据这个和约，腓特烈所兼并的土地获得了保证，虽也还有少数极小的领土调整，但大致同意恢复到战前的状况。虽然腓特烈对于他的侵略结果颇感欣慰，但是这个和约实际上不过只是一个暂时的休战。

第六章

罗斯巴赫会战和鲁腾会战

尽管卡莱尔（Carlyle）称他为“最后的国王”（the last of the Kings），但是腓特烈大帝却是一种新型的君主，所代表者为古代的暴君和意大利文艺复兴时代的王子，而不像他这个时代将近崩溃的绝对专制帝王和正将兴起的立宪君主。

他是一个文化人也是一个军人，他把哲学与战争混合在一起，在他所发表的许多著作当中充满了自我表现和矛盾，所以非常难于发现其真正个性。譬如说，很少有伟大的军人会像他这样铁石心肠，敢于挑起战争，但是也很少有人能像他对于战争具有如此彻底的认识，知道用这种手段来达到目的是如何的没有希望。在他的《一般战争原则》（*Military Instructions*）中，他曾经这样写道：“假使不是征服对于胜利者也和对于失败者是同样地具有足以送命的危险，则凭着像这样的部队（他的部队），即足以使世界本身屈服。”在他所写的许多诗句中，他对于战争曾经有下述的描写：“这个铜头的巨怪，战争的魔鬼，只想饮血和毁灭。”虽然如此，他却又坚持说：“我们不应该只讥讽战争，而应该铲除它，好像医师之于热病一样。”

虽然他的内心是谴责战争的，但是对于和平的观念也颇持讽刺态度。从各种资料上来看，似乎他的确承认战争是一种“原始的罪恶”。有一次他与教育部长苏尔兹（Sulzer）谈话，苏尔兹告诉他说，过去大家都相信人性是恶的，现在却又相信它是善的了，腓特烈的回答却是说：“啊！我亲爱的苏尔兹，你并不认识这个该死的人类！”

以一个国王的身份而言，他心胸广阔，禀性自由。他说：“我和我的人民已经获得了一个双方满意的谅解。他们说他们所想说的话，我做我想做的事。”他对于所有的宗教宗派，都一律大度包容，因为他相信每个人都可以“经过自己的道路进入天堂”。他开放言论自由，取消严刑逼供，发展科学研究，对于穷人免费供食，为数千老妇开办养老院，但却不让她们白吃，而使她们纺织，这又可以表现出来其讲求经济的个性。虽然如此，有时他又会十分野蛮。他曾经说过，获得情报的最好方法，就是抓着一个富人，给他换上穷人的衣服，将他送往敌国去，同时威胁着他说：“假使在一定时限之内不回来，就烧毁你的房屋，把你的妻儿砍成几块。”

他好像是一个由巴克（Puck）和马基雅维里（Machiavelli）所混合组成的东西，用雷神的铁锤在火神的铁砧上锻炼成形的。

除了亚历山大以外，也许可能再加上查理十二世，腓特烈在古今所有的名将中，要算是最具有攻势心灵的。柯林（Colin）在他的《战争之演变》一书中，曾经有下述的评论：“腓特烈二世所呼吸的东西，除了攻势精神以外更无他物；无论在何种情况之下，在任何作战之中，即令是面对着优势的敌军，他也总是采取攻势。他本身就是活力。”他曾经说过，凡是不主动进攻而坐以待敌的任何军官，他都要加以处罚。他总是采取攻势，而且几乎总是先下手为强。他说：“我们部队的整个力量就是寄托在攻击上面，假使没有良好的理由而放弃攻击，那才真是一种愚行。”

他不喜欢长期的战争，不仅是因为成本太高，而且军人的水准也会日益低落。我们应该记着在18世纪的时候，攻势成功的主要基础即为士兵在操场上的技巧，即运动的技巧。此外，他也认清了，因为战争足以决定国家的命运，而建军的第一个目标就是要使他们吃饱肚子，所以补给实为一切作战的基础。战事拖得愈长，则补给就会愈感困难。话虽如此，但因为他和查理十二世一样，总是不顾一切地进攻，结果常常遭到惨败，而有得不偿失之感。

拿破仑对于腓特烈大帝的批评是很有意义的，他说：

> 愈是在危急的时候，就愈显出他的伟大，这是我们对于他所能够说的最高赞誉之词。
>
> 最使腓特烈显得杰出的，不是他的运动技巧，而是他的胆大妄为。他所做的事情，有许多都是我所不敢做的。他会放弃他的作战线，有时好像是完全不懂得战争艺术一样。
>
> 在7年之内，普鲁士一个国家挡着欧洲三个最强大的国家。这不是普鲁士陆军的力量，而是腓特烈大帝一个人的功劳。

当我们检讨他的战役时，发现他之所以能成为伟大的将才，不仅在于他的勇敢精神，还在于他对于当时的战术条件也具有过人的认识，同时对于自己的错误知道有所改正。他认清了那个时代的战术是如何的人工化，如何的迟缓和笨重。自从他一生事业开始之时起，他就决定以机动和迅速的火力，作为其战争体系的基础，这也是当时那些战术所缺少的因素。他曾经说过："一个普鲁士的步兵营，就是一个活动的炮兵连。他们的装弹速度极高，使其火力可以是其他一切部队的三倍以上。这一点便使普鲁士军占了三对一的优势。"虽然有如此的说法，在他早年的战役中，他却是倚重刺刀过于枪弹，但是不久他立即发现了自己的错误，所以在他后来的各次会战中，都是倾全力发挥其枪炮的威力。他是一个伟大的炮兵专家，曾经首创第一支真正的骑炮兵部队，从1759年起，此后30年之内，在欧洲只有普鲁士一国拥有骑炮兵。又因为奥国人总是采取守势，其火线常常是布置在山顶上，而预备队则在山的后面，所以他也主张应多用榴弹炮。可是说也奇怪，他却从未认清训练有素的轻步兵的价值，尤其是在柯林（Kolin）会战中，使他遭受失败的主因即为奥国的轻型部队，所以这一点就更使人感到不解了。

以他的小战术（Minor Tactics）为基础，腓特烈又进一步发展其特有的大战术（Major Tactics 或 Grand Tactics）。在过去，由于兵力的调动异常迟缓，所以总是用作正面的交战，这也是 17 和 18 两个世纪中的常规。可是腓特烈却认清了一个极重要的事实：假使有一方的机动性远比对方优越，那么等到对方慢慢地把兵力部署好了之后，即可以赶紧趋向它的一个侧翼方面，重新展开，攻击敌军，使对方来不及调换其正面。以上所说的即为其大战术的精华，说起来似乎是非常简单，好像很易于模仿，但实际上，除非攻击者具有优越的机动性，否则是不易成功的。因为这个原因，拿破仑才说："他的斜行序列（Oblique Order）仅仅对于一个不能运动的敌人，才会产生效力。"

腓特烈对于这种战斗序列，曾经做下列的解释："你面对着敌人，把一翼缩回，并增强那个准备进攻的一翼。利用后者的兵力，尽量地对于敌军的一翼做侧击。当 10 万人的大军，若在侧翼上只受到 3 万人的攻击时，也可能在极短的时间内被击溃。这种部署的优点可以简述如下：(1) 一支小型的兵力可以与较强大的兵力作战，(2) 它在一个决定点上攻击敌军，(3) 假使你被击败了，那也只是你兵力的一部分，你是有 3/4 的兵力仍然很完整，可以掩护你的退却。"

为了获得最强的机动性和迅速的火力，腓特烈主要就是靠操练，关于这个曾经有过许多的无稽之谈。诚然，那是非常严格，甚至有一点野蛮，但是腓特烈之所以如此，也不过是把它当作一种达到目标的手段而已。不过，他对于他那个时代的军人，也的确不太尊重。在他的《一般战争原则》中，他曾经这样说："一支军队中，大部分都是由游手好闲的人所组成的，除非将领对于他们不断地加以监视，否则这个人工造成的机器就会自动崩溃，于是所谓纪律之师者，就只剩下一句空话了。”他又说：“假使我的士兵都开始有思想，那么就没有一个人再肯当兵了。”此外，他也还说过：“对于军人所能做的事情，即为使其具有‘团队精神’（esprit de corps），即承认他自己这一团队是举世无双的。又因为军官总是要领导着他们走向最危险的地方，而他们这些人又是不受荣誉感影响的，所以必须使他们害怕军官甚于眼前的危险。”

虽然他曾经发表过这些高见，可是他对于他的部下却并非不慈爱，有时他的态度也还是很友善亲密的。有一次，当一个逃兵被押到他的面前时，国王就问他说：“你为什么要离开我？”这个榴弹兵回答说：“陛下，说老实话，我们的情况太恶劣了。”于是腓特烈开玩笑地说：“好吧，那么让我们今天再打一仗，假使我失败了，明天我们大家一同逃走好了。”说完了，就把这个逃兵送回其原有的单位，而并不加以责罚。

虽然这种普鲁士式的操练法在后来被人当作一种战争艺术看待，可是腓特烈本人却从未做如此的解释。拿破仑曾经说过：“有一次在波茨坦的宫前阅兵，当他看到青年的军官，法国人、英国人和奥国人对于这个斜行序列的运动非常感兴趣，就不禁掩口而笑了。”事实的真相是这样的，除非有腓特烈的精神，否则这种腓特烈式的操练并无用处。

只要从他的《一般战争原则》一书中摘录出几点意见来，即可知道他不只是一个操典专家而已：

> 我们注意力的主要目标应为敌人的军队。（原书 49 页）
>
> 在战争中，狐狸皮有时也和狮子皮同样需要，因为当实力失败时，狡计反能成功。（原书 52 页）
>
> 这是战争中的一条万古不易的公理：确保你自己的侧翼和后方，而设法迂回敌人的侧翼和后方。（原书 101 页）

骑兵得胜的一翼，不要让敌方骑兵能够再集合起来，而应保持良好秩序以向他们追击。（原书 118 页）

无由而让士兵流血，这是不人道的屠杀。（原书 120 页）

虽然对于伤者是应立即加以注意，但却不可忘记杀敌的责任。（原书 121 页）

假使还有任何事尚未完成，那么你就不可以幻想着以为一切的事都已经完成了。（原书 122 页）

我的错误是对于我的军官有利的，因为他们可以确信，我一定会竭尽全力来加以改正。（原书 126 页）

对于会战有一条定理，那就是强迫敌人做他本来不想做的事情，因为你的兴趣是恰好与他对立的。凡是他不想做的事情，也就是你所最希望他做的。（原书 126 页）

虽然腓特烈需要和平，而且在《艾克斯拉沙佩勒和约》签订之后，他也曾经说过，“从今以后，除非为了自卫，我连对一只猫都不会加以攻击”，可是他却似乎未能认清他这个已获成功的侵略行为的意义。该行为使奥国怀恨，法国畏惧，于是两国开始捐弃旧嫌，而准备采取联合行动了。对于腓特烈而言，这是很不幸的；特蕾西亚的首相考尼茨亲王（Prince von Kaunitz）却能认清这一点。他认为腓特烈的侵略已经使法奥之间的传统对立变得过时，所以他向女王建议应设法要求法国协助收复西里西亚，而以奥属尼德兰为报酬。特蕾西亚采纳了他的建议，于是考尼茨开始向法国宫廷进行游说。第一点，他指明，假使法奥两国若继续交恶，则只会使腓特烈一个人得利。第二点，由于俄国女皇伊丽莎白（Tsarina Elizabeth）非常想吞并东普鲁士，而只要用马格德堡为代价，即可以收买萨克森，用波美拉尼亚也可以收买瑞典，所以假使以奥属尼德兰为交换条件，而法国肯同意支援奥国的话，则可以组成一个 7000 万人的大同盟，而把普鲁士和它的 450 万居民从地图上抹掉。虽然这个建议与法国的传统政策是相违背的，但是法国宫廷中真正有权力的幕后人物蓬皮杜夫人（Madame de Pompadour）——曾受过腓特烈的侮辱——却竭力帮忙。不过在尚未获最后同意之前，英国人却采取了一个行动，遂使危机急转直下。

当时英国正在与法国之间忙于进行“不宣而战”的殖民地战争，因为担心汉诺威的安全，遂不惜出重资想来收买俄国，要他们把重兵集中在西界上，以保障汉诺威的安全。

当腓特烈听到考尼茨谈判的风声传出之后，他马上就企图拉拢英国，表示愿意保障汉诺威的领土完整。英国政府立即接受了他的好意，因为与俄国女皇所谈判的协定尚未批准，所以英国政府即中途打消了这个谈判。接着在 1756 年 1 月，英普两国也缔结了一个同盟，因为那是纯粹防御性的，所以并不影响腓特烈对于法国的条约义务。虽然如此，腓特烈却早已认清了，假使一有战争发生，侵入汉诺威必为法国计划中之一部分。最后在 5 月，为了对抗这个《威斯敏斯特协定》（*The Convention of Westminster*），法奥之间就签订了一个《凡尔赛条约》（*The Treaty of Versailles*），这也是防御同盟的性质。所以到了 1756 年的夏天，欧洲遂分成了两个敌对的阵营：一面为英普两国；一面为法奥两国，外加俄、瑞、萨三国的支持。

虽然对于奥国而言，考尼茨计划是一个胜利，但是对于法国而言，却是一个伪装的灾难。奥地利继承权战争已经证明，法国海外殖民地的地位是如何的脆弱，在俄亥俄和印度，英法之间早已在进行着“不宣而战”的殖民地战争。所以假使欧洲再有一场新的战争爆发，则法国一定是其中的主要分子，结果可能会是它的海外帝国大部分化为乌有。后来果然是这样的。

腓特烈从他的间谍那里获得了一个消息，知道俄国女皇正在鼓动特蕾西亚加强她的军事准备，他认为等她准备好了再战对于普鲁士将大为不利，所以决定先下手为强。他说：“让我的敌人骂我是一个侵略者还是小事，但却不可以让全部欧洲先联合起来对付我一个人。”

虽然普鲁士的地理位置使腓特烈能采取内线作战的方式，在这个环境中是非常有利的，但是普鲁士却并无可供防御的疆界，而且面对着敌军，他的兵力是处于一对三的数量劣势。在南面，奥国人一旦与萨克森人携手，他们距离柏林就只有 40 英里；在北面，若瑞典军集中在施特拉尔松德，相距即在 130 英里以内；在东面，俄国人一旦渡过了奥得河，相距就只有 50 英里；在西面，若从哈里附近进入普鲁士的领土，则法军距离柏林也只有 100 英里。不过这里却有一个“但书”。这些各国的军队，还停留在不同的准备阶段之中：奥军尚未与萨军合作，俄军还没有越过波兰的无路荒原，瑞典人也尚未渡过波罗的海，法国人也还没有渡过莱茵河。

7 月，腓特烈要求维也纳当局提出保证，说明在波希米亚境内集中的奥军不是用来对付普鲁士的。结果只获得了一个闪烁的答案。腓特烈决定不再等候。他留下了 1. 1 万人看守瑞典，2. 6 万人看守俄国，3. 7 万人防守西里西亚，亲自率领 7 万人，于 1756 年 8 月 29 日，突然地“不宣而战”，侵入了萨克森，9 月 10 日占领了德累斯顿。接着腓特烈封锁住皮尔那（Pirna），10 月与奥军在罗布西兹（Lobositz）遭遇着，接着也将奥军击败。

腓特烈侵入萨克森，使欧洲各国大为震怒，认为他不合乎道义，于是帝国会议通过决议将腓特烈废除。同时，同盟国决定出动 50 万大军，以来击碎侵略者。

腓特烈等到道路上已经没有积雪的阻碍时，就进到了布拉格，在那里又与奥军遭遇，于 1757 年 5 月 6 日将他们击败。他一面围城，一面向南前进，于 6 月 18 日在柯林，鲁莽地攻击道恩（Daun）元帅所指挥的奥军，其兵力差不多要比他的大过了两倍。腓特烈受到了一次惨败，3. 3 万人当中损失了 1. 3 万人，结果被迫解除了布拉格之围，并撤出了萨克森。

道恩的胜利使同盟大感兴奋，遂决定从各方面围剿腓特烈。他们的计划如下：沙克斯—希尔德堡豪森的约瑟夫亲王（Prince Joseph of Saxe-Hildburghausen）指挥着帝国陆军（Reich Army）3.3 万人，与索拜斯元帅（Marshal Soubise）所率领的 3 万人，会合在一起以收复萨克森。埃特雷元帅（Marshal d' Étrées）和黎塞留公爵共同指挥 10 万人，以攻击在汉诺威的坎伯兰（Cumberland）公爵；俄军 1. 7 万人，已经占领了梅默尔（Memel，克莱佩达的旧称），预备侵入普鲁士；瑞典军 1. 7 万人，在斯登堡男爵（Baron Ungern Sternberg）指挥之下，预备在波美拉尼亚登陆；而 10 万奥军，在查理亲王和道恩元帅指挥之下，继续攻击腓特烈在柯林的残部。这样一总算起来，差不多有 39 万人集中起来对付他，腓特烈还是并不感到害怕，他面对着道恩撤出了他的 2. 5 万人，越过了 170 英里的距离，到达了欧福（Erfurt），以来威胁索拜斯。

1757 年 5 月 1 日，法王路易十五与特蕾西亚签订了第二次《凡尔赛条约》，允诺每年给予她 3000 万镑（Livres，法国古银币），以便偿付俄国人，作为支援的代价。6 月，埃特雷开始行动，7 月 26 日，偶然地在哈斯坦贝克（Hastenbeck）击败了坎伯兰公爵，因为本来双方主将都已下令撤退，可是有一个支队未曾奉命行事，结果才使法军获得了一次意外的胜利。以后，黎塞留公爵代替了埃特雷，他与坎伯兰私自签订了一个条约，其条件为允许英汉军束装回国。几个星期之后，英法两国政府都不批准这个条约，此时黎塞留却不去与索拜斯会合在一起，反而照法军的老习惯，开始洗劫该国。索拜斯也且进且劫，到达了马格德堡，这是普鲁士的一个重要兵工厂，此后即以向柏林进攻为目标。

此时，俄国也已经进入了普鲁士，其行为之野蛮前所未有。为了阻止他们，腓特烈命令李华尔德元帅（Field-Marshal Lehwaldt）率领了 2. 5 万人，在大亚格恩多夫（Gross-Jägerndorf）向俄军 8 万人进攻。8 月 30 日，李华尔德发动了攻击，但是不幸失败了。于是到柏林之路是已经畅通无阻了，可是正和时常发生的情形一样，因为缺乏补给，俄军遂自动地逐渐退却。虽然如此，到了10月，腓特烈的地位实在是已经到了危险不堪的程度，他自己都几乎认为战争是的确败定了。

虽然他认清了他的机会是这样渺小，但他并不能停着不动，所以仍决定向法军进攻。他留下了贝芬（Bevern）公爵率领着4.1万人在卢萨蒂亚以对抗查理亲王的11.2万人，他自己在8月25日出发往德累斯顿去集中他的兵力。从那里他前往欧福，于9月13日到达，而索拜斯则退往艾森纳赫（Eisenach）。腓特烈于是就把10万“塔勒”（thalers）付给黎塞留当作贿赂，以买得他静止不动，自己乃追踪着索拜斯，肃清了哥塔（Gotha），并留下席德里兹将军（Gen. Seydlitz）在那里监视着他。9月19日，索拜斯和希尔德堡豪森前往哥塔，但在遭遇到了席德里兹之后，即匆匆撤退。

当腓特烈正在作战之际，贝芬被逐回到了布雷斯劳，而哈地克伯爵（Count Hadik）则率领了3500名奥军，进到了柏林。10月16日，哈地克进入了普鲁士的首都，在获得了30万塔里尔的赎金之后才离开。当他听到了哈地克突袭的消息以后，腓特烈留下了7000人，由凯斯元帅（Marshal Keith）率领着防守萨尔河（Saale），自己赶往救援他的首都；但是到了10月20日，他才知道已经太迟了，遂决定赶回来。当腓特烈不在的时候，索拜斯已经获得了增援——布罗伊元帅所率领的1.5万人——开始侵入萨克森，10月27日，到达了魏森费尔（Weissenfels），从那里他要求莱比锡的凯斯投降，但遭到了毅然的拒绝。

回来之后，腓特烈又与凯斯合在一起，其兵力增到了大约2.2万人之数。索拜斯听到了这个消息，即退回萨尔河。10月30日，腓特烈离开莱比锡，第二天进入魏森费尔，立即攻击法军的前哨，却发现桥梁已经被破坏。凯斯也发现在梅泽堡和哈里的桥梁都已被破坏。虽然现在腓特烈的地位很是危险，可是索拜斯却愚蠢地放弃了萨尔河之线，而退到了米谢尔恩（Mücheln）。腓特烈修复了这三座桥梁，于 11 月 3 日渡过该河，在米谢尔恩附近的布罗因斯多夫（Braunsdorf）宿营。他马上命令席德里兹率领骑兵 1500 人突袭敌营，并决定次日作主力的攻击。可是这个奇袭却促使索拜斯乘着黑夜，移到了另外一个比较稳固的位置上。当腓特烈发现这个营地是太坚强而无法攻下时，遂于 11 月 4 日移营往罗斯巴赫（Rossbach）。

索拜斯的怯懦使他的军官们大感不满，其中包括包色特（Pierre de Bourcet）在内，他曾经在 1744 年到 1747 年的战役中获有盛名。他认为腓特烈的地位已经十分危殆，建议索拜斯应该绕过腓特烈的左翼，切断他的退却线。此外，又诚如劳易德（Maj. Gen. Lloyd）少将所指出的，因为联军的人数比腓特烈的兵力几乎占有二对一的优势，所以他们很是趾高气扬。索拜斯和希尔德堡豪森决定在第二天上午进攻，并准备在一击之下即结束这个战役，因为他们的部下已经够疲惫了，似乎不愿也不能再拖下去。

决定虽已作出，索拜斯对于包色特的建议却根本未做执行的准备。直到 11 月 5 日，当有些联军的部队已经出外搜劫，索拜斯才从希尔德堡豪森方面获得了下述的消息："对于向敌军的攻击已经不能浪费一分钟的时间，从他昨天的行动上，很明显看得出他是不准备攻击我们的，而似乎是想切断我们与弗赖贝格之间的交通线。所以我主张我们应该前进，占领希芬罗达（Schevenroda）高地，并从那一边攻击他。"直到此时，索拜斯才开始准备。

双方准备交战的战场是一个宽广开阔的平原，缺乏树木和树篱，罗斯巴赫村位于一个低缓的小丘之上，从那里可以清楚地看见联军的营地。在罗斯巴赫与梅泽堡之间，有一条小溪流过，在溪流之南，即为贾纳斯（Janus）和波尔曾（Pölzen）两座小山，缓缓地升起。照卡莱尔在《腓特烈的历史》的形容："这种松软的沙泥，拉车的马可以感觉到，而走路的人则感觉不到，因为他很少会感觉到像这样平坦的山地。"在这个平原的南面即为萨尔河，在数英里以外有魏森费尔小村，位置在罗斯巴赫的东南面。

当他收到了希尔德堡豪森的消息，索拜斯即派了一部分法国骑兵，由圣日耳曼伯爵（Count of St. Germain）率领着，进到罗斯巴赫以西三英里处的格罗斯特（Gröst），以监视敌营，并保护法军调动时的左翼。索拜斯命令他的部队在上午11时拆营，成三个纵队前进。前卫为奥国和帝国的骑兵，中央为法国和帝国的步兵，后卫为法国的骑兵。在皮特斯塔德（Pettstädt）前卫暂停，法国骑兵加入进来，在举行了一次将领会议之后，又继续前进，并向赖卡特斯维本（Reichartswerben）的方向做半左的轮转。这个行动是异常迟缓，军乐悠扬，旌旗招展，好像是胜利游行一样。

腓特烈对于这些运动一直都在做严密的监视。他在罗斯巴赫的高屋顶上安置着一位军官高迪上尉（Capt. Gaudi），并且派出许多巡逻队，有些深入到了法军所放弃的旧营地之内，并从农民的口中获知索拜斯已经采取了魏森费尔道路。但是他却无法判断敌军的正确方向：（1）可能向弗赖贝格前进，因为他们缺乏补给；（2）可能向魏森费尔前进，但却似乎不像，因为那里的桥梁还未修复；（3）可能向梅泽堡前进，以切断自己与萨尔河上的交通线。

当2点钟时，国王正在用膳，高迪冲进了房间，报告说敌人已经到达了皮特斯塔德，并正向普军的左翼旋转。腓特烈亲自爬上了屋顶，看了一下马上就明白了敌人的意图，是想从侧面和后方来攻击他，并将他逐出他的交通线。下午2点30分，他下达了命令，这个命令的执行是那样迅速，所以有一位法国军官形容它说："好像是在歌剧中变换布景一样。"到了下午3时，营幕都已拆去装车，部队纷纷移动。正当此际，33岁的席德里兹将军率领着38个中队的骑兵，首先疾驰而去。他进到了罗斯巴赫溪流上，除了右翼方面留有少数骑哨以外，其余都是毫无掩护的。他直取贾纳斯和波尔曾两个小丘，接着后面就是步兵和重炮18门。关于炮兵腓特烈命令他们把阵地部署在贾纳斯山上，其右为步兵，其左则为席德里兹的骑兵。在罗斯巴赫也留下了 7 个中队以来监视圣日耳曼。

这些运动是如此迅速，反而使索拜斯获得一种观感，觉得普军是全面退却了。所以，他就命令他的前卫赶紧向贾纳斯山前进，他的命令是那样匆忙，所以关于如何部署兵力完全没有指示，也没有命令人员留下他们的包裹和营具。这些步兵以三个绵长的纵队前进，领先者为法国的皮德蒙（Piedmont）和梅里（Mailly）两个团。在右纵队的前面和侧面，为两个团的奥国装甲骑兵和帝国骑兵；预备队为 10 个中队的法国骑兵，另有 12 个中队保护着左翼。对于地形完全没有侦察，也没有前卫，全军好像是盲目地前进。

现在战术情况又变化了，索拜斯和希尔德堡豪森是要想迂回腓特烈的斜行攻击序列。他们的理由如下：既然我们在数量上占有优势，而他却已经丧失了主动精神，现在我们所需要做的事情就是绕过他的左翼以来攻击他，胜利即可属于我们。可是实际情形完全不对。到了下午 3 点 30 分时，他们恰好暴露出一个侧翼——其前进纵队的头部——留给腓特烈来加以攻击，因为这时他的位置恰好适合于这种进攻。使他们的情况更为恶劣的，是到了这个时候，他们还认为普军是在全面撤退之中，所以索拜斯又把布罗伊所率领的骑兵预备队也拉到前面来，于是使普军的攻击目标更为扩大。

此时，席德里兹率领着其 4000 名骑兵，正在波尔曾山地的后面监视着联军纵队缓缓地接近。当他们靠近之后，不等待命令，席德里兹即率领其部下冲上前去。几分钟后，他把他的烟斗在空中摇了一摇，这就是发动攻击的信号。据当时参战的法国骑兵军官卡斯特里（M. de Castries）记载："我们还没有能够排成队形，普军的全体骑兵就冲上来了，好像一面坚固的墙壁，以极高的速度推进。他们的右翼攻击奥国骑兵，这时在纵队之中能够立即应战的人员还不到三四个中队。他们的左翼则向我们（法军）进攻。"好像是一把锋利的钢刀，普国骑兵在这一大堆尚未展开的敌军当中，来往冲突了四次之多，驱逐着敌人向弗赖贝格溃退。最后，席德里兹收回了他的部下，在塔格维本（Tagewerben）的谷地中加以重组。

当这场战斗还在进行的时候，贾纳斯山上的炮兵也同时向正在溃逃中的联军步兵开火，在这个火力掩护之下，普鲁士的亨利亲王，率领 7 个步兵营快步前进，攻击领先的敌军，以来支援骑兵。他这个攻击是具有决定性的，诚如一位维滕贝格（Würtemberg）的龙骑兵所说的："那些炮火使我们整行地被撕开了，普鲁士的火枪兵就变成了可怕的刽子手。"联军步兵被逐回之后，前后挤成一团，席德里兹抓着这个机会，再度打击在他们的背上，使他们落荒而逃。至于说到普鲁士的炮兵，狄克尔（Decker）在《七年战争》一书中曾经有下述的评论："我们可以有把握地这样说，这一天的成功是属于炮兵的。假使他们也像在柯林会战中那样消极无所行动，则敌军可能已经展开前进了，他们的失败就不会如此的完全，而骑兵的成功也就不会那样的卓越。"

在下午 4 点 30 分的时候，会战的胜负已经完全决定了。腓特烈的右翼在伦德斯塔德（Lundstädt），左翼在赖卡特斯维本，以火炮为掩护，向崩溃中的敌军全面攻击。联军的退却变成了溃散。圣日耳曼说："在周围 40 英里以内的地区中，到处都是我们的士兵，他们抢劫奸淫，无恶不作。"事实上，在整个战役中，法军的纪律都非常恶劣。虽然并未追击——其原因是黑夜已经快要到了——而腓特烈又急于要赶回西里西亚，但是由于纪律的废弛，联军却已变成了乌合之众和惊弓之鸟。

普军损失为死 165 人，伤 376 人。联军方面为死伤 3000 人，被俘 5000 人，其中包括 8 位将官和其他 300 名军官。另有火炮 67 门，7 面国旗，15 面军旗和许多的行李落入普军手中。

从政治方面来说，很少有其他的会战能比这一战具有更大的后果。差不多有 100 年以上的时间，自从红衣大主教黎塞留使法国投入三十年战争之后，向东对日耳曼扩张一直都是法国人的目标。巴拉丁领地曾经累次遭到侵入和蹂躏，可是正好像凤凰从它的灰烬中

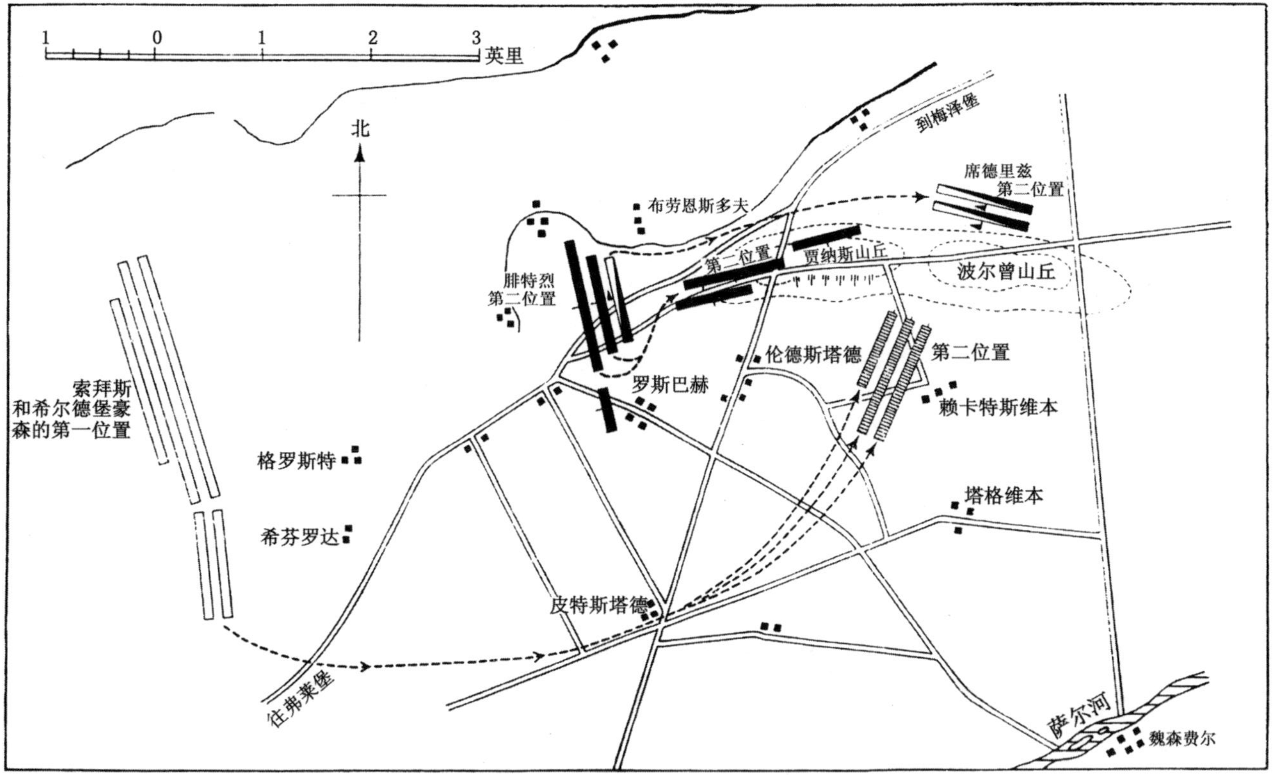

图十二　罗斯巴赫会战，1757 年

再生出来一样，日耳曼民族精神兴起了，而以罗斯巴赫战场上的腓特烈为其代表人物。

虽然欧洲人并不能预料到罗斯巴赫一战所带来的后果，可是全欧各国却都突然认清了法国陆军是已经腐烂透底了，它的不可击败，已经成为过去的神话。坦培霍夫将军(Gen. Tempelhoff)在他的《七年战争史》上说："在全部战争的过程中，没有一个会战能够像罗斯巴赫会战这样地产生出来特殊强烈的印象。无论是敌友，都莫不耻笑联军的将领。索拜斯失败后不久，路易十五居然还升任他为法兰西元帅，大家就笑得更起劲了。"

当英国人听到了腓特烈胜利的消息之后，到处都放焰火表示庆祝。英国国会在 1757 年只很勉强地通过给予腓特烈以 16. 4 万镑的补助费，而到了 1758 年，却自动增到了 120 万镑了。从金额的增加上即可以反映出英国人的思想。虽然如此，这个会战的眼前后果却极为有限，因为索拜斯和希尔德堡豪森的溃败，只不过表示腓特烈的工作刚刚完成一半而已，而西里西亚的情况仍然还是危急到了极点。

为了整补他的部队，他停了一个星期；11 月 13 日，腓特烈率领了 1. 3 万人，从莱比锡出发，于 11 月 28 日达到了 170 英里以外的帕赫维兹 (Parchwitz)。当此之际，希维德尼兹 (Schweidnitz) 已经于 11 月 14 日向奥军投降。贝芬于 11 月 22 日在布雷斯劳被击败，并已放弃了该城。在帕赫维兹，腓特烈命令齐曾将军 (Gen. Ziethen) 去指挥贝芬的败军，并命令他们于 12 月 3 日在该城集中。同一天，腓特烈进到了新市 (Newmarket)，用一个轻骑兵的突袭把它占领了。在新市，他获得了确实的情报，知道查理亲王和道恩元帅都已经离开了罗希 (Lohe) 的营地，进到了李沙，其右翼倚托于尼配恩 (Nippern) 村，其左翼则在沙格秀兹 (Sagschütz) 村。腓特烈的迅速前进使他们受到了震惊，因为他们认为他在罗斯巴赫之战以后，一定会宿营过冬的。

12 月 4 日，把重炮留在布雷斯劳，查理和道恩匆匆越过了希维德尼兹河，而在该河以西占领了一个阵地。他们全军共有 84 个营，144 个中队和火炮 210 门，总人数在 6 万到 8 万，共分成两线。其右翼由鲁齐西（Lucchessi）率领，并有尼配恩泥沼的掩护；中央位置在鲁腾（Leuthen）；左翼由纳德斯提（Nadasti）指挥，位置在沙格秀兹之后，战线向后曲折，并有鹿寨的保护。右翼的骑兵位置在古克维兹（Guckerwitz），左翼的骑兵则在鲁腾。以防御而论，这个阵地是很坚强的，不过却过于长了，两个侧翼之间距离 5. 5 英里。面对着这样一个巨大的阵容，腓特烈所用的兵力一共只有 3. 6 万人：2. 4 万名为步兵，共分 48 营；1. 2 万名为骑兵，共分 128 个中队。他一共有火炮 167 门，其中 61 门为重炮，内有 10 门为超级重炮。战场为一个开阔的平原，腓特烈在平时即曾在此做过演习，所以对于地形早有充分的认识。

12 月 5 日清晨 5 点，普军从新市前进，腓特烈一马领先。在走到该村与鲁腾之间一半距离时，他命令全军暂停，把他的将领们召到一棵桦树之下，向他们做下述的训话："假使我要让奥国人占领西里西亚，则我认为我是毫无所成了。现在我要告诉你们，我决定违背一切战争艺术的规律，向查理亲王的部队进攻，尽管他的兵力差不多是我们的三倍。我必须冒险采取这个步骤，否则一切都完了；我们必须击败敌军，否则就会全体死在他们的炮火之下。这是我的想法，这也是我的做法。现在大家回去，把我所说的话向各团转达。"

腓特烈的计划是直向前进，到达布雷斯劳道路，在奥军的右翼方面做佯攻，然后利用敌人阵地过长的弱点，横越其正面前进，打击在其左翼上，驱逐他们离开交通线。用他自己的话来说，他是决定把全军都部署在帝国军的左翼方面，用他的右翼做最强硬的打击，而把左翼缩回。在这种预防措施之下，就不怕重犯布拉格会战中的旧错，也不会像在柯林会战中备受损失。

在他的部队已经休息过了之后，腓特烈命令继续前进，直抵波尔尼（Borne）村为止。前卫共为 10 个营和 60 个中队——腓特烈亲自率领——主力分为 4 个纵队接着在后跟进，各团的军乐队一路吹奏着。军人们开始高唱起军歌，其歌词如下：

我要恪尽职守，
我的地位是您所赐予，
我要快乐而勇敢地工作，
当我这样工作时，一定能够成功！

有一位军官向国王问道，是否应命令他们停止不唱。腓特烈回答说："绝对不必，有这样的部下，上帝在今天一定会赐我以胜利的。"

在波尔尼，腓特烈与敌军发生了接触。天开始拂晓，地面上罩着一层薄雾，从雾幕中可以看见有一长线的骑兵，横跨着大路展开，其左端消失在雾中，已不可见。最初，他们以为是奥军的右翼，但是为确实把握起见，普军同时从正面和侧翼上冲锋，才发现它是诺斯提兹将军（Gen. Nostitz）所率领的五个团。它立即被击溃，其中有 800 人被俘，包括已经负了重伤的诺斯提兹将军本人在内。接着又暂停了一下，不久晓雾即全部消散，于是看见奥军的全部，从尼配恩一直延展到沙格秀兹，看得是那样清楚，几乎其人数都历历可数。

波尔尼村的丧失对于奥军的失败是一个重要因素，不仅是腓特烈从那里可以望见其敌军的全部部署，而且这个高起的地形使奥军看不见普军的主力正分为 4 个纵队向该村前进。当他们将到之际，腓特烈即派遣其前卫中的骑兵去追击诺斯提兹的残部，换言之，即向奥军的右翼逼近——这是由鲁齐西伯爵指挥的。当鲁齐西看到普军接近，以为这就是主力的攻击，于是立即要求道恩元帅给予他以紧急的援助。道恩就把他的骑兵预备队和左翼骑兵之一部分送往该方面。这个时候，普鲁士军主力的 4 个纵队，又合并成为两个纵队，

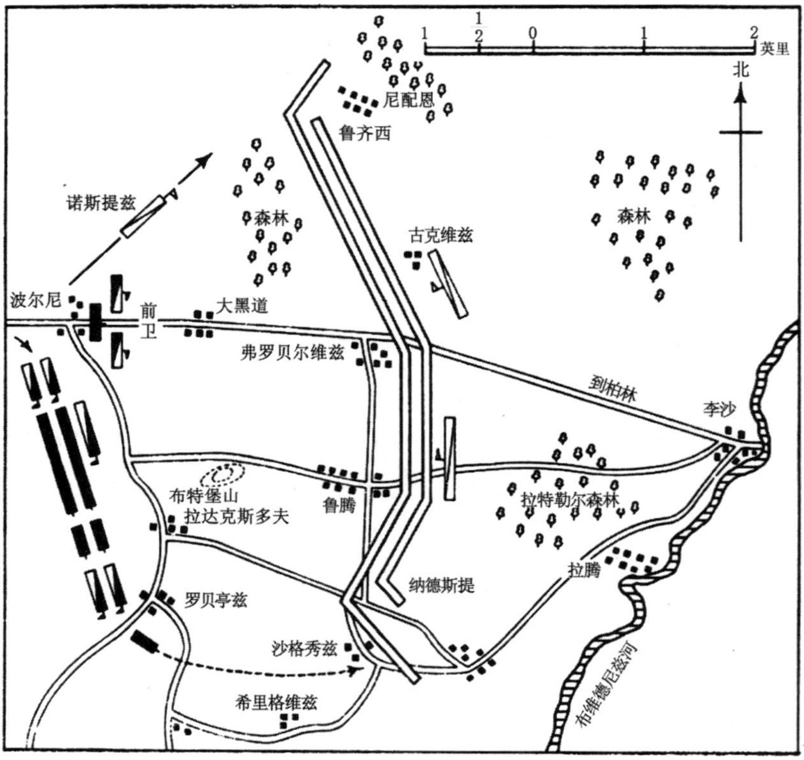

图十三　鲁腾会战，1757 年

当他们到达波尔尼之后，即在高地掩蔽之下，向右旋转，然后向南前进。坦培霍夫这样说："不可能看到比这更美丽的景象：所有纵队的头部都彼此平行，其间的距离是如此正确，简直就像阅兵一样，只要一声口令即可以变成横队。"行军的序列如下：右翼在前，齐曾率领 43 个中队，莫里斯亲王（Prince Maurice of Dessau）率领 6 个营，前面的前卫为魏德尔将军（Gen. Wedel）所率领的 3 个营。左翼在后，由李左将军（Gen. Retzow）率领，包括所有其余的步兵，侧卫为德里森将军（Gen. Driesen）所率领的 40 个中队。每一部分骑兵又有 10 个中队的轻骑兵以供支援。后卫由维滕贝格的欧根亲王率领，包括着 25 个中队。

当腓特烈的部队突然失踪不见了，查理亲王和道恩元帅正站在弗罗贝尔维兹（Frobelwitz）的磨坊上，幻想以为敌军全面退却了。后者说："普军已经走了，不要去扰乱了他们！"正午不久，又看到他们的头部在罗贝亭兹（Lobetinz）与沙格秀兹之间出现了，从那里他们就开始威胁奥军已经被削弱的左翼。

突然面对着一个占压倒优势的敌军，纳德斯提即急如星火地向查理求援。但是已经太迟，大约在下午 1 点，魏德尔在 6 门火炮支援之下，并由莫里斯追随在后面，开始突击沙格秀兹的防线。同时，纳德斯提也向齐曾的先头骑兵中队冲突，把他们向南驱逐，直逼 6 个支援营，他们的火力阻止了奥军骑兵，于是齐曾的部下脱离了险境，旋转过来，再向纳德斯提冲锋，把他逐入拉特勒尔森林（Rathener Wood）。

到了 1 点 30 分，纳德斯提的这一翼被击溃了，在沙格秀兹与鲁腾之间的战场上，遍野都是逃兵，而普鲁士的轻骑兵则在后面追击，再往后面即为成双线前进的步兵。右面为魏德尔，中央为莫里斯，左面为李左，全部又都获有重炮兵的支援，他们用纵射打击逃亡中的奥军。

当普军前进时，查理才知道已经受到了奇袭，匆忙地召回已经派往增援鲁齐西的骑兵，在等候他们到达的同时，把他的步兵分成碎片投入战斗。虽然鲁腾的防御很弱，但奥军决定在那里坚守。李格尼亲王（Rrince Ligne）为当时奥军的一位上尉，对此有很生动的记载：

> 我们跑我们所能跑的。我们的中校几乎是最先被杀倒地。接着我们丧失了我们的少校，最后所有的军官只剩下了三个人。在混乱之中，我只好暂代指挥官。把所有的人员集中起来，最多不过 200 人。我退到了风车所在的高地上。

在鲁腾镇中的拥挤情形，正和布莱尼姆的情形一样坏，因为部队实在拥塞得太多了，其纵深从 30 列深到 100 列。虽然如此，照坦培霍夫所记载的："激烈的战斗还是继续不停，敌人在失望之中做困兽之斗，一营又一营的兵力开上去，都不能获致成功。于是国王决定使用他的左翼。最后，这些近卫军，由其资深的队长——现在为莫伦多夫将军（Gen. Möllendorf）——以无比的勇气向前推进，再经过约半小时的激烈战斗，终于迫使敌人放弃了他们的阵地。"

现在的问题为如何从村落中跃出，因为奥军已经把一个炮兵连移到了其北面的山巅上，在其火力掩护之下，他们的步兵重新部署，与原有的正面形成直角。腓特烈命令他左翼所余下的兵力前进，却为敌炮的火力所逐回，于是他在布特堡（Butterberg）小山上设立炮兵阵地，包括超级重炮在内，将奥军扫退。在他的回忆录中，圣保罗（Horace St. Paul）说：对于这个会战的获胜，这些可怕的炮兵，要比普鲁士的步兵还更有贡献。

当奥军被扫退时，正是 4 点钟。到了薄暮时，鲁齐西已经把奥军的右翼骑兵集中在弗罗贝尔维兹，看见李左的步兵暂停不进了，乃趋前向他的侧翼上冲锋。对于鲁齐西而言，可以说是不幸至极，因为在拉达克斯多夫（Radaxdorf）的村落后面，正隐藏着德里森的 40 个中队，这是他所看不见的。突然，在布特堡炮兵阵地的火力掩护之下，他们冲入开阔地中，30 个中队从正面向鲁齐西冲锋，贝鲁斯（Bayreuth）的龙骑兵攻击他的侧翼，而普特卡麦尔（Puttkammer）的轻骑兵则迅速绕到他的后面。这一次攻击具有决定性的效果，鲁齐西被杀，其部队被击散。接着，德里森又向右旋转，从后方向奥军的步兵冲锋，而魏德尔则从鲁腾附近，攻击他的侧翼。到了夜幕将垂时，奥军已全部崩溃，他们的退却变成了鸟兽散。

腓特烈跟踪追击，并挺进到李沙。他发现这个小镇中已经挤满了溃兵，当他骑马进入该镇时，遇见了几个奥国军官，手里拿着蜡烛，他下了马向他们说："晚安，先生们，我敢说你们一定不曾想到会在这里碰到我。我想在这里找一个寄宿之地。可以办到吗？”

12 月 6 日，他下令休息一天，第二天进到了布雷斯劳，并派齐曾率领骑兵之一半，连同 9 个营的步兵和轻装部队，继续追击查理。他们一直追到 12 月 9 日为止，又俘获 2000 多人。布雷斯劳于 12 月 19 日投降，连同守军 1. 7 万人和火炮 81 门在内。

正和所有一切的会战一样，对于鲁腾一战的损失估计是有各种不同的说法。可能普军的全部死伤数字共为 6000 人，而奥军则为 1 万人，此外还有 2. 1 万人被俘，并损失了火炮 116 门、军旗 51 面和车辆 4000 辆。依照腓特烈估计，在这个战役中，奥军的全部损失为 41 442 人，依照坦培霍夫的估计，则为 56 446 人。不管何者较准确，但这种损失却都是具有毁灭性的。除了希维德尼兹要塞，西里西亚的全境都已经收复，普鲁士也变成了欧洲最强大的军事力量。对于这次会战，坦培霍夫有下述的评论：

> 无论是在执行或后果方面，要想找到一个可与鲁腾会战相比拟的例证，那么在古代史中还可以勉强找到一个，而在近代史中却可以说是绝无仅有。它在军事科学中开创了一个新纪元，对于腓特烈所独创的体系，无论是在理论和实践上，都是一个最好的表演。

拿破仑也说：“鲁腾会战，在运动、机动和决断三方面都是一个杰作。专靠这一次会战，即足以使腓特烈永垂不朽，列于世界上最伟大名将之林。他在这一战中所做的一切调动，都是合于战争原则的。他并不曾当着敌军的前面侧进，因为他的纵队是敌人所看不见的。在波尔尼战斗发生之后，奥国人就认为他一定采取前面高地上的阵地，当他们还正在坐待之际，他却在高地和雾幕掩蔽之下，并以前卫做佯攻，而将其主力继续前进，以来攻击敌军的极左端。”

对于本章中所讨论的两个会战，若能加以比较，则似乎颇饶兴趣，因为它们所代表的都是斜行的攻击序列，但一个是最坏的，而一个是最好的。在罗斯巴赫会战中，那是毫无将道之可言，联军的指挥官根本上没有计划。他们若能坚守萨尔河一线，并继续采取守势，则腓特烈就会不战而溃了；可是他们却偏要放弃守势，而使敌人有交战的机会，这正合了腓特烈的愿望。他们对于这种运动完全是外行，好像是对于一个并不了解的体系，照样硬抄一样，他们在敌人完全可以看见的情况之下前进，越过敌人的侧翼，而且没有前卫。步、骑、炮三个兵种之间，根本上无合作之可言，而圣日耳曼也始终不曾尝试探察敌人在做什么。在鲁腾一战中，腓特烈是运动、集中、奇袭，然后打击，三个兵种的部署和合作都可以说是尽善尽美。不过更重要的，却是他的部下对于他的将才是具有坚定的信心，这是腓特烈获胜的主因。

在这个卓越的胜利之后，战争又继续拖了5年之久，在这段时间当中，腓特烈也曾经遭受到很大的挫折，不过从这个七年战争中，腓特烈个人总算是成功了，奠定了其为古今伟大名将之一的身份。1758年8月25日，他在左恩多夫（Zorndorf）击败了俄军，但是到了10月14日，他在霍赫克尔青（Hochkirchen）遭到了奥军的奇袭，失败了一次，虽然如此，他却还是把他们逐出了萨克森和西里西亚。第二年8月12日，他在库勒尔斯多夫（Kunersdorf）为俄军所惨败，柏林也为俄军所占领，不过他还是击退了法军。但是他的精神却是永远不败的，到了1760年8月15日，他在莱格尼兹（Liegnitz）和11月3日在托尔高（Torgau），又连续击败了奥军。[1]

1761年，厄运又回来了。到了1762年，英国人背弃了他，与法国人缔结了一个单独的和约。这一件背信的事情，使得13年之后，

[1] 在这些会战中要想评定腓特烈的将才，则必须注意到他在数量上总是远比对方居于劣势。在左恩多夫，他以3.6万人对5.2万人；在霍赫克尔青，以3.7万人对9万人；在库勒尔斯多夫，以2.6万人对7万人；在莱格尼兹，以3万人对9万人；在托尔高，以4.4万人对6.5万人。

当美洲殖民地反叛时，英国人在欧洲遂找不到一个同盟国。这件事本身固然可以算是战争的重大后果之一，但却不能把账记在腓特烈的头上。

无论如何，罗斯巴赫和鲁腾这两大会战，不仅拯救了普鲁士，使其免于绝灭，而且对于它们的回忆也就支配了日耳曼的历史，再透过历史而支配了日耳曼人的心灵。从这两个会战中，产生了民族的凝聚力和优越感，使日耳曼人民能够渡过拿破仑战争的难关，并从这里，一步又一步，形成了一个统一的德国，终于代替了法国，成为欧洲的第一巨强。这样也就结束了600年来英法争霸的局面，而使世界史进入了一个新的阶段。

大事记（七）

不列颠帝国在印度的扩张

从 1648 年《威斯特伐利亚和约》签订之日起，到 1713 年《乌特勒支和约》签订之日止，英法两国在印度和北美，都是同样地在做逐步的殖民地扩张。直到 1660 年“复辟”（Restoration，即英王查理二世回国临朝），英国东印度公司所获得的最重要收获，为 1639 年租借了马德拉斯（Madras）和 1651 年在胡格利（Hugli）建立了一个工厂。但是一直等到了 1662 年，凯瑟琳（Catharine of Braganza）嫁给查理二世时把葡萄牙的孟买（Bombay）殖民地当作嫁妆送给英国之后，这个公司才开始繁荣起来。6 年后，孟买移交给公司接管，每年只付租金 10 镑。在 1664 年，由于柯尔贝尔的要求，法国也组建了自己的东印度公司，到了 1674 年至 1676 年，本地治里（Pondicherry）和金德讷格尔（Chandernagore）获得了贸易权。1690 年，英国公司在加尔各答（Calcutta，原名 Kalikata）获得了类似的权利。

在这个时代中，莫卧儿（Mughal）皇帝还是印度的主人，公司都以他的政权为谈判的对象。但是当 1707 年奥朗则布(Aurungzeb)死亡之后，莫卧儿帝国即开始迅速地解体，环绕它这个正在崩溃中的核心，有一圈半独立君主兴起了。这对于欧洲人的公司而言，是非常有利的，因为他们可以与这些分立的对象谈判，而扩大了其贸易的机会。加尔各答的人口在 1706 年为 1 万人，而到了 1735 年，即增到了 10 万人，而公司每年的贸易额增到了 100 万镑以上，由此即可以想见他们财富的增加。

当 1740 年，奥国继承权战争爆发时，在科罗曼德尔（Coromandel）海岸上，英法两国的主要贸易港口为马德拉斯和本地治里。此外，英国人还握有圣达维德（St. David）要塞，在本地治里以南，距离颇近。每个据点都已经要塞化，而且位置都在海岸上，所以可以从海上获得补给和增援，这也是英法两国要比那些土邦占优势的地方，因为土邦并无战船。换言之，只要这两个主要的贸易强国——英法二国——能控制着印度洋，则可以用饥饿的方法战胜与他们竞争的权力。所以，海权实为殖民地问题的锁钥。

当英国被卷入奥地利继承权战争时，在理论上，英法两国的公司即处于战争的状态中。但是这对于法国人是不利的，所以在 1742 年，杜布雷侯爵（Marquis of Dupleix）——他于前一年被任命为法属印度总督——企图保持中立，并与英国在印度的当局展开谈判。但是英国当局却拒绝考虑他的建议，因为他们并不能控制英国的海军。其结果为，在 1744 年，第一次卡纳蒂克战争（First Carnatic War）爆发了。首先是巴尼特代将（Commodore Barnet）所率领的支队威胁本地治里，因为当时法国在印度洋面上并无舰队之存在。杜布雷害怕本地治里会被封锁，于是向卡纳蒂克的太守（Nawab）安瓦尔（Anwar-ud-din）求援，一方面派人去请毛里求斯（Mauritius）总督拉布尔东涅（Labourdonnais）伯爵来救。后者于 1746 年 3 月出发，率领了 8 艘战船，装载 1200 名援兵，于 6 月到达，迫使英国支队退往胡格利。此后，在 9 月 2 日，杜布雷包围了马德拉斯，而拉布尔东涅则从海上封锁它。于是英国人也就向太守求援，他命令杜布雷解围，当后者拒绝之后，太守即派了一支兵力去对付他。

这支兵力到达后，却发现马德拉斯已经在9月10日投降，于是就把法军围在城内。可是这些少数的法国守兵，却并不害怕，突然出击，把太守的乌合之众击溃了。

接着，拉布尔东涅又与英国人谈判，以42万镑为马德拉斯的赎金。杜布雷对此表示反对，两人发生了激烈的争吵，正当此时突然起了飓风，吹散了拉布尔东涅的舰队，迫使他只好撤回毛里求斯。于是杜布雷废弃了这个赎城的条约，并围攻圣达维德。但是因为制海权又转入了对方手中，所以在围攻了18个月之后，还是被迫解围而去。1747年，在波斯卡温（Boscawen）少将指挥之下，一支由13艘战船组成的强力舰队，从英国驶往印度，以求报复马德拉斯被占之耻。他们到达之后，即于1748年8月，开始围攻本地治里，但到了10月，由于季风将至，只好暂时解围。不等到他们再度进攻，《艾克斯拉沙佩勒和约》签订了，使战争归入结束。结果马德拉斯归还英国，但以布里敦角为交换。

虽然第一次卡纳蒂克战争双方是毫无收获，但是有一点却可以认清，即谁控制了海洋，则同时也就能够控制陆地。所以在印度的贸易优势斗争中，由于英国在形势上要比法国便利，易于获得印度洋的控制权，遂使后者处于永远不利的地位。实际上，这种不利的地位妨碍了法国人的一切殖民事业；因为法国既然是一个欧陆上的强国，所以它无法一方面在欧洲称雄，而另一方面又能守住一个巨大的殖民帝国，以来对抗英国。英国因为周围都有海洋的保护，所以可以随意地加入或退出欧陆上的战争，法国人却不能够如此，他们一旦投入战争，其主要的努力就是必须获得胜利，否则即有为外敌侵入的危险，所以其殖民地的安全自然只是一个次要的考虑了。假使法国人企图同时达到两个目标——一方面在欧洲称雄，另一方面又想扩张其殖民帝国——结果就会两头失败。这个不可能的工作不仅帮助英国变成了海上的女王，同时也使普鲁士在日耳曼获得了称雄的机会。

虽然杜布雷对于海权的重要性有充分的了解，但海权的丧失却并未使他感到失望。他是一个有远见的人，当他看到安瓦尔的乌合之众在马德拉斯城前被全部击溃时，不禁触发了他的幻想，因为这使他认清了土著的军队，无论其数量是如何巨大，都不是少数欧洲精兵的对手。所以他认为他手中能控有这样一支小型的兵力，也都是一个极有效的兵器，当印度土王之间发生任何争吵，这支兵力即可以发挥决定性作用。他就希望能有这种争吵发生，哪一方肯出重价，他就准备去帮助哪一方。事成之后，杜布雷就可以有一个强大的土王来做他的同盟者，于是在陆地上他就可以击败英国人，而不再害怕其海权了。

他决定了这个计划之后，马上就有一个机会使他能够付诸实践。1743 年，当阿里（Dost Ali）逝世时，德干的省长（Subahdar of the Deccan）阿萨夫贾（Nizam-ul-mulk Asaf Jah）即任命安瓦尔继任卡纳蒂克的太守。此时，阿里的女婿昌达（Chanda Sahib）正关在监狱中。等到 1748 年出狱之后，他就企图重获其岳父的遗业。同年，阿萨夫贾也死了，由其子纳西尔（Nasir Jang）继承，可是另外一位儿子穆宰费尔（Muzaffar Jung）却以莫卧儿皇帝的敕命为根据，而要求应由他继承。这就是杜布雷的好机会，他马上就紧握着加以利用。

以协助推翻安瓦尔和纳西尔为条件，杜布雷遂与这两位要求者签订了秘密条约。1749 年 8 月 3 日，这个三角同盟在安布尔（Ambur）之战中，击败并杀死了安瓦尔，于是昌达代替他做了卡纳蒂克太守。这样就发动了第二次卡纳蒂克战争。

英国人认清了他们的危险，立即要求纳西尔收复卡纳蒂克。结果纳西尔虽然先获得了少许胜利，但在 1750 年 12 月，终被刺殒命。于是杜布雷宣布穆宰费尔为德干省长，后者为报答，又任命杜布雷为总督，统治从克里希那河（Krishna River）到科摩令（Cape Comorin）之间的一切莫卧儿帝国土地。而其条件则为杜布雷让布西侯爵（Marquis de Bussy）所指挥的小型陆军供穆宰费尔使用。

当英国人看到了杜布雷已经变成了卡纳蒂克的真正统治者，而布西在海德拉巴(Hyderabad)新王的宫廷中又处于至高无上的地位，也就被迫承认他们已经面临着生死关头的斗争。很侥幸，1750年，桑德斯（Thomas Saunders）被任命为马德拉斯总督，他是一个具有非凡精力的人。他看到特里齐诺波里（Trichinopoly）的岩石卫城足以控制这个卡纳蒂克大平原，它由穆罕默德·阿里（Mohammad Ali）据守，阿里与已死的安瓦尔有关系，桑德斯就决定使该城变成对抗法国力量的重心。

1751年的春天，杜布雷命劳氏（Jacques François Law）领兵去夺取它。此时，克里夫（Robert Clive）刚刚在马德拉斯加入英国的陆军，遂建议远征阿柯特（Arcot），实为解除对特里齐诺波里压力的最好方法。桑德斯遂命令他担负这个任务。克里夫一共率领了200名英国兵和300名印度兵，攻占了阿柯特。昌达立即从围攻特里齐诺波里的兵力中抽调部队去收复他的首都。克里夫一直坚守了53天，使围城的敌军力竭，自行撤退。这一个胜利使英国人的威望大增，而使法国人的威望相对减低。以后克里夫在秋冬两季中又迭获胜利，法国人的势力更迅速崩溃。1752年，劳氏被迫在特里齐诺波里城前向劳伦斯（Lawrence）和克里夫投降，而他的盟友昌达则被处死。在德干境内，战争还继续打了两年之久，尽管布西在那里能有卓越的成就，可是由于法国人在卡纳蒂克的失败，终于无法在海德拉巴境内扩张其控制。由于法国势力慢慢萎缩，法国政府遂认为杜布雷无能，决定将其召回。

1753年夏天，法国东印度公司的董事高德胡（Godeheu）奉派代替杜布雷。他于1754年8月在印度登陆，10月杜布雷回国。高德胡首先缔结了一个为期3个月的休战条约，接着在1755年1月又签订了一个草约，不过一定要等在国内的公司批准之后，始能发生效力。但是七年战争又爆发了，这个草约遂始终未曾获得批准。

第七章

普拉西会战

当英法两国正在卡纳蒂克地区中争雄时，在孟加拉也酝酿着一个类似的斗争，这里也和德干一样，是由一个莫卧儿省长做名义上的统治。这个人为阿里伐尔地汗（Nawab Alivardi Khan），于 1740 年继承了王位。在他的晚年，由于英国人未经他的许可而在加尔各答增建要塞,双方遂开始发生摩擦。当他在 1756 年 4 月 9 日逝世时，这种情况始终未见改善。继承他的人为他的女婿西拉吉—乌德—多拉（Siraj-ud-daulah），这是一位少不更事、只知享乐的青年人，年纪只有 20 岁左右，虽然他具有活力和能力，但却缺乏决断，而容易为他宫廷中的嬖幸引入歧途。

当他岳父在时，西拉吉曾经与戈西姆巴扎（Cassimbazar）的英国工厂厂长瓦茨（Mr. W. Watts）就加尔各答的要塞问题举行谈判。他又曾致书加尔各答总督德雷克（Mr. Roger Drake），要求拆毁所增建的要塞。当他嗣位之后，就收到了一封措辞含混的回信。这位新君知道加尔各答的守军不过陆军 264 人、武装平民 250 人，其中只有 174 人为欧洲的居民，于是他在 6 月 4 日，从他的首都穆尔西达巴德（Murshidabad）出发，攻占了戈西姆巴扎。从那里他进到加尔各答，6 月 16 日，他在马拉塔（Maratha）城墙的前面出现，这是该城陆地方面的屏障。

欧洲籍人口中的大部分立即开始撤退；但是当船只受到了射击时，德雷克总督即丧失了他的头脑，可耻地丢弃了其余的人员而逃走了。当发现了他已经逃走，余众遂公推霍威尔（Holwell）议员为临时指挥官。6 月 20 日，霍威尔被迫投降。虽然西拉吉曾经应允保护他和他的部下，可是在一个富商阿米康德（Omichand）的指使之下，孟加拉军瞒着西拉吉，于 6 月 20 日到 21 日的夜间，把所有剩余的英军守兵一共 146 人，全部监禁在威廉堡的黑洞（The Black Hole of Fort William）中。在这些不幸的人们当中，据说有 123 人都因窒息和践踏而死亡。

加尔各答被攻陷之后，西拉吉又回到了他的首都，从那里他又出发与萧克特（Shaukat Jang）交战，将其击败并杀死——后者也是一位继承王位的人。他不曾认清英国人控制了海洋是一个重大的优势，也更不曾想到英国人还会企图夺回加尔各答。所以他只留下了一支脆弱的守军，交由马尼克康德（Manikchand）指挥。此时，德雷克和从加尔各答退出的英国人，都在弗尔塔（Fulta）避难。在那里，他们使用阴谋，使西拉吉宫廷中的要人——马尼克康德、阿米康德、帕特里和贾格特（Jagat Seth）等——都变成了英国人的内应。

7 月 15 日，当西拉吉向戈西姆巴扎前进的消息刚刚传到马德拉斯时，基尔帕特里克少校（Major Kilpatrick）奉命率领了兵员 230 人，向北进发去增援加尔各答。可是到了 8 月 5 日，加尔各答沦陷的坏消息就传来了，使马德拉斯的董事会大感震惊，因为英法两国之间的战争一触即发，而强大法国舰队的来到也在意料之中。但是董事会却并未丧失其理智，而且又很侥幸，恰好已经有了一支装备优良的陆海军可供应用。陆军由克里夫指挥，海军则由华特生（Adm. Charles Watson）指挥，本来是准备对付法国人的。董事会中的阿尔米（Robert Orme）建议把这支兵力送往孟加拉，这个决定遂成为不列颠历史上最重要的决定之一。10 月 16 日，远征军出发时，它拥有 6 艘战船和一些运输船，载有 900 名正规军和 1500 名印度兵。

航行颇受挫折，有两艘船被迫离开了他们的航线，其中一艘到了锡兰，直到 11 月 16 日，这支远征军方到达了胡格利河河口。在那里，华特生做了一个勇敢的决定，决心沿着该河上驶，这条水道是从来没有走过的，对于整个冒险事业而言，此举要算是最英勇的一部分。经过了一段危险的航行之后，远征军于 12 月 15 日达到了弗尔塔。登陆之后即与基尔帕特里的兵力会合，因为疾病，他们已经减到了 120 人。

此时，德雷克在弗尔塔已经接奉英国政府的命令，指派他和前任的三个董事负责处理孟加拉的事务。他并不知道这一支远征军已经在途中，遂与西拉吉开始谈判，等到克里夫和华特生到达之后，德雷克等人即力劝他们不要用武。可是华特生对于此项要求置之不理，他于 12 月 17 日致书给西拉吉，要求恢复英国人旧有的特权，并赔偿损失。西拉吉的答复如何，已不可考，不过其结果却是舰队于 12 月 27 日继续溯江上驶,并于 1757 年 1 月 1 日达到了加尔各答。第二天，马尼克康德即逃往穆尔西达巴德，于是并未经过任何激烈的战斗，克里夫即收复了加尔各答。

克里夫现在所面临的情况非常危急。在加尔各答以北不过数英里之遥，即为金德讷格尔，那里驻有 600 名法国人，其中有 300 名为军人，是布西最近的据点，距离孟加拉只有 200 英里。假使法国人决定与西拉吉合作，则英国人将处于绝对的劣势。进一步，假使战争的时间延长，因为卡纳蒂克现在已经毫无防御的力量，所以马德拉斯也可能会轻易丧失掉。西拉吉还正在犹疑不定，他痛恨一切的欧洲人，并且相信欧洲的全部居民总数还不到 1 万人。可是孟加拉的大银行家贾格特却主张和平，因为这些富人希望能恢复他们在加尔各答的生意，阿米康德也是同样的想法。最初，西拉吉还是犹豫不决，可是最后他却改变了决心，决定再度向加尔各答进发。

现在我们所要读的故事，就像天方夜谭一样充满了浪漫的色彩。这个故事中的英雄在1725年9月29日出生于英国的什罗普郡(Shropshire)。当他18岁的时候，克里夫进了东印度公司，充当书记的职务。他深恶这一职业,曾经两度企图自杀。以后到了21岁，才转入该公司陆军中充当士官，从此就开始英名远播，成为一代名将。1753年，他回到英国，其职务由劳伦斯少校接替。劳伦斯比他年长28岁，克里夫一向是他的部下，并对其具有莫大的忠诚。当克里夫回国后，公司为了表示酬劳，曾把一把镶有钻石的宝剑赠送给他，可是他却表示除非对于劳伦斯也同样地赠送一把，否则他不想接受。1755年，他又以正规军的中校身份，回到印度。

克里夫这个人在工作上具有坚定的决心，却从不固执。他对于他的目标经常保有明确的认识，当环境改变了，他能够迅速地改变他的手段，以求配合目标。在个性方面，他的态度是冷静的、果敢的和温和的。他从来不会丧失其耐性。劳伦斯少校对于他有下述的评价："他这个人有不屈不挠的决心，冷静的天性，即令在最危险的环境中，也不改变其常态。他是一个天生的军人，他并未受过任何形式的军事教育，也很少与这一职业接触，可是他却能领兵作战，具有良好的判断力和慎重的态度，比起一般有经验的军官并无逊色。"他又深通政治手段，知道如何应付那些反复无常的土皇帝。

作为一个军人，他具有钢铁一般的意志。任何障碍物都不足以改变他的决心，任何困难对于他而言似乎都是可以克服的。假使他犯了一个错误——这是很少有的——他能够迅速地将错就错，借此获利，主要的原因是他对于东方人的心理的确是具有彻底的了解。诚如马里生上校(Col. Malleson)所说的："他的观念总是超人一等的，他的计划总是卓越的，他的执行总是有效的。"

虽然在许多次战役中，他的英勇表现是如此光辉至极，可是最值得一提的是在1766年，当公司把所谓"双薪"制度取消之后，公司中的军官开始发生叛变，并且获得文职人员的支援。在这种危机时刻，克里夫才显出了他的伟大人格。完全凭着他一个人的力量，终于使局势转危为安。

1767 年 1 月，他终于离开印度，从此不回来了。1772 年，他在英国国会中，受到了孟加拉腐化集团的攻击。虽然他拿出勇气来为自己辩护，可是到了 1774 年，因为受不了侮辱和疾病的折磨，遂于 11 月 22 日自杀殒命，享年 50 岁。

当西拉吉正准备从穆尔西达巴德向南进发时，英国人决定占领胡格利。为了达到这个目的，基尔帕特里率领了 4 艘船，载着正规军 150 人，印度兵 200 人，于 1 月 6 日奉命溯江而上。1 月 10 日，他们到了胡格利，没有经过太多的困难，该镇即为一个能干的军官库特（Eyre Coote）所攻占。在这个时候，才有确实的消息从阿勒坡传来，说英法两国在 8 月已经正式宣战了。

此时克里夫仍留在加尔各答，正在增强威廉要塞的工事，并招募了一营印度新兵，这也就是孟加拉本地陆军的起源。这个号称“红色团”（Red Regiment）的部队，也就是孟加拉本地步兵的第一团。1 月 30 日，西拉吉的军队也来到了，并且在胡格利以北 10 英里远的地方渡河。和他一同来的有阿米康德，他一心所焦虑的就是收回他在加尔各答的财产，所以他只想恢复其对于英国的影响力，力主采取和平手段。克里夫因为处境也很危急，所以也赞成和平，当西拉吉前进之际，他就与阿米康德通信讨论这个问题。但是当阿米康德继续前进，并已经在 2 月 3 日占领了沿着马拉塔壕沟的地区之后，克里夫才决定进攻。他一共集中了 650 名英军、800 名印度兵、600 名水手和 100 名炮手（共有炮 6 门），于 2 月 7 日中午 12 时向敌人发起攻击。他的敌人共有骑兵 1. 8 万人、步兵 1. 2 万人、火炮 40 门和战象 50 头。虽然如此，他却还想获得一次决定性的胜利。尽管在数量上居于劣势，假使不是大雾突起，在两三码距离之外即不辨目标，则克里夫也许还是可能达到这个目标的。结果发生了一种非常奇怪的事情，向导迷失了方向，克里夫的全军冲入了敌营的中央，在漆黑之中向左右开枪乱打，终于在该日下午7时，才回到了己方的阵线。

双方的损失都相当巨大，西拉吉方面死伤了1300人，还损失了500匹马和4头象；克里夫方面死了57人，伤了117人。可是比死伤数字还更重要的，却是士气上的打击，克里夫的人员感到精神颓丧，而西拉吉的全军更发生了恐慌现象。依照阿尔米的记载，他的全军通宵都是在惊慌中度过的，不断地鸣放枪炮，一方面是为了给自己壮胆，另一方面是为了防止英军进攻。

西拉吉在这次奇袭之后，心理崩溃，于是在2月9日，他与克里夫签订了《阿里那加尔（Alinagar）条约》，承认恢复公司所具有的原有特权，并赔偿损失。

克里夫之所以决定停战，是害怕法国人会与西拉吉打成一片，而破坏他的各个击破政策。此外，他也认清了除非在孟加拉的法国势力完全被消灭，否则他和他的部队即不可能安全地返回马德拉斯。所以当这个条约墨迹未干之际，克里夫即要求西拉吉允许他向金德讷格尔进攻。

虽然西拉吉的答复是说，他从来不准许他这个地区的臣民受到另外一地区的欺侮，可是他决定采取拖延政策，假说布西正想侵入孟加拉，并要求克里夫来帮助他。此外，他更认为瓦茨是一个温和派，所以要求英方派遣他来担任公司驻其宫廷的代表。此后，他就返回他的首都穆尔西达巴德。

虽然克里夫明知布西的恐吓是假的，但他却同意任命瓦茨为代表，并且同时也请阿米康德一同去，后者对于和约的谈判是有颇多协助的。这两个人出发之后，于2月18日到达了胡格利，阿米康德发现西拉吉已经把10万卢比的巨款送给金德讷格尔的总督，并派了一个间谍南柯马尔（Nuncomar）——一个机警的孟加拉婆罗门教徒——去竭尽全力地协助法国人。阿米康德马上就用1. 2万卢比，把这个人收买过来了。此后，他又与瓦茨继续向都城进发，到了那里之后，才知道在 2 月 22 日，西拉吉已经致书克里夫，制止他进攻金德讷格尔，并且说假使英国人前进，则他就要进兵帮助法国人。与此同时，金德讷格尔的总督又求英法双方在孟加拉的境内签订一个中立条约。2 月 25 日，双方代表在加尔各答城会晤，共同拟定条约的条款。但是华特生将军却认为必须等到在本地治里的高级政府批准之后，他才肯签字。恰好此时英军又从海上获得了增援，克里夫认为他现在所拥有的兵力，已经足够攻下金德讷格尔，遂遣返法方的代表，也不等待西拉吉的同意，即决定马上进攻。

当这些事态正在发展之际，西拉吉突然获得了一个情报，说阿富汗人在可怕的阿默德 · 沙 · 杜朗尼（Ahmad Shah Durrani）领导之下，正要从德里向孟加拉进犯——这个情报可能是瓦茨和阿米康德伪造的。西拉吉大感震惊，立即写信向克里夫求援，允许每月偿付 10 万卢比，以雇用他的部队。这是克里夫所不能错过的一个好机会，他又乘机提出要求，请西拉吉允许他进攻金德讷格尔，结果没有获得答复。克里夫知道西拉吉正在与布西谈判，所以他决定进兵，3 月 8 日，他拔营向北前进。以后在 3 月 13 日，华特生将军才收到了西拉吉的回信，这也就决定了法国租界的命运。这封信中有这样一段话："假使一个敌人明白地向你乞降，那是应该保全他的生命。但假使你不能信任他，那就只好见机行事了。"这一段话使华特生和克里夫大为兴奋，遂立即向金德讷格尔进攻。

在收到这封信之后，克里夫就写信给金德讷格尔的总督雷诺（M. Renault），要求他投降。法国租界的唯一屏障即为奥尔良要塞（Fort d'Orléans），其位置距离胡格利河只有 30 码。因为法军拒不作答，克里夫遂决定攻击。首先安置炮位，8 月 18 日，舰队也在普鲁士八角形（Prussian Octagon）的附近投锚，英军又再发出一次招降的号召，结果仍被拒绝。于是到了 3 月 23 日的清晨，英军开始攻城，双方的火力都异常猛烈。三个钟头之后，到了上午 9 点钟，南北两面的城墙都差不多已经全毁了，法军才挂起白旗来，这个法国租界投降了。

弗里斯特爵士（Sir Forrest）在他的《克里夫传》中，对这一战曾有下述的评论："对于英国在印度的殖民事业，这一战具有极大的影响。这一次打击动摇了印度西部一切土皇帝对于法国权力的信心。奥尔良堡的攻占巩固了加尔各答的安全，这是我们在海上的基地，并且也使我们成为这条大河的主人，这条水道一直流过贝哈尔（Behar）和奥立沙（Orissa）等富饶孟加拉的省份，从此向北即为巨大的中央平原，一直延伸到喜马拉雅山的山麓。普拉西的大捷，只不过是这一战的延长而已。"

一旦金德讷格尔归入英国人的手中，克里夫对于反复无常的西拉吉本是完全不信任的，现在就决定不遵从他的命令，继续留在孟加拉境内，不回马德拉斯去。此外，因为他整个的政策就是以排斥法国人的势力为中心的，所以只要布西还能给予印度土皇帝以支援，则他的目的即无法达到。于是在 3 月 29 日，他又致书西拉吉，坚决地要求他把一切的法国租界都移交给英国人，而尤以在穆尔西达巴德附近的戈西姆巴扎为然。西拉吉绝对不愿意如此做，因为他相信只要季风结束，克里夫必将被迫返回马德拉斯，遂决定采取拖延政策。他一方面收买法国人使为己用，另一方面回信说已命令他们退出国外。为了保护他自己不受到奇袭，他又命令他的总司令米尔贾法（Mir Jafar）率领部队 1.5 万人，移驻到穆尔西达巴德以南 30 英里的普拉西（Plassey）。

从表面上看来，西拉吉的地位是很坚强的，因为马德拉斯需要克里夫，而克里夫的力量也太弱，不够资格投入旋涡。可是揭穿内幕来说，西拉吉的野蛮、奸诈和贪鄙，都足以使他的宫廷和阵营中有产生内奸的危险。在他占领了加尔各答之后，他就使贾格特变成了他的敌人，因为他曾经亲手打他的耳光，并且连续地侮辱他。为了报复，贾格特遂与阿米康德勾结起来，又勾结了米尔贾法，愿意共同拥护克里夫以打倒西拉吉。

到了4月26日，这个阴谋差不多发展成熟了，那个与阿米康德保持有密切接触的瓦茨遂写信给克里夫说："假使你赞同这个计划，那么他（米尔贾法）就要求你对于金钱、土地等具体条件，提出一个方案来。"5天之后，克里夫前往加尔各答，把这一事件提交董事会讨论，结果大家同意支援米尔贾法，在第二天，克里夫就把他的行动计划通知瓦茨。

为了设法使西拉吉获得表面的安全感，克里夫写了一封"安抚"性的信件给他，告诉他已经把部队调往加尔各答，并且已经上船准备离去。接着他又建议仍留在普拉西的米尔贾法应该撤退。最后他又写信给瓦茨说："请告诉米尔贾法不必畏惧，我马上就会率领5000人来与他会合，并且永远不会背叛他。假使他不能将他（指西拉吉）捉到，我们的势力也还是足够将他驱逐出国的。你可以向他保证说，我会日夜兼程前进，以来援助他，而且只要我有一个人剩余着，也还是会和他合作到底的。"

尽管接获了克里夫的来信，西拉吉心里还是疑惑不安，他仍然把米尔贾法的兵力留驻在普拉西不动。依照地道的东方习惯，意外的事情又发生了。瓦茨把这个计划送给阿米康德看，他却表示除非他获得了全部战利品的5%以为酬劳，否则他即不肯同意。西拉吉的财富是十分可观的，最先被估计为4500万镑。此外，阿米康德又要求应分得其宝石藏量中的1/4。以后做更精密的估计，认为西拉吉财富总额仅为450万镑，于是瓦茨在拟定的条款中，补充说明阿米康德一共应分得30万镑。他之所以如此完全是不得已，这个狡猾的印度人突然恐吓他说，假使他不分得这个5%的数字，那么他就要把这个阴谋泄露给西拉吉知道。但是诚如弗里斯特爵士所说的："假使克里夫居然受到了阿米康德的挟制，而真正履行他这些条件，那么毫无疑问，贾格特和米尔贾法也一定不会表示同意，结果就会使英国人在孟加拉的势力完全崩溃。"

不过克里夫却正是这个狡猾之徒的敌手，在对付东方人时，他是只问目的不择手段的。他在 5 月 16 日接到瓦茨的来信。次日他又前往加尔各答，在董事会的会议中，决定不给予阿米康德任何东西。但这个决定却并不能解决问题，所以在 5 月 18 日，克里夫把两份签订的草稿提到董事会来——一份是真的，一份是假的。前者是准备给米尔贾法看的，上面完全没有提到对于阿米康德的奖励；后者则准备给阿米康德看，上面说明拟赠予他 200 万卢比以为酬劳。真的用白纸，假的用红纸，所有的董事都同意在两份文件上签名。唯一不肯签名者为华特生将军，但他却不反对一位卢兴顿先生（Mr. Lushington）为他代签了一个假名。于是这两份文稿都被送给瓦茨。

此时，阿米康德为了尽量要钱，又秘密地去谒见西拉吉，当他回来时又告诉瓦茨说：他已经把一个情报告诉西拉吉，说布西与克里夫已经彼此同意，由英法两国瓜分孟加拉。利用这个谎言，他又骗到 8 万镑的赏额。专以赏额而论，他所说的话是真的，但是关于内容方面，他可能只说了一半。瓦茨怀疑他已经把这一方面的秘密也泄露了一部分。果然如此，因为到了 5 月 30 日，西拉吉对于米尔贾法即表现出明显的不信任，几天之后，他就解除了他的兵权。这个心存怨怼的总司令回到他的私宅，立即设防自卫。

到了现在，阿米康德的奸谋也有了暴露的危险，所以他希望离开穆尔西达巴德，最后瓦茨就劝他坐轿子，与公司的职员斯克拉弗顿先生（Mr. Scrafton）一同前往加尔各答。5 月 30 日他们出发，但在戈西姆巴扎又延迟了一下，因为这个狡猾的老人还要多赚一点钱。在普拉西，他趁着斯克拉弗顿熟睡时又溜走了，因为他从一个朋友那里获知对于米尔贾法的协定上并没有提及对他的酬劳，所以他赶紧前往加尔各答，于 6 月 8 日到达该城。克里夫对于他的接待却是非常友好，又使他恢复了信心。虽然如此，他还是向董事会的波斯籍书记行贿，希望获得不利于他的一切情报。结果似乎并无所获。

当阿米康德和斯克拉弗顿离开了穆尔西达巴德之后，米尔贾法即派了一个使者去见瓦茨，瓦茨把两份条约都交给这个使者，并用书面说明对于阿米康德所做的欺诈行为。6 月 4 日，米尔贾法在这两个文件上都签了字。在签字之后，米尔贾法还需要亲自宣誓，表示他遵守这个协议。因为他的住宅已经受到了西拉吉的严密监视，所以瓦茨坐在一个密闭着的轿子里，冒充“高贵的夫人”，让人一直抬入了内宅。在那里，米尔贾法向他说：希望克里夫能立即进兵，等到克里夫接近他后，他（指米尔贾法本人）就会依照当时所占领的位置而采取行动；假使他在前面，当英国人来到时，他就会擂大鼓和摇舞他的军旗，然后率领他所指挥的部队，从正面移往右方，加入英军；假使他是位置在两翼上，或是在后方，他就会竖起白旗来，当英军开始进攻时，他也就夹击西拉吉的主力。

他的任务完成之后，瓦茨就派了一个可靠的使者奥马贝格（Omar Beg）把条约送回加尔各答去。奥马贝格于 6 月 11 日到达该地。第二天，瓦茨又带了三个英国人逃出了穆尔西达巴德，经过了一番惊险，他们于 6 月 13 日，才到达了在卡尔那（Kalna）的克里夫营地——在胡格利以北 15 英里。克里夫决定立即进攻，于是他就发了一封最后通牒给西拉吉。

瓦茨的逃走，使西拉吉大感惊骇，并且认清了米尔贾法是一个内奸。当他正准备围攻其住宅时，克里夫的最后通牒也就来到了。他决定改变策略，先与米尔贾法谈条件，以分化他的敌人。结果双方言归于好，并对着《古兰经》互相宣誓。此后，他在 6 月 15 日即向克里夫发出了一个强强的回答，并命令他的全军集中在普拉西。但是他的困难却并未终了，因为他的部队突然叛变，要求先发饷后开拔。等到分发了金钱之后，军队才前进。6 月 21 日，他们到达了道普尔（Daudpur）村，这是在普拉西的北面，相距不过几英里路。

6 月 13 日，克里夫留下了 100 名水手据守金德讷格尔，然后开始做冒险的前进。欧洲人携带着野炮、弹药和补给，分乘200艘小船，由印度人拉曳逆流而上。他的部队包括613名欧洲步兵、48名孟加拉混血兵、43名孟买混血兵（Topass，多为葡萄牙的混血儿）、171名炮手（包括57名水手）、2100名印度兵、8门六磅炮和两门小型的榴弹炮，一共大约有3000名士兵。6月14日，全军到达了卡尔那；6月17日，又到达了戈西姆巴扎河，即巴吉勒提河（Bhagirathi）西岸上的巴特里（Pattlee）。6月18日，克里夫在那里命令库特少校，率领200名正规军和500名印度兵去攻占卡特瓦（Katwa）要塞。不仅是因为在那里储存有大量的谷物，而且假使有退却之必要，全军可以用它来作为一个坚强基地，以供掩护之用。第二次全军都集中在卡特瓦，扎营时，季风已经起了，来势颇为猛烈。

克里夫现在面临着一个进退两难的境况。这里的地面不久就会变得无法通过；在他与敌人之间隔着一条湍急的河流，在几天之内它就会变得不能徒涉了。他若不马上渡河，则将来也就根本无法渡河；假使现在渡河，则他与基地之间即无可避免地会切断联络，而不再有退却的可能性。而且更重要的是，米尔贾法的意图到底是怎样？他现在指挥着1万人。6月17日，克里夫接到了他的一封来信，语意颇为含混，第二天克里夫就回答他说："假使我与西拉吉的军队遭遇，你将采取何种行动，而我应如何行动？最重要的是在我尚未到达之前，注意计划的保密。"6月19日，他又写信给米尔贾法说："当我在行军时，你没有给予我一点情报，也不曾告诉我应该怎样行动。我对于在穆尔西达巴德的一切情形，均无所知。我将暂留此地，等到有好消息之后再继续前进。我认为你有立即加入我军之必要，并且愈快愈好。在普拉西或是你所选择的任何地点均可，即令是1000名骑兵都够了。"克里夫没有获得答复，因为他没有骑兵，所以在6月20日又写信给布登万的大君（Rajah of Burdwan），希望能送两三百匹好马来。最后，他又接获了米尔贾法的两封回信，更增加了克里夫的疑虑。在黑夜降临之前，他终于获得了确实的报告，发现米尔贾法与西拉吉已经合作如一人了。这就是克里夫在 6 月 20 日到 21 日的夜里所面临的情况。

在这样的环境之中，若再前进，其所冒的危险当然是非常巨大的，所以克里夫决定征询其僚属的意见。于是他们举行了一个作战会议，克里夫提出了下述的问题："在现有的情况之中，若无其他的援助，专凭自己的力量，是否应该立即向前进攻，抑或等待有了援助之后，再采取行动？" 克里夫主张暂缓行动，基尔帕特里和 8 位其他的军官也表示同意，但是库特少校和另外六位军官却主张立即进攻。克里夫并非主张放弃这个战役，而是主张在未获得米尔贾法的确实援助之前，暂留在卡特瓦不动。他对于这个问题的看法是采取政治性观点的，而库特对于这个问题的看法，却是纯粹从军事的角度上去看的。克里夫知道这一战若是失败了，其意义即等于丧失了整个的孟加拉；而库特却只注意到这个渡河的问题。虽然如此，克里夫却很感到困惑，因为这次会议的决定并未能够解决他的困难。于是当会议结束之后，他就退到附近的一个丛林中，在那里单独一个人沉思达一个小时之久，最后才完全恢复了他的信心，认为停在原地是不对的。当他回到司令部之后，即命令全军于第二天上午渡河。

一夜过去了，仍未获得米尔贾法的答复，一直到第二天，他才有回信来说："西拉吉的意图是想在蒙苦拉（Moncurra）掘壕固守，所以你进攻愈快就愈好。等你接近之后，我才可以与你会合。等到我们见面之后，我就会把一切的情报当面告诉你。并请事先把你准备战斗的时间告诉我。" 克里夫认为这个消息是够明白了，于是命令全军在上午 5 时渡河，向普拉西前进，在大雨如注之中，经过疲惫不堪的行军，在午夜时才到达了那里。英军立即占领了邻近的丛林，可是使他们大感惊异的，却是不断地听到鼓角之声，这表示在附近 1 英里的距离之内，都有印度军正在宿营。实际上，印度军的总数为步兵 3. 5 万人，骑兵 1. 5 万人，火炮 53 门（多为 32 磅和

24 磅者）和一些战象。

6 月 23 日拂晓时，克里夫爬上了河流东岸西拉吉猎舍的屋顶上，以便侦察会战的场地。在他的脚下是一个宽广的绿色平原。在他的右前方是一个芒果园，周围有一道土墙围绕着，而在他的左面，大江向西流成一个巨大的“S”字样，在河湾的下端为一个平原，西拉吉的堑壕线就在那里。其右翼倚托在河流之上，受着一个堡垒和一个小丘的保护，南面即为两个蓄水库。

日出之后，敌人即开始从塞壁的缺口中向外开出。战象身上都披着红色的锦绣，骑兵都持着长剑，在日光之中发出闪亮，他们的重炮都由白牛来牵引，他们的旌旗招展着，显得军容颇盛，声势骇人。骑兵和步兵都以密集纵队前进，重炮夹在中间，每一门炮由 45 头白牛拖着，在每门炮的后方又都有一头象，这是受过专门训练的象，知道用它的头部去顶送炮车的后部，以来帮助炮车越过困难的地形。右翼方面为莱 · 杜拉布（Rai Durlabh），中央为亚尔 · 鲁弗汗（Yar Lu’ f Khan），左翼为米尔贾法。全军在前进时成为一个巨大的新月形，右面顶到小山，左面距离芒果园在半英里之内。在圣弗瑞（M. St. Frais）指挥之下，另有 50 余名法国的“先锋队”，携带着四门火炮，占领水库以南的阵地——在芒果园以北。其右面为两门重炮，另由米尔 · 马当（Mir Madan）和莫汉拉尔（Mohanlal），率领了 5000 骑兵和 7000 步兵作为支援。

克里夫对于这群乌合之众做了一番观察之后，感到颇有把握，认为假使他的部队留在丛林中，则敌人将会认为这种谨慎是害怕，而变得大胆起来。所以他将兵力一线展开，与这个猎舍平行，面对着最近的一个水库——这是法军所占领的。全线延展约 1000 码。他把欧洲部队分为四部分，第一部分由基尔帕特里少校指挥，第二部分由格兰特（Grant）少校指挥，第三部分由库特少校指挥，第四部分由高普上尉（Gaupp）指挥。印度兵则构成左右两翼。诚如弗尔特斯纠所说的 :“其力量寄托在中央部分的白人部队身上，而这个部队的力量又寄托在一个人的意志上面。不列颠部队面临这样的劣势，这还是第一次，但却并非最后一次。”在他战线的左面，克里夫命令一小部分印度兵，带着两门六磅炮和两门榴弹炮作为前哨。兵力部署完毕，他在早上 7 点钟就匆匆写了一个便条给米尔贾法说：“我所能做的事情都已经做完了。假使你来到道普尔，我就从普拉西前进以与你会合，假使你不来，那么请原谅我，我将独力与西拉吉决战。”

上午 8 时，法军发了第一炮，在这个信号之下，西拉吉的全部炮兵都开火了，虽然多数的炮弹都飞得太高，可是英军的人员也开始倒地了。因为他的六磅炮无法解决敌人的重炮，克里夫即命令他的人员撤回到土墙之后。他们刚刚撤回，印度军唯一真正忠贞的将领米尔·马当就受到了致命的重伤，于是他的位置由莫汉拉尔所接替。[1]

一旦有了土墙的掩护，在墙后再加上八门炮的火力，克里夫的小型陆军遂获得了良好的保护，而他的两门榴弹炮也使法军龟缩在持续的火力之下。于是又发生了一件幸运的事件：在正午的时候，平原上有一阵雷声响过，突然大雨倾盆，敌人的炮不响了，因为和克里夫的炮兵不同，印度人并无防雨布以使他们的火药维持干燥。失望之余，西拉吉的部下开始退回到他们堑壕之内，只在左面留下了一支强大的骑兵。他们的目的是否想要占领普拉西村，使人很难捉摸。

大约在下午 3 时，克里夫因为已经湿透，遂退到猎舍中去换衣服。他的想法是在夜幕低垂之前，一直采取守势，然后再乘黑暗的掩护来进攻。在他退下来休息之前，他曾命令基尔帕特里克说：假使敌人有前进的动向，应立即通知他。不久以后，当他听到基尔帕特里克已经命令一个支队携带两门野炮，去对于法军重新发动攻击

[1]　这是一个重大的因素，因为米尔·马当为西拉吉最优良和最忠贞的部下。

时，不禁大感骇异。

他赶紧去追这支小型兵力，当他已经抵达第一个水库时，才算是追上了，于是克里夫对于基尔帕特里克加以痛斥，责备他为什么没有遵令而擅自前进。但是他却也认清了，在东方人的面前若是再度撤退，结果可能会引起大祸，所以决定将错就错。他派基尔帕特里克回去召集增援，而自己率领这个支队——一共两个连和两门野炮——把圣弗瑞的法军，从水库逐回到了堡垒之中。接着，克里夫命令库特也率领他那一部分兵力前进，而只留下格兰特少校监视仍在普拉西附近盘旋的印度骑兵。克里夫在莫汉拉尔的左面实行佯攻，结果把他的兵力诱出了堑壕，于是立即用最猛烈的火力向他们扫射，杀死了许多的人员、马匹和拖炮的牛，还有 4 个主要的军官，最后混乱到了极点，以至于战象都无法控制了。战斗正在进行，克里夫又注意到在敌人左翼顶点上的骑兵，似乎正在想脱离战场而退去，换言之即置身于战斗之外。这件事使他认清了这支骑兵是由米尔贾法所指挥的，于是他决定发动决定性的攻击。他命令库特攻击那个小山，又命令另一支兵力去夺取堡垒。因为法军已经奉命退却，所以库特几乎毫无损失地即达到了目的。到了下午 5 时，全部英军都已经拥入敌营，此时克里夫才知道西拉吉已经逃走了。

为什么米尔贾法会采取这种送命的路线呢？这个答案是有如下述：当米尔 · 马当负伤之后，他的从者就把他送入了西拉吉的营帐中，这个垂死者的样子十分触目惊心，于是西拉吉就召见米尔贾法，当他来到时，却带着强大的护卫，以防不测。两人会晤后，西拉吉取下了他的头巾，把它放在这位将军的脚下，向他要求支持。但是米尔贾法对于他的答复却是很傲慢的。骑马回到他自己部队之后，米尔贾法就立即送了一封信给克里夫，但因为受到了英军火力的阻挠，直到战斗结束后才送达。接着，西拉吉又征询莱·杜拉布的意见，这又是一个叛徒，他就力劝西拉吉撤回在堑壕中的兵力。就是这个撤退，尤其是以极右端为然，才使基尔帕特里克随之跟进，于是才

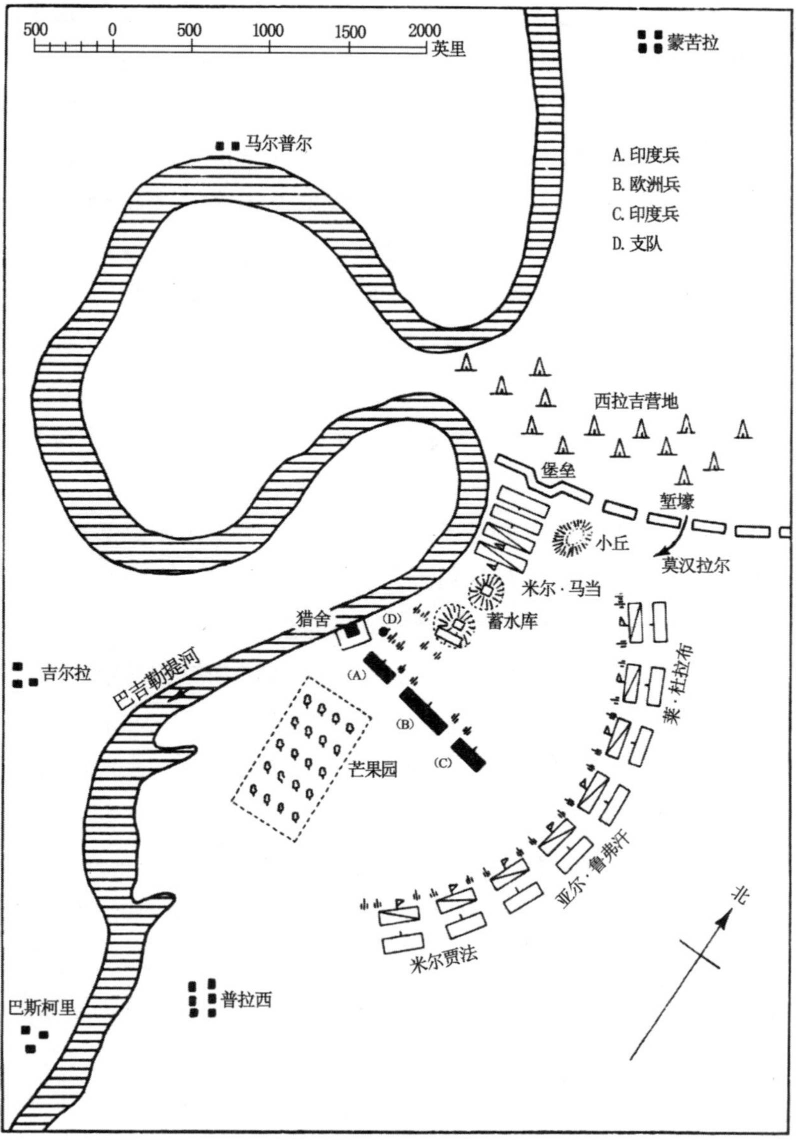

图十四　普拉西会战，1759 年

又使克里夫先是大怒，继之以全面的前进。当西拉吉听到了这个消息，他就骑上了骆驼，率领2000名骑兵，一直逃往穆尔西达巴德去了。正和大流士三世一样，他丢弃了他的全军。

当克里夫的部下拥入敌营之际，米尔贾法送来的通知也到达了。克里夫匆匆写了一封回信，命令他于次日上午到道波尔（Dauodpore）来与他会晤。此后他即全速向该村挺进，到了该村之后，再命令库特前进以防敌军再度集合。克里夫很聪明，在会战尚未开始之前，即允许给予部下一笔犒赏，所以他们并未散开去抢劫敌人的营地。

普拉西会战即如此结束了。依照克里夫所发表的数字，他的敌人损失了500余人（死伤都在内）。而他自己所付出的成本有多大呢？战死者有4名欧洲兵和14名印度兵，负伤者有9名欧洲兵和36名印度兵，另有两名欧洲哨兵失踪，一共65人。

第二天上午，米尔贾法在道波尔与他会晤，克里夫对他恩礼有加，并称他为孟加拉、贝哈尔和奥立沙的共主。接着，他命令迅速向穆尔西达巴德前进，以阻止它在混乱中被洗劫。当天晚上，他到达该城之后，才发现西拉吉早已闻风遁去。他化装成一个贫民，在夜间10时秘密地从窗口中逃出，只携带着一箱最珍贵的宝石，同行者只有他最宠爱的姬妾和宦官。几天之后，这个不幸的土皇帝为一个托钵僧所发现了，过去他曾经割去这个和尚的鼻子和耳朵。这个托钵僧把情况报告给米尔贾法的兄弟。于是在7月2日，米尔贾法的儿子米南（Miran）把西拉吉处死了，他的遗体用一匹大象驮着，在城中游行。

此时在穆尔西达巴德城中正上演着这个帝国制造的好戏中之最后一幕。他们发现西拉吉的财富并不如理想中的那样多，于是几经谈判之后，英国人终于分到银币7 271 666卢比，分装70个箱子，用100艘小船载往加尔各答。诚如史学者阿尔米所说的："在过去历史上，英国人从来不曾一次获得这样多的金钱，因为它的总值达

80 万镑之多。”到了 8 月 30 日，英国人一共获得了赔款 10 765 737 卢比，其直接的结果是使商业完全复活，到处都受到了影响。

正在分赃的时候，阿米康德还以为他的功劳颇大，应受上赏。克里夫于是向斯克拉弗顿大声说：“现在可以不必再欺骗阿米康德了。”于是斯克拉弗顿就用印度话向他说：“阿米康德呀，这张红纸是一个骗局，你什么东西都没有。”这句话好像是一颗炸弹一样，他马上昏了，若非有人扶着，就会倒在地上。他的从者把他送上了轿子，抬回家，他有好几个钟头都丧失了知觉，以后就开始有了神经不健全的病相了。

在尚未分析这个会战的影响之前，还有两点值得一提。8 月 16 日，华特生将军由于肠热病而逝世了，他是克里夫的一个重要搭档。克里夫所选定驻米尔贾法宫廷中的代表为华伦·哈斯丁（Warren Hastings），时年 25 岁。

这是一个小型的会战，比一次游击式的冲突大不了多少，那么它的成就又有多大呢？自从公元前 331 年 10 月 31 日，亚历山大大帝在阿贝拉战场上击败了大流士之后，世界还不曾再经验过如此的巨变。马里生上校是一个冷静的作者，他说：“从来没有一次会战，其后果会如此巨大，如此迅速和如此永久。”在他的《克里夫传》中，他曾经这样说过：“从各方面来考虑，克里夫的工作实在是和亚历山大的一样伟大。”这是真话而并不夸张，因为克里夫知道帝国的坦途已经奠定了。所以他说：“这是一点都不假的，到了明天，全部莫卧儿帝国都将在我们势力范围之中。”

可是这个胜利还有更进一步的意义。自从 18 世纪起，西方世界即开始产生了许多伟大的思想，而其中最能改变世界者却莫过于蒸汽机的使用。赛维利（Savery）、帕潘（Papin）和纽柯门（Newcomen），都在努力制造这个巨怪的模型，总有一天这个怪物会在全世界上吐出其动力来。现在所缺乏的即为用黄金来培养它，而这个使黄金之流源源不断的人却正是克里夫。

印度本是一个贵重金属的宝库，从此被打开了。自 1757 年起，英国人在东方是大发洋财，这些财富送回英国之后，促成工业时代的发展，供给其生命中的血液，由此创出了一个新世界。亚历山大曾经发掘波斯的藏金，罗马人占有了希腊和潘塔斯的财富，现在英国人也使印度的财富解冻了，让它流入英格兰。所以亚当斯（Brooks Adams）说："假使说欧洲的命运是决定于孟加拉的被征服，似乎也并不为过。"

这个效果是好像奇迹发生一样。在 1757 年以前，英国的棉纺机器几乎和印度的同样原始，而炼铁工业还正在衰颓之中。突然一切都改变了。1760 年有"飞梭"出现，1764 年有了哈格里夫斯（Hargreaves）的纺织机，1768 年又有了卡特赖特（Cartwright）的动力纺织机。虽然这些机器足以代表时代是在加速前进，但它们本身并不能产生加速度。发明本身还是消极的，有许多最重要的思想都曾经潜伏着达几个世纪之久，等待有足够的动力之后，这种思想才能开始行动。这种动力即为金钱，不是死硬的而是流动的。

此外，在 1760 年之后，以金质货币为基础，又产生了复杂的信用制度。在 1750 年，伯克（Burke）告诉我们在英国不过只有 12 家银行，可是到了 1796 年，几乎每个镇市上都有银行了。1756 年，英国的国债只有 7457. 5 万镑，而到了 1815 年，却增到了 8. 61 亿镑。所以财富是累积起来的，利上又生利。亚当斯说：世界上是很难找到前例的，从来没有比英国人在印度所发的财更为巨大，在 50 年之内，几乎完全没有一个竞争者。

从普拉西的战场上，产生了 19 世纪的权力基础。财神现在定于一尊了，而变成了西方世界上独一无二的上帝。过去十字架所做不到的，现在由于活塞、刀剑和金钱结成了三位一体，只要短时间就做到了。东方被征服了，在此后 200 年中，变成了西方世界的经济性农奴。

大事记（八）

英法两国在北美洲的斗争

当法国人于1608年开始在加拿大建立其第一个永久性殖民地的时候，他们与英国人的斗争也就同时开始了。最初是经年不决的边界纠纷，然后是用会战来做决定，可是最后决定胜负者却还是英法两国在殖民方法上所具有的差异。法国人大部分都是属于传教性的，其目的是想使印第安人皈依基督教和接受西方文明。英国人却是以商业企业为主——占领印第安人的猎场，而把它们变成繁荣的殖民地。前者希望获得印第安人的合作，而后者对于印第安人却采取敌视的态度。结果，法国的移民变成了商人和猎户，分散在广大的地域之中；英国人却变成了定居的农人或市民，集中在一起逐渐扩张其领域，在人口上也迅速地超过了法国人。此外，英国的清教徒都纷纷逃往美洲，以此为避难之所，也使人口大增。反之，法国政府却采取相反的政策，不希望有异教徒的殖民地。所以到了1713年，即《乌特勒支条约》签订时，加拿大的法国人还不到2万人，而新英格兰却有15. 8万人，至于在其他的英国美洲殖民地中，则共有21. 8万人之多。35年之后，法国在加拿大的人口增到了8万人，而英国殖民地中的白人人口却已经有100万了。

在《乌特勒支条约》签订不久，为了抵补阿卡迪亚（Acadia）和纽芬兰的损失，法国人不惜花了3000万镑的巨款，在布里敦角岛上，建筑了一个巨大的路易堡（Louis Bourg）要塞。从此，英法两国殖民地之间的关系就变得更为紧张了。1745年，英法两国正在交战，在马萨诸塞（Massachusetts）总督威廉 · 谢利（William Shirley）指挥之下，新英格兰的英国移民获得了华伦将军（Adm. Warren）和四艘战船的援助，经过了五个星期的围攻，终于占领了路易堡。虽然如此，到了1748年，依照《艾克斯拉沙佩勒和约》，路易堡还是归还了法国人。

当这个条约墨迹未干之际，加拿大的总督格里生尼耶尔（de la Gallisoniére）又决定采取侵略政策，派了一支远征军进入俄亥俄（Ohio）地区，以路易十五的名义，要求兼并该地。他的目的是想把英国的殖民地限制在大西洋与阿勒格尼河（Alleghen）之间的地区中，在俄亥俄河谷中建立一个法国人的居留地，并用一连串的要塞，来把加拿大和路易斯安那（Louisiana）连成一片。为了对抗，弗吉尼亚（Virginia）的总督丁威迪（Robert Dinwiddie）于1753年派了一个青年人华盛顿（George Washington，1732—1799）率领了一部分兵力，在阿勒格尼河与莫农格希拉河（Monongahela）的交点上，建立了一个要塞。第二年，华盛顿又率领了400名士兵和印第安人再度出发，终因寡不敌众，经过了一番激烈战斗之后，他在大草原（Great Meadows）上被迫向法军投降。

为这个事件所刺激，英国国会决定采取激烈行动。1755年春，有两个团被送往弗吉尼亚的亚历山大城（Alexandria），从那里在布拉多克（Braddock）将军指挥之下，并由华盛顿伴随，准备向杜凯纳堡（Fort Duquesne）前进，这个要塞是法国人所建筑的，地点就是华盛顿在两年前所选定的。这支远征军有1400名正规军和600名临时士兵，于6月出发。虽然布拉多克是一个英勇的军人，可是中途遇伏大败，死伤了863人之多，他自己也负伤殒命。1756年5月，英法两国正式宣战，于是蒙卡尔姆（Montcalm）侯爵被派往魁北克（Quebec），接管对于加拿大法军的指挥权，他们原来是由其总督弗德留（Vaudreuil）侯爵所指挥的。

在蒙卡尔姆启程之前的一个月，劳顿勋爵（Lord Loudon）由阿贝克隆比将军（Gen. James Abercrombie）陪伴着，也被派往纽约充任总司令。这个人完全缺乏活力和勇气，简直是一个懦夫。为了准备攻占提康德罗加（Ticonderoga，即卡里隆［Carillon］），他浪费了整个夏天，之后他又决定攻击路易堡，但当他发现法国舰队要比英国舰队占优势时，又立即放弃了这个计划。此时，蒙卡尔姆已经在提康德罗加集中 8000 人的兵力（包括法属加拿大人和印第安人），并已经围攻威廉 · 亨利堡（Fort William Henry）——后来改名为乔治堡（Fort George）——并迫使它投降。

次年，威廉 · 皮特（William Pitt）已经变成了英国政府中的实际领袖，他看清楚了英法两国之间的争执，不是在欧洲可以获得解决的，于是决定一劳永逸地击溃法国人在美洲的势力。他把一切传统的方法都搁置在一边，尽他的力量去寻找最优秀的陆海军人，用阿贝克隆比代替劳顿，并从日耳曼召回阿默斯特将军（Gen. Amherst）来协助他。他对于 1758 年的战争计划，是要从法国人的手中夺取三个枢纽——路易堡、提康德罗加和杜凯纳堡。

路易堡为圣劳伦斯河（St. Lawrence）的前门。自 1748 年来，它的要塞工事即曾加以修补和增强。现有的守军为 3000 名正规部队，由德鲁柯（Chevalier de Drucour）指挥，支援他的还有一个舰队，共军舰 12 艘。为了攻占这个坚强的要塞，皮特出动了一支强大的舰队，共有战斗舰 22 艘、小船 15 艘和运输船 120 艘，由波斯卡温将军指挥。所载运的兵力为 14 个营，外加炮兵和工兵，由阿默斯特指挥，向哈利法克斯（Halifax）进发。

阿默斯特于 2 月 19 日从普利茅斯出发，于 5 月 28 日到达了哈利法克斯。和他一同去的人有怀特莫尔（Whitmore）、劳伦斯

(Lawrence)和吴尔夫(James Wolfe)三位准将。当他认为一切都准备好了，遂再度出海，于6月2日投锚在格巴鲁斯湾(Gabarus Bay)。部队登陆之地点也正是1745年新英格兰移民所选定之处。6月12日，德鲁柯自己炸毁了大炮台(Grand Battery)，第二天吴尔夫绕着港口前进，攻占了灯塔点(Lighthouse Point)。接着一直围攻下去，直到7月26日，德鲁柯才做了有条件的投降。于是圣劳伦斯河的门户洞开了，阿默斯特要求波斯卡温向魁北克前进，但是后者却认为这是不可能的，于是放弃了这个打算。不久之后，吴尔夫也请病假回英国去了。

为了攻占杜凯纳堡——这是西方的门户——皮特又选定了福布斯准将(John Forbes)为主将。他所指挥的兵力为1500名正规军——多数为高地部队——和4800名殖民地部队。他的部下中有著名的布克上校(Col. Henry Bouquet)和华盛顿。

福布斯于7月初出发，做谨慎的前进，他的前卫由布克率领着。因为福布斯正患着重病，所以在整个战役中，他都是要用担架抬着走。当他达到了雷镇(Raystown)之后，福布斯命令主力暂停前进，只派遣布克前进到罗亚尔汉南(Loyallhanfnan)之外去。从那里，布克派遣格兰特少校(Maj. Grant)和800名高地部队去侦察杜凯纳堡。格兰特于9月14日到达了距离该堡半英里远以内的地方，以后这里就被称为是“格兰特山”(Grant's Hill)，现在为匹兹堡(Pittsburgh)之一部分。在那里，他也和布拉多克一样，受到了伏击，损失了300人。可是尽管遭到这种挫败，福布斯仍继续挺进，到了11月25日，他发现该堡已经自动放火焚烧，法军已经撤退，于是将它占领，并改名为皮特堡(Fort Pitt)，后来才又改名为匹兹堡。

皮特的第三个目标为提康德罗加，也就是进入圣劳伦斯河的侧门，他希望通过这个侧门，可以对蒙特利尔(Montreal)和魁北克发动一个远征行动。对于这个作战他交给阿贝克隆比指挥，但是他却不敢相信他的才能，所以又派豪威勋爵(Lord Augustus Howe)

充当副将。豪威是一个能力优异的军官，师从著名的美洲游击战士罗杰斯（Robert Rogers），学会了印第安人的战术。这支远征军在美洲也要算是空前庞大的，一共有正规军 6350 人和殖民地部队 9000 人。

到了 6 月底，阿贝克隆比在阿尔巴尼（Albany）拆了营，向威廉·亨利堡的废墟前进。7 月 5 日，从那里他命令把部队装上了 1035 艘小船，从乔治湖（Lake George）前进。第二天，豪威登陆实行侦察，非常不幸地被杀害了。他的死使这支远征军丧失了真正的领袖，阿贝克隆比却是一个缺乏决断力的人。

7 月 8 日，英军登陆，即遭遇了一个坚强的堑壕工事，外有鹿寨的保护，这是蒙卡尔姆所建筑的，作为提康德罗加的外围。阿贝克隆比不等待他的炮兵到达，即开始下令做正面的攻击。一共突击了 7 次，死伤了 2000 人，等到吹退却号时，部队开始发生了恐慌现象，毫无秩序地退到了登陆的地点。

布雷兹特里特上校（Col. Bradstreet）曾经发动了一次卓越的奇袭，遂使这一战的失败略微抵消了一部分。基于自己的主动，布雷兹特里特率领了 3000 人进到了摩霍克河（Mohauk）上，渡过了安大略湖（Lake Ontario），并焚毁了弗隆特纳克堡（Fort Frontenac，今之金斯顿 [Kingston]）。

这样就结束了皮特在 1758 年的三次战役。潮流已经转向了。路易堡和杜凯纳堡都落入了英国人的手中，而弗隆特纳克堡也化为灰烬，进入加拿大的大路已经畅通无阻了。

第八章

亚伯拉罕平原会战

1758 年冬季来到之后，皮特决定次年在加拿大的作战应采取一个较宽广的正面，这一次是从圣劳伦斯的河口到伊利湖（Lake Erie）为止。在 12 月初，他把他的计划通知南北各殖民地的总督。其内容为：阿默斯特一旦把法国人逐出了提康德罗加，即应取道尚普兰湖（Lake Champlain）进向蒙特利尔；此时，他的最年轻的准将吴尔夫，由一支强大的舰队支援着，就以攻占魁北克为目标；同时，另有第三支兵力，由普里道克斯将军（Gen. Prideaux）率领着，应该进到摩霍克河上，肃清安大略湖，占领尼亚加拉（Niagara），并封锁通向伊利湖和西部的贸易路线。

选定吴尔夫任主将，这是一件大事，因为在过去他从未获得过独立的指挥权；他只有 32 岁，虽然还算是阿默斯特的部下，但是在这三个独立的作战中，他这一部分要算是最困难和最重要的。

詹姆斯·吴尔夫，1727 年 1 月 2 日出生于肯特，他是将门之子，其父曾在马尔伯勒的麾下作战。他从 1741 年起开始从军，颇有战功，卓然能有所自立。他对于同时期诸将都有刻薄的批评，其与众不同之处，就是他受过高深的教育，具有无畏的精神，对于危险和困难，从来不肯低头。但是在体力方面却很孱弱，终其一生都为风湿病和结石所苦。他热爱敢于冒险的人，瞧不起殖民地的民兵，认为印第安人是应该绝灭的。这是很不幸的，因为在 1775 年，这两个意见毫无疑问地曾把他的国人引入歧途。

从 1759 年 5 月 16 日到 9 月 12 日，即在这个魁北克远征期间，他曾经颁发了许多的一般命令，由此可以看出其在军事上的价值。从这些命令中，我们清楚地看出，在时间和环境的允许之下，他是如何谨慎小心，排除万难使他这一个小型部队变成一个完整的战争工具。

首先，这些命令指明了这次战役的目标，是"完成对加拿大的征服和结束在美洲的战争"。因为这个作战的大部分都是要在印第安人出没无常的茂密森林中进行，所以命令又说："小心谨慎为仅次于勇敢的美德。""一个战士的最好素质即为机警和小心。"他特别重视兵器的保养，并严格禁止抢劫。"任何军官或士官若是让自己受到敌人的奇袭，那就是一个不可饶恕的过错。"士兵的纪律和行为应有严格的规定，禁止发誓，除了对于印第安人和穿着印第安人服装的加拿大人以外，禁止剥去敌人的头皮。营地中必须保持清洁，一切污秽的东西都必须埋入深土之下。对于教堂、房屋和任何种类的建筑物，若无命令都不准加以焚烧和毁灭。农民应听其各安生理，对于妇孺应给以人道的待遇，凡是侮辱妇女者，均应处以死刑。

吴尔夫反对鞭挞，他用以维持纪律的方法也是不合于正统的。举例来说：在 8 月 22 日的夜间，有两个士兵在夜间曾发生惊恐的现象。其所受到的处罚是戴上一顶女人的帽子，在众人的面前罚站 1 小时，以来当作薄惩，因为他们使全军袍泽都丧失了荣誉。这种耻辱比打五十板还有效得多。

吴尔夫的战术也是不合于传统的，并且显示出他研究过布拉多克的失败和布克所发明的弹性方阵制度。在他的"一般命令"中，我们可以读到下述的一段记载：

> 全军行进时从左起鱼贯而行，若是正面被攻击，领先的一连立即组成二列的正面，向敌前进；以后各连也采取同样的行动，首先向右展开，然后再向左，这样互相发展下去，一直构成一个宽广的正面，而把敌人包围起来。假使突然发生了遭遇战，不必等待命令，即应由各部队长自动照这个原则行事。若是左面受到攻击，整个纵队都向左转，若是右面受到攻击，则向右转，若是后面受到攻击，则把正面反转过来。假使左右都受到攻击，则分两面迎敌，若是前后受到攻击，也是一样的。

一旦大致计划决定了，皮特即开始工作。这是一个海权的问题而不是陆权的问题，为了解决它，他与安森将军（Adm. Anson）商量之后，就选定了桑德斯、霍姆斯和杜里尔（Saunders, Holmes, Durell）三位海军将领。前两个人为特殊优异的水上将才，其任务为与吴尔夫的陆军合作；第三人则在远征军的先头前进，封锁圣劳伦斯河，以防止法军的增援和补给进入魁北克。桑德斯会随同安森做环绕世界的航行，曾经追随过许多名将作战。对于桑德斯，华尔波（Horace Walpole）曾经有下述的评价："这位海军将领可以算是一个典型人物，具有无比的勇气，但却又态度谦恭。一切似乎都恰到好处，他的态度简单，气度恢宏，品性良善，并且热爱国家。"分配给他的舰队共有 22 艘战舰、5 艘巡洋舰、18 艘单桅船（sloops）和许多运输船只。杜里尔所率领者约为 8 艘战舰和 6 艘巡洋舰。整个舰队一共有帆船 170 艘，由海员 1. 8 万人驾驶着。

以这个巨大的舰队为基础，吴尔夫的陆军才能在加拿大耀武扬威。吴尔夫的所部包括着下述的各个单位：

第一旅：第 15 团，团长阿默斯特，共 594 人；第 43 团，团长肯尼迪（Kennedy），共 715 人；第 58 团，团长安斯特鲁瑟（Anstruther），共 616 人；第 78 团，团长弗拉塞（Simon Fraser），共 1269 人。

第二旅：第 28 团，团长布雷格（Bragg），共 591 人；第 47 团，团长拉撒里斯（Lascelles），共 679 人；第 60 团的第 2 营，营长为蒙克顿（Monckton），共 581 人。

第三旅：第 35 团，团长奥特维（Otway），共 899 人；第 48 团，团长韦布（Webb），共 852 人；第 60 团的第 3 营，营长为劳伦斯，共 607 人。

此外还有三个连的路易堡榴弹兵和下述各连的狙击兵（Rangers）：墨里（Murray），326 人；戈尔汉（Gorham），95 人；斯塔克（Stark），95 人；布鲁尔（Brewer），85 人；哈查斯（Hazzans），89 人；罗杰斯，112 人；还有皇家炮兵，由韦金森（Wilkinson）指挥，共 330 人。

全军共有军官 384 人，准尉 411 人和士兵 7740 人。

关于他的直属部下，皮特让吴尔夫有完全的任免权，他选择了蒙克顿、汤森（Townshend）和墨里为旅长。除了第二个人，其余全部高级军官都是在 30 岁以下的。诚如柯贝特所说的，“这是一次孩子们的战役”。

当吴尔夫准备之际，蒙卡尔姆还不曾梦想到敌人的主力打击会落在什么地方，正准备在尚普兰湖和尼加拉堡之线上，去抵抗阿默斯特。他的任务要比对方困难得多。不仅是在人力方面，加拿大是居于绝对的劣势，它一共只有 8. 2 万居民，而英国在美洲的殖民地中共有 130 万人，而且在凡尔赛宫中的法国皇室政府，是由一个腐化而待遇极坏的官僚机构来管理殖民地的事务。举例来说，加拿大总督弗德留每年的薪俸只有 272 镑 1 先令 8 便士。从这个费用中他自己还要供养一支卫队，一共为 2 名军士和 25 名士兵。这种情形遂引起了普遍的贪污和腐化。诚如蒙卡尔姆所说的：“这些恶棍都只想在这个殖民地尚未沦陷之前，各人赶紧发财，甚至他们更希望这个殖民地沦陷，以便遮盖他们的罪恶。”华布尔顿（G. D. Warburton）在他的《加拿大之征服》一书中，曾经说过：“这种巨大的不忠实行为，结果是自己带来了它的刑罚，农业和贸易发生了瘫痪现象，忠贞发生了动摇，资源减少，人民不满情绪日增，遂更使英国人的胜利成为定局。”而使情形更为恶劣的，是蒙卡尔姆与弗德留关系很差。

若非出了一个意外的事件，则蒙卡尔姆可能会在熟睡之中为敌所乘，这就是杜里尔未能完成其任务。因为冰冻，他害怕进入圣劳伦斯河，而徘徊在路易堡附近。结果法国海军将领雷里（Adm. de Léry）率领了18艘军舰，到达了魁北克。在其中一艘船上，布干维尔（Louis Antoine de Bougainville）带来了一封从阿默斯特方面所截获的文书，泄露了英国人的计划。当他知道了这个计划之后，蒙卡尔姆即赶往魁北克，在极短时间之内，他做了一切的部署，几乎使吴尔夫的作战归于惨败。

蒙卡尔姆在魁北克集中他的兵力，一共是5个营的正规军，外加上民兵（所有年龄从10岁到60岁的男子均为民兵，实际上只是乌合之众）和1000名印第安人，总数在1万到1. 4万人。这个城是公认为不易攻克的，因为它位置在一块岩石上，夹在圣劳伦斯和圣查理士两河之间，并在前者之左岸。而且只要敌人舰队不绕到它的西面去，则其陆上的补给线也就可以确保，关于这一点，蒙卡尔姆乃深信任何敌船都不敢做此项冒险的。所以他决定采取费宾战略——争取时间——因为只要到了10月，秋季的风和雾即足以迫使英国舰队撤退，于是侵入境内的陆军也就会随之而去。他命令他的船只驶往上游，以免受到损害，决定将他的左翼推进到蒙莫朗西（Montmorenci）的峡谷口上（在魁北克下游约7英里远），其右翼则倚托在圣查理士河上，其司令部则设在博波尔（Beauport），而雷姆赛（Chevalier de Ramesay）则以1000人到2000人的兵力，据守魁北克。

魁北克有106门火炮的保护，在它的港口中还有少数的炮艇和火船，在圣查理士河上架着一座浮桥，沿着博波尔的正面直到蒙莫朗西瀑布，构筑了一条防线。从此即可以知道蒙卡尔姆的计划是纯防御性的，其基础为，假定敌人不敢强渡在魁北克正南面的河流，以及他自己这支组织和纪律都极为低劣的小型部队能够守住这个长达七八英里的堑壕。

4 月 14 日，由 6 艘战舰和 9 艘巡洋舰保护着，霍姆斯率领着 70 多艘船，从斯皮特黑德（Spithead）出发，在他的后面即为桑德斯和吴尔夫。一直到了 4 月底，才望见了布里敦角，而杜里尔仍然投锚在那里。由于冰冻的阻碍，不得进入路易堡。这个舰队就进入了哈利法克斯。5 月 5 日，杜里尔从那里出发，在未能完成任务的情况下，即于 6 月 6 日在库德尔岛（Ile aux Coudres）边投锚。5 月 17 日，运输船在舰队护航之下，到达了路易堡。吴尔夫在那里拟定了攻击计划，决定在博波尔登陆，从那里越过圣查理士河，以到达要塞的后方，右翼在圣劳伦斯河上，其与舰队的交通由一条堑壕线来维持，从圣查理士河的左翼一直延伸到博波尔。

当法国人正在努力准备防御工事之际，吴尔夫于 6 月 4 日扬帆启程。舰队分为三个支队——红、白、蓝——于 6 月 9 日进入圣劳伦斯湾。

这是一个冒险的行动。依照柯尔贝特的说法，在过去从来不曾有一个战斗舰队在这条河流中行驶过，法国人认为这是不可能的。真正的危险还是雾。虽然如此，但事实上并不困难。诚如某一位无名的军官所说的："法国人对于圣劳伦斯河的航行记录，我们发现都是神话。"这些船溯江而上，于 6 月 23 日投锚在库德尔岛的附近，距离奥尔良岛不远。

到了 6 月 26 日，全部舰队都赶到了，第二天即在奥尔良岛上登陆成功。6 月 28 日的夜间，法军顺着水流放下了几艘火船，虽然看起来很壮观，却并不能造成损害。

此时，吴尔夫进到了该岛的西端，当他对于魁北克城和博波尔的堑壕做了第一次观察之后，马上认清了其理想中的计划是不符

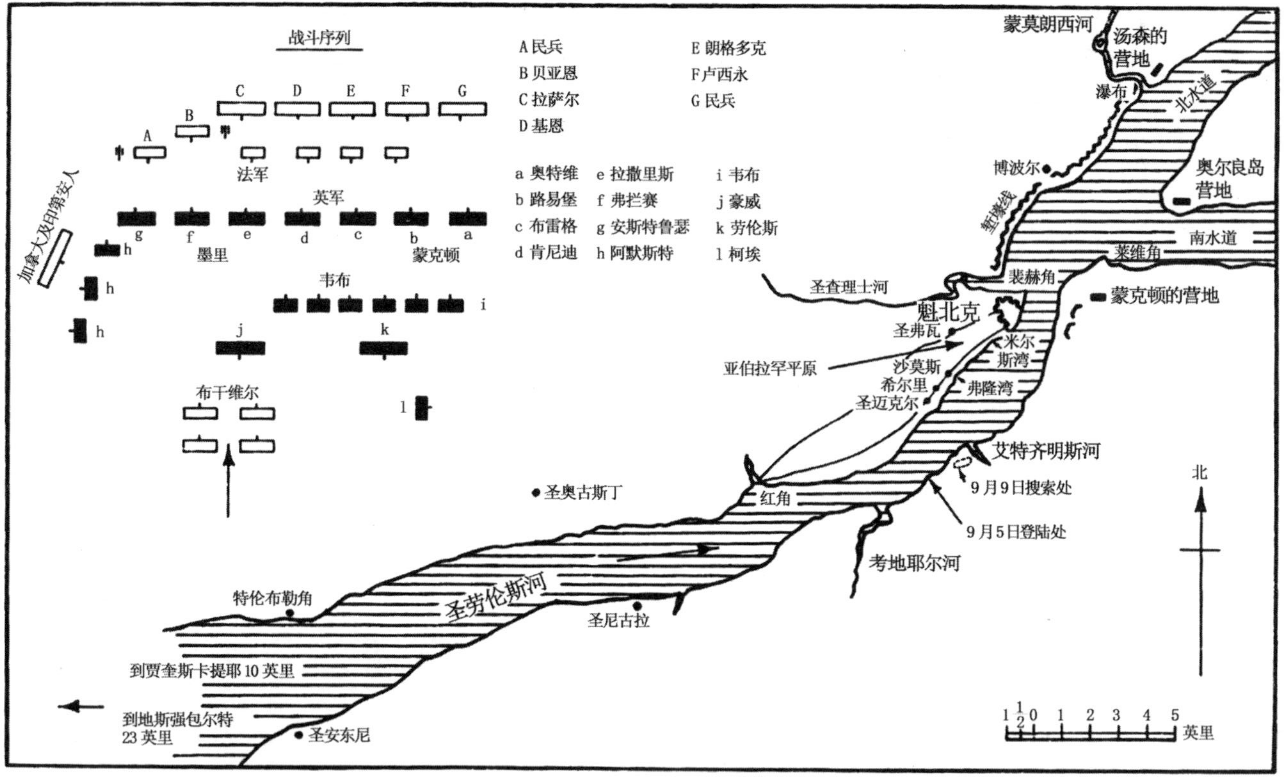

图十五　对魁北克的作战，1759 年

合实际的。桑德斯认清了确保魁北克正南面狭江南岸的重要性——宽度只有 0. 75 英里至 1 英里——于是建议占领莱维海岬（Point Lévis）。6 月 30 日，吴尔夫命令蒙克顿去完成这个任务。他们很容易地占领了该地，于是立即开始挖掘堑壕和建立炮台。7 月 2 日，吴尔夫来视察蒙克顿所部，并从裴赫海岬（Point aux Pères）仔细观察魁北克和它的周围。

这一次的侦察使吴尔夫拟定了他的第二计划，即强迫蒙卡尔姆去攻击他。为了引诱敌人如此做，他决定占领蒙莫朗西瀑布以东的高地，从那里即足以威胁敌人的左翼。他与桑德斯也同时发现可以使船只逆流上驶，达到要塞的西面；但是后者却认为必须等到蒙克顿的炮兵足以使法军的火力销声匿迹之后，这个行动才有实行的可能性。所以在 7 月 9 日，吴尔夫只留下了一个小型的支队，以保护其在奥尔良岛上的基地，然后命令墨里和汤森的两个旅，再渡过左岸去，并在蒙莫朗西峡谷以东占领了一个阵地。

现在双方的主将即开始做一种斗智的拉锯战，延续三个月之久。蒙卡尔姆猜透了敌人的意图，当 7 月 12 日蒙克顿开始炮击时，他就命令杜马（Dumas）率领了 2000 余人的兵力，越过了圣劳伦斯河，还在蒙克顿阵地的上面，向东前进攻击他的侧翼。这个威胁立即使吴尔夫又回到了莱维海岬。可是对于蒙克顿而言，也要算是太不幸了，他的部下发生了恐慌现象，匆匆撤退，未能获得决定性的战果。吴尔夫又立即回到蒙莫朗西，在 7 月 14 日，由豪威上校所指挥的一队轻步兵掩护着他实行侦察，直到蒙莫朗西河上为止。其目的是想寻找一个渡口，或是徒涉，或是用其他的方式。7 月 16 日，在十一二点时，裴赫海岬上的英军炮兵所发射的炮弹使魁北克城中的一部分起了火，一直烧到夜里 1 点。其次，桑德斯命令苏兹兰号（Sutherland）的劳斯舰长（Capt. Rous），乘着第一次的顺风和夜潮，进到魁北克以上去。劳斯在 7 月 18 日夜间，率领了少数的船只，完成了这个任务，吴尔夫亲自参加了这次远征，获得了极大的成功。

这不仅证明了这个狭江是可以通航的，并且迫使蒙卡尔姆派了 600 人前往红角（Cape Rouge），这是在魁北克的上游，相隔约 8 英里，于是使他的兵力拉得更紧张。

次日，吴尔夫和霍姆斯一起，仍继续执行搜索。依照恩提克（Entick）的说法，他是考虑在圣迈克尔（St. Michael）登陆，该地在河流的北岸，距离该城约为 4 英里。于是他命令汤森把他的 9 连榴弹兵和所有的火炮，都送到莱维海岬来。但是不等到全部兵力到达，这个运动又奉命停止。可能是吴尔夫后来一想，认为假使他在要塞与红角之间登陆，那么当他第一批部队受到优势兵力攻击时，他即无法加以增援。他把这个计划放在一边，于 7 月 21 日命令卡尔顿上校（Col. Car-leton）率领一个支队，在特伦布勒（Point aux Trembles）登陆，这里距魁北克西面为 27 英里左右。其目的照他送给皮特的报告是说："为了分散敌人的兵力，将其注意力吸向该河上游，愈远愈好。"这个任务完成了，俘获了两颗首级、100 头牲口和一位耶稣会的僧侣。

当蒙卡尔姆的注意力被吸到右方之后，吴尔夫又回到他的蒙莫朗西计划。7 月 23 日，他在桑德斯的旗舰上召开了一个作战会议。因为并无留存的记录，所以我们只好凭猜度，认为这与蒙莫朗西作战有关。假使如此，当这个作战准备之际，法军于 7 月 28 日又发动了第二次的火船攻击，结果还是和第一次同样无效。三天之后，号称蒙莫朗西的会战就开始发动了。这一战打得非常恶劣，若非一场大雨，英军则很可能会和 4 年前的布拉多克一样，将要遭到惨败。吴尔夫的损失还是很巨大，死伤约为军官 30 人，士兵 400 人，负伤者大部分都落入了印第安人之手，惨遭杀害和被剥去头皮充作战利品。

击退了敌人，法国人大为兴奋。他们认为这一个战役已经告以结束，殊不知这还只是刚刚开始呢。吴尔夫马上改变了他的战术，他发现了尽管他看不起殖民地部队，可是诚如詹斯顿（Chevalier

Johnstone）所说的："在森林地区中作战，一个加拿大人可以抵得上 3 个有纪律的士兵；反之在平原地区中，一个士兵又可以抵得上 3 个加拿大人。"

因为吴尔夫的唯一希望就是要击败蒙卡尔姆的正规军，又因为这位将军拒绝离开他的防御阵地，所以吴尔夫现在决定蹂躏四乡的土地，这是有 3 个目标的：（1）强迫法军向他攻击；（2）为了保护他们的家园，法军的民兵将自动逃亡；（3）切断补给线，用饥饿的方法迫使魁北克投降。用近代的术语来说，他是使用"恐怖"的手段，因为他知道敌人的主要问题即为补给，所以这种想法是相当合理的。

此时，对于魁北克城的炮击仍在继续，并产生了恐怖的效果，因为其"下城"是已经完全毁灭，教堂也已经化为灰烬。英军也在四乡各地采取烧杀政策，所过为墟。这种破坏和轰击，在战术上产生了有利的效果。当魁北克被攻陷时，在那里所剩余的只有两天的补给品。

当吴尔夫在蒙莫朗西的攻击失败后，不久又发生了一件极重大的事情，对于他颇有帮助。那就是阿默斯特进到了乔治湖和尚普兰湖。

7 月 26 日，当阿默斯特强迫法军撤出了提康德罗加之后，蒙卡尔姆被迫只好把他的最优秀部将列维（Chevalier de Lévis）派往蒙特利尔。当吴尔夫知道这个消息之后，并且又知道蒙卡尔姆已经把法军的船只撤到了黎塞留急流（Richlieu Rapids）的脚下，在艾丘赫尔角（Point aux Ecureils）以上约 7 英里远，所以他决定毁灭这些船只，以打通与阿默斯特之间的交通线。为了完成这个任务，8 月 5 日，他命令霍姆斯率领 20 艘平底船溯江而上，而墨里则率领 1200 人沿着该河南岸向西前进。获得了这个警报之后，蒙卡尔姆就派布干维尔率领 1500 人，从博波尔向艾丘赫尔增援。其次，8 月 8 日，墨里在特伦布勒角作了一个流产的登陆之后，于 8 天之后他又突然在黎塞留急流脚下的地斯强包尔特（Deschambault）地方出现了，并焚毁了法军的一部分军需品。因为这个对于法军交通线和船只的打击是不能漠视的，所以蒙卡尔姆终于被迫采取行动了。他离开了魁北克，匆匆赶去与布干维尔会合。可是到达之后，才知道墨里已经撤走了。

此时，吴尔夫正忙于拟定一个新的攻击计划，虽然它的内容已经不可考，不过这却与墨里的兵力撤回有关。他们于 8 月 30 日回到了其在圣安东尼（St. Antoine）的营地，从那里又再撤回到莱维角，一路烧杀，所过之处均成焦土。

8 月 20 日——这是他把新计划告诉汤森后的第五天——吴尔夫突然生病，所以不管这个计划是什么，它还是终于被放弃了。他在蒙莫朗西的一个农舍中，完全不能动弹地睡了一个星期之久，但是到了 8 月 29 日，他就差不多完全恢复了，遂约请他的三位旅长来共同研究一个最好的计划。他把三条可能的途径摆在他们的面前，请他们选择：（1）向蒙莫朗西上游行军，渡过它并从后方攻占博波尔；（2）同时从前后两方面攻击敌人在蒙莫朗西的阵地；（3）同时从侧面和正面攻击该阵地。

这三位旅长却把这三个方案摆在一边，另外提出了下述的建议：

> 我们认为能做一个有效打击的最可能方法，即为把部队移到南岸上，而向该城的上方作战，当我们已经在北岸上站稳了脚步——这是殊少疑问的——蒙卡尔姆一定会依照我们的条件作战，因为我们的位置恰好夹在他与他的补给基地之间，夹在他与对抗阿默斯特将军的法军之间。假使他肯接受会战，那么当我们把他击败之后，魁北克就是我们的了，于是全部加拿大也就会随之而并入英王陛下的版图了。

这个计划，也曾受到桑德斯和霍姆斯的赞成，其意义即为吴尔夫乐观梦想的结束。虽然如此，他还是马上采纳了，虽然它是很大胆，但却并不狂妄。因为这条河的控制权是握在他的手中，所以登陆应该是可以成功的，以后虽然他会夹在两个敌军之间，但在开阔地上他是毫无恐惧的，因为他的部队纪律远为优越。此外，又必须有迅速行动之必要，因为好的季节已经不长，在秋季风暴来临之前，他的海军将领们认为必须先退出这条圣劳伦斯河。所以在8月31日，他命令撤退他在蒙莫朗西的部队，9月3日，他们集中在莱维角和它的以西地区中。9月2日，他把他的最后一个报告送给皮特。

因为从魁北克起，向西绕过圣劳伦斯的北岸，都完全是悬岩壁立，所以吴尔夫的中心问题即为他应在何处登陆。必须在这个问题解决之后，始足以言其他。

9月4日，这个消息已经泄露了出来，因为当时从军人员之一诺克斯（Knox）在他的日记上曾经这样记载："有一个战役正在酝酿中，将军将亲自指挥。"接着在9月5日，他又记载："今天的风向和天气都极为良好，昨夜船只经过该城未被发现。"9月6日，他记载："昨夜我们遭遇着非常大的风雨，今天的天气仍然恶劣，风向不定。"最后，他说："今夜，将军与陆军和上游舰队在一起。"这是指霍姆斯的支队而言，桑德斯的兵力此时还仍留在魁北克之下。

9月7日，1500人的部队分别搭载在军舰和30艘平底船中，在清明温暖的天气中，舰队进了红角，这是布干维尔司令部的所在地。该日下午，他们向法军营地开火，并且作为一种声东击西之计，英军又分乘小船，向上游划行，好像是寻找登陆地点一样。从这个时候起，直到9月9日为止，霍姆斯利用潮流在红角到魁北克之间的河面上上下地移动，迫使布干维尔跟着他行动。这样使布干维尔的部队疲惫不堪，并且在强行军之中，把军靴都磨坏了。此时，吴尔夫进到了特伦布勒角，在它下游不远之处确定了一处登陆点。9月9日，当他的旅长们被送往那视察时，他又向下游划行，发现只有一处可供登陆之用，并把它记在心中。现在天气变得非常恶劣，所以部队都在圣劳伦斯河右岸上的圣尼古拉（St. Nicholas）舍舟登陆。

9 月 10 日，蒙克里夫（Moncrief）少校的日记上说：“将军带着霍姆斯将军、蒙克顿和汤森两位准将，还有其他的军官，一同去侦察其已经决定的登陆点。”此外，诺克斯也告诉我们，吴尔夫曾命令第 34 团派了一位军官，率领 30 名士兵，担负掩护的任务，并且还要该团准备 6 套榴弹兵的制服——很明显，吴尔夫与他的 5 位军官都是乔装为士兵的。[1] 蒙克里夫的记载有如下述：

> 这个地点叫作弗隆湾（Anse du Foulon，现在已经改名为吴尔夫湾［Wolfe’s Cove］），他们在艾特齐明斯河（Etchemins）南岸上的一个高地上侦察。从那里可以获得清楚的视野，不仅是这位置本身，还有夹在该处与魁北克之间的大部分地区。这个拟定登陆之点没有什么特点，不过所应注意者为河岸十分险陡，而且树木颇多。照法国人看，这是不可能登陆的，所以他们只有一个前哨在防御它。照我们估计，这个前哨不过 100 人，宿营在河岸上，靠近一个狭径的顶点。这条小路从岸边一直向上走，但已为敌人所破坏，并设有栅栏和鹿寨。但是在右面（东面）约 200 码处，在河岸上却有一个斜坡，这可能即为我们问题的答案。这样的环境和该地距离援兵的远近，似乎都足以供给一个良好的成功机会。

霍姆斯的记载如下：

> 一个月之前，当第一艘船通过该城时，即有人向他（指吴尔夫）建议对于作战计划做如此的改变。现在掩护部队登陆和从船上支援他们的责任，就完全由我担负。这是我一生所担负

[1] 这个乔装并不高明，因为当他们解开上衣时，法军注意到了他们的金色丝条。

过最危险和最困难的工作。因为登陆点的距离，潮汐的凶猛，天色的黑暗和不易保密，都足以使这个任务变得非常困难。

这都是实情，虽然如此，吴尔夫还是命令部队于次日清晨5时集中在滩头上："部队各自登陆并攻击敌人。"30艘平底船的分配如下：第一支队——豪威所率领的轻步兵；第二支队——第28团；第三支队——第43团；第四支队——第47团；第五支队——第58团；第六支队——由高地部队和美洲榴弹兵所组成的支队。预定大约在晚上9时上船，或者是快要接近高潮的时候。凡是尚未上船的人，由布尔顿上校（Col. Burton）率领，在夜间进到南岸上，等候摆渡。桑德斯的舰队则应向博波尔做一个坚决的佯攻。

9月12日在红角，吴尔夫发出其最后的命令。他这样写道："在这个角上做一个猛烈的打击，即可以决定加拿大的命运。第一批部队一上岸之后，即应直接向敌军进攻，将他们逐出那个小据点之外。所有官兵都应记着国家对于你们的期望。在战争中，一个决心坚定的军人可以抵得上5个普通人。军人们应该服从你们军官的指挥，在执行任务时应具有决心。"

同一天又有一个幸运的事件发生：从布干维尔的营中，有两个法国军官逃亡过来，带来了下述的情报：（1）蒙卡尔姆不曾料想到敌人会在魁北克城附近发动攻击，（2）法军有一个供应船队于该夜经过该河开往魁北克。

此时，在敌方营中又有一些什么动静呢？事实上，当9月5日吴尔夫船只经过魁北克时，敌人并非完全不曾发现。因为蒙卡尔姆曾经把这个事实通知布干维尔，警告他应注意其交通线的安全。此外，他又曾命令布干维尔，把基恩（Guienne）的团调到希尔里（Sillery）来，可是不幸布干维尔却不曾照办。同一天之内，弗德留也曾写信给布干维尔说：整个殖民地的安全都操在你的手中。他的信也附带建议了当时据点兵力的分配：在米尔斯湾（Anse des

Mers）——魁北克的附近——与弗隆湾之间部署 150 人，在沙莫斯（Samos）部署 30 人连同一个炮台，在圣迈克尔 50 人，在希尔里 50 人，在红角 200 人。他也提到在更往西去的各据点上共为 2100 人，包括基恩团的 500 人在内。9 月 6 日，他的信中又说费尔果（M. de Vergor）所率领的 100 人，应代替圣马丁（St. Martin）的 150 人，接管米尔斯湾与弗隆之间的防务。第二天，蒙卡尔姆又写信给布干维尔，提醒他应该与吴尔夫的船只做平行的运动，他们走到哪里即跟到哪里。

似乎选择费尔果这个人，实在是大错特错。他不相信弗隆湾是一个可能的登陆点，所以允许他的部下中之一部分——可能有 40 个人——到罗里特（Lorette）村中去帮助收割。当他把哨兵派定了之后，就安然入睡了，绝对不曾想到明天会有大祸临头。

供应船的故事也是很有趣味的。9 月 9 日，一位法国陆军的承包商凯德特（Cadet）写信给布干维尔说：9 月 10 日，他准备派 4 个嵌船缝的工匠到红角去为这些粮船嵌船缝，以便它们可以迅速地驶往魁北克。9 月 12 日，他又写信说："我要求你在今夜让这些船只驶往下游，因为我迫切地需要它们。"似乎这个嵌缝的工作要比所预料者为长，虽然法军哨兵事先曾经获得警告，说这些船只将要驶往下游，可是在那一夜中并无船只通过，不过这个警告却始终未曾取消。这对于吴尔夫似乎是太幸运了。

当夜幕将垂之际，桑德斯将军慢慢地将船只从投锚地驶出，面对着江岸把军舰一字排开，并且命令放下小艇，于是向博波尔开炮射击。这次佯攻十分成功，因为蒙卡尔姆立即集中兵力去对付他。当此之时，霍姆斯的支队，率领着装载前卫兵力的平底船随着涨潮向上游漂去。布干维尔的部队也在左岸随之行动。差不多到了 9 月 12 日凌晨 2 点钟的时候，潮汐开始下落。在苏兹兰号的主桅上升起了两盏灯，这是向下游漂的信号。布干维尔以为这又是老把戏，过去这几天中已经使他跑得够苦了，所以决定不再跟着跑。

在预先的平底船中为豪威上校所率领的轻步兵，其最大的希望就寄托在狄劳尼上尉（Capt. Delaune）所指挥的24位精兵的身上。那些船只接近这个河湾时，潮流驱使他们逼近左面的岩岸。突然沉寂被打破了，有人喊道："哪里来的船？"弗拉塞团的麦克唐纳上尉（Capt. Mc Donald）用法语回答说："法兰西！"又问道："那一团？"他回说："莱茵团（De la Reine，这是布干维尔所属的一个单位）。"于是这个哨兵认为够满意了，遂听任船只漂去。快到沙莫斯高地时，又有一个人跑到岸边问道："你们是什么人？"麦克唐纳回答说："运粮船。不要作声，否则英国人会听见的。"因为英国单桅军舰"猎人"号即停在附近，所以这个哨兵又让这批船只过去了，几分钟之后，他们即绕过了弗隆湾以西的地角。

现在潮流是如此的强大，把船只送到了预先选定的登陆点以下约0. 25英里远的地方。这是很幸运的，因为尽管在拟定点以东的地方，岩岸是比较陡，可是距离法军已经建立栅栏之处却也更远。当第一艘平底船着陆之后，吴尔夫即跳上了滩头，当他看到倒悬在头上的岩壁，似乎是高不可攀，他马上觉得任务很困难，于是他喊道："我不相信我们一定可以安然达到目标，但是却应该努力而为。"虽然如此，狄劳尼和他的24名壮士，却安然地爬上了顶部，而未被敌人发现。

在晨光熹微之中，他们看见了一堆帐幕，他们偷偷爬向那里，然后突然冲入。费尔果从梦中惊醒，抓起他的手枪，在黑暗中乱放。于是三声枪响之后，就听到一阵欢呼。吴尔夫听到之后，立即命令他的人员登陆，并肃清有栅栏的小路。这个任务完成之后，两门铜质的6磅炮即被拖上了山坡。于是吴尔夫马上就派了一队人去夺占沙莫斯的敌人炮台。现在开始做主力的登陆，小艇来往摆渡，接运那1200名尚未装船的士兵。现在已是天色大亮。

当吴尔夫这支小型兵力向下游漂去时，蒙卡尔姆正在博波尔。午夜时，有人报告说在近岸处看见有船只，他遂与詹斯顿一同离开他的住宅。到了早上六七点钟时，才知道敌人已经登陆。诚然，在历史上这要算是一个完全的奇袭，因为桑德斯的佯攻把他完全骗着了。

蒙卡尔姆命令在博波尔和其以东的部队，都向魁北克前进，但是马上就发生了困难，因为法军并无统一的指挥。他是总司令，弗德留是总督，而魁北克又另有城防司令雷姆赛。弗德留不肯放出博波尔以东的部队，因为他始终认为在弗隆湾登陆只是一种佯攻。当蒙卡尔姆要求25门野炮时，而雷姆赛却只给他3门。命令互相冲突，在混乱之中，蒙卡尔姆只好召开战争会议。

于是有各种不同的意见。有人说敌军将掘壕固守，有人认为敌人会夺占圣查理士河上的桥梁，并切断弗德留与魁北克之间的交通线，另外还有人主张立即攻击。最后大家终于同意采取立即攻击的意见。常常有人责备蒙卡尔姆不应采纳这个建议，可是事实上他已经没有选择之余地。假使说他曾经犯有错误的话，那就是他应该把会战的时间延迟几个钟点，以便弗德留和布干维尔有时间赶来参加。布干维尔在上午9时，才知道了敌军登陆的消息。

迫使蒙卡尔姆必须采取攻势者，是因为在魁北克他已经只有两天分量的补给，而吴尔夫现在也威胁到其通往内地的交通线。所以每过一个钟头，吴尔夫的地位就会更增强一分，假使吴尔夫真是掘好了堑壕，那么到了第二天，他们就可以把重炮运上高地，在几个钟头之内，把魁北克的城墙击得粉碎。所以蒙卡尔姆所面临着的只有三条路：战斗、饥饿和投降。像任何勇敢的军人一样，他当然选择了战斗。总攻势的号角响了，也许他在亚伯拉罕的平原上，还可以赢得第二个蒙莫朗西。

这个平原，也可以说是一个高原，过去为一个法国驾驶员亚伯拉罕·马丁（Abraham Martin）所有的产业，所以获得了这个名称。这是一个略有一点破碎的草原，零星散布着一些丛林，南面的界线为圣劳伦斯河的岩岸，北面为圣弗瓦路（St. Foy Road），在道路以外即为圣查理士河。在这个宽约一英里的高原上，蒙卡尔姆依照下述的序列来集结他的部队，在圣弗瓦路上，他布置着一营民兵，共 350 人，接着就是贝亚恩（Bèarn）团，共 200 人，拉萨尔（La Sarre）团，共 340 人。在希尔里道路的两侧，他布置着基恩团，共 200 人，还有朗格多克团，共 320 人。在他们的左面为卢西永团，共 230 人和一营民兵，共 300 人。在他正面上的丛林中，又以若干民兵和印第安人为前卫，在他的右翼也有强大的狙击兵力。他的总兵力约在 4000 人以下，虽然有人认为他有 5000 人。

依照诺克斯的记载，大概是 6 点钟，在阴雨的天气中，法军开始在高地上出现了。于是吴尔夫开始展开他的战斗序列，分为两线。其右翼接近岩岸，为第 35 团，共 519 人。接着在它左面即为路易堡榴弹兵，共 241 人；第 28 团，共 421 人；第 43 团，共 327 人；第 47 团，共 360 人；第 78 团，共 662 人；第 58 团，共 335 人。希尔里道路通过他的中央，他把 4 门 6 磅炮推进到路上。在极左方，他把第 15 步兵团布成一个战术钩形。其预备队则为第 60 团第 2 营，共 322 人，以及第 48 团，共 683 人。他把第 58 团的两个连留在湾中，并利用第 60 团的第 3 营（共 540 人）使其连在一起，最后才把豪威的轻步兵（共 400 人）摆在最后方，以防止布干维尔的前进。他的全部战斗兵力为 4829 人，其中只有 3111 人曾经实际参加过战斗。

虽然在数量上他是比对方略占优势，可是以素质而论，吴尔夫的人员却是好得太多了。而更重要的是，他这次所用的军官，在英国陆军中要算是空前优秀的。

大约在上午 9 时，蒙卡尔姆的战线，从距离英军约 600 码远的位置开始前进了，前面有散兵掩护着。他们从丛林中冲出来之后，吴尔夫即命令他的人员卧倒，也展开他的散兵线。在英军的右翼方面，法军的狙击手不能发挥重大的作用。但是在左面，他们却十分活跃，于是汤森把第 48 团左面的第 60 团第 2 营和轻步兵，都调去支援第 15 步兵团。

10 点钟，法军开始前进突袭，于是英军的战线也站起来了。法军在 200 步以外开火，但是当加拿大的民兵为了再装弹药必须卧倒在地面上时，他们的战线即开始丧失秩序。在这个时候，吴尔夫受了伤，一颗弹丸击中他的手腕，他用一块手巾把它包扎起来，再没有去理会这个伤口。法军把战线调整好了之后，又再度喊杀前进，可是英军却保持沉默，像墙壁一样屹立不动。

这毫无疑问是受过了吴尔夫的训练才会如此的，因为当 1755 年，他在坎特伯里（Canterbury）指挥第 20 步兵团时，即曾制定过下述的规则："除非是已经奉了命令上刺刀冲锋，否则无论在何种情况之下，部队都不准喊叫怒号。"至于说到射击方面，他的规定是说："并不需要射击得太快，若是装弹确实，瞄准冷静小心，则其毁灭力，将远超混乱地速射。"此外他又说："当敌人已经到了 20 来码以内时，我军在射击时必须要有精确的瞄准。"

在这次会战中，这些训令都曾得以实行。在会战之前，吴尔夫曾经明白地命令：必须等到法军进到了 20 码以内时才准射击。此外，当"将军"排列其战线时，他又命令各团装上额外的弹丸。

法军迅速地以三个纵队前进，一路大声呼喊，两个纵队向左，第三个则向右，向英方阵线的两端做斜射。一直等到他们进到了 40 码以内时，英军还是以极大的坚定和忍耐，屹立不动，也不射击，完全严格遵守其军官的命令。

事实上，似乎是当两军相隔 100 码时，吴尔夫的部队即开始向前移动，到了 40 码时才突然开火，照法军方面的观感，简直是像一声炮响一样。弗尔特斯纠的记载说："响声之猛烈震耳欲聋，这是在战场上所看见过的空前完善的'排枪'，好像是一个单独的巨型兵器中发射出来的一样。从英军战线的全长上都发出了厚密的黑烟，飘在战场之上。在浓烟掩蔽之下，英军再装弹药，前进一步再射击一次，这样连续地打了 6 分钟到 8 分钟。"当战场上的浓烟开始消散之后，依照弗拉塞的日记所记载的："我们可以看见敌人的主力是在大混乱中，向魁北克城逃走，其余另有一部分向圣查理士河上逃走。”这个会战经过了一刻钟，即开始追击了。路易堡榴弹兵，布雷格和拉撒里斯各团，都上刺刀冲锋了。墨里旅长也与他所指挥的部队一同迅速前进，完全击溃了其当面的敌人。而高地部队，在安斯特鲁瑟部队的支援之下，也挥动了他们的大刀，把一部分敌人逐入城中，一部分逐入圣查理士河上桥畔的工事中。

双方的主将都因重伤殒命。吴尔夫在会战尚未结束时已逝世。当他在第 28 步兵团的先头前进时，一颗子弹又击中了他鼠蹊。他昏到了一会儿，后又继续前进，于是第三次被击中，这次是在胸部。他抓着旁人说：“扶着我，扶着我，不要让我的英勇部下看到我倒在地上。”

诺克斯对于吴尔夫临终时的一切详情，其记载是被大家认为最确实可靠的：将军被抬到了后方之后，有人问他：“是否需要一个军医？”他回答说：“不需要了，我已经完了。”以后又有一个人喊道：“他们跑了，看呀！他们是怎样跑的！”我们的英雄好像是从睡梦中警醒了一样，紧张地问题：“谁跑了？”这位军官回答说：“报告，敌人已经到处溃散了。”于是将军勉强说：“我的孩子，赶紧派一个人去通知布尔顿上校，命令他派韦布的团以全速进到圣查理士河边，切断敌军过桥的退路。”于是他翻了一个身，再说：“现在应感谢上帝，我可以平静地死去了。”就这样他才断了气。

蒙卡尔姆也是同样的不幸。在溃逃中，当他已经接近城墙时，一颗弹丸穿过了他的身体。由两位士兵扶着，他骑马从圣路易门入城，当晚也死了，第二天上午 8 时被葬在教堂广场中的一个弹坑里面。

那么布干维尔所率领的 2000 人又如何呢？那一天夜间，霍姆斯所率领的船只顺着退潮又向下游漂去之后，他因为过分疲惫，遂留在红角附近不走。上午 6 点 45 分，弗德留派人去通知他，说英军已经登陆了。他在 9 点钟才接到这个通信，遂立即向东行军。在正午与下午 1 点的时候，他进到了圣弗瓦路上，遇到了吴尔夫战线左翼的后方。汤森命令第 48 团向后转，再加上第 60 团第 3 营和轻步兵的支持（还有两门炮），把他的部队逐退了。

因为第二个资深的将领蒙克顿也已经负伤，所以英军现在改由汤森指挥。当他开始围攻魁北克城时，弗德留召开了一个作战会议，决定撤出该城。晚上 9 点，法军溜出了该城，秩序大乱做鸟兽散，逃往圣劳伦斯河上游 30 英里远的贾奎斯卡提耶（Jacques Cartier）城。

英法两国在北美洲的长期争斗战中，这一次会战实为其最高顶点。英军死军官 10 人，士兵 48 人；伤军官 37 人，士兵 535 人，总计为 630 人。法军的损失数字不详。

弗德留的弃城而逃，再加上补给的缺乏，遂使雷姆赛于 9 月 17 日也投降了。次日，汤森进入了魁北克城，并立即加强它的防御工事，并储存粮食，准备过冬。大约一个月之后，桑德斯和霍姆斯的舰队驶返英国——若无他们的忠诚合作，这个战役将不可能成功。11 月 20 日，霍克将军（Adm. Sir Edward Hawke）在奇贝伦湾（Quiberon Bay）又使孔弗隆（Adm. Conflans）的法军舰队受到了决定性的失败。从此法国海军一蹶不振，英国人对于大西洋遂获得了完全的控制权。

此时，墨里留在魁北克担任指挥官，在该城的废墟中，他和他的部下度过了一个恐怖的冬天，由于疾病的损失，守兵减到了只有 3000 人。1706 年 4 月，当他知道列维有攻击之意图，墨里即先占领着红角河口。4 月 26 日，列维率领了 9000 人的兵力前进，墨里遂向后退。到了 4 月 28 日，墨里率领了 3000 人和 23 门野炮，在圣弗瓦向列维进攻，但在损失了 1/3 的兵力之后，还是被迫撤退。此时，魁北克城即开始被围，直到 5 月 16 日，英国舰队再度出现之后才解围。

春天来到之后，英军改由阿默斯特出任总司令，同时从东、西、南三方面侵入加拿大。墨里奉命沿着圣劳伦斯溯河而上，哈费兰

（Haviland）从尚普兰湖向北运动，而阿默斯特本人则从安大略湖进到圣劳伦斯河上。虽然这个战役的开始是不顺利的，但结果是成功的，蒙特利尔于9月8日投降。这样才完成了吴尔夫的遗志，征服了加拿大的全境。关于阿默斯特，弗尔特斯纠在他的《英国陆军史》一书中，曾经有下述的评论："自从马尔伯勒死后，他就要算是英格兰所产生的最伟大军事行政家。一直到威灵顿出世后，才算是有一个比他更伟大的人物出现。"

当英国枢密院院长约翰·卡提芮特（John Carteret）在1763年1月躺在病榻上垂死之时，要罗伯特·伍德（Robert Wood）把准备结束七年战争的《巴黎条约》原稿朗诵给他听。他知道了这个条约内容之后，感到很满意，就喃喃地说："这是英格兰亘古未有的最光荣的战争和最光荣的和平。"

这个条约于1763年2月10日被批准，法国把加拿大的全部割让给英国，在印度也只留下了五个镇市——马赫（Mahé）、本地治里、金德讷格尔、加利加尔（Karikal）和亚南（Yanaon）。这个条约不仅使英格兰确保了海洋优势，而且使普鲁士的威名大振。一个较大的帝国诞生了，而一个较大的王国也建立了。前者控制着海洋，后者则使欧陆的情形益增其复杂性。法国不仅丧失了其殖民地帝国和海军，而且也感到民穷财尽，这也正是法国大革命的远因。夏多布里昂（Chateaubriand）说："从此法国人就在北美洲失踪了，正好像他们所同情的印第安人一样。"巴克曼（Parkman）也说："总而言之，法国是失败了，英国是胜利了。这是有史以来第一次，英国毫无疑问地变成了世界上最伟大的海洋强国和殖民帝国。"

话虽如此，吴尔夫胜利的最重要结果，却是使北美殖民地的人民解除了对法国人的畏惧心理。当时有许多人都能认识这一点。诚如贝德弗公爵所看到的：法国人的威胁解除了，反而使北美殖民地对于其母国减少了倚赖的程度。

大事记（九）

美洲殖民地的叛变

当法国人的势力被逐出了北美洲之后，英国人的殖民责任加重了，于是引起了帝国的控制问题。在过去，这个帝国只是一个商业性的企业，一切都用商业的路线去经营，换言之，殖民只是对于大不列颠的财富有所贡献。可是现在完全出乎国王与国会的意料，七年战争使英国获得了大量的土地，于是产生了一个新的变局，从商业帝国主义者变成了领土性的帝国主义者。依照前者的思想，殖民地仅是宗主国对于海外的投资，而依照后者，它们却有变成独立国家的可能性。结果是当国王和国会在思想方面还是继续只考虑到贸易关系时，殖民地的人民却开始想到了自由的问题。一方面所谈的是义务，而另一方面所谈的却是权利。实际上，宗主国所要求于其殖民地“孩子”者，不是奴役而是服从；反之“孩子”们所要求的也不是完全的独立，而是今天所谓的“自治领”地位。所以在1774年，当这个新观念生根时，宾夕法尼亚的詹姆斯·威尔逊（James Wilson）就曾经这样说过：“不列颠帝国中所有不同的成员，都是分立的国家，彼此之间是互相独立的，但是却因共同拥戴一个君主而联合在一起。”

所不幸的，这种帝国的新观念并不为英国政府所了解，它认为国岂可无君，这只是“大叛乱”时代中才有的现象。诚如某一位作家所说的，殖民地不可以永远在帝国中居于半进半出的地位，一方面宣称效忠，另一方面却又拒绝服从。但不管认识如何，虽然战争解除了法国人的威胁，可是印第安人的威胁却存在如故。这是一个真正的威胁，在《巴黎条约》批准之后不久，就有庞蒂亚克阴谋（Pontiac Conspiracy）为明证。除了底特律和匹兹堡，所有的西部要塞都为印第安人所攻占，许多的家庭被野蛮地屠杀掉，从尼加拉到弗吉尼亚之间，边疆上到处都受到蹂躏。但是最值得重视的事实，却是在这场祸乱中平乱的人不是美洲的殖民，而是英国的陆军。前者因为没有中央政府的组织，所以不能联合自卫；因此必须要英国政府来出力保护他们，于是也就连带地带来了给养的问题。

当格伦维尔（Grenville）的内阁于 1763 年 4 月 8 日承继比特勋爵（Lord Bute）的内阁时，其所面临的即为这个问题。在长期战争之后，必须讲求经济之道，任何内阁想久于其位，都必须考虑到这一点。

国债已经增到了 1.3 亿镑，比 1756 年的总额几乎增加了一倍。在美洲的军事费用，1748 年还只有 7 万镑，现在已增到 35 万镑。所以格伦维尔认为对于美洲殖民地增加税捐，以应付在美洲维持约 1 万名官兵的费用，这是公正的，也是必要的。为了达到这个目的，他决定加紧关税的业务，并增设印花税，这样一年可以获得 6 万镑。1765 年 3 月，印花税法案已经获得了英王签署，接着又有营舍法案，依照这个法案，殖民地还应供应部队的营房。作为一种报复，殖民地人民组成了一个“不输入协会”（Non-Importaion Association），对于一切为了增加美洲税收而输入的物品一律拒绝接受。这个杯葛运动极为有效，美洲与宗主国之间的贸易额减少了 60 万镑之多，伦敦的商人受到了重大的打击。他们施加压力，使现内阁倒台，承继他的为罗金厄姆（Rockingham）内阁，它在 1766 年废除了这个印花法案。同时，英国国会又通过了一个公告，认定国王与国会有权制定法律，以迫使殖民地接受。但是在美洲的殖民却因为印花税的取消而在忙于庆祝，并未注意到这个法案的通过。

1766 年 7 月，格拉夫顿公爵（Duke of Grafton）又接替罗金厄姆而组阁。这个内阁的真正主人为威廉 · 皮特，他任掌玺大臣，并兼上议院议员。不久他又为病魔所苦，因为格拉夫顿是一个无能的人，大权遂又落入财政部长汤森（Charles Townshend）的手中。

当汤森于 1767 年在国会中提出预算案时，他主张减低土地税，结果将造成 40 万镑的税差。为了抵补这种损失，他又建议一部分削减在殖民地的军事费用，另一部分则对于进口货，例如纸张、玻璃和茶叶，增加新的课税，估计一年可以收入 4 万镑。为了增加税收，还是要加强海关的业务，于是在波士顿成立了一个关税委员会。不过更重要的，却是汤森主张这个税不仅用来供养驻兵，而且还用来建立一套殖民地的文官制度。换言之，英国政府的行政官和法官，都将不受殖民地议会的控制。

波士顿马上发生了激烈的反对风潮，1768 年 7 月 1 日，关税委员要盖奇将军（Gen. Gage）派遣部队，协助税吏执行法律。当盖奇拒绝照办之后，英国政府即从本国派了两团兵力。以后为了强迫执行营舍法案，又引起了更进一步的纷扰，北美洲人民遂再度抵制英货。最后，在 1770 年 3 月 5 日发生了无可避免的冲突。在暴动之中，部队开枪，民众死了 4 人，伤了 7 人。这次事件立即被称为“波士顿屠杀”。

1 月，格拉夫顿公爵辞职，代替他组阁者为诺思勋爵（Lord North），他虽然也是下驷之才，但却很聪明地主张采取安抚政策。他取消一切的美洲进口税，只有茶叶一项例外。其保留这一项的理由有两点 :（1）作为是对于东印度公司的一种慰藉，（2）表示国会对于殖民地仍有课税的权力。所以他说 :“若是取消了茶税，则显得我们太怯懦。”

尽管有了这个“愚行”和“波士顿屠杀”，事态却渐趋平息。一直到了1772年，为了想进一步强迫执行贸易法案（Acts of Trade）——这是一切美洲纠纷的根源——又再度发生了一次暴动。6月9日，海关的巡艇“格斯比”号（Gaspee）被焚毁。

接着又发生了一次更严重的事件。1773年12月16日，有一群人化装为莫霍克（Mohawk）印第安人，爬上了东印度公司的船只，把他们所装载的茶箱投入海中。这次事件为历史上所称的“波士顿茶党事件”（Boston tea-Party）。它的重要性就是鼓励了美洲的爱国志士采取一种暴力的政策，同时在英国也煽起了激烈的舆论。

诺思勋爵被激怒了，他在1774年3月7日要求国会供给兵力，以恢复秩序和确保殖民地对于英国政府的依赖性。一个星期之后，他又建议通过了一个议案，把海关从波士顿撤走，直到该城对于所毁的茶叶向东印度公司赔偿了1.5万镑之后。这个议案即称为“波士顿港口法案”（Boston Port Act），自6月1日开始执行。其结果无异于封锁该城，于是波士顿的居民向其他殖民地求援。

同时，英王也任命盖奇将军为麻省总督，尽管盖奇将军曾经向他和诺思提出警告说：压迫的意义就是战争。英国政府并不听信他的意见，当他接任总督之后，即感到遇事掣肘，波士顿的公民拒绝建筑营房，并拒绝以食品补给其部队。为了巩固其地位，他开始在该城与郊区连接的狭窄颈部上建筑要塞。

这些事件所引发的心理状态使殖民地人民更趋于团结，而采取了一个决定性的步骤。在1773年的秋天里，亚当斯（Samuel Adams）发起了一个创立美洲“大陆会议”（Continental Congress）的运动。结果于1774年9月5日，在费城（Philadelphia）召开了第一次会议，并通过了“联盟协定”（Agreement of Association）。依照这个协定，所有各殖民地都联合一致，抵制英货，并停止与英国之间的贸易。这个协定即足以警告英国国会，使其认清这个叛变并不是一个局部性的事件。但是诺思勋爵却冥顽不灵，不足以语此。

他在 11 月 18 日告诉英王说："新英格兰政府已经处于叛变的状态之中，要决定他们仍为英国的领土，抑或是独立，就必须使用武力。"

当冬季快到时，盖奇派了间谍去侦察何地已经储存了军需物资。据报在康科德（Concord）有这样的储积，于是在 1775 年 4 月 18 日，他命令史密斯上校（Col. Smith）率领一个支队去加以毁灭。当他们到达列克星顿（Lexington）时，与当地民兵冲突，杀死了 18 个人。英军进入了康科德，毁灭了那些军需品，于是全镇人民都武装迎敌。柏西勋爵（Lord Percy）率领了 1400 人赶往增援，英军且战且走，回到了波士顿，一共死伤了 259 人。

这就是美国独立战争中的第一次战斗，其效果立即使四乡的居民都踊跃地武装起来，把盖奇封锁在波士顿之内。全美都为之振奋。

5 月 10 日在费城召开的第二次大陆会议，才是一个真正的革命团体。它接管了正在封锁波士顿的军队，将它们改组为"联合殖民地的陆军"（Army of United Colonies）。此外又任命华盛顿为总司令。

同时，另有一位非常人物也出现了，他就是阿诺德上尉（Capt. Benedict Arnold），为这场战争中的伟大将领之一，但因为他最后的叛国，也受尽了唾骂。他看到环绕着波士顿所筑的工事缺乏火炮，于是在 5 月 10 日率领了 83 个人，用诡计攻占了提康德罗加，夺取了轻重火炮共 120 门。接着他又占了克朗角（Crown Point），击败了在圣约翰（St. John）的驻兵。以后当他知道在蒙特利尔的卡尔顿将军只有两营英军的兵力，于是又决定征服加拿大全境。

当这个远征正在进行中时，波士顿也获得了增援，与英国送来的援军一同来的有豪将军（Gen. Sir William Howe）、伯戈因将军（Gen. John Burgoyne）、克林顿将军（Gen. Henry Clinton）。为了确保他的位置和港口起见，盖奇决定占领波士顿正北面的查尔斯敦（Charlestown）半岛，在这个半岛上有两座小山——本克尔（Bunker）和布里德（Breed）。6 月 16 日，美军先占领了这两座小山，于是他命令豪将军于次日去攻击本克尔山上的敌军堑壕（实际上为布里德山）。这个攻击固然设计得很坏，可是在执行时英军却颇为英勇。头两次突击均被击退，第三次却成功了，因为美军已经把弹药用完了。

这次胜利的成本极高，在攻击军 2500 人中，一共死伤了官兵 1054 人。守军的损失也并不轻，死伤被俘共为 441 人。

这一次血战的影响是非常的奇特。它使殖民地方面认为，正规的军事组织是不需要的，于是使华盛顿增加了无限的困难。而血战在豪将军的记忆上，也产生了一个不可磨灭的印象，自此之后，他不敢锐进了。

此时，在华盛顿的充分支持之下，阿诺德开始进行他那个冒险的计划。9 月，他率领着 1050 人，投入了缅因（Maine）的荒野中，此时蒙哥马利（Montgomery）率领了 1200 人越过了尚普兰湖，迫使圣约翰投降，然后挺进到蒙特利尔，并于 11 月 12 日占领了该城。卡尔顿将军坐船逃往魁北克。阿诺德也同样地挺进，但是不幸得很，他曾经派一个印第安人送了一封信给斯凯勒将军（Gen. Schuyler），但却误送给卡尔顿了。于是卡尔顿知道了魁北克马上就会受到威胁，立即集中一切的兵力来赶紧设防。

阿诺德到达了圣劳伦斯，在吴尔夫湾渡河，等到蒙哥马利与他会合之后，于 12 月 21 日在大雪之中向魁北克前进。

这次攻击却完全失败了，蒙哥马利战死，阿诺德腿部负了重伤，损失了 500 人，其中有 426 人是被俘的。这次作战如此地结束了，虽然是属于偷袭性的，但若这封信不写给斯凯勒，则可能会获得成功。诚如格林将军（Gen. F. V. Greene）所说的："假设这一战而胜，则加拿大可能与十三州合并，于是战争的全部过程和结果都会完全改变了。"

提康德罗加的陷落，促使豪代替了盖奇，而本克尔山之战也刺激了英国政府在欧洲到处搜罗雇佣兵。现在必须要决定一个作战计划，照盖奇的意见，只要能占领哈德孙河（Hudson）之线，则叛乱将自动崩溃。在英格兰，著名的军事权威哈尔费将军（Gen. Harvey）却持有不同的意见。他认为，一切陆上的作战都是徒劳无益的，所以主张封锁美洲的海岸，一直到叛军放弃作战为止。

对于英国而言可以说是不幸至极，11 月，日耳曼尼勋爵（Lord George Germaine）被任命为陆军大臣。在 1759 年，他在明登会战中，曾经蒙受耻辱，而为全国军人所瞧不起。而他又瞧不起美洲的叛军，这使豪将军处于一个困难的情况中，而后者的消极不动并不能使情况改善。结果于 3 月 2 日，华盛顿突然占领了波士顿以南的多齐斯特（Dorchester）高地，豪的位置遂无法久留。被迫弃城之后，豪率领他的全军共 9000 人，在 3 月 17 日退往哈利法克斯，于 4 月 2 日到达该地。

5 月，在费城又召开了第三次大陆会议，讨论杰斐逊（Thomas Jefferson）所草拟的《独立宣言》。7 月 2 日这个文件被通过，并于两天后公布。

这个最著名的文件直接带来的效果，是确定了向乔治王效忠即为“美好”原则，于是殖民地人民分为两个集团：革命志士坚决主张用武力解决这个问题；效忠王室的分子希望能用妥协方式解决。后者在每一个殖民地中都有他们的存在。虽然在弗吉尼亚、马里兰和麻省等州中，他们的势力是最弱的，可是在纽约、新泽西和佐治亚等州中，却可能占了人口中的多数，而在宾州和卡罗来纳具有强大的势力。所以他们构成了一股强大的反对力量，在革命过程中，有 7 万多人离开殖民地而他去，而这在其总势力中不过是一个零头而已。

在本克尔山之战和阿诺德对加拿大的侵入之后，这个《独立宣言》的第二个效果是使这次“叛乱”获得了战争的合法地位，这使英国政府面临着征服殖民地的问题。

战争的场地为一个狭长的地带，从圣劳伦斯一直伸延到佛罗里达（Florida），全长在 1200 英里以上，而平均宽度约为 150 英里。

这里缺乏道路，大部分都尚未开发，从战略上来看，是一个利于防御的地区，是很难征服的。为了便利起见，它可以分为三部分，北区、中区和南区。北区包括新罕布什尔（New Hampshire）、麻省、罗得岛（Rhode Island）、康涅狄格（Connecticut）和纽约。中区包括新泽西、宾州、特拉华（Delaware）、马里兰和弗吉尼亚。南区包括南北两个卡罗来纳和佐治亚。要想同时征服三个地区，这个任务是远超过大不列颠的国力限度。所以在战略上，英国在一个时间之内，只能集中全力来对付一个地区。北区不仅在政治上最为重要，而且在战略上也是最易于侵入的，因为可以用加拿大来当作作战基地。假使新英格兰和纽约的叛乱能够平定，即令中南两区仍继续支持下去，也还可以用各个击破的方式来慢慢地消灭它们。所以照克劳塞维茨的说法，北区应该可以称为“战争中的战略性重心”。

1776年6月，豪率领了3.2万人，从哈利法克斯由海道出发。7月3日，他的部队到达斯塔滕岛（Staten）。8月22日，他渡海进到长岛（Long Island），击败了华盛顿，并迫使他撤往曼哈顿岛（Manhattan）。虽然如此，直到9月15日，豪的兵力才进到了最后一个岛上，此时华盛顿的部下发生恐慌现象，继续败退。

还是与和平时一样拖延时间，豪在纽约一直留到10月12日才前进，当他进到新泽西的岸上时，华盛顿在康沃利斯（Lord Cornwallis）追击之下，退到了特拉华河的后方，后者于12月8日，进到了特兰顿（Treaton）。在那里，英军奉命宿营过冬，由一条前哨线掩护着，前哨中最重要者为特兰顿，由拉尔上校（Col. Rall）率领1300名赫斯兵（Hessians,为日耳曼人之一部分）来加以占领。

现在华盛顿的处境是非常的危急，在他的兵员10 106人中，已经病倒5399人。虽然如此，在圣诞节那一天他率军溜了出来，于次日清晨攻击在拉尔的据点，在奇袭之下，他俘虏了敌军999人。接着他在1777年1月1日，又进向普林斯顿（Princeton）攻击马尔伍德上校（Col. Marwood）的部队，又把他这个支队击溃了。

这虽然是两次小胜，但却和变魔术一样，使整个战役的情况为之一变。当日耳曼尼听到了第一次挫败的消息，他马上惊呼着说:“我们所有一切的希望，都已经为这个在特兰顿所发生的不幸事件炸得粉碎了。”而更重要的，却是这两次胜利使华盛顿的威望大为增加。在 14 天之内，他已经在死神的牙床中把胜利又夺回来了。无论是在美洲或是在欧洲，从此都已经建立了他的英名，使人不能不承认他是一位名将和一位人类的领袖。

第九章

萨拉托加的投降

当豪正在进行他的纽约和新泽西战役时，卡尔顿爵士也指挥着在加拿大境内的英军，与伯戈因在一起，取道尚普兰湖，侵入纽约州。他于 1776 年 10 月出发，到达了提康德罗加城下，但是他却认为天气已经太冷了，又决定率领军队退回加拿大去。对于这个决定，伯戈因大感不满，于是他在 11 月遄返英格兰，一心只想考虑如何使战争赶紧结束。

豪知道伯戈因的想法，在 11 月 30 日，前者写信给日耳曼尼提出他的 1777 年战争计划。这个计划为英国当局所采纳。其内容可以简述如下：

> 加拿大的陆军应取道尚普兰湖，进到阿尔巴尼（Albany），预定在 9 月到达。为了使战争能在一年之内结束，豪主张其所指挥的部队，应采取以下的作战方针：（1）克林顿率领 1 万人进军波士顿，以攻克该城为目的；（2）另派 1 万人从纽约沿“北河”（即哈德孙河）上驶，到阿尔巴尼为止；（3）留下 8000 守军掩护新泽西，并监视华盛顿。等到其他作战均已完成，再在秋天

攻击费城。为了完成这次作战，他又要求增兵 1.5 万人。12 月 30 日，日耳曼尼采纳了这个计划。

三个星期之后，在 12 月 20 日，豪又改变了他的计划，其大致内容如下：

> 在宾州方面的民意已经大有改变，由于我军最近的成功，大致都希望和平，因此我认为我军主力应在这一方面发动攻势。由于这个改变，向波士顿的攻势计划应暂行放弃，以待欧洲的增援到达。另派一军在哈德孙河下游采取守势，以掩护新泽西和便利加拿大军的前进。我们不能希望加拿大军在 9 月中旬以前到达，尔后的作战只能再看那时的情况而定。

日耳曼尼于 1777 年 2 月 23 日，收到了这封信。

此时，伯戈因于 12 月 13 日回到了英格兰。他与日耳曼尼和国王一再检讨当前的情况，于是在 2 月 16 日另外提出了一个计划，其标题为“从加拿大方面进行战争的思想”。简言之，其计划如下：

1. 在克朗角最少应集中 8000 人的兵力，还有炮兵、水手、2000 名加拿大人（包括各种工人）和 1000 多名印第安人。这个纵队应向提康德罗加进军。

2. 同时，豪应派遣一军进到哈德孙河上，加拿大军的目的为与该部兵力相会合。在会合之后，即占领阿尔巴尼，并打通到纽约的交通线，然后停止在哈德孙河上，使豪可以倾全力向南发展。

3. 同时，另外一支兵力从奥斯威戈（Oswego）进到莫霍克河上，以便与上述两支兵力在阿尔巴尼会合。假使认为所使用的兵力不够，不足以使上述设想有成功的希望，那么唯一的代替方案，就是加拿大军在魁北克上船，以便从海路上去与豪会合。

虽然加拿大军所要经过的距离约为 200 英里，并且是经过最困难的地区，但是伯戈因的计划还是健全合理的。他的目标是直接打击在叛乱的心脏地区上面，占领提康德罗加—哈德孙之线，以切断新英格兰各州与外界的联系。在新英格兰被征服之后，若是南方诸州仍不屈服，则可以继续向前挺进，迫使其投降。从战略上来看，其最大的优点为，除了在乔治湖与哈德孙河之间有一个 12 英里长的缺口，从魁北克到纽约之间，几乎是一路都可使用水运，畅通无阻。

英王和日耳曼尼都采纳了这个计划，可是后者事先又批准了豪在 12 月 20 日所拟定的计划。3 月 26 日，日耳曼尼曾致书卡尔顿，其所指示的内容如下："卡尔顿应率领 37 770 人，坚守魁北克，而伯戈因则率领 7173 人，准备前往阿尔巴尼，以与豪将军会合。到那里之后，伯戈因即改由豪指挥。同时，由圣李格尔（St. Leger）率领 675 人，在莫霍克河上对敌做牵制性行动，并也向阿尔巴尼前进。"接着他又说："我将立即通知豪爵士，但你也应立即通知他，并指导伯戈因中将和圣李格尔中校，不要错过了机会，他们应接受豪的指示，并不要忘记了与豪的会合实为其主要目标。"

这个命令发出之后，只有一个副本给予伯戈因，他遂认为一切都已安排妥当，即赶返加拿大。哪知事实并不如此，日耳曼尼虽曾命令其书记室草拟一封类似的训令给豪，明确命令他进到哈德孙河上，可是因为疏忽之故，他并未签字，于是该项文件始终未曾发出。

使情况变得更坏的是，在 4 月 2 日，当伯戈因已在海上时，豪又改变了他的计划，因为他所要求的援兵 1.5 万人当中，只有 2900 人是可以算上的。所以他报告日耳曼尼说，他已经放弃了一切远征的念头，除了向南行动，就仅限于在哈德孙河上偶做牵制行动而已，而且不再从陆上进攻费城，而改从海上进发。对于这封信，日耳曼尼在 5 月 18 日回答说，同意这个新计划，但是似乎他已知道那封尚未签字的信始终不曾送给豪，所以他又补充说："不管豪是如何考虑，但他却深信在时间上，一定要与奉命从加拿大前进的军队相配合。"当豪收到这信时，他是在什么地方，以及伯戈因正做些什么事情，我们留待下文来说明。

5月6日，伯戈因到达了魁北克，就立即写信给豪，说明他奉有确切的命令，必须迅速准备一切，不得延误，一心以与豪会合为目的。5月12日，他到了蒙特利尔，卡尔顿曾经受过日耳曼尼的斥责，现在对他表示欢迎。伯戈因说："即令是为他自己或是亲兄弟工作，其热心的程度也不过如此。对于我的一切要求，都可以算是有求必应。"以后，伯戈因又写了一封信给豪，再度提出了两军在阿尔巴尼会合的计划。

尽管有了卡尔顿的通诚合作，伯戈因还是立即遭遇到了难以克服的困难。一切都无法保密。5月19日，他写信给在伦敦的哈尔费将军："使我大感惊奇者，是蒙特利尔的报纸已经把整个的作战计划都发表出来了，好像是从国务大臣的文件中抄出了一份副本一样的准确。"更坏的是加拿大的情形极为落后，运输已成瘫痪状态，也无足够的马匹来牵引火炮，必须立即用尚未干燥的木料来制造500辆二轮车。伯戈因现在所面临的严重问题即为补给，我们应该记着在18世纪的军队是很少有就地取食的。尤其是沿着他的行军路线上都是人口极为稀少的地区，所以要想搜刮粮食也似乎是不可能[1]。

更不幸的，伯戈因也和其他的英国军官一样，对于敌人怀有轻视的心理。诚然在这个国家中，尤其是在新英格兰各州中，适合兵役年龄的人除了参加民兵以外，都不愿意正式入伍当兵。除非是感觉到大祸临头，否则他们不愿离开他们的故乡，或是长时间服兵役。虽然如此，他们却可以迅速地动员，而在像新英格兰这样破碎的地形中，森林、山地、河谷所给予他们的保护，适足以抵消其纪律的缺乏。李德赛夫人（Madame de Riedesel）称新英格兰人为"天生

[1] 在这场战争中，英军有一个极大的困难，就是必须运输一切补给，而美国人却每隔三四十英里就有物资的储积。此外，在森林战方面，美军的技术也远较优越。

的战士”。指挥伯戈因的轻步兵的巴卡里斯勋爵（Lord Balcarres）也说：“无论在什么时候，他们都能英勇顽强地作战。”他们的装备极差，这更令人惊佩。他们熟悉地形，并且本能地善于运用战术，以与地利相配合，这种弱点遂又被抵消了一大部分。他们多数都是头等的射手，当他们使用来复枪时，其敌人远非他们的对手。这种兵器虽然装弹的速度迟缓，可是其命中率却远非平滑枪口的火枪所能及。汉格尔上校（Col. Hanger）说：有一次他看见一个美洲人向他和塔里顿（Col. Tarleton）上校射击，结果打死了附近的一匹马，估计这个射手的距离至少在400码以外。伯戈因也说：“敌军有大批的优良射手，使用有来复线的枪械。在交战时，这些人分成小队，在侧翼上盘旋，对于如何利用地形和掩蔽自己，都要算是专家。在这次战斗中（指1777年9月19日），许多敌人在他们战线的后方，躲在大树上面。几乎很少能隔上一分钟以上的时间，我方战线中没有军官不倒地的，只听见一声枪响，马上就有一个人负伤了。”

美军几乎没有炮兵，虽然他们善于构筑工事，可是英军的炮兵还是具有相当重要性。本克尔山之战，对于英国人而言，可以算是大开眼界。伯戈因对它的意义具有充分的认识，因此他对森林战和丛林战，是从来不想应用欧洲战术的。他认为，在一切行动中，都应迅速而机警，尤其是在生疏的地区中为然。在这种战役中军官们必须发挥能动精神，而不等待情报和命令。

伯戈因的部下对于这种合于常识的战术已得到训练之后，在6月初，56岁的他，遂开始在尚普兰湖以北的李希留河上集中他的部队，其中包括有第九、第二十、第二十一、第二十四、第四十七、第五十三和第六十二等团，以及第二十九、第三十一和第三十四等三团的榴弹兵和轻步兵连。以上所述都是英国人，共3724人；另有日耳曼兵五团（大多数为不伦瑞克人），共3016人；炮兵357人，新兵154人，加拿大兵148人和印第安人500人。以上总数为7899人，若再加上军官，则约为8200人。这支野战军所拥有的火炮共为野炮 28 门，24 磅炮 2 门，榴弹炮 4 门。

当时英军在作战时，每个士兵所携带的为何种装备，也是一个很有趣的问题。根据安布里（Capt. Anburey）的记载：大致为一个背囊、一张军毯、一个干粮袋、一个水壶、一把手斧和一部分营具。此外还有枪械和 60 发弹药，总重为 60 磅。这诚然是很重的负担，但比起日耳曼兵，却已经舒服太多了。他们的头盔和刀剑即差不多等于英军全部装备的重量。所以即令是最差的英国部队，在行军速度上也可以比他们快一倍。

印第安人是一个永久性的烦恼来源。不听卡尔顿的忠告，日耳曼尼坚决地要雇用他们。他们奸诈而野蛮，不管敌友都会遭到他们的剥皮残杀。当他们到达之后，伯戈因向他们训话，倾全力想约束他们的残酷行为，但并无太多的效果。他们在战斗时，完全不认真，一听见枪声就逃走了。

在伯戈因之下，即为菲力普少将、李德赛（Riedesel）少将和弗拉赛（Fraser）准将，都是能力优秀的军官。第一位是炮兵专家，第二位为日耳曼部队的指挥官，第三位则指挥榴弹兵和轻步兵。前者由阿克兰少校（Maj. Acland）指挥，后者由巴卡里斯勋爵指挥。

根据所有的记载，无论在哪一方面，部队的水准也足够与军官相配。兰布上士（Sergeant Lamb）为远征军中之一人，曾经说过："部队具有高度的纪律，并在宿营过冬时受到了极好的照顾，以作为这次远征的准备。"安布里说："说到我们的陆军，我认为是具有良好纪律的，健康和精神均合标准，而伯戈因将军的领导能力又为众所公认，所以应该是能获得成功的。"

简言之，这不是一支普通军队，从哈登（Hadden）的日记中，可以摘录下述的片断，以来供说明之用：

> 人员的脚部必须保持清洁，军靴必须擦油，采取一切恢复精力的办法，以准备长途行军。凡是服装不适合的，都立即加

以修补。当雨水使地面潮湿时，为了维持人员的健康，木工应使用一切的材料来铺设营底，以保持干燥。一切的命令，都必须每天向士兵宣读，并由军官来向他们加以解释。

从以上这些不同的引述中，可以知道伯戈因的部队在当时是不平凡的。

6月20日，从包奎特费里（Bouget Ferry）营地中，伯戈因对平民发出了一则颇为迂腐的通告。6月30日，他又向其部队发出通令说："这次出师，将不考虑一切的困难、劳苦和生命损失。本军是有进无退的。"次日拂晓时，开始出发向提康德罗加进军。[1]

这个向尚普兰湖上的前进，其气势的雄伟不亚于在印度河上的亚历山大。最先头为印第安人乘着他们的独木舟，脸上画着脸谱。其次为小型战船所组成的前卫，后者就是第一、第二和日耳曼旅，最后面即为随营人员、从军商人和妇女。这的确是颇为壮观的：英国步兵穿的是红色军服，炮兵和日耳曼部队则为蓝色，日耳曼轻步兵为绿色，英国榴弹兵则穿着熊皮，轻步兵戴着黑皮军帽。

提康德罗加虽号称为美洲的直布罗陀，但事实上却拟之不伦，虽然它的工事很广大，足以容纳1万人，但是其所占的地位却并不尽如人意。3月，大陆会议曾派盖茨将军（Gen. Gates）去修建这些工事；现在是由圣克莱（St. Clair）上校据守，其所指挥者有正规军2546人、民兵900人。

圣克莱又听命于斯凯勒少将的指挥，他的其余部队均分为小型的支队，分布在斯克尼斯堡（Skenesborough）、安贝堡（Fort Ann）、爱德华堡（Fort Edward）和阿尔巴尼等地。对于美洲人而言是很不幸的，斯凯勒是一个真正具有君子风度的人，出身高贵，

[1] 虽然在战役中，伯戈因的部队纪律一直都很良好，但是我们现在知道英军和日耳曼部队之间却存在着相当的摩擦。士兵抱怨者也不乏其人。

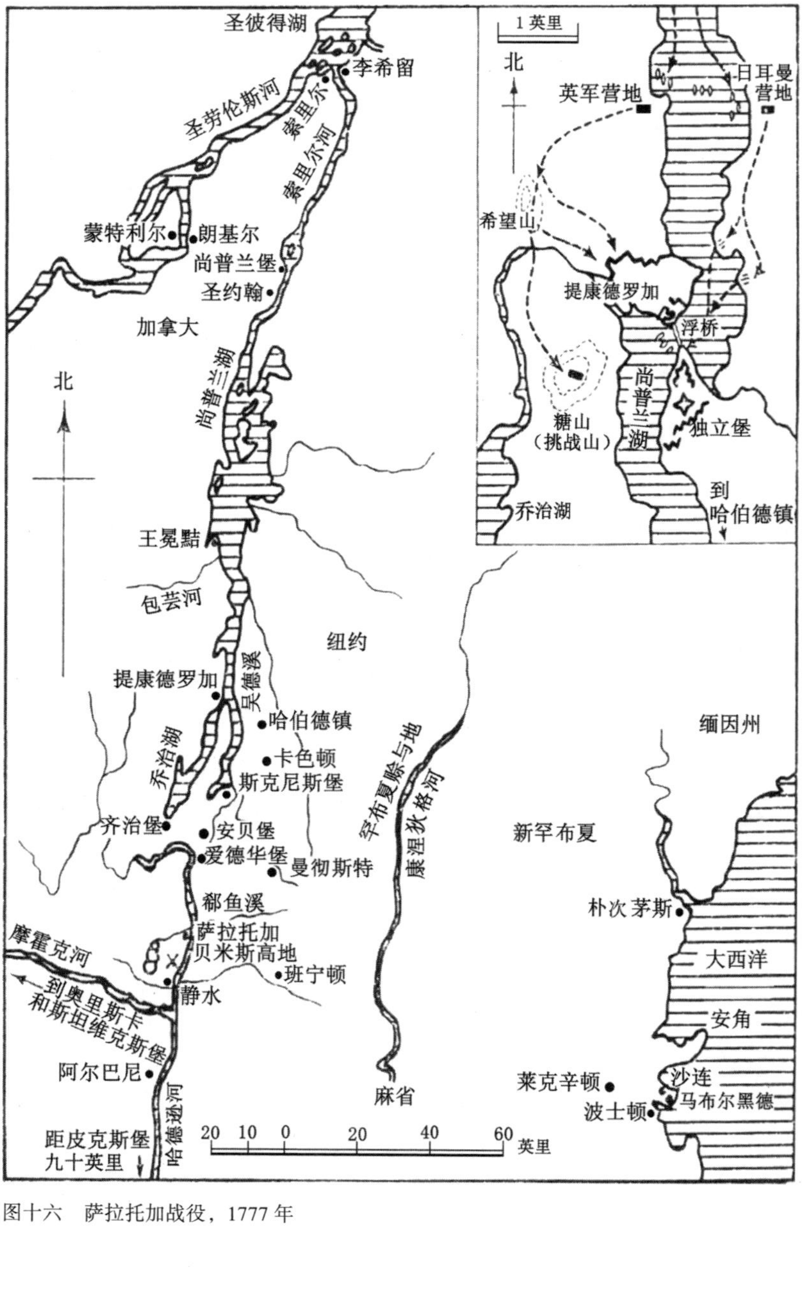

图十六　萨拉托加战役，1777 年

对于国会及新英格兰人而言，都不适宜。他的军官们尤其是民主化的。当伯戈因日后战败投降，李德赛夫人曾经说："有些美国军官过去做过鞋匠，他们不仅为英国军官制造军靴，而且还为我们的士兵修理皮鞋。" 8 月 4 日，斯凯勒曾经写信给华盛顿："我们军官中有许多都是品行极坏的，对于人民所犯的罪行令人发指。" 这种大胆直言的态度也使他不受人欢迎。

当伯戈因的陆军在提康德罗加北面 4 英里远的地方登陆时，圣克莱即受到了奇袭。他不曾料想到敌方远征军会有如此大的实力，虽然守军缺乏补给，根本无法抵抗一次围攻。7 月 3 日，他的敌人占领了霍普山（Mt. Hope），该山位置在要塞的正北面。

圣克莱所据守的阵地在形势上是很脆弱的；它包括着三个设防的部分，中间为水道所隔，并受着 "迪法恩斯山"（Mt. Defiance，又名舒格兰山［Sugar Hill］）的控制，因为难于攀登，并未设防。伯戈因立即认清了这是全部阵地的锁钥，所以于 7 月 4 日，他派了特维斯中尉（Lt. Twiss）去侦察它。因为这位军官的报告是有利的，于是菲力普将军说："当一头山羊能走到的地方，一个人也就能走到；而一个人能走到的地方，那么他也就能够把炮拖上去。" 到了 7 月 6 日拂晓时，这个山坡被占领，并且安设了炮位。认清了这个地方无法久留，圣克莱命令他的船只，连同其所能带来的火炮，退往斯克尼斯堡。同时，他也率领守兵取道哈伯德镇（Hubbardtown），退往卡色顿（Castleton）。

当伯戈因发现圣克莱撤退，他就立即追击。他的船只沿着吴德溪（Wood Creek）向下划，而弗拉赛和李德赛的两个旅，则沿着哈伯德镇大路前进。7 月 7 日清晨，他们追上了美军，于是发生了一场激战。弗拉赛的兵力最先远处于劣势，等到李德赛到达后，形势才改变。于是圣克莱退向斯克尼斯堡。在那里又受到伯戈因的攻击，他又退往安贝堡。最后圣克莱奉斯凯勒将军的命令，退往萨拉托加（Saratoga），并在路上撤去了爱德华堡的防御。

现在伯戈因犯了一个错误，这个错误比豪的失职更严重，而成为这次战役的失败主因。他本应该返回提康德罗加，从水上经过乔治湖而达到乔治堡，因为从那里有一条车路直通爱德华堡。可是他却偏要决定直向前进。施泰德曼（Stedman）在《美洲战史》上说："假使他返回提康德罗加，并越过乔治湖，那么他至少可以早 10 天或 12 天到达爱德华堡。他应该派弗拉赛将军从斯克尼斯堡到乔治堡去，这样就可以夺得大批的补给物、车辆和挽畜。这样他就可以在敌人集中足够兵力之前，赶到阿尔巴尼。"

可能是初期的胜利，冲昏了伯戈因的头脑，所以他决定投入这个几乎无路的荒野中，继续追击，不经过激烈的会战而占领阿尔巴尼；于是他掘壕屯兵，以等待豪的到达。这个计划完全失败了，他直到 7 月 30 日，才占领了爱德华堡，在这段时间中，敌军却已经恢复了元气。

对这样长的停顿，伯戈因不仅受到了日耳曼尼的责备，而且后世的史学家也莫不皆然。若将他的前进路线和他所面临的情况做一个公正的观察，即可以知道弗尔特斯纠的看法是不错的。他说尽管伯戈因在 7 月 10 日即已在斯克尼斯堡集中他的军队，可是他在 7 月 30 日到达爱德华堡，却已非易事。那么这个情况又如何呢？兰布的答案有如下述：

> 英军现在必须暂时停止一切的作战，在斯克尼斯堡等候补给和帐幕的到达，但是他们却利用这个空隙来扫清一条进路，以便部队继续进攻。这个工作十分的劳苦。美洲人，现在在斯凯勒将军指挥之下，把所有道路两边的大树完全砍倒，以当作阻塞物。这个地区的地形非常破碎，到处都是溪流和沼泽，差不多建造了 40 座桥梁，有一座是架在 2 英里宽的沼泽地上面。

与这些困难同时存在的，为伯戈因缺乏运输工具。7 月 10 日，他这样记载着："军队非常的疲惫，多数已经两天没有补给，几乎全部的帐幕和行李都未运到。"那500辆加拿大的车辆似乎损坏得极快。蒙内上尉（Capt. Money）为伯戈因的军需官，他在英国国会中曾经有过下述的答问。"通常一次可以集中多少马车和牛车呢？"他的回答是："我想仅有180辆马车，牛车的数量我记不清了，但我相信不过是在二三十之间。"虽然为了保护交通线，曾在提康德罗加留下910名驻兵，但是伯戈因认为还是要先搜集补给，然后再投入森林之中。他说："首先应该把80艘或100艘小船送到爱德华堡来，专供运输补给之用，每一艘小船的载量，要6匹以上的驮马才能加以转运。同时，架桥也需要很多的船只。"在这个地区几乎找不到民间的牛马，而且天又不断地下雨。

7月24日，补给已经搜集完毕，英军主力进到了安贝堡，即在该处宿营。弗拉赛和前卫兵力进到了距离爱德华堡2英里以内的地方。7月29日，全军再前进，并于次日达到了哈德孙河上。狄格拜中尉（Lt. Digby）说："我们进到了一个高地上，在爱德华堡以南约1英里远，并且宿营在一个美丽的景色之中，从那里可以看见哈德孙河上的最美丽的部分，江流在许多小岛中穿过。"

此时在小岛之南，已经发生了许多事件，这却是狄格拜和伯戈因所看不见的。不过后者却深知一个主要由民兵所组成的军队，只要一经挫折即可能扩大成为压倒性的大败，提康德罗加的陷落即为一例。大陆会议为之震动，整个大地都发生了动摇。但是伯戈因却并不曾认清华盛顿的个性，他正处在南面20英里远的地方，其所最关心的不是兵力的损失，而是关于豪的运动所获得的矛盾情报。

此时，斯凯勒已经退到斯蒂尔沃特（Stillwater），但却并非无更多的损失。他的两个麻省团逃亡了，而更坏的，是约翰·亚当斯又极力地诋毁他。至于盖茨将军又在努力说服国会，承认只有他一个人才能使美军获得胜利。在这种阴谋与恐慌结合在一起的环境中，只有一个人能维持其神经的冷静。这个人即为华盛顿，他就是从灾难中脱颖而出的。

在提康德罗加沦陷之前的三天，他已经猜到了英军的计划。7月2日，华盛顿写信给特兰伯尔州长（Governor Trumbull）讨论伯戈因的前进，他说："假使这不是一次牵制性的行动，而是一次认真的攻击，看样子是非常相似的，假使第二个步骤即为豪的部队趋向皮克斯基尔（Peekskill），那就可以算是确证了。所以应尽量赶快占领高地上的道路，以阻止两军的会合。"7月18日，当他听到了这个要塞已经放弃，他马上就派阿诺德去协助斯凯勒，并且推荐他的英勇，而同时也写信给麻省和康涅狄格西部的民兵旅长们，指出豪与伯戈因会合后之危险，并力劝他们去援助斯凯勒和阿诺德。

华盛顿所面临的困难中，有十分之九都可以归之于敌人对于海洋所具有的控制。他在7月25日写给国会的信中，即足以表示这种认识："敌人因有船只而控制了水面，使他们获得惊人的利益，使我们经常处于困惑之中，对于敌人的行动时常感到焦急不安，难以猜度。"在他写这一封信的时候，他决心向北前进，但是当他接到一封截获的信——是豪写给伯戈因的，他认为是一个诡计——于是他又写信给国会说："我从来不曾这样的感觉到，豪的目的地可能是费城。"7月30日，他又报告盖茨将军说，豪可能会往特拉华，并且补充说："豪居然会舍弃伯戈因不顾，这是很难令人置信的，一直等到我确信是如此之后，不禁翻了几个白眼。"第二天，他又告诉特兰伯尔州长："国会已经告诉我，敌人的舰队在昨天下午已经达到了特拉华，共有228艘船只。"虽然如此，他还是在疑惑之中，8月1日他写信给普特南将军（Gcn. Putnam）说："对于美军而言，阻止豪用突袭手段占领高地极为重要。他向东去的可能性极小，而当他采取这种步骤时，其害处也较小。"同一天他又命令克林顿州长（Governor George Clinton）召集全体民兵，以增强高地的防御。最后在8月11日，他又写信给普特南，说在8月7日那一天，豪的舰队曾在特拉华南面16英里处出现；但是克林顿爵士现在却可能已由纽约出发，以支援伯戈因。最后，在8月22日，他知道敌人的舰队已经进入了切萨皮克湾(Chesapeake Bay),到了8月25日，豪的陆军即已开始在艾尔克头（Head of Elk）以南约6英里远的地方登陆。

从这些通信上看，华盛顿对于敌人的计划，是如何地具有深刻的认识，同时也可以看出来局势是如何的危险。幸亏豪完全缺乏战略头脑，才使敌人的计划全盘失败。此外，华盛顿对斯凯勒的忠告也是十分正确的。7月22日，他写信给斯凯勒说:“从你对于他（伯戈因）的研究判断中看来，似乎他所采取的行动路线是对我们最为有利的。我的意思就是说可以各个击破。这种行动会使我们坐收其利，而使他遭遇极大的困难。假使我们能切断他们一支兵力，即令人数不过四五百人，也都可以鼓舞人心，使人民解除目前的烦恼。这样他们就都会自动踊跃地武装起来,尽力参加作战了。”两天以后，他又写信说：“英军若不能巩固后方，则绝不敢前进，所以他们用来进攻你的兵力必然会大为减少。”同时为了帮助斯凯勒,8月16日，华盛顿又命令摩根上校（Col. Daniel Morgan）率领他的500名来复枪手北上。[1]

此时，伯戈因的情形又如何呢？他所面临的最重要问题即为补给，又和惯例一样，这与运输问题具有密切关系。当他到达了哈德孙河上之后，他决定尽量征集一切可能找到的牲口，其目的是为了使其日耳曼的龙骑兵可以有马骑，并尽量补充其挽畜的损失。斯肯少校（Maj. Skene）是一个美洲的王党人士，虽然勇敢但不可靠，他现在获得了伯戈因的信任。受了斯肯的说服，伯戈因勉强决定突袭康涅狄格河上的地区，以夺取牲畜和马匹。斯肯所供给的情报是完全错误的，他说只要稍为表现一点实力，王党分子就都会云积影

[1] 这是当时最精锐的轻步兵，他们行动极快，不用一切的车辆，有时在三个星期之内可以走600英里。

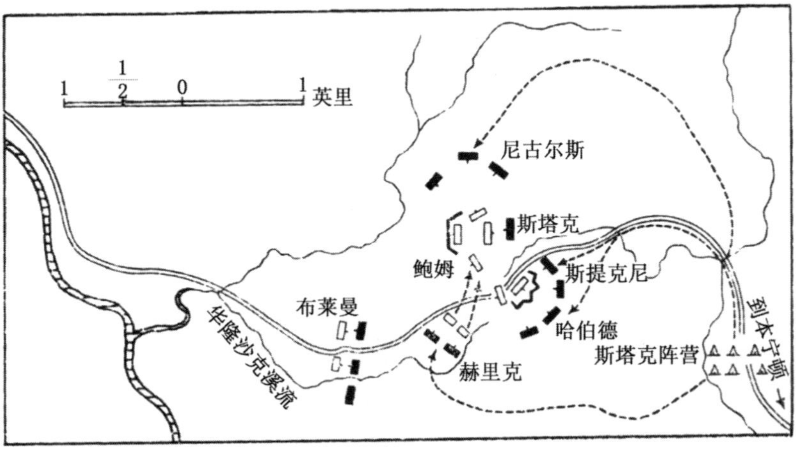

图十七　本宁顿会战，1777 年

从的。结果在 8 月 9 日，伯戈因选定了鲍姆（Baum）中校，率领一支兵力向康涅狄格河上进行远征，尽管事实上鲍姆只会说日耳曼语。使事态变得更恶劣的，是伯戈因又给予他以最详细的训示，8 月 11 日，鲍姆从米勒堡（Fort Miller）出发，伯戈因又赶去告诉他把目的地由曼彻斯特（Manchester）改变为本宁顿（Bennington），因为据报那里有一个巨大的牧场。本宁顿位于格林山（Green Mountains）之下，在爱德华堡西南面，相距约 30 英里。

鲍姆的兵力对这样一个冒险的行动而言，不仅是太少，而且在组织上也有内在的弱点。它一共有 170 名徒步的日耳曼龙骑兵，大约 100 名日耳曼步兵，一小队炮兵共有两门三磅炮和弗拉赛所部的 50 名射手。总数为 374 名正规军人，另外还有美洲王党分子、加拿大人和印第安人，共约 300 人。

鲍姆没有认清速度的重要性而缓慢地前进，斯肯的乐观报告也害了他们。在那连续的两夜中，鲍姆允许百姓从他的营地中来来去去，因为他相信这些人都是效忠王室的，同时也把一切有关其兵力和计划的情报都完全泄漏给大家。他的印第安人又到处作恶，不仅抢劫一切的东西，而且也使这个突袭的目的完全丧失了，因为他们屠杀好的牲畜，但除了牛铃之外什么也没带回来。

这样缓慢地前进，直到 8 月 14 日，他听到美军在本宁顿驻有强大兵力，鲍姆马上就派人去向伯戈因要求增援。8 月 15 日，布莱曼上校（Col. Breyman）率领了 350 名日耳曼龙骑兵和两门六磅炮出发增援。因为天下大雨，再加上装备的沉重，在那一天之内他们无法行走太长的距离。此时，鲍姆已经前进到了华隆沙克溪流（Walloomsac Creek）之上，在其北岸上宿营等候布莱曼的到达。

在鲍姆出发前不久，约翰·斯塔克也在新罕布什尔州集中他的兵力。这个人只能指挥别人，而不能听人家的指挥，他曾经参加过七年战争和本克尔山之战，像这样的不羁之士，美军中是很多的。8 月 8 日，他率领了 1500 人左右的士兵前进到了本宁顿。8 月 16 日的上午，在那里附近，他与鲍姆发生了接触。鲍姆最先还以为他们是王党分子，想去替国王效忠的，所以不但没有向他们开火，而且听任他们在其阵地的周围盘旋。

于是斯塔克很安然地把他的兵力分为三个小纵队。中央部分由他自己指挥，支援他的人为斯提克尼上校（Col. Stickney）和哈伯德上校（Col. Hubbard），直接进到华隆沙克溪边做一个正面的攻击。右翼由尼古尔斯（Nichols）上校指挥，左翼由赫里克（Herrick）上校指挥，分别迂回敌人的侧翼，到达敌人的后方。在不知不觉之中，鲍姆即受到了包围，他的印第安人首先逃走，一路摇着他们的牛铃。

斯塔克大叫着说：“我们今天若不能获胜，那么我的太太今夜就要做寡妇了！”接着他就发动了极强烈的攻击。现在的时间是三四点左右，据当时目击者的记载，其经过如下：

> 在一两点之时，这次战斗非常的激烈。侧面迂回的部队很轻快地前进，而担负正面攻击的部队，则以出乎意料的勇气和耐力直捣敌军的胸墙。双方的火力都极为猛烈，可是我方的人

> 员还是很轻易地越过了他们的胸墙。敌人立即溃逃，大约在五分钟之内，全营都发生了极大的混乱，所有各营都已变成了碎片，一泻千里地逃走了。我军乘胜追击，超过了1英里远的距离，杀伤了不少的敌军，并获得许多俘虏。

假使布莱曼能在场，情形毫无疑问会完全不同，因为他是一个很能干的军人。尽管在8月16日的清晨，他距离本宁顿已在6英里以内，但是直到鲍姆的兵力全毁之后，他才赶到战场。当他到达时，发现斯塔克的部下正在忙于抢劫英军的营地，于是他马上挥兵向前，把他们赶出去了。对于斯塔克而言，可以说是很幸运，正当他的部下纷纷退走时，华纳上校（Col.Warner）突然率领了一营"绿山"的部队赶来增援。于是斯塔克的民兵又恢复了他们的勇气，布莱曼被迫利用黑暗的掩护退走了。

在这两次战斗中，英军的损失颇重，死亡和失踪的总数为596人，鲍姆也受到了致命的重伤。斯塔克所部死了30人，伤了40人，为了奖励他的英勇行为，新罕布什尔的战争会议把一套新衣服和一匹麻布送给他作为奖品。

斯塔克实在应该获得更大的奖赏，他这个小型而戏剧化的胜利，对于已经吓坏了的日耳曼兵简直具有触电的作用。在美洲的所有报纸都同时称赞他而讥讽敌人，例如在8月28日，《宾州晚报》上说："可怜的伯戈因将军已经给斯塔克气疯了。"

鲍姆的失败也打破了伯戈因的幻想。这不仅教训了他，使他知道美洲人是如何顽强，而且也使他认清了他要再前进，则必须放弃其交通线。除非他至少存积了一个月分量的补给，否则不应做破釜沉舟之计。凭着他这种不良的运输工具，要达到这个目的一定需要很长久的时间，而当忙于储运补给时，对方的实力又必然日益增强，在数量和士气上都莫不皆然。8月22日，他写了一封充满了怨怼的信给日耳曼尼：因为他听到了豪决定向宾州进攻，所以他决定在原地守候。若无纽约方面的合作,在这种穷山恶水、敌人遍布的地区中,他实在无法前进。

在美洲各地都展开了激烈的宣传战,更使伯戈因所面临的困难情况加剧。自从战争开始,英国人雇用印第安人,就曾经使美洲人在感情上受到了极强烈的刺激——事实上,美洲人也同样雇用印第安人。最不幸的是,7 月 27 日,有一个牧师的女儿麦克里亚小姐(Miss MacCrea)被印第安人惨杀了,虽然伯戈因并无责任,可是民情却大为愤激。1777 年 8 月 14 日的《桑德斯报》(*Saunders' News Letter*)宣称:伯戈因的印第安人和英国轻步兵联合在一起,在某一地区内,一共屠杀了 700 名男女老幼。可是事实上,那个地区中连 10 家住户都没有。

这种宣传战使美洲人民都自愿参加作战,正当此时,国会又于 8 月 1 日,命令华盛顿免去斯凯勒将军的职务,而用盖茨将军来代替他。伯戈因曾经戏称盖茨将军为一个"老产婆",他于 8 月 19 日达到了斯蒂尔沃特,在这个时候,英军又受到了另一次的重大挫败。

我们应该记着这个侵入计划的第二个部分——向莫霍克河谷的前进,这是由圣李格尔上校指挥的。当他把斯坦维克斯堡(Fort. Stanwix)攻下之后,就应前进到哈德孙河上与主力会合。这个要塞建筑在吴德溪与莫霍克河之间的岬角上,守将为刚斯弗特上校(Col. Gansevoort)和维里特中校(Lt-Col. Willett),他们曾把它改名为斯凯勒堡。

圣李格尔于 7 月 25 日从奥斯威戈出发,8 月 3 日达到该要塞之前,他的兵力为 850 名正规军、王党分子和加拿大人,此外还有 1000 名印第安人,指挥他们的人为约翰逊爵士(Sir John Johnson)和莫霍克酋长布兰特(Joseph Brant)。此时,赫基默将军(Gen. Herkimer)正率领着特里昂(Tryon)县的民兵赶来赴援。8 月 6 日,他在奥里斯卡尼(Oriskany)一头撞进了布兰特的埋伏。若非突然发生了大风雨，迫使战斗中断，否则美军可能遭遇到布拉多克的同样命运。此时维里特从要塞中溜了出来，向印第安人的营地进攻时，那里已经空无一人。布兰特的部下听到后方有枪声，就马上四散溃走了。接着圣李格尔包围了这个要塞，但因为他的炮兵太差，所以并不能发挥太大的作用。

斯凯勒听到刚斯弗特正受着重压，遂派阿诺德率领 1200 人前来支援。阿诺德迅速地进到日耳曼平原（German Flats）上，在斯坦维克斯堡以东约 15 英里，俘获了一个莫霍克—荷兰人的杂种，他的名字叫约斯特（Hon Yost），是一个半疯的人——在印第安人中间，疯人常常会受到极大的尊敬。斯凯勒对约斯特判决了死刑，然后告诉他说，若能往英军营中散布谣言，宣传美军已经大批涌到，将来就可以赦免他。约斯特对于这个命令执行得非常有效，结果使所有的印第安人都闻风逃走，于是圣李格尔在 8 月 8 日也只好被迫解围而去。

上文已经说过，在这同一天之内，豪也在切萨皮克湾投锚。他于 8 月 15 日也曾通知在纽约的指挥官克林顿将军，假使认为有进攻的良机，那么可以便宜行事。8 月 25 日，他又收到了日耳曼尼在 5 月 18 日所写的信，于是再写信给克林顿："假使你能对于接近阿尔巴尼的伯戈因将军采取一次牵制性的行动，则其利益是不必再要我来说明的。"

在本宁顿惨败之后，伯戈因被迫留在哈德孙河上以储运他的补给，因为他知道若再向前进，则必须被迫放弃他的交通线。他仍然相信豪会支援他，到了 9 月 11 日，他已经为全军累积了"五个星期"的粮食，这都是从魁北克分别由水陆两路运送来的，距离在 400 英里以上。最后在 9 月 13 日，他开始做最后的跃进，在他的后方只留下了两个据点：一在提康德罗加，一在乔治湖中的钻石岛。全军有英军 2635 人，日耳曼人 1711 人，加上 300 名补充兵，共为 4646

名战斗员、炮手、美洲王党分子，印第安人还不在内。[1] 他们用浮桥渡过了哈德孙河，过河以后即拆去了浮桥，船只改为运输之用。

此时盖茨已经获得了增援，有阿诺德的1200人和摩根的500人。9月12日，他的全军在斯蒂尔沃特占领了贝米斯高地（Benis Heights），波兰籍的工程师柯斯久斯柯（Kosciusko）立即构筑要塞工事。进入了阵地，盖茨即派了韦金生（James Wilkinson）和一些侦察兵去搜索敌军。他们发现了伯戈因已经前进，接着就是一连串的前哨战，大部分都是美军占了优势。

伯戈因既然决定做破釜沉舟的打算，他现在除了且战且走地向南进发以外，实无其他的途径。于是他就沿着哈德孙两岸的小径缓缓地前进，以斯蒂尔沃特的敌军阵地为目标。

他侦察了地形，发现在正西面有一个高地正控制着敌人的阵地，这里既未设防也未被敌军占领。他就决定一方面对于盖茨的中央和右翼做掩护性的佯攻，另一方面先占领这个高地，接着把敌人赶入河中。这个计划将要使其本已微弱的兵力更加分散，但是尽管冒险，从战术上看来却是合理的。至于盖茨的计划却是完全消极的。他只是集中其全部兵力，现在约为1.2万人，躲在工事的后面等候攻击。

9月15日，伯戈因下达了他的命令，全军进到了多维加特（Dovegat），该地位置在萨拉托加和斯蒂尔沃特之间，两天之后，他们达到了剑室（Sword House）。9月19日的上午，全军分为三个集团——左翼、中央和右翼——由弗拉赛、汉密尔顿（Hamilton）和菲力普分任指挥，而李德赛则支援最后一位指挥官。

当这三个纵队前进时，美军的侦察兵从树林之间，可以看见他们闪烁发光的兵器和红色的军服。可是盖茨却安坐在堑壕的后方，既不下命令，也不做战斗的部署。他的军官们都丧失了耐性，阿诺德更是恳求允许他们前进迎敌。最后他获得了允许，把摩根的来复

[1] 全军总人数约为6000人，其有效兵力包括军官在内近5000人。

枪手和狄尔波恩（Dearborn）的步兵送上前去。不久以后，依照盖茨的副官长韦金生的记载，盖茨和阿诺德一同走到了营地的前方。刘易斯少校（Maj. Lewis）从前线上回来，宣称战况的进展尚未具有决定性。阿诺德马上大叫着说："看在上帝的分上，我要立即使它结束！"他踢动着他的马刺，用全速冲上前去。盖茨为之大惊，就命令韦金生去喊他回来。道林（Samuel Downing）是一位与阿诺德一同在贝米斯高地作战的人员，他对于阿诺德曾有下述的描写：他的皮肤和头发都是漆黑的，中等的身材，他是我们的猛将，毫无畏惧地勇敢直前。他所说的是"来呀，孩子们！"而不是"去呀，孩子们！"他是勇士中的勇士。

阿诺德到达了最前线，那里距离费里曼农庄（Freeman's Farm）不远，发现摩根的来复枪手正受着弗拉赛轻步兵的重压。他首先扑在弗拉赛的身上，等到恢复了控制之后，又向右转打击汉密尔顿的纵队。兰布上士为当时目击者之一，对于战斗情况曾做下述的记载：

> 这里的冲突是非常的可怕，一连四个小时的火力都是不断的。双方的人员，尤其是军官，随时都有死伤。有些美军躲在大树之上们，他们可以看清楚英军军官的制服，然后用精确的狙击来对付他们。菲力普少将在听到了枪声之后，经过最困难的森林，把4门火炮送上来了，此时我军中央部分正受到优势火力的压迫，这个增援使士气又再度振奋了起来。这位少将又冒了极大的危险，亲自率领第二十团作战，李德赛少将也把左翼的领先部分送上前，恰好赶上向敌人冲锋，表现得极为正当和英勇。

现在是哪一方面的主将，若能把最后的预备队送上去，即可以获得最后的胜利。伯戈因根本没有预备队，而盖茨却大约还有9000

人。可是盖茨对于胜利的掌握，却感到踟蹰不前，这实在是很惊人的。弗尔特斯纠曾经这样写着："假使盖茨曾经把阿诺德所要求的增援送往前线，则阿诺德就一定能够突破英军的中央部分。"罗辛（Lossing）也说："假使阿诺德能获得其指挥官的支持，获得了增援，那就毫无疑问可以大获全胜。"于是他又接着说："这一天若非有了阿诺德，则伯戈因将毫无疑问在秋分之日，可以以胜利者的姿态进入阿尔巴尼了。"黑暗使战斗暂时结束，大群的野狼和印第安人都出来了，纷纷猎取他们的战利品。

在这个顽强而势均力敌的战斗中，英军对于对方的英勇不免大感震惊。他们的损失颇重，死伤共 600 余人，约占总额的 33%。美军的损失则较轻：死 65 人，伤 218 人，失踪 33 人，不到全部作战人力的 10%。

尽管受了如此重大的损失，伯戈因的第一个意图仍然还是在 9 月 20 日重整攻势，但当他发现这是不可能时，遂又决定再暂缓一天。此时，盖茨却对阿诺德发生了极强烈的妒忌心理，在一度争吵之后，他取消了阿诺德的指挥权。本来美军在 9 月 20 日是应该大举进攻的，可是盖茨却只是虚与敌军周旋和推进其前哨到哈德孙河的左岸上去。此时斯塔克又出现了，并攻下了爱德华堡。9 月 21 日，又有两个意料之外的因素使伯戈因再度延缓了他的前进。第一个是克林顿将军的来信，第二个是传来消息说在 9 月 18 日林肯将军已经用奇袭攻占了提康德罗加的舒格兰山，并夺获了留在尚普兰湖上的大部分英军补给船。这就是说伯戈因的交通线已经完全切断了。

克林顿的信是 9 月 12 日发的，为密码写成。他告诉伯戈因准备在 10 天之内进攻蒙哥马利堡（在皮克斯基尔附近，位于哈德孙下游的狭窄水道上）。伯戈因立即回信，说明其现在所处的窘境，并要克林顿提早进攻。这封回信秘密藏在一颗银质弹丸中，但是使者却不幸被捕，为美军所杀。

当豪已经驶向特拉华之后，克林顿的兵力就变得太弱了，无法依照他的含糊暗示，向北进发。一直到 9 月 24 日，他的情况才略有改进。有 3000 援兵从英国到达，使他的总兵力增到 7000 左右。他立即派了 3000 人出发，于 10 月 5 日在皮克斯基尔附近又接到了伯戈因的来信，说他的粮食只能维持到 10 月 29 日。他要求决定到底是进攻还是撤退。他希望克林顿能给他一个肯定的答复，究竟何时可以到达阿尔巴尼。假使在 10 月 12 日以前他还不能获得答复，那么他就决心撤退。10 月 6 日，克林顿攻下了克林顿堡和蒙哥马利堡，在丛林中砍路前进，把下述的通信送给伯戈因 :“在我们与盖茨之间，已经不再有任何障碍物了。我诚恳地希望你能成功。”

他的前进决定了伯戈因的行动。10 月 3 日，口粮已经减少了，因为来源已经断绝，所以必须赶紧采取行动。此外，敌军来复枪手的狙击也使他们无法忍受。10 月 4 日，伯戈因召开了一次作战会议，第二天又继续开会。李德赛与弗拉赛主张立即撤退，菲力普没有意见。可是伯戈因却力主进攻，他的理由是：假使盖茨解除了压迫，他就可以立即率领 1.4 万人的大兵去援助华盛顿，那么豪就会很容易地被击败。他主张留下 800 人在营地中，把其余的 4000 人再用来迂回敌军的左翼。他的军官都表示反对，于是他又调换了一个计划，只使用 1500 人的兵力来做有威胁的搜索，以发现最好的攻击点。假使不能发现，那么就决定在 10 月 11 日实行退却。这个计划是彻底不合理，因为现在的敌人不仅据有坚固的工事，而且总数也已经增到 2 万人左右。这只是赌徒的瞎撞。

在 10 月 7 日的上午 10 时到 11 时，伯戈因从他的设防营地中前进，随同他的人有弗拉赛、菲力普、李德赛和巴卡里斯。他在一块玉米地中暂停了一下，以展开他这个小型的兵力：巴卡里斯率领轻步兵在右，第二十四团和一些兵力已经减弱了的日耳曼营居中，左翼则为阿克兰的榴弹兵。

当盖茨截获他们接近的报告，即命令摩根率领 1500 人去迂回敌人的右翼，普尔（Poor）率领 1000 人去攻击左翼，李尔尼德

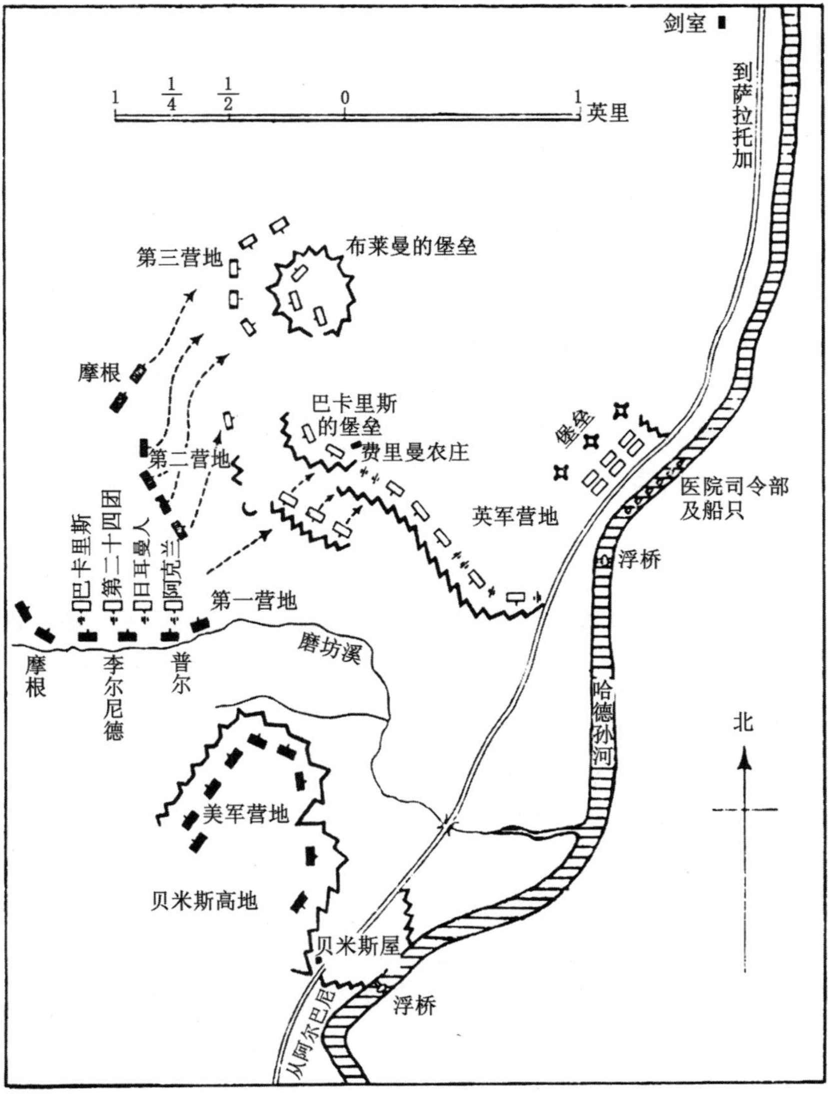

图十八　第二次费里曼农庄会战，1777 年

（Learned）率领 2000 人去攻击中央。双方发生了激烈的战斗，摩根逐退了巴卡里斯所率领的英国轻步兵，而普尔也使阿克兰的榴弹兵受到了重大的损失。于是伯戈因命令撤退。

此时阿诺德已经被解除了指挥权，盖茨完全不理会他，让他留在贝米斯高地的营寨中。当战斗的吼声变得越来越高时，阿诺德就实在控制不住自己了。他向他的副官大声说道："今天谁都无法把我关在营帐里。假使不准我指挥，我还可以像一个士兵一样参加战斗，但是士兵们，上帝保佑他们，会跟着我走的。"于是他高呼着说："来吧，不是胜利就是死亡！"他跳上了马鞍，向战场上疾驰而去了。

他追上了李尔尼德的旅，驱使他们前进，领导他们向日耳曼部队猛扑，但是敌人却顽抗不退。接着他又赶到美军的左翼方面，领导摩根的部下攻击巴卡里斯。因为弗拉赛受到了狙击，负了重伤，于是他们向费里曼农庄附近的工事撤退，阿诺德则企图向他们冲锋。

接着，他又纵马赶到英军右翼，暴露在敌军的交叉火网之下，于是又遇到了李尔尼德的旅，再领导他们前进。他把敌军中央部分逐退之后，遂直接冲向其右面的一个堡垒。这是由布里曼上校所扼守的，也被他一鼓作气地攻下了。在这次战斗中，他的战马被杀死了，他自己的腿部也受了重伤。

当他倒地之后，夜幕也开始低垂，于是会战也就告以结束。最令人感到惊异的是，虽然英军在数量上处于一比三的劣势，但却仍然僵持了五个钟点之久。毫无疑问，完全是靠着英军炮兵的努力，才使伯戈因得免于被歼灭。同时也毫无疑问的，完全是倚赖阿诺德的狂热领导，才使盖茨在两次费里曼农庄之战中免于失败。在第二次会战中，盖茨简直是一事不做，只坐在营中与一位负了伤的英国军官——克拉克爵士（Sir Francis Clarke）——辩论有关美洲革命的利害问题。双方争得发脾气之后，盖茨就把他的副官韦金生喊了过来，向他问道："你曾经听过有这样不通的蠢货吗？"对于这个所谓萨拉托加大捷，这位主将的贡献似乎就是仅此而已。诚如某一位美国史学家所说的："这真是一件怪事，一位完全不曾指挥过军队的将领，在这个革命中最重要和最具有意义的会战中，却又是名义上的领袖。"

这一战的损失并无确实记载，依照温莎（Winsor）的估计，美军死50人，伤150人；英军死176人，伤250人，被俘200人。在俘虏中有负了重伤的阿克兰，在死者中有英勇的弗拉赛和布莱曼上校。

伯戈因知道这场戏快要结束了，除非有奇迹出现，否则绝无法使他得救。

10月8日拂晓时，他发现在黑夜中，敌军已经在哈德孙河东的高地上建立了阵地，于是他除了撤退以外，更无他法了。在日落不久，败军即经过湿透的地面缓缓地向北运动，但是人员的士气却和往常一样高。诚如兰布上士所说的："人员都愿意和准备面对任何的危险，领导他们的军官是他们所敬爱的，并且能与他们同甘共苦。"

使事态更恶劣者，天又下着大雨。[1] 撤退中人员疲惫不堪，到了10月9日上午5时，伯戈因命令暂停，休息11个小时，并补充粮食。下午10时，军队达到了斯凯勒的农庄，第二天上午渡过了菲希克尔溪（Fishkill Creek）。

虽然盖茨所指挥的有军官1698人，士兵18 624人，其中有14 914人可以立即作战，但他并不想追击。诚然，他也缺乏补给，而阿诺德的胜利也使他那个缺乏纪律的部队丧失了组织。最后，他终于出发了，并于10月10日的下午追上了英军的后卫。伯戈因立即准备攻击，将人员展开在俯视溪流的高地上。但是到了10月12日，当他发现他已经三面被围时，伯戈因就召集了一个作战会议，决定

[1] 关于这一点，安布里有不同的意见。他说："大雨对于我们的撤退是反而有利的。虽然增加行军上的困难，但却也阻止了敌人的追击。同时大雨也带来了另外一个安慰，那就是敌人假使要向我军进攻，则只有专靠刺刀来决定胜负。"

放弃一切的车辆和火炮，每个人员携带着 6 天的口粮，在那天夜中撤退。可是已经太迟了。当会议尚在辩论之中时，捕鼠笼已经关上，不可能再退了。

经过了另一次作战会议的决定，10 月 13 日，伯戈因派人向盖茨要求休战，但所接获的答案为“无条件投降”。伯戈因立即表示拒绝，并要求其部队应保持战争的荣誉才肯投降。盖茨同意了，可能是因为克林顿已经在他的后方活动，所以他希望赶快解决。此外，他也同意 :“伯戈因中将所率领的军队，可以自由地返回英国，但其条件为他们再不准回到北美来参加这场战争。”在 10 月 16 日所签订的《萨拉托加条约》中，这是最重要的条款。

条约签订了之后，伯戈因要求与盖茨会晤。盖茨对他以礼接待，其一切的行动都表现出极高的侠义风度，斯凯勒也是一样的。10 月 17 日，当伯戈因的 3500 人去到指定地点堆积他们的武器时，盖茨不准自己的部队离开营地，以免英军看到了他们感到难堪，这种合于人性的宽大作风，是很难能可贵的。

可是这个条约却并未获得美方的遵守，因为国会不批准它。这是一个可耻的背信行为，连美国作家也认为国会这种行为是毫无理由。这些部队始终不曾被送回他们的祖国。

这次决定性的战役，在英国历史上是足以决定国运的。事后加以检讨，很明显地可以看出来，伯戈因的将才虽不能算是第一等，但是在英国远征军的指挥官中，像他这样能干的人也还不多见。弗尔特斯纠对于这次冒险曾经做一个总评如下 :在历史上，英国军人企图达成不可能的任务，这一次要算是很光荣的，而且若无阿诺德的阻碍，则他也可能到达了阿尔巴尼。

在这几个困难的月份中——1777 年 6 月到 10 月——伯戈因对于其部下的忠诚是无可批评的，也许只有其部下对于他的忠诚可以与之相等。甚至在条约签订之后，兰布还这样写道 :“他对于他的军队具有高度的信心和热爱，任何损失和不幸都无法动摇彼此间的关系，从来不曾听见在军中有任何人对他们的将军表示不满的。”可是在英格兰的政客们，态度却完全不同，大家都对他极尽侮辱之能事。对于这次惨败最应负责的人实为日耳曼尼，他却仍留任原职未去。固然伯戈因的名誉最后还是恢复了，但当他于 1792 年 8 月 4 日逝世，送往西敏寺下葬时，只有一部马车送葬，而从那时起到今天，也没有人为他立碑纪念。

更重要的是这次失败的后果。由于提康德罗加和高地的丧失，在这一年艰苦的战役中，英军的唯一表现就只是占领了费城一座空城而已——这是一个已经丧失军事和政治意义的城市。盖茨现在已经可以自由地去增援华盛顿。更重要的是，法国开始援助美国，不久也把西班牙和荷兰拖入了战争。

11 月 1 日，有一条快船离开了波士顿，30 天后到了法国。12 月 4 日，富兰克林获知了伯戈因投降的消息，第二天使巴黎的政治基础都发生了动摇。12 月 6 日，路易十六同意了法美同盟，17 日法国宣布支持美国革命。1778 年 2 月 6 日，《法美条约》签字，3 月 11 日，英法两国进入战争状况。在萨拉托加，这把“达摩克利斯之剑”（The Sword of Damocles，大难临头之意）不仅落在大不列颠的头上，而且大部分的西方世界也都受到了影响。

大事记（十）

美国独立战争的发展

1777 年的战役结束之后，华盛顿把豪的军队撤到福吉谷（Valley Forge）中，在那里度过了一个困难的冬天。施托伊本男爵（Baron von Steuben）也是在这里投效美军的，他曾经参加过七年战争，并曾充当腓特烈的随从参谋。他是一个能力特强的行政人才，华盛顿任命他为训练总监（lnspector-General），他立即开始训练和组织的工作。

此时在英国方面，政情也有迅速的变化。第一，为了对付美法同盟，英国内阁决定对反叛的殖民地实行怀柔政策，除了完全独立以外，对其他的要求都不惜让步。第二，以卡莱尔伯爵（the Earl of Carlisle）为领袖，又派了一个和平代表团往费城，结果除了惹起讥笑，便一无所获。在 1778 年 6 月初，克林顿代替了豪任统帅，并撤出了费城。华盛顿马上从福吉谷拔营，向敌军前进。6 月 27 日，双方在蒙茅斯（Monmouth Court House）发生了接触，第二天做了一次不具有决定性的战斗，在烈日之下有许多人中暑倒毙。当英军的最后一次突袭失败之后，克林顿退到桑迪胡克（Sandy Hook），从那里由海上把军队撤回了纽约。

当这些事件正在进行时，艾斯坦（Adm. d'Estaing）率领了12艘战斗舰和5艘巡洋舰，装载着4000法国兵，从土伦出海，于7月8日到达了特拉华的港外。四天之后，他面临着豪（Adm. Howe）的挑战，虽然后者的舰队实力不如敌人，但是他却决心一战。幸亏一个风暴把两个舰队吹开了，于是豪被迫撤回纽约去修补他的损失，而艾斯坦则进入了新港（Newport），在那里停留到11月4日，才再驶向马提尼克（Martinique）。此时，华盛顿把他的兵力分布在纽约周围，构成一个半径为40英里的半圆形。

日耳曼尼又再度登场了。由于伯戈因的投降，使他在北面受到了挫败，于是他决定在不放弃哈德孙河的条件下，把他的注意力引向南面。首先，他主张征服佛罗里达和佐治亚两州，其次是两个卡罗来纳州，最后则为弗吉尼亚州，在此以后他认为北方诸州在孤立之下就会自动崩溃了。他相信在北卡罗来纳州有许多人都是愿意效忠于王室的，同时若能在弗吉尼亚和马里兰的境内做牵制性的行动，那么直到萨斯奎汉纳河（Susquehanna）以南的一切美洲人都会恢复效忠了。3月8日，他把这个计划送给克林顿征询意见，照我们看，毫无疑问，这会引起战争中的最大悲剧。

克林顿马上同意日耳曼尼的观点。6月，他奉命派5000人往圣卢西亚（St. Lucia），3000人往佐治亚和佛罗里达。11月27日，他又加派3500人往南方，由坎贝尔中校（Lt-Col. Archibald Campbell）率领着，于12月23日，安然地达到了萨凡纳河（Savannah）口上的泰比岛（Tybee lsland）。

这个新的战役在开始时有惊人的成功。12月29日，克林顿占领了萨凡纳，在六个星期之内，完成了对佐治亚的征服工作。此时，林肯将军已于12月19日到达了查尔斯敦。因为他不肯放弃南卡罗来纳州，于1779年2月采取了攻势，但3月3日在布来尔溪（Briar Creek）为普里弗斯特将军（Gen. Prevost）击败了。这一次的胜利使美军丧失收复佐治亚的一切可能性。

普里弗斯特接着就进到查尔斯敦，于 5 月 5 日在该地出现，虽然林肯已经赶往救援，但是酷热的天气却使作战停止到 9 月为止。9 月 4 日，艾斯坦带了 6000 名法军从西印度群岛回来，并于 9 月 13 日，要求萨凡纳的英军投降。当英军拒绝之后，他就开始围城战。10 月 9 日，他发动了一次突击，但被英军击退，死伤官兵共达 837 人——比英军多了六倍。11 天之后，他自动解围，并驶返法国。

此时，克林顿发现他无法引诱华盛顿在高地的南方接受会战，听到了艾斯坦失败的消息，遂决定留克尼福森将军（Gen. Knyphausen）指挥纽约方面的军事，自己向南面去，而以康沃利斯为其副帅。12 月 26 日，他用 90 艘运输船载运了 8500 人，由阿巴斯诺特（Adm.Arbuthnot）的舰队担负护航，共有战斗舰 5 艘和巡洋舰 9 艘。他曾遇到恶劣天气，其中有一艘装载日耳曼兵的船只被吹过了大西洋，而搁浅在康沃尔（Cornwall）的海岸上。其余的舰队于 1780 年 1 月 30 日到达了泰比岛。

克林顿在约翰岛登陆，该处在查尔斯敦以南相距约 30 英里，从 2 月 11 日到 3 月 29 日，都留在那里，并未去围攻查尔斯敦——该城现由林肯据守。5 月 12 日，该城投降，一共有 7 位将官，290 名其他的军官和 5159 名士兵都变成了俘虏。这是美军在战争中所遭到的最大惨败。

克林顿相信南卡罗来纳已经完全征服了，于是他命令康沃利斯担负留守，指挥着 8500 人，而他自己则于 6 月初回到纽约。与此同时，当美国国会听到这个惨败的消息，不征询华盛顿的意见，立即任命盖茨为南方军总司令。盖茨于 7 月 15 日，进行了长达 120 英里的行军，以求夺占在卡姆登（Camden）的英军据点，这是由罗登勋爵（Lord Rawdon）据守的。罗登立即向康沃利斯求救。

康沃利斯立即率领了 3000 多人，从查尔斯敦赶往援救，在酷热天气中，中途倒毙了 800 人。当他于 8 月 13 日达到卡姆登时，面临着盖茨所率领的 3000 多人。8 月 16 日，他发动了一次猛烈的攻击，把盖茨击溃，俘获了其所有的火炮、辎重、补给和枪械弹药的大部分。在这次胜利后的第三天，指挥不列颠兵团（British Legion）的塔里顿上校对正在菲兴克里克（Fishing Creek）宿营的桑特尔（Sumter）加以奇袭。英军死 6 人，伤 9 人，而美军则死伤 150 人，被俘了 300 人，其余的兵力也都被击散。

尽管美军迭遭如此的挫败，但是战争的潮头却开始回涨了，有两件事促成它的上涨。有一个最伟大的小型作战将领出现了，以及阿勒格尼山区（Alleghenies）边界部队获得了完全的胜利。

华盛顿选定了格林将军（Nathaniel Greene）接替盖茨担负南方军总司令，而由施托伊本男爵为副司令。12 月 4 日，格林到达了夏洛特（Charlotte），发现他的兵力只剩下了 2307 人，其中只有 1482 人可以作战，其中只有 800 人具有良好的装备。

此时，在盖茨失败到格林接任之间，康沃利斯已经向夏洛特进发，而克林顿又派了莱斯利将军（Gen. Leslie）率领了 3000 人前往切萨皮克，并听其命令行事。在夏洛特西面约 30 英里的地方，又有第二个事件发生。弗格生少校（Maj. Ferguson）是一位智勇双全的军官，他率领着 1100 名战士——大部分为美洲王党分子所组成的民兵——在金斯芒廷（Kings Mountain），为同等兵力的美洲边疆部队所包围，结果全被歼灭，弗格生也战死。

这是一个小型的胜利，但却具有决定性。消息传来，使所有落后的地区都为之振奋，北卡罗来纳和弗吉尼亚的民兵纷纷揭竿而起。康沃利斯发现自己已经为充满敌意的民众所包围，被迫退往夏洛特南面 90 英里的温斯伯勒（Winnsborough）。这个相反的行动，使他与莱斯利之间丧失了合作的可能性，于是后者的部队又只好从海上绕道来与他会合。

这个时候，格林就转移攻势了，会战既已无可能性，他就很聪明地以游击战为限。这样就结束了 1780 年。

等到第二年开始，为了支援康沃利斯，克林顿又派了阿诺德率领了 1600 人前往切萨皮克。阿诺德此时已在英军中服务，他的叛国是在 1780 年 9 月。为了应付这个情况，华盛顿遂派了拉法耶特（Lafayette）率领了一支稍弱的兵力去对抗他。

格林把他的小型兵力分成游击队之后，康沃利斯也学他的样子，不集中他自己的兵力——现在总数已在 1.1 万人以上。1781 年 1 月 2 日，他派塔里顿率领他的兵团共 1000 人，去围捕摩根。后者正在金斯芒廷的附近作战，这正是弗格生遭到惨败的地点。1 月 17 日，双方在考彭斯（Cowpens）相遇，摩根用了一个巧妙的战术，使敌人几乎全被歼灭。他自己死了 12 人，伤了 60 人，而英军则死了 100 人，伤了 229 人，被俘者达 600 人之多。以后，摩根退回到卡塔瓦巴河（Catawaba）上。2 月 1 日，康沃利斯也渡过了该河，于是决定放弃北卡罗来纳州，向东北进到希尔斯伯勒（Hillsborough）以休整他的残军。

此时，格林和施托伊本已经建立一支小型的精锐部队，人数在 4500—5500 之间，遂前进追踪康沃利斯。3 月 2 日，两军在豪河（Haw）上发生了接触，在经过了一连串的迂回运动之后，于 3 月 15 日开始吉尔德福（Guildford）会战。格林有 4441 人可以作战，而康沃利斯却只有此数之一半。尽管拥有数量上的优势，可是会战一开始，格林的民兵即发生了恐慌现象，逃出了战场之外。格林发现现在他所面临的敌军在数量上已经与他相等，但纪律远为严明，于是就不想冒险，而退到豪河之后去了。

虽然格林丧失了这场会战，但却赢得了这次战役。因为康沃利斯的损失是如此巨大，他决定放弃内地，而进向威尔明顿（Wilmington）的海岸上——在吉尔德福东南方约 200 英里，只留下了卡姆登对付格林。格林失败不久，又向南卡罗来纳出发，以收复该州为目的。这两个决定就引发了约克敦（Yorktown）战役。

第十章

切萨皮克会战和约克敦之围

一旦法美同盟成立，这场战争就不再是个陆上行动，而大部分变成了一个围绕海权问题的行动。等到 1779 年 4 月 12 日，西班牙又与法国缔结同盟，并且于两个月后也向英国宣战，这种变化就更显得尖锐化。自此除了北美洲本身，英国到处都被迫采取守势，而把主动权让给西班牙和法兰西了，1780 年 12 月，荷兰又加入了同盟。[1]

虽然在 1776 年，英国的海军对于确保大西洋航线的眼前任务是能够担负得起的，但却并不足以应付可能发生的战祸。最可能者为一旦英国人在美洲殖民地被纠缠得难以脱身时，法国人就会乘这个机会来收复其在七年战争中丧失的权利。

自 1771 年起，桑得维齐勋爵（Lord Sandwich）出任英国的海军部长，英国的舰队一直在腐化之中，行政效率日益低落。虽然到

[1] 1780 年，俄国的女王叶卡捷琳娜二世也组成了一个波罗的海同盟，对英国实行“武装中立”。若能切断其从波罗的海国家方面的补给，则毫无疑问足以减弱英国的海权，所以法国认清了此点，也毫无疑问地支持叶卡捷琳娜二世的政策。

1778 年，从表面上看来，英国舰队在数量上还是超过法国，但事实上，后者却具有较高的效率。法国有 63 艘战舰，其炮数都是在 64 门以上的，水手有 6.7 万人之多。假使法国投入了战争，则英国的战略情况将会完全改变，不仅其海上交通线会受到威胁，更要面临被入侵的危险。当法、西、荷三国结合在一起时，这种威胁就更形加大。于是英国人突然惊醒了，1779 年 11 月，英国国会通过了总数 2119.6 万英镑的军费，决定使海军的总数增到 8.5 万人。

在所有关注这种变化的人当中，华盛顿是看得最清楚的：除非能够获得制海权（即令只有一个极短的时间也不要紧），否则美洲的革命就一定会失败。早在 1780 年 7 月 15 日，他就派了拉法耶特去谒见罗尚博（Comte de Rochambeau），把一个备忘录送给他。上面有一段是这样说的："在任何作战中，在任何环境中，一个决定性的海军优势都应当作一个基本原则。一切成功的希望都应以其为最后的基础。" 6 个月之后，他又派劳伦斯（Lt. John Laurens）到法国去，又带了一封长信给罗尚博说明当时的情况。他这样写道：

> 除了金钱的货款之外，第二个最重要的问题即为经常性的海军优势。这可以立即使敌人改取困难的守势，取消其一切扩张占领的希望。假使我方能控制海洋，足以阻止敌人的补给源源从欧洲流出，则他们即无法在这个国家中维持强大的兵力。对于我们而言，它似乎是两个决定点中之一个，同时对于同盟国也是极有利益。

对于华盛顿而言，1781 年的开始是颇为不利的：宾州战线首先发生了叛变，接着新泽西战线也发生了叛变，在南方的格林将军也报告说，他的军队几乎是在裸体作战。虽然如此，却有一个因素是对他有利的。英军缺乏指挥上的统一，克林顿虽然号称是美洲的总司令，可是他却是紧系在日耳曼尼的裙带上面——中间相隔有 3000

英里远。又因为康沃利斯孤立在南方，距离远隔，通信需时，所以与克林顿之间也很少联系。更有甚者，虽然一切的合作都要以海权为基础，可是在美洲水面上指挥英国舰队的阿巴斯诺特，既不受克林顿的指挥，又不受日耳曼尼的节制。4 月 30 日，克林顿曾上书日耳曼尼，对此事提出强烈的诉苦，并且说他对阿巴斯诺特中将简直不敢信赖。

此时，日耳曼尼却认为南卡罗来纳州已经被征服，而格林的部队不过是乌合之众而已，所以他于 3 月 7 日，写信给克林顿说："我怀疑你是否认清了他（华盛顿）的弱点和你自己的巨大优势。请即派相当兵力前往切萨皮克，以便气候允许时，即可以开始作战。"他的目的是想把战争推进到弗吉尼亚州之中，他假定南卡罗来纳州已经崩溃了。康沃利斯的感觉也是一样，因为他在 4 月 18 日，曾经写信给日耳曼尼，表达他的看法："我认为向弗吉尼亚进攻，实为最稳健的计划。若是成功，不仅在那里可以获得重要的成果，而且也更能确保南卡罗来纳州的安全，使北卡罗来纳州最后归于屈服。"

克林顿的观点却完全不同，他在 4 月 13 日写信给康沃利斯说："除非华盛顿也亲领大军前往，否则我是绝不可能进到切萨皮克去的。"10 天之后，他又写信给日耳曼尼说："但是我应请你原谅，在这一点我是不能同意康沃利斯的意见，他在最近的信中主张应以切萨皮克为战场，甚至不惜放弃纽约。但我却认为这一点是特别重要，要想守住加拿大和此也具有密切的关系。"这封信与日耳曼尼在 5 月 5 日所写的信在路上错过了，其内容在提及了"占领弗吉尼亚的巨大重要性"之后，又这样写道：

> 关于收复该州（弗吉尼亚）的重要性，你的意见与我的似乎是相差颇远，我认为最好是征询其他各大臣的意见，而他们的意见却又完全与我的相同，并且也曾呈请国王批准。现在我

> 再根据国王的命令，说明下述各点：收复南方各省，把征服的工作从南向北推进，实为最主要的目标。除了酌留守兵，你所指挥的全部兵力均应使用在这个任务上面。若能收复南方诸省，则叛军即将受到致命打击，虽有法国人的援助，也还是无能为力的。不久即可以获得全面的和平，而这个国家也就可以摆脱这场最令人讨厌和浪费的战争了。

当康沃利斯向威尔明顿前进时，克林顿又曾与菲力普少将——他本是伯戈因的部将之一——作过多次的谈话，这是注定了应对这次战役发生重大影响的。这些谈话与决定一个保护英国船只的基地有关。克林顿向康沃利斯建议，再没有一个地方会比约克敦更适合，并认为应用 1000 人来加以据守。此外他又提到詹姆斯河口上的旧科姆福特角（Old Point Comfort）。最后他决定派菲力普南下去增援阿诺德。于是菲力普率领了 2600 人于 3 月 14 日出发，16 天后达到了切萨皮克。此时，华盛顿早在 2 月 6 日，即已考虑到克林顿有在弗吉尼亚建立一个基地的可能性，并已决定派拉法耶特率领 1200 人进到艾尔克河（Elk）的源头处与阿诺德作战。他认为若能俘获阿诺德，则将特别有意义，而且非常有价值。

其次，当克林顿听到康沃利斯已经到达了威尔明顿之后，他又于 4 月 26 日写信给菲力普，指出这个意料之外的行动已经使事态日益增加其复杂性，所有向北的行动都可能要因此而放弃。此外，在克林顿已知康沃利斯行动之前，他还希望康沃利斯能从卡罗来纳抽出相当部分的兵力，以从事于切萨皮克的作战。同时，克林顿又写信给菲力普，说自己要派一个支队的兵力给他，以便使他有够强大的力量来与康沃利斯在卡罗来纳合作作战。他又突然地转向另一个完全不同的作战，假使它能成功，其结果将具有更大的决定性。这就是把战争移转到弗吉尼亚、马里兰和宾州去，并征服那些地区。他说：“据我看，这些地区的人民都是友善的，所以我认为这个试验现在是可以一试了。”

此时，正在威尔明顿附近宿营的康沃利斯，也提出一个类似的建议，他在4月10日也写信给克林顿说：“因为还完全是在黑暗之中，所以关于夏季的作战问题，我极盼望能获得你的指示。我也不能不把我的愿望表达出来，切萨皮克可能会变成战场，甚至必要时不惜放弃纽约。除非能占领弗吉尼亚，否则我们要想守住卡罗来纳也就会非常的困难，且不说它是非常的危险。”上文已经说过，他于4月18日，也曾把这个观点直接告诉了日耳曼尼。以后在4月23日，在一封写给克林顿的信中，他又暗示地提出与菲力普将军会合之说，次日又报告克林顿，说他决心与克林顿会合，同时又把他写给菲力普的一封信抄了一个副本给克林顿，其内容是说：“利用我这里所附的密语，把一切的情报送给我，并请尽量设法使我们的会合可以便于完成，其地点应该是在彼得斯堡（Petersburg）的附近。”

因为要想获得克林顿的回答将需要几个星期的时间，所以当他决定之后，康沃利斯开始做长达223英里的行军，以求与菲力普和阿诺德会合在一起。他于5月20日达到了彼得斯堡，才知道菲力普已在5月13日害热病死亡了。他于5月24日，在那里获得了克林顿与菲力普的“谈话”抄本，还有4月26日克林顿写给菲力普的信，以及3月10日给予他的训令，其内容是说：假使不必冒险，菲力普应去占领约克敦或旧科姆福特角。此时，克林顿并不知道康沃利斯已经北上，他在5月20日写信给日耳曼尼说：“假使康沃利斯坚持其与菲力普少将会合的意图，则我对于南卡罗来纳的每部分，除了查尔斯敦以外，甚至对于佐治亚州，都感到很不放心了。”5月22日，他又写信表示他的信念说：“这样的一个行动，会使南方各省得到最坏的后果。”其次当他收到了康沃利斯在4月24日所发出的信，于是克林顿在5月29日回答说：“假使你希望与菲力普少将会合，则我是非常不放心，除非有一支援军能够迅速赶到南卡罗来纳，否则其后果将不堪设想。”接着又补充说：“我已经强烈地要求阿巴斯诺特注意切萨皮克，并曾经一再地告诉他，此地若为敌人占领，即令只有 48 个钟点，你的作战都会暴露在最严重的危险之下。”

当分析上述的这些通信时，应该记着在收发之间所隔的时间不是几天，而常是以星期计算。所以这些信件的来往，其目的本来是为了帮助作战的，结果却反而是愈帮愈忙。事实的真相是在这场战争中，根本就没有一个真正的总司令。康沃利斯实际上是独立自主的，所以他应该自己做决定，可是他却未能认清这一点。

当康沃利斯进入彼得斯堡之后，他共有兵力 7000 人，而拉法耶特则率领了 1200 人从里士满（Richmond）监视着他。后者曾奉有格林将军的训令，负责指挥在弗吉尼亚境内的全部美军。但是全部兵力也还是太少，所以如拉法耶特自己所说的，他所能做到的只是游击而已，而不敢做过分的缠斗。到了 5 月 27 日，他撤出了里士满，向弗雷德里克斯堡（Fredericksburg）转进。其目的是想把康沃利斯向北吸引，而同时也增强其自己的实力。康沃利斯也认清了自己的力量不足以征服弗吉尼亚，他决定在逐退敌军并将里士满附近的一切储存品毁去之后，即转进到威廉斯堡（Williamsburg）。他写信给克林顿说：“在我尚未获得你的确实消息之前，将尽量避免与敌纠缠，以免妨碍你的战役计划。在目前，我是想去约克敦。反对去普利茅斯的理由是它无法增强防御，也不能保护船只。”于是他渡过了詹姆斯河，在怀特奥克地（White Oak Swamp）附近宿营，从那里他缓缓地随着拉法耶特前进，于 6 月 1 日达到了汉诺威交点（Hanover Junction）的附近。6 月 4 日，他命令西姆柯（Simcoe）和塔里顿率领他的骑兵部队，毁灭在夏罗兹维尔（Charlotteville）的美军储存物资，并几乎俘获了杰斐逊。14 天后，当他听到韦恩（Wayne）已经率领了 1000 人来增援拉法耶特，于是退回艾尔克河，取道里士满，向威廉斯堡前进。他的敌人也在后面追随着，他们并已获得施托伊本的增援。

康沃利斯于 6 月 26 日到达了威廉斯堡，发现有一封克林顿在 6

月 11 日写给他的信在那里等候着，内容是告诉他，华盛顿正要开始围攻纽约，要求康沃利斯派 3000 多人到该城去增援。若是抽调这样一支大的军队，康沃利斯即无足够的兵力来据守约克敦和格洛斯特（Gloucester），所以他决定退往普利茅斯，从那里可以安稳地向南进发。6 月 30 日，他向克林顿报告说：罗登勋爵已经病了，他愿意退到查尔斯敦。这就等于是放弃了弗吉尼亚战役。

康沃利斯并不等待克林顿回信的到达，因为那还需要许多天，他立即从威廉斯堡进到詹姆斯敦（Jamestown）取道向普利茅斯进发。7 月 6 日，追击他的拉法耶特在格林斯普林斯（Green Springs）为英军后卫所重创，照塔里顿的意见，假使康沃利斯当时能命令全军都转过身来迎敌，则拉法耶特的兵力可能会全部被歼灭。可是除了塔里顿曾向贝德福德（Bedford）做一次长距离突袭以外，在下一个月之中，就完全是在书信来往中度过。

7 月 8 日，克林顿又写信给康沃利斯，说他所要求的那 3000 人可以不必派遣了，请占领旧科姆福特角以来确保汉普顿道路。在同一天内，康沃利斯也写信给克林顿，建议放弃这次战役。7 月 11 日，克林顿写信给他，指出在切萨皮克为海军占领一个据点是具有绝对必要性的。其结论是说：“我要求你不要再浪费时间，立即去视察旧科姆福特角，并加以设防。”第二天，现在代替了阿巴斯诺特的海军将领格雷夫斯（Graves）也提出相似的要求。于是当克林顿收到了日耳曼尼在 5 月 2 日所发的信——其内容是命令他坚守弗吉尼亚——和康沃利斯在 6 月 30 日所发的信之后，他又于 7 月 15 日写信给后者说，当他听到他已经渡过了詹姆斯河并退往普利茅斯时，心中十分恼怒。他又说：“这是我的坚决主张，已经占领了切萨皮克之后，决不再撤出。”此时，康沃利斯又派了一个工程人员萨瑟兰中尉（Lt. Sutherland）去视察旧科姆福特角。他的报告认为它不适用，康沃利斯又写信格雷夫斯说：“我将立即占领约克敦和格劳斯特的据点，并加以要塞化。”次晨他又把这个决定通知克林顿。

在 1781 年，位置分别在约克河南北两岸的约克敦和格劳斯特，都只是村落而已，前者约有 60 家房屋，后者只有 20 家。当康沃利斯将上述的信件发给克林顿之后，他就开始向这个方面进发。

弗尔特斯纠对于这些通信曾做下述的评论：

> 事实上，克林顿、康沃利斯和日耳曼尼都是赞成在中部殖民地发动一次战役的。克林顿希望等待援兵到达，并且有一个掩护性的舰队，而在同时也应确保一个海军基地。康沃利斯主张撤出纽约，把英军的主要基地移到切萨皮克，并在那里立即展开战役。日耳曼尼根据其自己的幻想，希望两者可以兼得。

结果又是重蹈 1777 年的覆辙，当时日耳曼尼也是同时赞成两个不同的计划，而终于造成了萨拉托加的惨败。

华盛顿的主张还是要把英国人赶出纽约去。他的主力位置在怀特普莱恩斯（White Plains）上，支援他的有四个强大的步兵团、一个炮兵营和法国兵团（Duc de Lauzun's Legion），由罗尚博中将指挥。法国兵团在 1780 年 5 月 2 日由法国出发，于 7 月 11 日在罗得岛新港下船登陆。

虽然这支法国的援兵是极受欢迎的，但它并不能解决华盛顿的主要困难——海军支援。到了 1781 年 5 月初，当法国海军将领巴拉斯伯爵（Adm. Caunt de Barras）率领了一个小型的法国舰艇支队，驶入了新港之后，华盛顿才算是如释重负。虽然这支兵力立即被封锁在港内，但他却带来了一个好消息，说格拉斯将军（Adm de Count Grasse）已经率领着一支强大的舰队从法国动身了。

主要的海战是发生在小安的列斯群岛（Lesser Antilles）的附近，法国人的战略目标，与其说是帮助美洲人，毋宁说是为了要夺取不列颠的糖业贸易。

1779 年 11 月，罗德尼将军（Adm. Sir George Rodney）奉派

指挥背风岛（Leeward Island）的基地，到了1781年1月，胡德少将（Rear-Adm. Sir Samuel Hood）在圣路西亚又领了8艘战舰参加在一起，使其舰队的实力增到21艘。2月3日，罗德尼迫使圣欧斯塔夏斯岛（St. Eustatius）投降，在那里获得了大量的战利品，估计价值300万英镑。3月17日，他命令胡德率领17艘船只，把4艘法国船封锁在福特罗亚尔湾（Fort Royal Bay）中。4月28日清晨，胡德在那里看到1艘巡洋舰在该岛的最南端出现，于是发出“发现敌人”的信号。到了正午时，胡德已经获得确实情报：法军舰队共有战舰20艘——包括1艘110门炮的和3艘80门炮的——此外共有船只150艘。这就是格拉斯所率领的主力舰队，他们于3月22日离开布勒斯特出发。

4月29日，双方舰队开始做长程的战斗，此时在福特罗亚尔湾中的4艘法国军舰也乘机溜走了，于是使格拉斯占了7艘船的优势。虽然如此，格拉斯却并无做近距离战斗的意图，结果到了4月30日，胡德开始向北撤退，5月11日，在圣基茨群岛（St. Kitts）与安提瓜（Antigua）之间与罗德尼会合在一起。5月6日，格拉斯在福特罗亚尔湾投锚。对于罗德尼和胡德而言，这真是一件憾事，主要是英国海军部太懒惰，假使对于布勒斯特能有比较严密的监视，在格拉斯到达之前，罗德尼应能事先获得警告。这样他就会趁早与胡德联合在一起，便可把格拉斯击败了。

5月9日，格拉斯对圣路西亚做了一次流产性的攻击，5月23日，他迫使多巴哥岛（Tobago）投降。再经过了一些没有目标的运动之后，于6月18日，他又返回福特罗亚尔湾。

7月5日，有一艘轻巡洋舰来报告罗德尼：格拉斯率领了27艘战舰和接近200艘准备返国的商船，已经从福特罗亚尔湾中驶出来了。于是他立即派了单桅船到纽约和牙买加（Jamaica）去，报告有关当局关于格拉斯行动的消息。同时因为他自己健康不佳，所以罗德尼也决定回国，命令胡德准备率领其大部分舰队向纽约进发。照罗德尼的判断，格拉斯会使用一支强大的支队实行护送商船返国，从圣多明各的弗朗西斯角（Francis）出发，所以留在北美海面上作战的战舰，不会多于14艘。假使他把14艘战舰留给胡德指挥，那么一旦与在纽约的格雷夫斯会合在一起，其联合兵力即足以击败格拉斯。他就决定采取这个办法，自己率领了其余的舰队，护送商船150艘返回英国。这真是一个极不幸的决定。

7月16日，格拉斯已经从弗朗西斯角出发。在那里他获得华盛顿和罗尚博的紧急要求，请他把舰队开往沙湾或切萨皮克。他立即命令船队暂缓出发，他一方面装载了3000名战士和一些火炮，另一方面先派“协和”号（Concorde）送信给罗尚博、华盛顿和巴拉斯，告诉他们说他决心来支援。此后，他就取道旧巴哈马水道（Old Bahama Channel）向北进发——这是一条生疏的航线。

8月3日，当胡德还在安提瓜的岸边时，他接到了克林顿和格雷夫斯在6月28日所发出的通信，告诉他从截获的敌方信件中，他们得知格拉斯假使不能在飓风季节之前，则至少在飓风季节之中会集中一切可能集中的海陆军兵力出现在北美洲的海岸上。毫无疑问，他会对纽约做一次联合性的攻击，所以他们要求英国舰队应立即北上。当胡德获得了这个要求之后，他遂于8月10日向美洲海岸进发。

当华盛顿从巴拉斯方面得知格拉斯已经在启程返回法国时，他立即离开了他设在新温莎（New Windsor）的司令部，于5月22日在魏勒斯费德（Weathersfield）与罗尚博会晤。他们共拟了一封信给格拉斯，先送到弗朗西斯角去等候他的到达。他们建议格拉斯，或者是驶向沙湾以支持对纽约的攻击，或者是驶向切萨皮克。华盛顿赞成前者，而罗尚博则略有疑问地赞成后者。第二天，他们把信送给吕内尔尼骑士（the Chevalier de la Luzerne），要他转交格拉斯。但是疑惑似乎还是存在着，6月1日吕内尔尼写信给罗尚博说：

拉法耶特侯爵和格林将军的情况非常的危急，因为康沃利斯勋爵已经与切萨皮克的英军会合在一起。假使对于弗吉尼亚不及时加以援助，则英军可能会达到他们所指定的目标，那么不久他们就可以真正地征服南方诸州了。

同一天，华盛顿写信给格林说：

最近我曾与罗尚博在魏勒斯费德会晤。我们曾从各种不同的观点上来对于我们的战事做十分注意的讨论。最后决定以现有的兵力企图攻击纽约而暂不在南方作战，因为我们对于海洋尚无决定性的控制。

5 月 27 日，华盛顿又上书给国会的议长，报告他纽约作战已经迫在眉睫了，但是这个传骑却不幸为英国人所俘虏。克林顿方知道情况紧急，遂要求康沃利斯送一部分兵力来援救纽约。这就是其于 6 月 11 日所发信件的来源。

其次在 6 月 13 日，华盛顿又接获了罗尚博在 6 月 9 日所发出的信件，报告他已经获得了格拉斯的消息，并且说大约在仲夏时可以希望格拉斯到达美洲海面。同时从拉法耶特方面，华盛顿也知道康沃利斯毫无疑问地已经放弃了北卡罗来纳州。这些发展使联军的指挥官对于如何利用这个即将到达的舰队，以及如何配合其陆上的兵力以来收复南方等问题，不能不加以考虑。

在收到了罗尚博有关格拉斯即将到达消息的信件之后，华盛顿对其回答如下：

就目前的环境而论，纽约实为我们唯一可以实际达到的目标。但假使当我们能确保海军优势之后，则又可能找到其具有较多实际性和相等价值的目标了。假使巡洋舰尚未离去，我希望你能将此事向格拉斯加以解释。我在从魏勒斯费德发给公使的信中，曾经要求他催促格拉斯率领全部舰队开来，最理想的目标为沙湾，若是英国舰队不在那里，则他可以追随他们向切萨皮克进行。

因为这封信的含意是模糊不清的，所以在7月20日，罗尚博要求华盛顿确定一个具体的“战役计划”。华盛顿遂提出了三点建议：(1)假使克林顿增援康沃利斯，则应攻击纽约；(2)假使康沃利斯增援克林顿，则应攻击弗吉尼亚；(3)假使条件有利，应围攻查尔斯敦。

直到8月1日为止，他始终坚持着第一个意见，他认为在这一天，对于纽约作战的一切准备均应完成。但是美洲各州却未能出力支持他，其所要求的兵力还未能达到一半的数量。华盛顿只好改变初衷，又考虑到南方的作战。他向主要的商人询问，一旦要改变计划时，他们在什么时候可以拿出多少船只来以便将兵力南运。

8月11日，他听到克林顿已经获得2880名日耳曼战士的增援，三天之后，他又接到巴拉斯的来信，说8月3日格拉斯已经从弗朗西斯角出发，约有战斗舰25艘到29艘，载有陆军3200人，向切萨皮克湾进发。现在形势变得十分紧张，华盛顿必须完全放弃其进攻纽约的设想，改把法军和美军之一部分送往艾尔克河口，再转往弗吉尼亚，以与西印度群岛开来的部队合作为目标。次日他写信给拉法耶特说：“若可能应阻止康沃利斯向卡罗来纳退却。”第二天又获得拉法耶特的报告，得知康沃利斯于8月6日在约克敦和格劳斯特登陆。8月17日，华盛顿和罗尚博联名写了一封信给格拉斯，告诉他一支法美联军已经决定向切萨皮克进发，要求当他到达之后，即将所有能抽出的运输船送到艾尔克河口，以接运法美联军的部队南驶达到海湾边。

现在最重要的是速度，一切的准备都必须迅速，这是革命战争

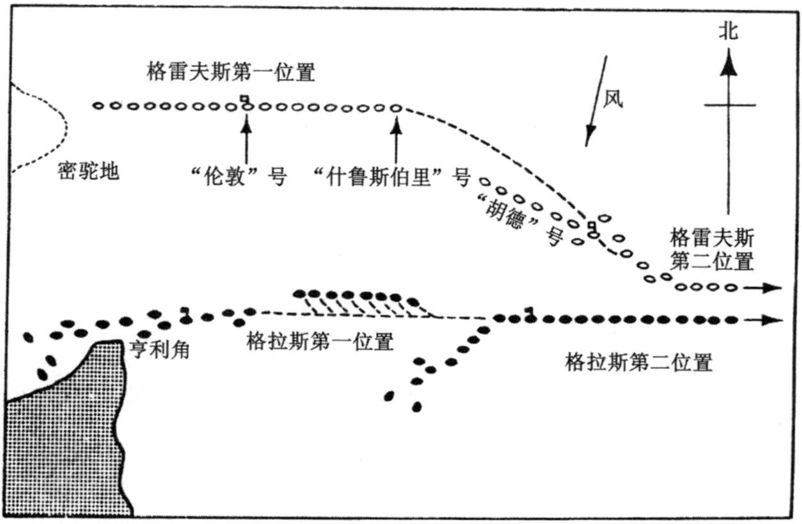

图十九　切萨皮克会战，1781 年

中最著名的一次行军。

希斯将军（Gen. Heath）率领了 3000 多人，留在西点（West Point）应付克林顿的 1.6 万名英军。8 月 20 日星期一，联军（美军 2000 名，法军 4000 名）开始在西点以南约 12 英里处的金斯费里（King's Ferry）渡过了哈德孙河。从那里采取一种巧妙的进军路线，使克林顿相信这支兵力是以斯塔恩岛为目标，其目的是想从南面威胁纽约。[1]

第二天，华盛顿发了一个“通传各州”的文件，说明他的计划。他说这一战有很大的机会，可以使在南方的英军全部歼灭，打消他们一向所夸说的远征行动。于是联军开始做这个长达 400 英里的行军，美军采用沿河的路线，法军则经过北塞（Northcastle）、派思桥（Pine's Bridge）和克隆朋德（Crompond）。

[1]　连美军本身也同样不知道真正的目的是什么，所有人员都感到十分的奇怪和好笑。

8 月 29 日，美军露营在不伦瑞克（Brunswick），法军则在布良旅馆（Bullion's Tavern）。现在已经无法再隐匿其意图了，于是行动才开始公开。第二天，华盛顿和罗尚博并骑在部队的前头走，率领大军进入了费城，受到了人民的普遍欢迎。因为还未听到格拉斯的消息，所以华盛顿于 9 月 2 日，写信给拉法耶特说：

> 我亲爱的侯爵，因为还没有获得格拉斯伯爵的消息，使我感到无可形容的焦急，我害怕英国舰队在占领了切萨皮克之后，即足以使我们的计划全盘失败。假使你能在任何方面获得消息，我要求你用快马送给我，我已经焦急不堪了。

9 月 5 日，当华盛顿的部队在艾尔克河口暂停时，终于听到了格拉斯安全到达切萨皮克湾的消息。他一共有 28 艘战斗舰、4 艘巡洋舰，载着 3000 名陆军士兵。联军部队离开费城向艾尔克河口进发，于 9 月 18 日用船运往切萨皮克，在威廉斯堡附近登陆，到了 9 月 26 日，华盛顿、罗尚博和拉法耶特的兵力都已集中在一起。

8 月 27 日，在格拉斯尚未到达的前三天，胡德将军在其往北航行的中途上，开入了切萨皮克湾，因为没有听到格拉斯的消息，所以又继续向纽约前进。在那里他与格雷夫斯会合在一起，后者所指挥的只有 5 艘战斗舰。格雷夫斯也不曾听到格拉斯的消息，但只告诉胡德说，在前一天，巴拉斯已经率领了 8 艘战舰和 18 艘运输船从罗得岛出海了。因为不知道海上交通线已经受到了优势兵力的威胁，9 月 30 日，两支兵力会合在一起，由资深的格雷夫斯指挥，又向切萨皮克进发，以拦截巴拉斯。可是太不幸了，格拉斯已于前一天驶进了切萨皮克湾。

格拉斯立即命令 3000 名士兵登陆，这是由圣西蒙侯爵（Marquis de St. Simon）指挥的，然后又命令他的运输船去接运华盛顿的兵力。接着，他投锚在林黑文湾（Lynn Haven），其地在亨利角（Cape

Henry）的正西方，又在查尔斯角（Cape Charles）的南面，相隔约10英里，中间是一道浅水，称作“密驼地”（Middle Ground）。9月5日上午8时，放哨的巡洋舰报告有一支舰队来到。格拉斯最先以为是巴拉斯，但不久报告又发现了有19艘战舰，于是他立即认清了必定是格雷夫斯的兵力。

正午退潮时，法国军舰开始起锚，因为要绕过亨利角，所以很慢才能排成阵线。当时英军方面由胡德指挥前卫，他认为应乘敌人行列尚未整齐之前即开始攻击。他说：“不久以后，他们开始形成了一条战线，但却还不够整齐和连续，这正是使英军获有一个开始进攻的最好机会，但却未能利用。”依照柯贝特（Corbett）的意见，也认为胡德的批评是正确的。因为格雷夫斯不但不曾下总攻击令，而且继续观望，与敌人采取平行的战线。不过格雷夫斯自己的辩论又自不同，他说：“我的目的是想逼近敌人，达到平行的位置，然后一起发动攻击，所以我一直前进，直到前卫过分接近‘密驼地’的浅水，有危险发生时才停止。”他发出信号，命令全部舰队向下风方向行驶，换成与敌人同一方向，而胡德的兵力变成了后卫。这是下午1时。一小时后，法军的前卫正在格雷夫斯的旗舰“伦敦”号的正南面，相距约3英里，并与英军的中央部分平行。为了想使敌人与其前卫平行，格雷夫斯在2点30分又命令他的前卫船“什鲁斯伯里”号（Shrewsbury）再向右舷接近敌人。

7月2日阿巴斯诺特回英国去后，格雷夫斯即继续使用其信号和训示，而同时又增加了自己的信号，胡德和他的军官可能对这样复杂的信号还没有足够的时间来学习熟练。现在同时打出了两种旗号：一是“接近战斗”，一是“跟进”。结果英法两方的前卫发生了战斗，而英军的中央和后卫却跟进，而不接近敌人的中央和后卫部分。这是下午3时45分，只有前卫在交战，而双方舰队的其余部分则都在旁观。最后到了下午4时27分，英军才把跟进的旗号撤消，于是胡德所部才开始向敌人接近，可是法军却故意避免进行接近的战斗。到了日落时，这次会战结束了，英军死了 90 人，伤了 246 人，法军只伤了 221 人。

那天夜间，格雷夫斯努力恢复其内在的秩序，准备次日上午再度进攻，但是 9 月 6 日全天无风，而在七八两日中，法军又是拒绝交战。所以在 9 月 9 日，胡德认为格拉斯必另有企图。次日，格雷夫斯知道巴拉斯的舰队也到达了，带来了 8 艘战舰和攻城炮及补给品，这都是围攻约克敦时所必需的装备。由于敌军实力增强，格雷夫斯于 9 月 13 日召开一个作战会议，决定退回纽约，并于 9 月 19 日回到该地。

这次本身胜负未决的会战却决定了康沃利斯的命运，在世界战史中也应算是一次决定性会战。

不管对于格雷夫斯的失败做怎样的分析，这却是无可否认的，最大的失败原因有二：（1）为罗德尼最初的失算，没有猜到格拉斯的可能行动；（2）为胡德在会战中的死硬头脑。[1] 照格雷夫斯看来，这次失败的主因是因为他的部下，尤其是胡德这一个支队，太遵守刻板的传统，对于他的信号既不能做聪明的解释，又缺乏合理的主动精神。此外柯贝特也有下述的批评：

> 为什么胡德不能表现较多的主动精神，似乎是很难了解的。也许是因为格雷夫斯不曾听他的话而感到不愉快，所以就只机械地服从命令行事了。假使胡德能具有纳尔逊在圣文森特（St. Vincent）所表现的精神之一半，则格拉斯是否能返回切萨皮克，就是一个疑问了，如果他不能返回，则结果又将如何?

在格雷夫斯从沙湾出发的前四天，克林顿写信给康沃利斯说：“我对于华盛顿这次调动兵力的真正意图还不能明了。”三天后，他

[1] 罗德尼和胡德都对格雷夫斯没有好感。

又写道："除非华盛顿把他的兵力抽调相当数量派往南方去，否则我认为尚无增援之必要。"一直等到 9 月 2 日之后，他才明白了情况的真相，于是他又写信给康沃利斯说：

> 根据我今天所收到的情报，华盛顿似乎正在调动一支兵力匆匆地向南进发，并且希望能与相当数量的法军合作。假使真是如此，你也可以放心，我会竭尽全力把援兵派给你或是尽量做牵制的行动，以使你可以获得利益。

同一天，康沃利斯也发现了自己的危机，他用密码报告克林顿："格拉斯的舰队已到了切萨皮克湾之内。"

克林顿并未失信，曾经做过一次牵制的行动。他派阿诺德到新伦敦（New London）去，并于 9 月 6 日攻下了两个要塞。那一天，克林顿送了一封信给康沃利斯说："我想，援救你最好的方法，即为用最快的速度去和你会合在一起，我这里所能抽调的兵力约为 4000 人。他们已经上船，只等海军方面的通知，即可开船南下。"但这却是一个空洞的希望，因为切萨皮克之战已经使它成为泡影了。直到六个星期之后，这支远征军才出发。

在这个时候，康沃利斯却率领着 7000 人困守在约克敦，而拉法耶特则率领着 5000 人在一旁监视。很明显，康沃利斯可以先发制人全力向他发动攻击，在华盛顿从威廉斯堡尚未来到之前，即先将其击败。但是他不曾这样做，又不曾撤入北卡罗来纳州，所以塔里顿和施泰德曼（Stedman）都深深地责备他。甚至最迟到 9 月 16 日和 17 日，他都还有溜走的可能性，他写给克林顿的信上也提到撤退的意见。他为什么不走，其理由是很难解释的，因为他应该知道海上情况的严重性。9 月 29 日，他接到了克林顿在 9 月 24 日所发出的来信，说他希望于 10 月 5 日率领 23 艘战舰所组成的舰队出发。接着在 9 月 25 日，克林顿又告诉他舰队修理尚未完毕。到了 9

月 30 日，他又说：他希望于 10 月 12 日出发。

在这个一再的迟误之中，美军方面却正在积极地活动。9 月 17 日，华盛顿早已访问过了格拉斯，到了 9 月 25 日在华盛顿的劝说之下，格拉斯终于同意在约克敦尚未投降之前，留在切萨皮克不走，过去在 9 月 23 日，他本坚持要立即北上的。9 月 27 日，华盛顿在威廉斯堡集中他的兵力，一共有 16 645 人（美洲正规军为 5645 人，民兵 3200 人，法军 7800 人）分组成 3 个师，由林肯、拉法耶特和施托伊本分任指挥。次日，进到了距离其目标在 2 英里以内的地点。9 月 29 日，据一个无名的美洲牧师所报道："在昨夜之中，我军都枕戈待旦，预料敌人会来进攻，但是他们却并未来扰乱我们。"这个著名的围攻战开始了。

若无制海权，约克敦和格劳斯特的形势是不利于防御的，假使康沃利斯已认清海上优势在法国人的手中，则他早就应该放弃这个地区。他们的设防情形，包括天然的和人工的工事在内，根据塔里顿的记载，有如下述：

> 约克敦：右翼倚托在沼泽之上，这个沼泽掩护着该镇的右方。沼泽之外建有一个巨大的堡垒，靠近从威廉斯堡来的沿河道路，用栅栏和拒马使其连成一体。卡隆（Charon）、高达罗普（Guadaloupe）和其他的武装船只，都停泊在沼泽的对面。而这个镇中的炮兵阵地也可以控制一切的道路和栈桥。右面，在沼泽的头上，又有两个堡垒，位置分别在威廉斯堡道路的两侧。中央有一个稀薄森林的保护，其正面已经砍倒，树都倒向外侧。在中央的左方，又有一个野战工事，设有炮位，以控制汉普顿路。一个深的峡谷和一个溪流，一直流向约克河，掩护着左方。对于认为最危险的地点，都已经砍去了树木，设立棱堡和建筑炮位，从沼泽头部到溪流之间的距离，不超过半英里。在这一线的前方，大致在中央附近，地面为一个沼泽所切断。此外，地面都一律

平坦，展开到 2000 码附近。

格劳斯特：这个村落位置在约克河北面的一个点上，这时所有者约为 10 家房屋。右面为一条沼泽性的溪流。正前方为一个平原，约 1 英里宽。其前面是一片森林。因为左面有河川，右面有溪流，所以其所占的空间极为狭窄。在峡江之外的地面是开辟而已经耕种的。

在约克敦的外围本还有一道防线，当康沃利斯接到了克林顿 9 月 24 日的来信——通知他准备 10 月 5 日南下——之后，遂于 9 月 29 日的夜间予以放弃，这是一个非常愚笨的行为。第二天其就为联军所占领。华盛顿认为康沃利斯是想逃走，所以要求格拉斯进入约克河，以防止他在帕芒基（Pamunkey）和马塔波尼（Mattapony）两河之间的地区寻找庇护之所。这个要求被拒绝了。

为了使敌人难于逃走，劳曾（Duc de Lauzun）率领着他的兵团——步骑兵各 300 名——再加上 700 名陆战队，被派往格劳斯特以去增援正在封锁该地的克瓦西（M. de Choisy）。10 月 3 日，劳曾与塔里顿之间发生了一次激烈的骑兵战斗，后者被挑下马，几乎被俘。在约克敦那一方面，直到 10 月 6 日的夜间，都还是平静无事。在施托伊本将军指挥之下，联军在英军左翼方面距离约 600 码处，开始构筑第一道围攻线（Parallel）。3 天之后，炮位和工事都完成了。美军即从右面开始全面发射 24 磅和 18 磅的火炮炮弹，以及 10 英寸的迫击炮，全夜都不曾停息。次晨，法军的炮兵也从左面发射，火炮的巨大吼声连续达六七小时，从未停息。

10 月 10 日，华盛顿这样写道：

现在火力变得如此强烈，敌人把他们的火炮从炮眼中抽出，放在炮眼之间的防壁之后，全天都不曾发射一弹。在黄昏时，法军所发射的一颗火弹，烧着了 44 门炮的“卡隆”号巡洋舰，

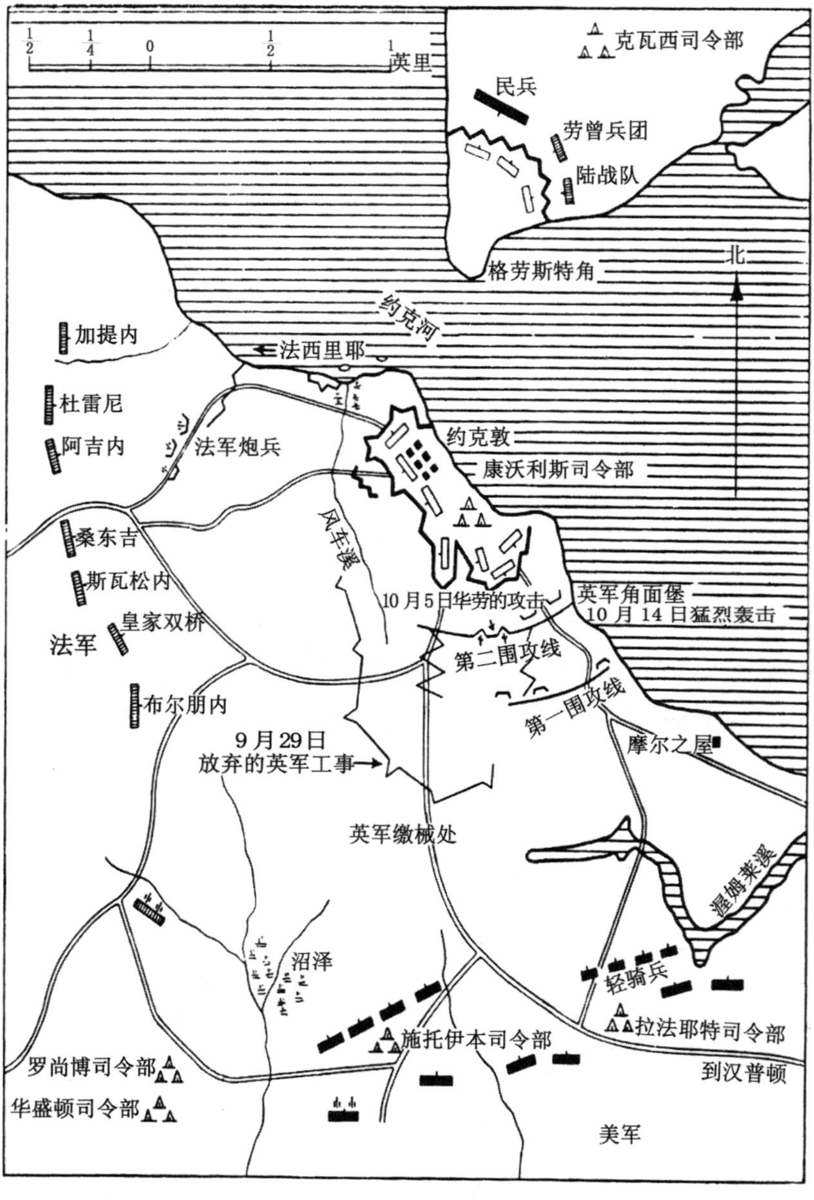

图二十　约克敦围城战，1781 年

> 将其全部焚毁。它的火炮和物资已被移出。据逃亡者的报告，我们的炮弹极为准确，在一天之内使敌军大受损伤。

第二夜，联军推进了 300 码构成了第二道围攻线，它全长 750 码，深 3.5 英尺，宽 7 英尺。有 52 门火炮从那里发射。此时，康沃利斯又接到了克林顿在 9 月 25 日所写的信，告诉他又要延期出发。克林顿建议康沃利斯应率领约克敦的守兵，渡河退往格劳斯特，并图谋突围遁去。华盛顿也害怕他会如此，依照塔里顿的看法，这是一个可能的作战。

他说："除了海军以外，陆军也有许多的小船，若能有适当的操纵，一次可以运输 1200 名步兵，若有海军的协助，则可以达 2000 人以上。所以似乎并无太多的困难，可以把大部分的兵力乘黑夜撤过河去，然后再毁去那些船只。格劳斯特并未被围，克瓦西准将仅对其加以封锁而已。"

这是康沃利斯逃走的最后机会，可是为某种不可知的原因，他却没有采取行动。在那一天（10 月 11 日）他写信给克林顿说："我们已经损失 70 多人，大部分工事都受到了相当的损失，在不利的地形上，以这样的工事来对抗如此强烈的攻击，我们不可能希望有太长久的抵抗。"

10 月 12 日和 13 日，联军仍继续炮击，因为在英军极左面的第九和第十两个堡垒控制着一条直接的进路，所以联军当局决定用突击将其攻克。10 月 14 日的夜间，法军攻击第九堡垒，美军攻击第十堡垒。它们的陷落注定了康沃利斯的命运。可是够讽刺的，在这一天他还接到克林顿的来信，在建议了许多的办法之后，结尾还是说："我希望在一两天之内即可启程。"

第二天，康沃利斯充分认清了他的败局无可挽救，但他却不愿不战而降，所以命令一个 400 人的支队去突击美军的两个炮位。他们的表现固然很英勇，但却无补于大局。最后在 10 月 16 日，迟了一个星期，他才决定放弃约克敦，把所能带动的部队都送到格劳斯特去。夜间 11 时开始上船，当一部分兵力已经渡过之后，突然风暴大作，吹散了船只，使撤运工作不能不停止。塔里顿说：“英军最后的希望均已断绝了。”

10 月 17 日，正是伯戈因在萨拉托加投降的纪念日，上午 10 时，在白旗掩护之下，一个穿红衣的鼓手站在约克敦左面的防壁上，敲打出“请求谈判”（Parley）的鼓声。诚如约翰逊（Johnson）在他的《约克敦战役》一书中所说的，康沃利斯真是一位伟大的人物，因为“他似乎是公开承认英国在美洲的统治已经告以结束，并宣布这个‘叛变’的革命已经成功了”。炮火停息了，不久，康沃利斯方面就把下述的要求送达华盛顿：

“我建议停战 24 小时，双方都指派军官两人，在摩尔先生（Mr. Moore）的房屋中会晤，共同议定投降的条件。”以后又有一封长信，要求以不再向联军作战为条件，希望能允许英军归还英国，日耳曼人归还日耳曼。华盛顿还记着萨拉托加投降后所惹起的麻烦，表示不能同意，要求所有官兵投降后，均照战俘身份加以收容。英军方面同意，围攻战遂告以结束。

英军投降总数为 8077 人，其中陆军 7157 人，海军 840 人，随营者 80 人。在围攻中，英军死了 156 人，伤了 326 人。联军方面，死 75 人，伤 199 人，其中三分之二又都是法国人，所以对于美军而言，才真是一个以非常廉价的代价获取的胜利。

10 月 19 日，当英军缴械时，他们在进行投降仪式时配着一首曲子，叫作“世界翻身了”。英军在沉默中把他们的兵器堆积起来，充满了悲哀。

10 月 20 日，康沃利斯向克林顿发出了最后一封信。华盛顿又要求格拉斯进一步去援救查尔斯敦。可是格拉斯拒绝了，因为他必须返回西印度群岛。四天之后，华盛顿的副官狄尔曼上校（Col. Tilghman），纵马驰入费城，报告胜利的消息。此时，克林顿也达到了查尔斯角和亨利角的海外——但已经迟了五天。他现在无事可做，遂又返回纽约。

在整个战争中，这次战役实为胜负的关键，此后双方经过了长时间的谈判，终于在 1783 年 11 月 3 日签订了《凡尔赛条约》。依据这个条约，美国正式独立，从此十三州具有了无限的权力，可以向西发展了。西方世界中增加了一个新的大国，其所具有的势能超过了所有欧洲国家的联合力量。一个新的帝国，一种新的帝国主义诞生了。不过一个多世纪的时间，它置身在世界上最大强权之林，再过了半个世纪，其所具有的财富和威力更独步世界。

更重要的，美国独立战争也使“宗教改革时代”（the Age of the Reformation）从此告以结束。开始创立这个时代者为马丁·路德及加尔文，使其发扬光大者为三十年战争和英国的清教徒革命，而洛克（John Locke）的门徒托马斯·杰斐逊所草拟的《独立宣言》，却是其最后表现。这个开创新时代的文件中有一段说：

> 我们深信这些真理是不证自明的：所有的人在出生时都是平等的，他们的造物主曾经把某些不可转让的权利赋予他们，其中有生命、自由和对快乐的追求。为确保这些权利，人们才在他们之间建立了政府，其合理的权利是从被治者同意中而获得的。所以无论任何形式的政府，若是有损于这些目的，则人民有权改变它或取消它，并建立新政府。建立政府的基本原则和其权力的组织形式，都应以人民认为最能增进其安全和幸福者为标准。

这不仅是向英格兰国王的政府挑战，而且也是向整个西方世界的专制主义挑战。当 1777 年 12 月 6 日，路易十六批准法美同盟时，实无异为其自己的死刑执行令签署，而当西班牙加入战争时，也就无异于自毁其殖民帝国。

使法国革命获得生命来源的地方是在美国，而不是在法国。法国军人从美洲把自由、平等、博爱的种子带回了他们的家乡。青年的圣西门（Saint-Simon）把他对于这次战争的印象综合起来，大声疾呼说：

> 我认为美国的革命代表一个新政治时代的开始；这次革命足以使全部的文明获得一个重要的进展，不久，欧洲现有的社会秩序都将发生极大的变化。

大仲马（Mathieu Dumas）也说：

> 我们倾听着“库珀博士”（Doctor Cooper）的讲演，他除了称赞我们对于自由的热爱以外，并且还向我们说：“青年人们，要小心，要小心，在这个处女地上的自由胜利，对于你们的希望，并不一定能有多大的影响。你们可以把这些种子带回去，因为已经经过许多世纪的腐化，你们要想使这些种子在你们故国的土壤上滋长，那么你们必须要克服更多的困难。我们在争取自由时，已经付出了大量的鲜血来当做成本。可是当你们要想在你们的旧欧洲为自由建立基础时，则更必须不惜血流成河才能成功。”

大事记（十一）

法国革命的来临

虽然使法国革命开始发动的力量就是美国的革命，可是以 1789 年的情况而论，也许再没有两个国家会像当时美法两国那样不相似的。前者是一个巨大而尚未开发的国家，对于一个具有自由、民主心灵的民族，有足以贡献无限的机会。后者是一个古老的君主国家，一向受着特权和传统的拘束。在美洲，租税（为 1775 年叛乱的主因）是由人民来决定的；在法国却由国王来决定，并且由第三阶级（Third Estate）来担负——换言之，即除了贵族和教会以外，都要纳税。尽管法国的繁荣日益增加，可是这种由于不平等所引起的怨恨，不特不曾减轻却反而更受刺激而高涨。财富增多了，国债和税额也随之而增加。结果受害最重的还不是赤贫的无产阶级，而是小康的中产阶级，他们也正是财富的生产者。他们要求应有的社会正义和对于国事的指导能占一席之地位，结果才造成了法国的革命。

参加美国的独立战争，势必要筹措战费，于是法王路易十六（1774—1792 年在位）求教于他的财政顾问，热那亚的银行家内克（Jacque Necker）。内克主张避免增税，而用发行公债的方法来维持财政的支出，可是以后公债发得太多了，为了付利息而不能不加税。

据说路易十六的祖父路易十五曾经说过："在我死之后，将有洪水（Après moi le déluge）！"使他这个预言不幸而言中的就是公债，它实为洪水的来源。

1781 年，内克被免职，不久以后，他的位置由卡隆（Charles Alexandre de Calonne）所代替。为了应付危机，卡隆就劝路易召开显贵（Notables）会议——由贵族和教士的代表所组成。他们在 1787 年开会，但当他们发现卡隆的财政改革计划有损于他们的特权时，他们遂拒绝通过。其次，在 1788 年 8 月 8 日，路易在无可奈何之下，听信了巴黎最高法院的劝说，决定于次年召开三级会议（States General）。他们自从 1614 年起从未再开过会。[1]

人民所要求者为一个君主立宪制度，希望他们的代表能定期集会，并保有权限。当 1789 年 5 月 5 日，三级会议代表在凡尔赛举行第一次会议时，他们心中所持有的即为这种观念。

第三阶级的代表们拒绝分坐，并邀请贵族和教会代表与他们共同讨论，因为他们之间很少有人愿意屈尊。到了 6 月 10 日，第三阶级的代表们就自称为"国民会议"（National Assembly），而独立成为一个组织。10 天之后，在著名的网球场（Tennis Court）中，他们宣誓：除非拟定一部新宪法，否则决不解散。为了安抚他们，路易命令所有的特权阶级代表都加入与平民代表在一起开会。但是同时为了防患于未然，他又命令布罗伊公爵（Duc de Broglie）在凡尔赛集中瑞士和日耳曼人的部队以充宿卫。此外又再度罢免内克，这是他在不久之前又召回任用的。

巴黎的资产阶级一向认为内克是唯一可以使经济复兴的干才，所以这个措施使他们大为不满。于是资产阶级的支持者——巴黎的群众开始暴动。7 月 14 日，群众攻击巴士底（Bastille）监狱，并杀害它的守兵。当这个消息传到宫中时，路易喊着说："这是一个巨

[1] 路易十五曾经把巴黎最高法院取消，等到路易十六即位时，又重新召开。

大的叛变！”里昂库尔公爵（Duc de Liancourt）回答他说：“不是的，陛下，这是一场伟大的革命！”

这次暴动的直接效果是三度起用内克，并成立了一支“国民卫队”（National Guard），由拉法耶特侯爵指挥。

为了能取信于民，8月26日，国民会议发布了一个宣言，定名为《人权宣言》（*The Rights of Man*），内容与美国的《独立宣言》极为相似。路易犹豫不决，未加以批准。于是在10月5日，拉法耶特率领一小队的“国民卫队”，把皇族中人从凡尔赛押解移入首都之内，后面有许多的群众跟随着，不断地高呼怒吼。此时，国王的幼弟阿图瓦（the comte d'Artois）已随第一批王党的逃亡者（émigrés）出国，他立即开始进行推翻革命的阴谋。他们阴谋与外国合作，遂成为最后导致战争的主因之一。

这个国家财政已经破产了，由于奥顿主教（the Bishop of Autun）——他是内克女儿的爱人——的建议，国会开始进行宗教改革，以便没收其巨大的财产。国会宣布以后主教和教士都必须由人民代表选举。其次，米拉波（Mirabeau）主张发行一种以土地为担保的纸币，以代替没收教会的土地。但是内克却乘机骗到了大量的教产，宣称将来用金银为偿付。当诺言无法兑现，内克逃走出国。结果在米拉波主持之下，终于发行了土地货币。

这个反宗教的国会使路易感到深恶痛绝。他说：“我宁可做梅斯的国王，而不愿依照这种条件来做法国的共主。”结果是当新法施行不久，他就决定逃走。他不听米拉波的建议，并不逃往忠于王室的诺曼底或布列塔尼，而逃往梅斯，想与那些逃亡者会合在一起。他的王后，玛丽亚·安托伊内特（Marie Antoinette），也热烈地做此主张。她是玛丽亚·特蕾西亚的女儿，为奥国皇帝利奥波德二世（1790—1792年在位）的姊妹。

6月20日到21日的夜晚，路易和他的家人躲过了守兵的注意，向通往蒙梅迪（Montmédy）的道路逃走。中途为人所发现，在瓦伦（Varennes）被拘捕，押回了巴黎。当这个消息传到奥国，利奥波德就宣称：拘捕国王一事是直接冒犯了所有其他君主的荣誉和任何政府的安全。8 月 27 日，他与普鲁士国王腓特烈 · 威廉二世（1786—1799 年在位），联名发布了一个《庇尔尼茨宣言》（*Declaration of Pilnitz*），这两位国王宣布将联合其他欧洲的统治者，共同支持路易。利奥波德事实上是不怀好意的，在这个宣言尚未发布之前，他曾与腓特烈 · 威廉共同商定了一个瓜分法国的计划。奥国获得阿尔萨斯和洛林，普鲁士分得于利希（Jülich）和贝格（Berg）两个公国，并在筹划中的波兰瓜分案内可以分享一部分。

9 月 14 日，国民会议已经制定了新宪法，遂自动解散，代替它的为新宪法中的立法会议（Legislative Assembly）。它于 1791 年 10 月 1 日召开第一次会议。

这个新国会的领导权落入一群年轻的中产阶级狂热分子的手中，他们号称吉伦特派（Girondins），因为多数人都是来自吉伦特（Gironde）省的。他们激烈反对逃亡者：利奥波德和玛丽亚皇后。因为在法国的东面边界上有少数逃亡者的兵力集结着，所以他们认为这是一种侮辱，同时也感到畏惧，遂主张用对奥国作战的手段来统一国内，并强迫路易摊牌。

12 月，这种备战的热心使法国人把沿着法国东疆的部队分组成为三个军团，北方军团由罗尚博指挥，中央军团由拉法耶特指挥，他们两人都曾经参加过美国革命战争。莱茵军团则由鲁克纳元帅（Marshal Nicolaus Luckner）指挥，他是一个年老的日耳曼骑兵军官。这就是最初的法国革命军。

巴黎的报纸刺激人民的感情，使他们趋向好战的方向。在雅各宾的修道院[1]和国会中，布里索（Brissot）也鼓动对于宫廷的

[1] 当国会移到巴黎时，第三阶级的某一部分代表，在雅各宾修道院中租了一间大房子，作为集会之所。这就是这个著名的革命党派命名起源。

仇视心理，并宣传战争的必要。不仅是因为要团结人民，而且要使他们服从国会的意志，所以需要战争。诚如塞加勒（Hérault de Sechelles）所说的："在战时可以采取某些措施，若在平时则似乎太严峻了。"——这也就是恐慌时代即将来临的先声。

当巴士底监狱被攻击时，在欧洲还不曾产生组织十字军以援救法国的念头。当时各国王室所注意的问题是波兰而不是法国的革命。1792 年 3 月 1 日利奥波德逝世后，法国才迅速地发生了新的变化，因为他的儿子法兰西斯二世（Francis Ⅱ）接受了吉伦特派人的挑战，一心要恢复其姑母的荣誉。他是最后一位神圣罗马帝国皇帝（1792—1806 年在位）。同时，腓特烈·威廉也认为法国是一个容易到手的目标，并且以扑灭革命为借口，以来扩张其领土。俄国的女王叶卡捷琳娜二世（1762—1796 年在位）又希望维也纳和柏林两地的当局，都被纠缠在法国的事务中，这样就可使她在波兰坐收渔人之利，此时波兰正好到了第二次被瓜分的边缘了。最后，法国的保皇党人也认为只有奥国出面干涉，击溃法国的军队，才能救出路易。这就是 1792 年 4 月 20 日的情况，路易十六世以俘虏的身份，向他的主人吉伦特派的内阁建议对奥国宣战。其目的是想当他们被打倒之后，而他自己也就可以脱身了。

法国对于战争实在是毫无准备：它的府库空虚，军队混乱，人民像患有神经病一样。7 月 11 日，政府号召全国人民从军，许多群众都纷纷自愿入伍。14 天之后，普鲁士也向法国宣战，并指派不伦瑞克公爵（the Duke of Brunswick）为普军总司令。他受了王党逃亡者的指使，发表了一个颇不妥当的宣言，使巴黎人民大为愤怒。8 月 10 日，杜伊勒里宫（Tuileries）被攻击，国会以敕令废除了 1791 年的宪法，取消路易的一切权力，实行普选。国民公会（Convention）又代替了国民会议。

在这场混乱之中，最严重的危险却是来自军中。法国陆军此时共为 8.2 万人，不包括边界守备队在内。在左边，北面军团，现在改由拉法耶特指挥，掩护着从敦刻尔克到马尔梅迪（Malmédy）为止的边界。它分为两部分：一部分共 2.4 万人，驻在佛兰德斯边界方面；另一部分共 1.9 万人，称为阿登军团，驻在色当附近。在它的右面，从蒙梅迪到佛日山地，为中央军团，亦称梅斯军团，共 1.7 万人，由鲁克纳元帅指挥。在它的右面，从佛日山地到巴塞尔为莱茵军团，共 2.2 万人，由比龙将军指挥（Gen. Biron）。在后方，斯瓦松（Soissons）附近，又有一大堆无组织的志愿兵，号称预备军团。

8 月 11 日，拉法耶特正在色当，当他知道了前一天的敕令，他立即命令在松布尔桥（Pontsur Sambre）的狄隆将军（Gen. Arthur Dillon）和在莫尔德营（The Camp of Maulde）的迪穆里埃将军（Gen. Dumouriez）向巴黎进发。前者是一个保王党，表示同意，而后者则趋附吉伦特派，拒绝服从。国会听到了这个兵变的消息，立即派遣委员往色当，但为拉法耶特所拘捕。8 月 16 日，政府命令迪穆里埃为北面军司令。第二天，拉法耶特看到军队对他已经丧失了信心，遂率领许多军官越过卢森堡国界，向奥国投降。同时，在梅斯的鲁克纳，也是拉法耶特的朋友，他也拒绝接受这个敕令，于是被派指挥第二线的部队，而由克勒曼将军（Gen Kellermann）接任司令。鲁克纳部下的重要军官也都被调换。在莱茵军团中，只有比龙将军愿意竭诚效忠。当迪穆里埃代替拉法耶特时，法国陆军的情况大致就是这样。

第十一章

瓦尔米的炮击

瓦尔米的炮击（the Cannonade of Valmy）不仅只是一个军事性的事件，它更足以构成两种战争形式之间的一个明显界线：其之前的为自 1648 年开始的战争形式，其之后的为自 1792 年以后的战争形式。在前一个时代中，诚如以前各章所叙述过的，战争在政治和军事两方面，都变得比较有限制。除了极少数的显著例外情形，战役都是井井有条，好整以暇的，大家都遵守一种公认的规则。奥雷里伯爵（the Earl of Orrery）在 1677 年曾经这样说："我们在战争时像狐狸而不像狮子，有 20 次围攻还不能作一次决战。" 20 多年之后，迪福（Daniel Defoe）又说："现在的情形常常是这样的，双方各以 5 万人的大军，彼此互相对峙着，一无所获，然后各自宿营过冬。" 100 年之后还是如此。卡诺（Lazare Carnot）说："在军事学校中所教授的，已经不再是如何防御据点的艺术，而是如何遵守一定的礼节，使它作光荣的投降。"

在 1733 年的皮齐顿（Pizzighetone）围城战中，对这种文雅的战争即可以获得一个完美的例证。当双方议定休战之后，在壕沟上就搭上了一道桥梁，以使双方可以互相交通。于是大家大开宴席，到处笙歌，完全是一片太平景象，大有盛宴难再之感。

在卡诺发表上述见解后的 100 年，新的战争形式已经发展到了它的最高顶点，福煦元帅（Marshal Foch）认为“这种古老的方法是得不到决定性的解决，而只有有限的目标”。萨克斯（Maurice de Saxe）曾经说过：“我是不赞成会战的，尤其是在战争开始之时。我并且深信一个聪明的将军可以终生作战，而不会被迫采取会战的手段。”福煦对于这种理论也曾加以严厉的驳斥。

虽然如此，福煦对于这种“古老方法”的原因，却似乎没有认清。不仅是因为三十年战争的无限野蛮性引起了大家的厌恶，因此意识到了君子的战争到底是要比小人的战争较好些，而且又因为正规常备军的成本日益高涨，同时其军需官的效率极低，征发补给的速度也极为迟缓。这些限制使大家都愿意避免会战，因为在这个时代中，火枪以短射程作战，生命的成本极为高昂。同时，大家也都愿意多作围城战，以便沿着行军的路线依照间隔建立补给基地。早在 1770 年，吉贝尔（Guibert）即曾认清了，从金钱上来说，这种“踱方步”的战法实在是成本很高。他认为这种有礼貌的战争，不流血的运动，光荣的投降，实在只是表面上的廉价，因为它们并不能获得巨大的政治解决。所以他主张应以一种完全不同的战争方式来代替它们。

他这样写道：

> 让我假想在欧洲有一个活跃的民族兴起：一个有天才、有资源和有政治认识的民族，他们能团结一致，组成一支全国性的民兵，并有一定的侵略计划，而从来不放弃其目的。他们知道如何使战争廉价化，并支持它以达到胜利。像这样一个民族，绝不会因为财政上的考虑而被迫限制其战争的范围。我们将坐视着这个民族征服其邻国，推翻我们的脆弱组织，好像狂风扫落叶一样。

对于吉贝尔心中所想到的这种战争形态，“瓦尔米的炮击”为其滥觞。在它炮声如雷后的一年和在吉贝尔逝世后的两年，法国的国民公会为了确定“所有法国人均应入伍以保卫国家”之原则，通过了一个法律，从此无限战争变成了当今的新秩序了。

这个法律的内容是：

> 青年人应该战斗；已婚的男人应该铸造兵器和运输补给；妇女应该制造帐幕和被服并在医院中服务；儿童们应将旧布制成绷带；老人们应抬到公共场所，以鼓励战斗人员的勇气，并宣传对国王的仇恨和对共和国的拥护。
>
> 公共建筑物应该改成营舍，公共广场应该改成兵工厂。一切具有适当口径的火器均应移交给部队，在国内的警察应使用短枪和刀剑。一切配鞍的马匹都应集中以供骑兵之用；一切挽马凡不作耕种之用者，都应用来拉曳炮车和补给车辆。

这就是总体战的诞生，新生婴儿的哭声。

一为有限，另一为无限，在法国革命中，这两种战争形式要见一个高下了。在这个最初的冲突中，双方的将领适为最好的例证：不伦瑞克代表前者，而迪穆里埃则代表后者。

不伦瑞克生于1735年，迪穆里埃生于1739年，他们差不多是同年，这是他们之间的唯一联系。前者为一代诸侯，并为腓特烈大帝的令侄；后者在政治和军事两方面都是一个冒险之徒，是法国一个委员的儿子。在1792年，不伦瑞克被认为是欧洲最伟大的军人，迪穆里埃深信他自己也是如此，他对于自己有无限的信心，认为革命这一行事业最适合于他的才能，他本能地认为应将这种精神发挥到最高限度，除了机会主义以外，他便无其他的原则。有一次，他曾经提出一个挽救王室的计划。这是简单而大胆的。他说要想击败雅各宾派，最好的方法就是自己变成一个雅各宾派人。学习他们的思想，采取他们的精神和文字，然后再反转过来打倒他们。在战场上他是完全无畏的，不怕困难，表现出无比的活力和具有最可贵的天才——感动其部下的能力。他是一个卓越能干的军事赌博家，具有幻想、机智、远见和乐观心理。

不伦瑞克是一个饱学之士，一生谨慎，对于任何问题均爱做极细密研究，结果反而没有认清问题的本身——只见有树，不见有林。使他获有大名的主要原因，为他在荷兰的1787年战役。那几乎是完全不流血的，所以从其同时代的人们眼中看来，应该算是一个完善将道的典型。事实上也的确如此，因为在旧有战争的狭窄限制之内，不伦瑞克正好像是一个下棋的专家，只要对方遵守一定的规则，则他对于敌人的每一着棋，都是能够预先料想的。他对于自己的困难总是不惜加以夸张，但却很少考虑敌人的困难。通常他又拙于表达其自己的意见，在压力之下，他是会向旁人的意见让步的。对于他而言也可以说是很不幸的，腓特烈·威廉是一个冲动浅见的人，但却偏要以腓特烈大帝自居，而不伦瑞克则认为普鲁士元帅的天职，就是服从其国王，于是不惜牺牲自己的判断以迎合他的意图。此外，不伦瑞克也强烈地讨厌奥国人，认为法国是普鲁士的真正同盟国，并且也厌恶王党逃亡分子。他对于吉伦特派和雅各宾派都估计颇高，早在1792年，法国革命政府曾请他充任法国陆军的最高统帅。他若是接受了，那么迪穆里埃就会变成他的合作者，而不是敌人了。

这两个人所指挥的军队在性质上也完全不同。普奥两军是他们国王的工具，绝对服从其国王。法军方面，固然大部分仍为旧有皇军中的军人所组成，但却已经变成一支民族性的军队，具有新的民族精神。若是将领知道如何发挥其精神，他们可以有超常的表现；反之将领不通此道，则可能发生恐慌和叛变。虽然军官极感缺乏，尤其是在步兵和骑兵两方面，有数以千计的军官都逃亡出国；幸亏他们有大量的士官，都是久历戎马的，可以立即提升为军官。在瓦尔米之战中，我们可以发现许多将来帝国时代中的名将，有些是军官，还有些是士兵。例如茹尔丹（Jourdan）、勒克布（Lecourbe）、奥地诺（Oudinot）、维克托（Victor）、麦克唐纳（Macdonald），达乌（Davout）、圣西尔（Gouvion-Sain Cyr）、莫尔捷（Mortier）、苏尔特（Soult）、勒克莱尔（Lecler）、拉纳（Lannes）、马塞纳（Masséna）、贝尔蒂埃（Berthier）、贝西埃（Bessières）、絮歇（Suchet）、拉阿尔普（Laharpe）、弗里昂（Friant）、勒菲弗（Lefebvre）和克勒曼（较年长的一个）。

法国的炮兵在欧洲是首屈一指的，尽管近代射击学之父是英国人罗宾斯（Benjamin Robins）。他于 1742 年,曾著有《炮学新原理》一书，主张使用后镗的来复线火炮，并使射击学有了科学性的基础。可是在格里包伐（Gribeauval）的指导之下，法国的炮兵却有最伟大的进步。1776 年，格里包伐被任命为法国陆军的炮兵总监，把法国的炮兵从上到下都作了彻底的改组。他限制野战炮兵为 4 磅的团级火炮，对于预备炮兵（即师炮兵）则使用 8 磅、12 磅的加农炮、6 英寸的榴弹炮。对于要塞防御和围攻的任务，他又采取了 16 磅和 12 磅的加农炮和 8 英寸的榴弹炮和 10 英寸的臼炮。他发明了前车，并使炮车在构造上有统一的模型，使其零件尽可能互相交换使用。[1]

这些改进使炮兵受到了彻底的影响，正如一个世纪以前，刺刀的引用，使步兵所受到的影响一样巨大。火炮的地位日益重要，取代了火枪。又有两个影响必须加以注意：（1）多用炮兵，则马匹和车辆的数量也随之增加，行军时纵队加长了，又必须用轻型部队来加以保护——轻步兵（chasseurs à pied and à cheval）;（2）陆军的成本日增，为使军械和装备标准化，对工业的要求也日益提高。

---

[1] 在这个时代中有两项重要的发明,都是英国人的。其一为默西埃（Mercier）的“有效炮弹”（Operative Gun Shell），从 24 磅炮中发射 5.5 英寸臼炮炮弹，在直布罗陀围攻战（1779—1783）首次使用。另一为施雷普内尔（Henry Shrapnel）所发明的“榴霰弹”（Shrapnel Shell），时间是在 1784 年，但英国陆军到了 1803 年才采用它。前者使木质战舰注定了要受淘汰，后者则使炮兵战术有了革命性的变化。

在普鲁士军中，步兵和骑兵是极为优良的，但是炮兵却远为落后，而且军需制度也颇陈旧。许多将军都已年老，而很多的青年军官却是同情革命的。但是最弱的一环还是在指挥方面，在腓特烈·威廉和不伦瑞克之间并无一致的思想。后者厌恶逃亡分子，前者则对于他们颇表信任。他们对于法国人民同情王室的心理故意作夸大的宣传，并且说他们对于法国军官有充分的认识。布耶（Bouillé）说："我可以负责攻下这些要塞，因为它们的全部钥匙都在我的口袋里。"这种狂言使得腓特烈 · 威廉相信他只要长驱直入，即可以直捣巴黎，并受到效忠王室的人民的欢迎。

不伦瑞克的思想则完全不同，他不仅不信任这些逃亡人士，而且也更反对战争。他认为第一次战役仅限于攻占隆维（Longwy）、蒙梅迪、色当等要塞，其次即在这些地方建立补给基地，对于任何来援的法军，均应以迂回的方式将其击退，最后即宿营过冬，并准备明年的战役。当后方尚有未被攻占的要塞，而且遍地都是敌意的人民，要他在法国境内作一个秋季战役，这种想法会使不伦瑞克感到谈虎色变。此外，他也深知他的军需人员足以限制迅速的前进，这是一点都不错的。他的一位幕僚马森巴赫（Massenbach）之后也说："补给的问题好像是一个死重量，挂在我们的腿上。"

最后所决定的计划是分为三个军团侵入洛林：（1）不伦瑞克率领普鲁士部队 4.2 万人，赫斯部队 5500 人，法国逃亡部队 4500 人，从梅斯的克勒曼军团与色当的迪穆里埃军团之间，由科布林兹直入洛林；（2）1.5 万名奥军，由克勒法伊特（Clerfayt）指挥，以比利时为基地，在普军右翼上向南前进；（3）另有同等数量的兵力，由霍恩洛厄—基希贝格亲王（Prince Hohenlohe-Kirchberg）率领着，以帕拉庭纳特为基地，在普军左翼方面前进。当三个军团在洛林会合一起，即应渡过默兹河，直向巴黎进发。

从科布林兹到法国的边界，普军花了 20 天的行军时间，直到 8 月 23 日，始达到隆维边境要塞的前面，经过了短时间的炮击，该要塞被迫投降。

此时，迪穆里埃正在要求法国的军政部长色尔旺（Servan）向尼德兰地区发动侵入战。他的计划是让狄隆在色当、克勒曼在梅斯挡着普军的前进，而他则从瓦朗谢讷（Valenciennes）前进，以击败克里法特所率领的奥军。这是迪穆里埃的“固定观念”（idée fixe），因为他一向以阿加索克利斯（Agathocles）和西庇阿自居。他曾经上书国会当局说：“当汉尼拔还留在罗马的城门之外时，罗马人民却已经把战争带到非洲去了。”

从战略上来说，他的想法可能是正确的，因为他对不伦瑞克的价值估计得十分精确。可是从政治方面来看，他的想法是错误的；假使他全军向北移动，巴黎的公民将认为首都的门户已经洞开无阻了，他们就会马上大叫起来说：“这是卖国的行为！”色尔旺对此深有认识，所以于8月22日力劝迪穆里埃还是与克勒曼合作，后者在霍恩洛厄亲王的压迫之下已经逐渐后退了。8月24日，隆维被围的消息传来，巴黎人民大起恐慌，色尔旺就命令迪穆里埃赶紧前往色当。

8月28日，迪穆里埃到了色当，所发现的情形照他自己的书信中所描写的，有如下述：“这是一个没有将领和高级军官的军队，内部分成了许多派系。有一半以上的军人对于他们所一向爱戴的将领（拉法耶特）的离去，感到十分不满，并且认为这个继任的人是他的死敌，而且他的去职也是由这个人造成的。”

第二天，在迪穆里埃检阅他的部队时，所接受的不是惯例的欢呼，而是沉默和冷眼。最后有一名榴弹兵高呼着说：“反对打仗！”迪穆里埃立即回答他说：“你以为不打仗就能赢得自由吗？”另外又有一名士兵高叫着：“打倒将军！”迪穆里埃拔出他的剑来，叫他来决斗，这个家伙不敢作声了。突然地，迪穆里埃认清了他这种不合乎常规的行为，已经赢得了部下的拥护。

后来，当他知道凡尔登已经感受威胁时，他就派加尔包中校

（Lt-Col. Galbaud），率领两营兵力去增援。他们没有能达到这个要塞，而退到了圣曼胡（St. Ménehould）。在那一夜里，他写信给色尔旺说：“这个军团处于最恶劣的环境之下。若是我们后退，则我害怕它就会自动瓦解；若是我们前进，这似乎是它所愿意做的，但又必然会被敌人击溃。军团没有衣服、鞋子和帽子，而且也缺少很多的枪械。”

他仍然迷恋着他的尼德兰地区侵入计划，8 月 30 日，他召开了一次战争会议，虽然和他在回忆录中的记载一样，这个会议也赞成这个计划。但是在巴黎的色尔旺，却认为迪穆里埃早已放弃了这个计划，所以于 9 月 1 日，写信劝他向阿戈讷（Argonne）撤退，同时也告诉他克勒曼已经奉命前来支援他。第二天，巴黎的警钟响了，进入了 9 月的大屠杀期。色尔旺再写信给迪穆里埃说：“以祖国的名义，我命令你率领军队向默兹河与马恩河之间前进，进到圣曼胡或其附近，甚至于进到沙隆（Châlons）。”

8 月 31 日，在这个信件尚未发出之前，迪穆里埃在巴泽耶（Bazeilles）已经听到了从凡尔登方向上所传来的炮声，同时也知道克里法特已经率领 1.5 万到 1.8 万人在斯特奈（Stenay）渡过了默兹河。他终于认清了他的侵入计划已不可能，因为他的右翼已经受到威胁，而色当已经不可再留了。他写信报告色尔旺说：“在任何战争中，法国都不曾面临过这样巨大的危险。为了避免更坏的结果，我可以被迫把蒙梅迪和凡尔登留给它们的守军去防御，放弃默兹河的全线，采取最短的退路退到艾尔河（Aire）上，以防御欧特里（Autry）的缺口。”

这就是说退到阿戈讷之上，这正对着上埃讷河（Aisne）的右岸。这里包括着低缓的丘陵，厚密的森林，并且为河流和沼泽所切断。在 1792 年的地形要比今天的地形还更困难，因为当时并无公路，一到了下雨的天气，松软的泥土就会很快地变成泥泽了。对于一个携带着炮兵和补给纵列的军队而言，只有五条道路可以通过这片森

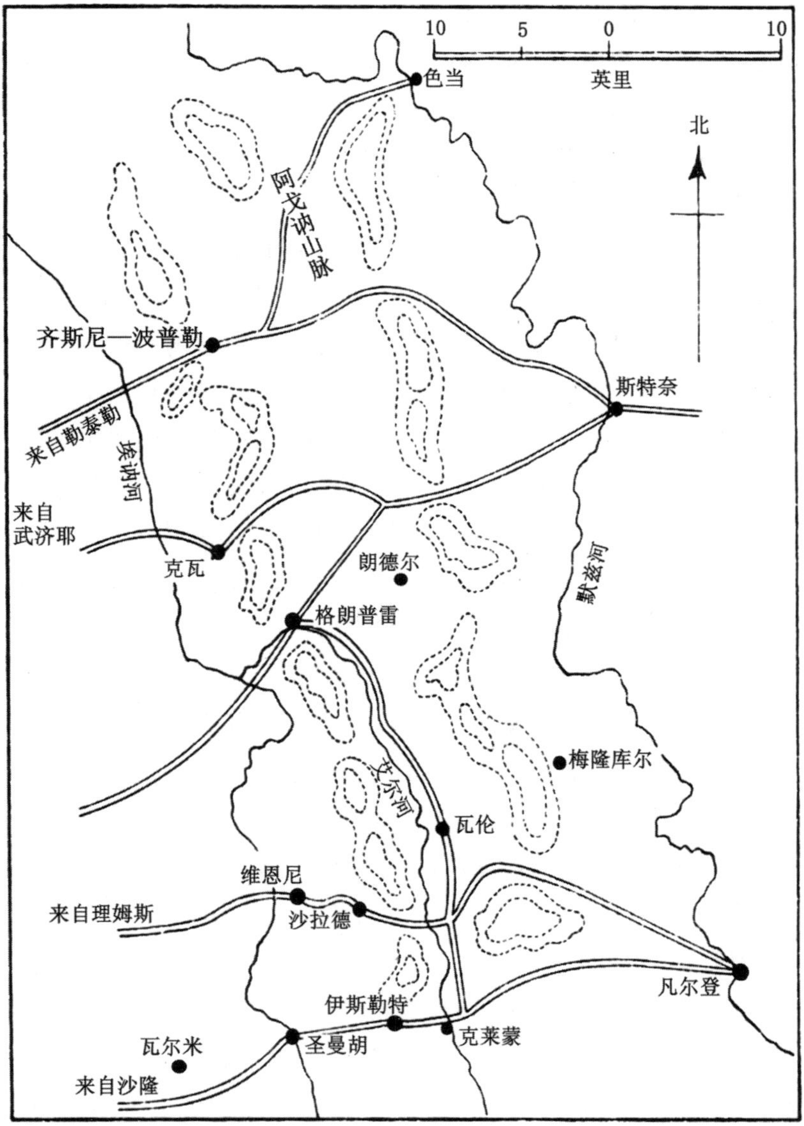

图二十一　阿戈讷之战，1792 年

林，它们恰好经过下述的五条隘路：（1）伊斯勒特（Les Islettes）隘路，凡尔登—克莱蒙（Clermont）—圣曼胡—沙隆—巴黎道路；（2）沙拉德（La Chalade）隘路，凡尔登—理姆斯道路；（3）格朗普雷（Grandpré）隘路，瓦仑—武济耶（Vouziers）道路；（4）克瓦（Croix-aux-Bois）隘路，斯特奈—武济耶道路；（5）齐斯尼—波普勒（Chesne-Populeux）隘路，色当—勒泰勒（Rethel）道路。

因为迪穆里埃尚在色当，他距离两个主要隘路——格朗普雷和伊斯勒特——要比在斯特奈的克里法特和在凡尔登的不伦瑞克都更要远一点，所以速度十分的重要。他知道他的兵力不足以同时防守五条隘路，所以命令在松布耳桥的杜瓦尔（Duval）率领 6000 人，在毛德的伯农维尔（Beurnonville）率领 1 万人，都用全速向勒泰勒行军。前者于 9 月 7 日到达，后者于 9 月 13 日到达。

迪穆里埃对于齐斯尼—波普勒和克瓦两条隘路暂时不加防御。他于 9 月 1 日，命令狄隆率领前卫 6000 人去占领伊斯勒特和沙拉德。他自己则亲率主力 3 万人，采取最短的路线，越过克里法特的正面，于 9 月 4 日达到了格朗普雷。狄隆于次日也达到了伊斯勒特。

从格朗普雷，迪穆里埃于 9 月 5 日向色尔旺发出一封充满了英雄气概的信件："凡尔登已被敌人攻占，我正在等候普鲁士军。格朗普雷和伊斯勒特的营地就是色摩皮利，但是我却会比李奥尼达斯更为幸运！"

此时不伦瑞克又如何呢？ 9 月 2 日，凡尔登投降，他不立即前进，反而就在那里宿营到 9 月 11 日为止。诚然，天气极为恶劣，自从联军越过法国国界之后，大雨一直未停。当时从军人员之一的歌德（Goethe），在 8 月 28 日的日记上记载道："可怕的天气。"9 月 6 日说："一切的东西都沉入了无底的泥沼中。" 9 月 12 日说："大雨不停。"此外在普军方面也有数百人死于痢疾。歌德在 9 月 4 日又这样说："常常有人提到伊斯勒特，它是凡尔登与圣曼胡之间的一个重要隘路。可是无人能了解为什么还不加以占领的理由。" 这个理由就是因为不伦瑞克和腓特烈·威廉之间对于下一个步骤，始终还不曾获得协议。

在凡尔登攻下之后，不伦瑞克的计划是再攻占色当，然后即在蒙梅迪、梅济耶尔（Mézières）和日韦（Givet）附近宿营过冬，并建立一个坚固的基地，以求准备明年的战役。但是国王却不肯听从这个计划，不仅是法国逃亡分子拥护他的意见，而且在不伦瑞克的部下中也有某些军官是赞成前进的。国王这一派认为这次战争是一个彻底的政治性的行为，而不是战略性的行为，他们所面临的是一个革命性的军队，而不是正常的军队。所以在凡尔登和隆维建立基地，然后宿营过冬的想法似乎完全不适当。反之，他们主张现在应该像洪水一样冲入香槟平原（Champagne），在一次大会战中把法军完全淹毙。由于普军有优良的纪律，在会战中是可以稳操胜算的。只有这样一个具有决定性的政治胜利，才能不失时机地把路易十六和玛丽亚皇后救出来。

虽然这样一个非正统性的办法，曾经使不伦瑞克为之大惊，因为照他军队的现状、道路和军需制度来加以判断，都可以知道迅速前进是不可能的。虽然如此，他却放弃了自己的计划以此来服从国王。但是他却又不命令军队立即前进，而花了很多的时间来做详细的准备。最后在9月7日，他和国王才一同骑马往克勒蒙以侦察伊斯勒特。不伦瑞克看到有许多敌军藏在森林中，当他从一个农民的口中知道法军已经在构筑工事时，他就害怕正面的攻击会代价太高，于是建议作迂回运动。最后决定只攻击五个隘路中之一个。为了达到这个目的，其兵力决定作下述的分配：利用霍恩洛厄的奥军和赫斯部队来监视伊斯勒特隘路，而普军则向格朗普雷进攻；骑兵和法国流亡部队向齐斯尼—波普勒进发，而克里法特在卡尔克鲁斯（Kalkreuth）的支援之下，以占领克瓦隘路为目的。

最后到了9月10日，不伦瑞克才命令部队前进，第二天上午在大雨如注之中，普鲁士军走出了湿透的营帐，上路向梅隆库尔（Melancourt）前进。他们在那里过夜，9月12日又进到朗德尔（Landres），一路村落中的人们都已逃亡，使他们很头痛，这使他们在补给上很感困难。与法军交战为一事，而在一个坚壁清野的环境中与其交战又为另一事。这种情形使联军大为沮丧，所以在朗德尔的营地中，情形极为恶劣，被人称为“污秽营”（filth camp）。在左面，霍恩洛厄的奥军监视着伊斯勒特的东方。在右面，克里法特从斯特奈向克瓦前进。

克瓦的守军共有2营步兵、1个中队的骑兵和4门炮，由柯隆上校（Col. Colomb）指挥，他也是美国独立战争中的老兵。9月11日，他向迪穆里埃报告说他的阵地是不可透入的，结果后者认为敌人的主攻点将在格朗普雷方面，于是命令他只留下100人，交给一个上尉指挥，以防守这个隘路，而把其余的兵力都撤回到格朗普雷。

对于迪穆里埃而言是很不幸的，从一个农民的身上，克里法特知道了这个撤退的消息，遂于9月12日派遣了一个由轻步兵和轻骑兵所组成的支队冲入了这个隘路并把它占领。它的失陷威胁到齐斯尼—波普勒的南翼，它的指挥官杜包克上校（Col. Dubouquet）遂自动撤去它的守军。下午5点，溃兵到达了格朗普雷，迪穆里埃才知道大祸临头，他认清了克瓦沦陷的严重性，所以命令沙佐将军（Gen. Chazot）率领8个步兵营、5个骑兵中队和4门炮从格朗普雷出发，取道武济耶，于9月13日收复这条隘路。因为道路的条件太坏，沙佐到了夜幕低垂时才达到武济耶。第二天上午继续前进，并收复了该隘路，可是不久之后，奥军作了一个逆袭，又把他们逐出了，于是只好退回武济耶。关于这次战斗有一件令人惊奇的怪事，就是奥军并未乘胜追击。诚如若米尼（Jomini）所提出的，假使克里法特继续向前推进，而不伦瑞克又同时进攻格朗普雷，那么迪穆里埃即可能全军覆没（见若米尼所著《革命战争史论》）。

法军的情况坏到了极点，可是迪穆里埃的情况却是好到了极点。他知道普军的进度是迟缓的，而且这种天气将更增加其迟缓，所以马上决定：一方面坚守伊斯勒特和沙拉德，另一方面撤出格朗普雷，退向圣曼胡。假使敌人从所放弃的隘路中前进，那么他就居于一个面对其后方的位置了。这是一个天才的杰作，为了使迟缓的敌人陷入陷阱，他又向各方面用快速的传骑传达命令。首先派了一个支队去挡着克瓦隘路，然后命令沙佐在午夜时从武济耶撤退，与在蒙特巧丁（Montcheutin）平原上的主力会合在一起。留在勒泰勒的包农维尔和他的1万人，奉命进到圣曼胡，另外派了一个副官去催促尚留在巴勒迪克（Bar-le-Duc）附近的克勒曼，加速向北进行。此外他又命令狄隆在伊斯勒特对奥军作决死的抵抗，并向在沙隆的斯巴尔将军（Gen. Sparre）作紧急要求，请他速派援军前来，以及请阿维尔（Gen. d'Harville）将军在理姆斯、埃佩尔奈（Epernay）和斯瓦松等地搜集一切剩余的兵力。

当发现阿戈讷地区仍在坚守之中，不伦瑞克不禁大感惊异，遂决定与迪穆里埃展开谈判，于是他派了马森巴赫上校去安排一次会晤。从法军的前哨上，马森巴赫被送到了杜瓦尔将军的司令部，但是迪穆里埃却拒绝接见他。当他在杜瓦尔的司令部中，马森巴赫发现法军方面有行色匆匆的现象，所以回来就向不伦瑞克报告说，照他的推测，敌军是要准备撤退了。不伦瑞克不禁大喜过望，因为这无异于是说他的迂回运动已经成功了，依照战争典范，一个成功的迂回即相当于一次胜利。不久之后，马森巴赫又会见了国王，当后者听到法军已经快要撤退了，他不禁大怒，因为他所需要的是一个胜利，而不是无声无息的迂回。他骑马疾驰，向格朗普雷赶去。

马森巴赫并没猜错，迪穆里埃的确有撤退的意图，但却不是如他所料想的，撤往马恩河上，而是趋向圣曼胡。9月15日凌晨3时，迪穆里埃启程，到了上午8时，达到马恩河上的奥特里。从那里其主力又向比翁尼河（Bionne）上的东马当（Dommartin-sous-Hans）前进。

依照迪穆里埃的命令，沙佐应该在9月14日的午夜离开武济耶，在其后卫的掩护之下，主力的先头到达蒙特巧丁平原。但因为上下午的两度苦斗，其人员已经疲惫不堪，所以直到 9 月 15 拂晓时才开始出发。几个钟点之后，当他的部队正要进入蒙特巧丁平原时，突然受到了1500名普鲁士轻骑兵的攻击。虽然最初他们击退了敌人，可是突然有一部分人发生了恐慌现象，四散奔逃，高声乱喊！接着沙佐的全军约 1 万人，都自动瓦解了，根据迪穆里埃在回忆录中所记载的情形，其中有 2000 多人一直逃到勒泰勒、理姆斯、沙隆等地，到处宣传说全军都被歼灭，迪穆里埃和他的全部将领均已向敌人投降。当他们在拼命奔逃之际，中途又遇到了从沙隆前进的援兵，于是他们也立即掉转头来向后方奔逃。

当这个恐慌现象发生时，迪穆里埃还正在东马当准备设营。又是和克瓦的失陷时一样，溃兵把坏消息带来了，他们喊道："一切都完了！整个都垮了！敌人就在后面追来了！"他立即骤马前进，与米兰达将军（Gcn. Miranda）会合，后者正在收容那些步兵。几个钟点之后，当他回到东马当，正要吃晚餐时，第二次的恐慌现象又发生了。这次是发源于他自己的营中，引起了极大的混乱，若非他采取了紧急的行动，则可能无法收拾。第二天，9 月 16 日，大部分时间都用来恢复秩序。

在圣曼胡之西，沙隆道路之北，有一个高原，它从后者一直延伸到马恩河上的纽维尔（Neuvilleau-Pont）村落。迪穆里埃的军队即宿营于此，他的右翼靠近马夫勒库尔（Maffrecourt），中央在绍德方丹（Chaude fontaine）以西，左翼则在沙隆道路上，受到一个叫作雷唐（L'Etang-le-Roi）的沼泽的掩护。在营地的西面，布劳圣柯希耶（Braux-St. Cohière），他部署着一个前卫，由施滕格尔将军（Stengel）指挥。其前哨则设在托尔比（Tourbe）溪流上，它在比翁尼河之北，与其平行。在他的营地前方，他展开了他的炮兵，以扫射低地。沿着马恩河的右岸上，他又部署了一线坚强的据点，以使其右翼与在沙拉德的狄隆左翼连接。最后，他选择圣曼胡为他的司令部，因为它恰好在他的营地与狄隆营地之间的中点上。

他之所以能够从容部署，完全是因为敌人行动迟缓。假使普军从9月16日到18日即向他进攻，这时正好是恐慌现象发生之后，增援尚未到达之前，那么他的溃败将是毫无疑问的。即令就目前而论，他的情况也还是很危急。因为包农维尔原本已在9月13日到达了勒泰勒，但当包农维尔于9月16日向奥维（Auve）村前进时，听到了全线溃逃的消息。他害怕他自己会陷于敌军包围之中，遂立即退回沙隆。他以后接到了迪穆里埃的紧急要求之后，再于9月18日前进，次日才抵达圣曼胡。

一个类似的偶然事件，也使克勒曼的到达延误了。9月12日，他的部队达到了巴尔勒杜克，但是次日，当他接到了迪穆里埃的通报，告诉他克瓦已经失陷的消息之后，他决定不卷入这个失败的旋涡之中，所以不但不赶紧前进以支援迪穆里埃，反而向西往维特里（Vitry-le-Francis）转进。一直等到9月15日，奉到了鲁克纳元帅的严命，要他用强行军赶往圣曼胡时才再度前进。[1] 9月18日，他进到了丹皮耶（Dampièrre-sur-Auve），第二天越过了奥维河（Auve），在东马当拉普隆榭特（Dommartin-la-Planchette）的沙隆路上宿营。他一共带领了17个步兵营和30个骑兵中队，共有1.6万人。

不伦瑞克已经丧失了两次歼灭敌人的机会。第一次是在克瓦隘路上，第二次是9月15日，他只派了1500名轻骑兵前进，而没有把他的整个前卫兵力都派遣下去。现在他又丧失了第三个机会：尽管他在9月16日即占领了格朗普雷，可是他的主力却仍留驻在隆德里，直到9月18日都尚未前进。其原因是必须等待补给纵列，把面包从凡尔登运到之后，他才能够行动。诚如纳索西根（Nassau-Siegen）所说："由于补给问题的处理失当，所以在格朗普雷也和在凡尔登一样，逼迫着我们必须停顿，损失了许多时间。"

[1] 克勒曼是一个独立的指挥官，不属于迪穆里埃的体系中。

最后到了 9 月 18 日，面包终于运到了，不伦瑞克开始构思一个作战计划。这又是想用迂回敌方阵地的手段，以压迫敌军撤退。在那一天的下午，他和马森巴赫一同去侦察敌情，然后决定使普军取道格朗普雷隘路前进，以攻击沙拉德和伊斯勒特阵地的西面，而奥军则攻击其东面。他认为这样即足以使迪穆里埃放弃他的营地。他向马森巴赫说："我们的左翼应该前进，以迫使敌人退出阿戈讷。我们可以获得伊斯勒特而不必多流血。你应该知道我们必须节省人力，因为我们的人力并不是太多。"

第二天上午，普军开始前进，但当正午国王正要进餐时，有一个传骑来到，报告一个消息，说法军又要开始撤退了。腓特烈 · 威廉不禁大怒，虽然不伦瑞克也在座，他却不理会，向马森巴赫命令部队立即直向沙隆道路进发，切断法军的退路以便迫使敌人接受会战。虽然这个命令把不伦瑞克的一切调度都完全推翻了，但他却并未表示反对。不久以后，又有一个传骑来到，所带来的消息恰足以证明前者是不确实的，可是国王却并未收回他的命令。所以对于这最后的失败，腓特烈 · 威廉实应负其全责。

许凯（Chuquet）在他的《瓦尔米战史》中说："就是这样，普军埋头向法军一直冲过去，没有作过一次搜索，没有派一个军官去侦察地形，也没有一个会战的计划。"

那天夜间，普军沿着从叙普斯（Suippes）到瓦尔米的道路露营，其主力则大约在托尔比河上的索姆比翁尼（Somme-Bionne）地方，在它的南面即为比翁尼河。

在比翁尼河之南，即为瓦尔米战场，其东界为马恩河，南界为奥维河。在后者的北面即为圣曼胡—沙隆大路，在雷唐沼地上通过迪穆里埃的左翼部分，并且也通过东马当拉普隆榭特，它现在正是克勒曼的营地。在东马当以西约 1.5 英里远处，即为欧贝瓦（Orbeval）的驿站，从该地向西，大路又向上升达到一个叫作拉仑（La Lune）的旅驿。从此大路又有一个分支，通到索姆比翁尼。在支路的东方又有一个山岭升起，其北部称为约仑山（Mont Yron），其南部称为瓦尔米小丘。在小丘上有一个风车，现在那里建有纪念碑，在它北面不远的地方即为瓦尔米村落。从拉仑、欧贝瓦、东马当和瓦尔米小丘上，都可以很清楚地看见在东方远处即为阿戈讷高地。

当克勒曼在东马当拉普隆榭特设立营地不久，他就骑马来到圣曼胡与迪穆里埃会晤。他认为他这个位置不安全，因为沼泽的奥维河恰好在它的后方流过，所以他希望在第二天上午再退过奥维河，重新占领丹皮耶和弗瓦勒蒙（Voilement）两个村落。迪穆里埃建议不如占领拉仑和瓦尔米附近的高地，但是克勒曼却不同意，遂决定撤退。为了在夜间掩护其营地，克勒曼命令其前卫在德普雷—克拉西耶将军（Gen. Deprez-Crassier）指挥之下，向比翁尼河前进，并在途中与迪穆里埃的前卫取得接触。后者由施滕格尔指挥，在普鲁士骑兵压迫之下，其前哨已由托尔比河退到了约仑山和瓦尔米。

9 月 20 日上午六七点时，当克勒曼将要撤过奥维河时，普军的前卫在霍恩洛厄亲王指挥之下，从索姆比翁尼前进，以切断沙隆大路为目的。天气是冷雨凄凄，浓雾密布。当前卫出发不久，即听到约仑山方向上有炮声传来——这是德普雷—克拉西耶所发的炮。但没有人注意它，普军前卫仍继续缓缓向南移动。接着有一阵炮弹落在它的左翼之前。这是一个位置在拉仑的法军炮兵连所发射的，因为在这一天清晨，为了支援德普雷—克拉西耶，克勒曼又命令瓦朗斯将军（Gen. Valence）所率领的预备军前进到了这个旅驿。

他为什么会这样做呢？因为在上午 7 时，他接获了普军已经前进的消息，于是立即认清了他已经没有足够的时间撤过奥维河去，所以他收回了撤退的命令，而改行采取前一天黄昏时迪穆里埃所给予的建议。他匆匆地调度兵力，在浓雾与上述两方面的火炮掩护之下，命令他的第二线部队和 18 门炮由穆拉特（Muratel）率领着进军占领瓦尔米小丘，并从施滕格尔手中接替了它的防务。由于雾幕

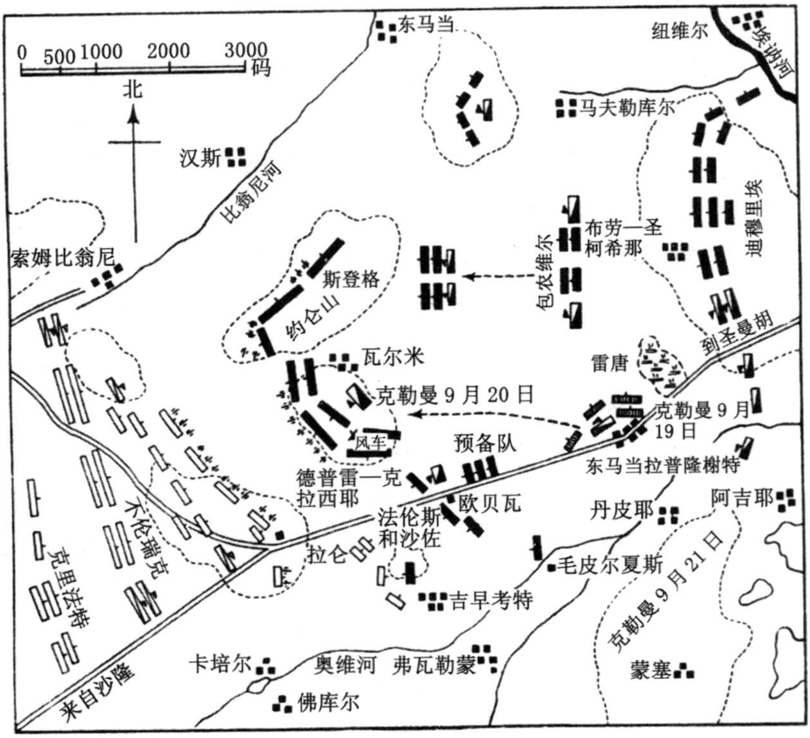

图二十二　瓦尔米会战，1792 年

的缘故，无法估计这个高地的范围，他又命令第一线部队，连同另外的 18 门炮，也随着第二线的后面前进。他的骑兵本应留在欧贝瓦附近的低地上，但不知为什么，他又命令他们随着第一线后面走。其结果是，在浓雾之中他的步兵、骑兵和炮兵全都挤在这个风车的附近，秩序混乱不堪。对于克勒曼而言，可以说是极为侥幸，因为大雾的遮掩，使普军未能发现这种混乱情形。更侥幸的是，此时法伦斯在拉仑的炮兵击溃了普军的三个骑兵中队，在大雾之中，他们冲进了自己的部队。在这个顿挫之后，霍恩洛厄命令前卫暂停前进，等到炮兵赶上前来可以向拉仑发射时再行动。这样使克勒曼有了充分的时间，可以调整他的部队。

当霍恩洛厄的炮兵开火之后，德普雷—克拉西耶和法伦斯都退到接近欧贝瓦的位置上，以便保护瓦尔米的左翼，并填塞它与克勒曼另一部分兵力之间的空隙。后者的位置在毛皮尔夏斯村（Maupertius）中和在奥维河上的吉早考特村（Gizaucourt）中。

这样就可以叙述法军战线的全貌了，它从约仑山起延展到毛皮尔夏斯为止，形成一个半圆形。右端为约仑山上的施滕格尔前卫；中央为克勒曼的主力，集中在小丘之上；左翼方面从风车的下面起到欧贝瓦为止，都是德普雷—克拉西耶和法伦斯的部队。在他们的左面和沙隆大路的南面，只有两个支队，分据毛皮尔夏斯村和吉早考特村。

结果，克勒曼的军团并不曾延长迪穆里埃的左翼和掩护其与维特里的交通线，反而孤立在其中央的左前方。换言之，当法军受到攻击时，即将由其承受敌军的全部进攻。为了补救起见，迪穆里埃遂命令施滕格尔向前移到约仑山的西侧上，为了支援他，又把包农维尔所辖的 16 个营部署在他的后方。为了增强克勒曼的左翼，他又派了 9 个营的步兵和几个中队的骑兵去增援法伦斯，另外把 12 个步兵营和 6 个骑兵中队部署在欧贝瓦以东的沙隆大路上当作预备队。

虽然法军是在没有准备状况中为敌所乘，被迫只能采取守势，但迪穆里埃却并无意完全放弃攻势。他决定采取两个大胆的迂回运动。其一，他命令维讷将军（Gen. le Veneur）率领了 12 个营和 8 个中队，在纽维尔以上渡过马恩河，前进到贝齐尔（Berzieux）和维尔吉尼（Virginy），以便打击普奥军的后翼。其二，他命令在维埃纳（Vienne-le-Château）的杜瓦尔将军，也渡过马恩河，去攻击普军的行李纵列，它们正在迈松（Maison-de-Champagne）组成了一个“车城”。

当瓦伦斯后退时，雾幕开始升起，马森巴赫与不伦瑞克的私生子福斯滕贝里伯爵（Count of Forstenburg）一同从前卫的位置进到了拉仑。他们立即认清了此地的战术重要性。因为从这里，炮火可以扫射到通往欧贝瓦的大路，并且又可以侧击瓦尔米小丘。所以他们立即赶回去报告不伦瑞克，后者立即命令把一个炮兵连推进到拉仑去。差不多在同时，迪穆里埃也认清了它的重要性，命令沙佐将军去占领它。但当他接近该地时，发现敌人已做好坚强的防御，无法攻下即自动撤回。

当霍恩洛厄已经占领了拉仑之后，普军的主力遂分为两个纵队，缓缓向约仑山和瓦尔米前进，他们的右翼倚托在拉仑上，左翼则在比翁尼河上。正午时，当部署完毕之后，雾幕也逐渐散尽了。使他们大感奇异的，是腓特烈 · 威廉、不伦瑞克和歌德都看到在他们前面的敌军并不像要退却的样子，而是严阵以待地准备会战。更使他们感到胆寒的，是站在风车边的克勒曼看到他们来到之后，就把他的帽子——上面饰有三色的帽缨——顶在宝剑上，大呼道："国家万岁！"所有的法军都应声高呼着："国家万岁！法兰西万岁！将军万岁！"

此时，普军的火炮共 58 门，由滕佩尔霍夫将军（Gen. Tempelhoff）指挥着，已经从拉仑向北展开了他们的炮兵连。克勒曼的火炮约为 40 门，由阿博维尔（Gen d'Aboville）将军指挥，部署在瓦尔米的山岭上，火炮射程大约是 1300 码。

突然起了强风，雾气全被驱散，于是太阳闪闪发光地照耀着。歌德说："关于这次炮击，有许多的说法，但是当时的猛烈情形却是无法形容的。"蒙内说："这是我从未听过的强烈炮声。"在下午 1 时，依照歌德的记载，它是达到了最高潮，整个战场都在发抖。迪穆里埃说双方都消耗了 2 万发以上的炮弹，可是尽管火力是如此的强烈，双方的死伤却极为轻微。不仅是当时的火炮射程太有限，只有 1300 码，而且泥土都太潮湿了，多数的炮弹都埋在泥土中，而不发生跳飞现象。

因为这次炮击并不能产生不伦瑞克幕僚料想中的效力，于是大家一致认为现在只有一件事可以做，即向瓦尔米阵地实行突击。

普鲁士兵在他们的炮火浓烟掩护下，开始组成了两道攻击线。但是当他们刚刚开始前进之际，克勒曼的全部炮兵就都对着他们射击，于是有些营踟躇不前，丧失了他们的秩序。不伦瑞克虽然已经下令攻击，但内心却是反对这次攻击的，所以就以此为借口，命令暂停前进，此时他们已经前进了 200 步了。当不伦瑞克下达这个命令时，迪穆里埃恰好到风车处来与克勒曼会晤，他看到敌军突然停止不前，即判断不伦瑞克并不企图进攻。

大约在下午 2 时，一颗普军的炮弹使克勒曼战线后方的三部弹药车发生了爆炸，这个响声震动了整个战场。浓烟把法军炮手都围住了，他们只好停止射击，普军炮兵也是一样，因为他们也看不见目标了。有两团法军溃退了，却立即为克勒曼所收容，但是炮兵的车辆人员都是没有纪律的老百姓，如潮涌般向后方奔逃，这实在是一个危急的关头。

马森巴赫当时正在拉仑，看到了风车周围的情形认为会战已经赢定了，就跑去见国王和不伦瑞克，劝他们立即增援已经停止进攻的右翼，并且用冲锋的方式攻下瓦尔米小丘。当他的话尚未说完的时候，炮声又起，似乎法军已经恢复了秩序。看到法军步兵顽强坚定，又注意到在欧贝瓦和奥维河之间的平原上法军的骑兵也都已经上马了，不伦瑞克向他周围的人员说：“诸位，你们现在可以看到我们所面对的是什么部队。那些法国人是正在等候我们进攻，以便立即向我们冲锋。”于是他踟躇不语，心里在盘算着，是继续攻击呢，还是等候克里法特的到达呢？对于后者他已经命令其用全速赶来会合。他再向法军望了一眼后，召开了一次作战会议，出席者有国王和其他几位高级军官。在这次战役中，他真正行使总司令的全权，这似乎还是第一次。当炮声仍在雷鸣之中，他宣布了他的决定：“我们不在这里打了。”霍恩洛厄、曼斯坦（国王的副官）和格拉韦特将军（Gen. Grawert）都表示同意。不伦瑞克宣布这个突击是会失败的，而且即令成功也没有好处，于是国王也放弃了他的成见。[1]

此时，在左翼方面，卡尔克鲁斯也炮击约仑山。诚如许凯所指出的，施滕格尔所作的抵抗足以阻止克勒曼的右翼受到迂回包围。这对于法军的成功也是一个重要的因素。

普军停止进攻，下午 4 时越过大路前进，改以切断敌人从沙隆到巴黎之交通线为目的。炮击停止了，当黄昏将近时，又是一场大雨扫遍了战场。几个小时之后，克勒曼也乘着黑夜的掩护把他的军团撤到了丹皮耶和弗瓦勒蒙以掩护维特里道路。

这样就结束了瓦尔米之战。在这一战中普军 3.4 万人对法军 5.2 万人，后者实际参战人数也不过 3.6 万人。损失数字更是不足道：法军全部官兵损失约 300 人，而普军则为 184 人。多数的负伤者都死在战场上。

尽管有了腓特烈 · 威廉的遇事干涉，可是不伦瑞克的将才也仍然是很有批评之处。不过话虽如此，这个不再打下去的决定却是正确的。他的兵力由于痢疾已经在减少之中，冬季已经快到，道路的条件日益恶劣；他的交通线也不稳固，他的军需人员又缺乏效率，所以向巴黎迅速前进是一个毋庸考虑的问题。即令能够达到那里，他的兵力也必然地会消磨殆尽，面临着全被歼灭的危险。这次战役的目标不可能达到，而战役本身也变成了一次荒谬的行动，这是不伦瑞克在战役一开始时即已料想到的。但是真正导致他作出这个决定的理由，却是他感觉到尽管法军常常发生恐慌和叛乱的现象，可是其将领和人员还是要比他自己和他那个行动迟缓而无思想的部队较为优越——虽然他始终不曾公开承认。

普王的私人秘书隆巴尔（Lombard）说："敌人真使我们大失所望。迪穆里埃和克勒曼已经表现出来他们的将才，而不是可以随意

[1] 有人认为杜瓦尔对于普军辎重的突袭，与不伦瑞克的决定有关。

抹杀的。他们选择了优良的阵地，旧有的法军也都甘心受他们驱策。新的志愿军增大了他们的数量，当配属给老练的部队时，也能发挥真正的作用。他们的轻骑兵都是优秀精壮的。他们的军队不缺乏什么，而我们什么都感到缺乏。无论是前面或后面，他们的阵地都筑有良好的工事，而他们的炮兵也至少和我们的相等。这些因素都足以使我们无法作决定性的打击。”

说出这个赞美之词的作者，对于使这次战役结束颇有重要的贡献。9 月 30 日，当维讷将军对普军后方作果敢的突袭时，隆巴尔被法军所俘获。由于腓特烈·威廉的特别要求，迪穆里埃把他释放了，并乘机由他把一份备忘录交给普鲁士国王，说明战争应立即中止的理由。此外，他听说普王已经没有咖啡和糖可以享受，他送了 12 磅来当作礼物。

不伦瑞克立即抓着这个机会，而普王因为刚刚从波兰方面获得了不利的消息，所以也表示同意了。接着谈判了一个星期，到了 9 月 27 日，迪穆里埃又送了第二份备忘录，其主要的目的就是想拆散普奥两国之间的关系。普王拒绝考虑这一点，停战谈判遂告以结束。9 月 29 日，迪穆里埃仍力劝在巴黎的外交部长勒布仑（Lebrun）应认清和谈之需要。他在信上说：“一个全面的和平，可以使我们获得光荣的条件，要比甘冒长期战争的危险好得多了。”但是革命政府却不听这一套理论，毅然宣布：“除非领土已全部收复，否则共和国决不谈条件。”

在 9 月 30 日到 10 月 1 日的夜间，不伦瑞克在拉仑拔营，很巧妙地把他的军队撤到了默兹河的右岸上。9 月 27 日，迪穆里埃升任法国陆军总司令，于是又回到了他那个侵入尼德兰地区的计划。他在法伦辛接管了北面军团的指挥权，并且朝比利时前进，到了 11 月 6 日，在热马普（Jemappes）击败了阿尔贝特（Albert Duke of Saxe-Teschen）和克里法特的联军，全欧都大感震惊。

瓦尔米一战，实为法国革命战争和拿破仑战争中的马拉松。面对着当时欧洲最负盛名的将军所率领着的最强大无敌的军队，法军在迪穆里埃和克勒曼的领导之下，连续地把他们击退和击败了。诚如许凯所说的："在瓦尔米一战之后，任何持枪佩剑的法国人，都莫不以英雄自命，认为他们所拥护的理想是必胜的。"瓦尔米是旧王朝的"死榻"，也是新共和国的"摇篮"，照德穆兰（Camille Demoulins）他们的梦想，认为这个共和国的任务，就是把自由、平等和博爱的思想带到被奴役的国家中，使所有的国王都被消灭，在地球上建立天堂！

虽然不久，这个天真的梦想即被可怕的梦魇打破了，可是在那个时候，也有人认清了这次炮击的雷声代表一个不祥之兆。诚如马森巴赫所说的："你可以看见那些小雄鸡是如此趾高气扬地站立了起来。他们已经接受了火的洗礼，我们所输掉的不仅是一次会战，9 月 20 日使历史改变了它的途径。它是这个世纪中最重要的日子。"在那天夜间，那些沮丧的伙伴们问歌德的观感是什么，他回答说："此时此刻世界开启了一个新的时代，你们都可以说是亲自看着它诞生。"

大事记（十二）

法英两国间的海上争霸

在瓦尔米之战以后，法国指导革命当局的外交政策有两个观念：一为理想主义者的观念，另一为现实主义者的观念。前者正是像亚历山大的理想一样，以“四海之内皆兄弟也”的观念为基础，向全世界提出一个新的“宗教制度”。后者是恺撒主义的信徒，他们只想征服邻国，不仅是用它来当作巩固法国国防的手段，而且也更想用它来弥补其支绌的财政。这两种观念都促使革命势力向外发展。前者是希望使其他的民族也能分享法国人已经赢得的自由；后者则想剥削其他民族的自由，让他们向法国称臣纳贡。

不管迪穆里埃是否已认清了这个事实，可是上述的两种向外扩张的原因，都构成了其固定观念的基础。因为奥属尼德兰地区不仅是一个富国，而且其人民也迫切希望摆脱奥地利的统治。进一步说，若是斯海尔德河口受到了法国的控制，则安特卫普有一天也会变成世界贸易的中心，足以与伦敦抗衡，且不说能够打倒伦敦。当迪穆里埃在热马普获胜之后，法国的国民公会就立即宣布开放斯海尔德河的贸易，并对于一切愿争取自由的人民给予军事援助。这些事实至少可以一部分地证明法国当局是有此认识的。在过去百年间，凡是对低地国家的威胁，即足以使英国投入战争，何况 1793 年 1 月 21 日法国政府又对路易十六执行了死刑，其意义更无异于向所有的君主国家宣战。这个举动确定了革命的意义，使任何人都不会再误解。英国政府大感震惊，两天之后，法国驻伦敦的使节肖夫兰侯爵（Marquis de Chauvelin）接到了通知要他于八日之内离开英国。英国这个断然的处置使法国国民公会大感愤怒，在肖夫兰离开英国之后，法国即马上宣布对英国和荷兰宣战，一个月以后，又向西班牙发出了最后通牒。这样就展开了一场大战，除了中间暂停了一段短时间之外，前后共历 22 年之久。

虽然这次战争的范围极为广泛，最后包括了欧洲的大部分，但对法国而言，其中心问题却还是如何迫使英国求和。其途径有二：或者是直接获得英吉利海峡的控制权，或者是间接地绞杀英国与欧陆和殖民地之间的贸易。但是一直等到 1795 年，对法作战的第一次同盟崩溃之后，第二年法国的国民公会又为督政府（Directory）所代替的时候，这些事实才显露了出来。

这五个督政官认为继续战争足以巩固他们的权力，所以决定加强作战。在他们指导之下，1796 年法国人获得了一连串的胜利。到了 1797 年，拿破仑即征服了意大利北部，迫使奥国接受了《康波弗米奥（Campo Formio）条约》，把伦巴第和奥属尼德兰都割让给法国。到了 1796 年 6 月，督政官们又移转其注意力于海外，想进攻大不列颠和爱尔兰。结果于 12 月对后者的侵入战中途流产，而在 1797 年 2 月，泰特上校（Col. Tate）在威尔士的登陆也被传为笑谈。

接着即为不列颠历史上最紧急的关头了。4 月 15 日，在斯皮特黑德（Spithead）的海峡舰队叛变了，5 月 2 日，在努勒（Nore）由邓肯（Adm. Duncan）所指挥的北海舰队也叛变了。此时，在法国控制之下的荷兰舰队，认为英国主力舰队已经调往爱尔兰方面，遂准备携带 42 艘运输船出海侵入英格兰。邓肯正留在雅茅斯

（Yarmouth）的海外，奉令封锁荷兰舰队并诱使他们接受会战。因为这个叛变的缘故，他只能说服两艘船随他出海。虽然如此，凭着这一点兵力，他仍然对泰瑟尔河（Texel）进行封锁，一直到6月21日为止。在这一天，法国督政府催促荷兰人把2万人的兵力运往爱尔兰，另外还有一支舰队载运6000人从布勒斯特出发。

在10月10日以前，一切都无动静。邓肯知道荷兰人已经启程，意图在克莱德登陆，以吸引英军的兵力。到了10月11日，他与16艘荷兰军舰在坎珀当（Camperdown）发生了战斗，俘获了其中的9艘。在这次失败之后，法国督政府就指派拿破仑指挥预定侵英的兵力。

1798年2月11日，拿破仑到达了敦刻尔克，马上出发观察沿海的设备，并下命令建造大批的平底船只。2月23日，他向督政府报告说："不管我们如何努力，要想获得海军的优势，不是短时间可以达成的事情。若无制海权而想在英格兰登陆，那是一个最勇敢但也是最困难的任务。"他早已准备好了一个可供替换的计划，建议政府说：在海军尚未准备完善之前，唯一正确的途径是夺取马耳他岛，占领埃及和侵入印度，以打击英国的东方贸易。这个建议为法国当局所接受。

怀着一颗模仿亚历山大大帝的雄心，5月19日，拿破仑从土伦出发，率领着13艘战舰、300艘运输船，其全部人力共为陆军3.5万人，海员和平民1.5万人。海军总司令为布鲁伊将军（Adm. Brueys），同行者还有冈托姆（Adm. Ganteaume）、维尔纳夫（Villeneuve）和德克瑞（Decrès）等海军将领。6月12日占领了马耳他，7月2日陆军在亚历山大港登陆，7月20日赢得了金字塔会战（the Battle of the Pyramids）。于是拿破仑开始组织其征服行动，可是突然坏消息传来：8月1日到2日，纳尔逊已经击毁了其在阿布基尔湾（Aboukir Bay）中的舰队，并赢得了尼罗河之战。

这个决定性的胜利促使第二次反法同盟的形成，同盟由英格兰、那不勒斯、奥地利、俄罗斯、土耳其五国所组成，当拿破仑正在叙利亚境内作战时，它们就采取攻势了。法意共和国已经为苏沃罗夫（Suvorov）所蹂躏，荷兰受到英俄联军的攻击，瑞士也受到俄奥联军的侵入。法国的情况已经如此的危险，督政府决定召回拿破仑。拿破仑把他的军队交给克莱贝尔（Kléber），于 8 月 22 日到 23 日的夜间从亚历山大港扬帆出发，躲过了英国的军舰，于 10 月 9 日在法国的弗雷瑞斯（Fréjus）登陆。此时，苏沃罗夫已经被逐出了瑞士，而英俄联军也退出了荷兰。

当拿破仑到达了巴黎之后，他立即奉命指挥其驻军。他知道军队和人民都拥护他，又加上他的兄弟吕西安（Lucien，现任 500 人会议的主席）和另一位执政阿贝西哀士（Abbé Sieyès）的帮助，遂于 11 月 9 日发动了一场政变。督政政府被取消，通过了一个新宪法，使他成了三个执政（Consul）中的第一个，负责统治法国，任期为 10 年。12 月 15 日，这个新宪法正式公布，并举行公民总投票来加以复决，结果 3 011 007 票对 1562 票通过。于是民主性的革命告一段落，从此之后，统治法国的又是军人了。

拿破仑在国内获得了独裁地位之后，即准备对付第二次反法同盟的力量。为了争取人民的同情，他首先很巧妙地向乔治三世和法兰西斯皇帝提出呼吁，要求结束战争。在毫无下文之后，他才于 1800 年 5 月 6 日，离开了巴黎向日内瓦进发，从大圣贝纳德隘路越过了阿尔卑斯山。6 月 14 日，他向在皮德蒙由梅拉斯（Melas）所率领的奥军进攻，并在马伦戈（Marengo）附近将他们击溃。12 月 2 日，在霍亨林登（Hohenlinden）的奥军又再度为莫罗（Moreau）所击溃，于是第二次反法同盟瓦解，1801 年 2 月 9 日，奥国人接受了《吕内维尔（Lunéville）和约》。

摆脱了奥国的牵制之后，拿破仑又马上回到了其打击英国的计划上。早在 1800 年 12 月 12 日，他曾经说服了俄、普、丹（麦）、瑞（典）四国，依照 1780 年叶卡捷琳娜二世所曾经采取的路线，组成一个武装中立的同盟来对付英国。但不久之后，因为俄皇保罗一世（Paul Ⅰ）被刺殒命，再加上 1801 年 4 月 2 日纳尔逊在哥本哈根（Copenhagen）又击败了丹麦舰队，获得了决定性胜利，这个计划遂完全失败。

正当上次海洋同盟将要形成之际，拿破仑才开始对征服英国的问题表示浓烈的兴趣。2 月，他写了一封信给塔列朗（Talleyrand），在信中曾经说出一个伟大海军远征计划的大纲，由法西荷三国海军来执行，再加上俄丹两国的支援。其中心的理念为设法把英国的主力舰队引诱到埃及去，因为法国海军还是太弱了，不足以与英国争夺制海权。一旦英国舰队被引诱远离，即准备把兵力偷偷地送过海峡。为了达到这个目的，德克瑞将军被任命为海军部长。依照计划，侵入陆军总数为官兵共 114 554 人，准备用 2000 多艘小船来加以载运。

但是武装中立同盟的崩溃，加上英国阿丁顿（Addington）内阁的成立，在 10 月又展开了和谈的序幕，结果在 1802 年 3 月 27 日，签订了《亚眠和约》。一方面为法兰西、西班牙和巴达维亚共和国（Batavian Republic，即荷兰），另一方面为大不列颠和爱尔兰。其主要的条款为英国除继续保有斯里兰卡和特立尼达（Trinidad）以外，其余从法国或其同盟国方面夺来的殖民地都应归还。英国撤出马耳他，法军也撤出塔兰托（Taranto）和教皇国。

《亚眠和约》使法国变成了欧洲的仲裁人，法国人民对于拿破仑也表示出感恩戴德的心情。5 月 10 日，当法国的国务会议向全国人民提出选举拿破仑为终身执政的议案时，公民总投票的结果是赞成者 3 568 885 人，反对者 8374 人。从此“庞纳帕特”在法国和历史上，就变成了“拿破仑”了。[1]

这个和约实际上只不过是一个休战条约而已，双方都未作严

[1] 拿破仑的全名为 NaPoleon BonaParte，在此以前都称为“庞纳帕特”，此后才称为“拿破仑”。

格的遵守。许多摩擦都马上表现出来，其中最主要者有如下所述：拿破仑的保护政策，足以打击英国的贸易；英国人拒绝撤出马耳他；拿破仑拒绝撤退其在荷兰的驻军。经过了一年的反复折冲，终于在 1803 年 5 月 2 日，英国驻巴黎的大使惠特沃思勋爵（Lord Whitworth）寄出他的照会，然后于 5 月 17 日渡过了多佛尔海峡，接着第二天英国即向法国宣战。

自从受到了致命的打击，法国海军始终不曾恢复元气。现在所拥有者为战斗舰 23 艘，巡洋舰 25 艘，中型巡洋舰（corvettes）17 艘等，这些是可以立即服役的。此外还有 167 艘小船，那是属于 1800 年所建造的侵入船团中的。正在建造中的战舰有 45 艘，此外还有 15 艘荷兰战舰可供法国驱策，但其中只有 5 艘是可以服役的。

面对着法荷两国的舰队，即为英国的舰队，他们的人员曾经纵横海上，获得多次的胜利。1803 年 1 月，它一共拥有第一线战舰 30 艘，支援他们的有 86 艘的 50 门炮船和巡洋舰。宣战之后，英国的海军大臣圣文森特（St. Vincent）立即命令封锁主要的法方海军港口。纳尔逊（Nelson）负责地中海方面的指挥，基思勋爵（Lord Keith）监视北海和多佛尔海峡，康沃利斯封锁布勒斯特。

英法双方的海军实力实在相差太远，而且多数的法国舰艇又都已经被封锁着，拿破仑的唯一希望只好寄托在平底船的计划上面。他深知英国若参加欧陆战争，其战略重心必定是部署在英吉利海峡上，不过不久之后，他也就认清专靠这些平底船只也还是无法控制这个海峡的。另外有些人认为这个计划，自始至终为一种烟幕，以掩护其集中兵力对付奥俄两国，这种说法却殊少根据。[1] 固然最后这个准备侵英的军队，的确是用以对付奥国，但却不能说拿破仑的

[1] 虽然在 1805 年 1 月，拿破仑曾在其议会中宣传，准备侵入英格兰实为一种掩蔽，以便集中大军去侵入奥国。事实上，这却是一个诡计，他的目的是想欺骗英国人。

本来计划即是如此。因为拿破仑从来不会只有一个固定的计划，在他的“袖里乾坤”中，总是准备着有一个或多个的战略计划可供随时调换之用。

侵入的威胁使英国人奋起卫国，从正规性和志愿性部队人数的增加上，即可以证明这种努力的巨大程度。1803 年 12 月 9 日，英国官方记录说明入伍人数为 46.3 万人；到了 1805 年 1 月 1 日，这个数字已经增到了 59 万人。对于一个只有 1000 万人左右的国家，这要算是一个极艰难的努力。

1803 年秋天，俄国政府以法国对土耳其的阴谋为题，开始向英奥两国暗送秋波。当 1804 年 5 月威廉 · 皮特（William Pitt）重行出山之时，这个建议即得到了积极的考虑。皮特认清了专凭英国的单独力量，无法向拿破仑发动一次成功的攻势，所以他认为可以趁此机会再组成一个新的反法同盟。但是因为俄国想瓜分土耳其的欧洲部分，以求兼并摩尔达维亚（Moldavia）和君士坦丁堡，并且将土耳其的其余部分分成几个国家，使它们处在俄国的保护之下，同时还想获得马耳他，所以这一个外交谈判拖延了好长的时间。最后在 1805 年 4 月 11 日，英俄间才签订了一个条约。依照这个条约，双方同意建立一个欧洲同盟，以重建和平和均势。在这个条约签订之前，皮特又决定派一支兵力，由克雷格爵士（Sir James Craig）去驻防马耳他，于是空出了 8000 多名有经验的士兵用以占领西西里，再加上纳尔逊的协助，遂使该岛不曾落入法国人的手中。

1803 年平安无事，1804 年年初也是一样的。英法双方都在准备一个决死的格斗。为了提高法国的国威，宣战整整一年之后，1804 年 5 月 18 日，法国的元老院（Senatus Consultum）又为拿破仑上尊号为“法国人的皇帝”（the Emperor of the French）。12 月 2 日，在圣母院（Notre Dame）大教堂中，他温和地挥手请教皇庇护七世让开，在群臣高呼万岁声中，自己将皇冕戴在头上。

第十二章

特拉法尔加会战

当战争再起时，自从1781年以来，英国所处的地位是比较弱的。它现在不仅面临着法国和荷兰的联合舰队，而且依照条约，法西两国间的同盟关系是受到保证的。这也就是说从泰瑟尔起到热内亚为止，所有的港口都可以供拿破仑使用，担负造船和避难的任务。此外，也明白地显示出来，他是的确有侵入英格兰的意图，因为在所有的法国港口中，都可以听到造船工场的敲打声。他那个逐渐建立大海军的计划——其目标为法国战舰130艘，西班牙60艘，荷兰20艘，热内亚15艘——也并非空谈。因为从1805年起，虽然连年征战，到了1815年，法国的舰队还是增到了战斗舰103艘，巡洋舰55艘。[1]

所以英国海军的问题，不仅是要应付在英吉利海峡中的联合舰队，而且还要阻止联军方面的船只——已有者和尚在建造中者——离开港口达到公海上。其意义也就是说在这种封锁之下，即令有任何一个支队漏网逃走了，也绝不会引起连续反应——即不会再使另一个支队又随之逃走。尤其是当1804年12月12日西班牙向英国

[1] 到1814年，英国海军共有战斗舰240艘，巡洋舰317艘，其他小船611艘。

宣战之时，这个问题遂变得更难于解决。

联军方面的战舰，其分布如下所述：土伦 11 艘，卡塔赫纳（Cartagena）5 艘，加的斯 10 艘，费罗尔（Ferrol）9 艘，罗什福尔（Rochefort）5 艘，布勒斯特 21 艘，泰瑟尔 6 艘。前两者为纳尔逊用 12 艘战舰来加以封锁，第三者由奥德爵士（Sir John Orde）用 5 艘战舰来加以封锁，第四、第五和第六者由康沃利斯和他的部下负责，一共用 37 艘战舰在阿善特（Ushant）和比斯开湾加以封锁，第七者则由基思勋爵的 9 艘战舰，在北海方面加以监视。此外在英国港口中还有 5 艘战舰，在东西印度还另有 12 艘。所以在欧洲水面上，英国海军数量上所占的优势极为有限。

虽然实力并不太充足，但因为英国海军部遵守英国的传统海军政策，把重兵集中在海峡的西口上，所以多少对这个弱点有相当的补益。只要在阿善特的岸边有一支强大的舰队存在着，再面对着在北海沿岸的基思支队时，任何用平底船团侵入英国的企图都将是不可能的。英国海军部遂定有一条不变的原则，假使对方被封锁着的支队逃出了港口，而封锁舰队又无法使其接受会战来将其歼灭掉，后者就立即集中在阿善特的附近，以增强该处的舰队实力。阿善特实为英国海军防御战略中的重心，而康沃利斯的舰队在所有各舰队中也居于最重要的地位。假使他被击败了，则基思即丧失了其掩护；进一步说，假使基思也被击败了，那么除了气候以外，再没有任何东西足以阻止法国船团从布洛涅（Boulogne）作渡海攻英的企图了。拿破仑对于这一点是知之甚稔，虽然他并不太懂海军战术，而且也不太注意风向和潮流，不过作为一位海军战略家而言，他并不必学习什么新东西，因为战略原理本是可以通用的。

虽然这个以特拉法尔加会战为顶点的战役，是以 1805 年 3 月 2 日拿破仑下令给在布勒斯特的冈托姆中将和在土伦的维尔纳夫中将的命令为起点，不过为了便于说明，应该回溯到 1804 年 12 月 12 日，即西班牙对英国宣战之日。

在那一天，拿破仑命令维尔纳夫突出土伦港，驶往西印度群岛，并在马提尼克（Martinique）与米西赛（Adm. Missiessy）会合，后者应从罗什福尔突出以与他会合。接着，在停留了 60 天之后，在这个时间之内他应尽量使英国领地受到损害，维尔纳夫又应驶往费罗尔，救出被封锁在那里的支队。这是由古尔东上校（Capt. Gourdon）所指挥的，共有战斗舰 5 艘，巡洋舰 2 艘，然后再进向罗什福尔。

1 月 11 日，米西赛率领了 5 艘战舰和 4 艘巡洋舰，从罗什福尔逃了出来，向马提尼克驶去。一个星期之后，当纳尔逊率领他的支队往博尼法乔海峡（the Strait of Bonifacio）中的马达里那群岛（Maddalena）时，维尔纳夫率领了 11 艘战斗舰和 9 艘巡洋舰，开始驶出了土伦港。当他听到了维尔纳夫逃走的消息，纳尔逊不考虑其他的可能性，而认为维尔纳夫一定是驶向马耳他或埃及，于是立即先向东赶去，于 2 月 7 日到达了亚历山大港。当他发现并无敌踪时，又赶往马耳他，在那里才知道由于遇到了风暴，维尔纳夫已经被迫返回土伦。纳尔逊仍然相信维尔纳夫的目的地为埃及，所以在 3 月 26 日，为了拦截他，就把自己的支队投锚在萨丁尼亚以南的海面上。4 天以后，他才听到维尔纳夫又出海了，对于纳尔逊而言，他当然不知道维尔纳夫是在执行拿破仑 3 月 2 日的训令。

这个训令的目的是想在马提尼克集中一支在 40 艘以上的战斗舰队，主要的部队为冈托姆的布勒斯特支队，共为 21 艘战舰和 6 艘巡洋舰，以及维尔纳夫的土伦支队，共为 11 艘战斗舰和 6 艘巡洋舰。在航行的途中，前者应救出在费罗尔的古尔东支队，共为 4 艘战斗舰和 2 艘巡洋舰；后者应救出在加的斯的西班牙支队，这是由格拉维纳（Adm. Gravina）所率领的，约为战斗舰 7 艘。在马提尼克，米西赛也要率领 5 艘战斗舰和 4 艘巡洋舰加入在一起，等到全部兵力集中之后，即由冈托姆任总司令，指挥这个联合舰队向阿善特进发，攻击在那里的英国舰队，并继续向布洛涅前进。维尔纳夫所奉到的命令，是要在冈托姆之前先达到马提尼克，在那里应等候 40 天，若是到了 40 天冈托姆还未来到，即应驶往加的斯，在那里另有新的命令在等候着他。

为了方便起见，在没有说到以下的斗争经过之前，首先分析这两位主将——维尔纳夫和纳尔逊的性格。

维尔纳夫要比纳尔逊小 5 岁，一个生于 1763 年，另一个生于 1758 年。维尔纳夫是一个法国贵族出身的海军军官，在革命中为少数的幸运儿，未被清算，因此升官反而极快。他受过良好的教育，是一位饱学之士，若在海军部中工作十分适当，但却并不适宜于指挥性的工作。虽然他并不缺乏个人的勇气，但在本质上却是一个失败主义者。他不相信拿破仑的侵英计划，他对于他的部下和盟友都缺乏信念，而更坏的却是他对自己也缺乏信心。在尼罗河之战中，他所指挥的船只是两艘逃走的法国战舰中之一艘。从此以后，他对于纳尔逊即不免望之生畏了。

纳尔逊的本性却完全不同。他是一个果敢而具有幻想的战术家，具有独立的眼光，有野心，对于他的名誉很敏感，有时不免向慕虚荣，而且常常轻侮其所不喜欢的人。他的精神勇气是少见的，好像他在圣文森特之战中，他单独地离开战线去突击西班牙前卫的行动所表现的那样。格伦费尔（Capt. Grenfell）在《纳尔逊传》中说："这种个人的主动精神、超人的英勇行为，都是海军史上史无前例的。"他在尼罗河、哥本哈根和特拉法尔加诸战中，所表现的英勇都是很少有人能追及的。虽然如此，他却是一个平庸的战略家，因为他并未能认清战略学是一门科学，虽然并非正确的科学，但它至少是以事实为基础而不是以直觉为基础的。在 1804 年到 1805 年，最重要的战略性事实即为拿破仑海军对于英格兰的威胁，可是在这个时候的纳尔逊信件中，一共只有一次提到"侵入"的字样，而且很巧合的，这还是当拿破仑已经放弃了其侵英计划之后的事情。其原因是他的注意力总是固定在地中海方面，所以连并不聪明的维尔纳夫在斗智战中也都可以占上风。纳尔逊所未能认清在这个时候，战略重心是在英吉利海峡中，而并不在萨丁尼亚的海岸上和尼罗河口中。虽然如此，尽管有这个缺点，他还是英国有史以来最伟大的海军战将。

3 月 10 日，纳尔逊率领其支队，还留在萨丁尼亚的西南角上的帕尔马斯湾（Palmas）中，当他听到维尔纳夫正在装载部队的消息，他立即扬帆往土伦。他在那里发现一切的征象，都足以表示维尔纳夫是要准备出海了，但他仍然坚持着其原有的结论，认为其最可能的目的地还是埃及。所以他又回到帕尔马斯湾，从那里他可以掩护那不勒斯和西西里，封锁达到埃及的主要海路，假使维尔纳夫的目的为出大西洋，则这个位置也便于向西迎击。3 月 30 日，维尔纳夫依照拿破仑的训令，从土伦出发向加的斯前进以救出格拉维纳的支队，然后再驶向西印度。此时他仍留在那里。

纳尔逊于 4 月 4 日才第一次获得维尔纳夫离去的消息。他的一艘巡洋舰在 3 月 31 日，曾经在土伦西南面 60 英里处的海面上，发现维尔纳夫的支队——即为帕尔马斯以西约 300 英里。这个消息使得纳尔逊对海军部发出报告说："我将向埃及推进。"其次，他心中仍然注意着埃及，相信维尔纳夫是先向格里塔岛（Galita）进发，然后再绕着非洲海岸以达到亚历山大港，所以他把他的兵力部署在萨丁尼亚和格里塔之间。但是当他这样做了之后，又害怕维尔纳夫会绕过萨丁尼亚的北面，于是又把他的兵力部署转移到巴勒摩以北 50 英里的乌斯蒂卡岛（Ustica）上，并于 4 月 7 日达到该地。

同一天，维尔纳夫也到了卡塔赫纳的海外，此时奉命封锁格拉维纳在加的斯港内的奥德爵士已经接获了斯特罗恩爵士（Sir Richard Strachan）的警告，后者是奉了纳尔逊的命令，护送一支运输船团取道阿尔吉西拉斯返回英国，他于 4 月 8 日看到维尔纳夫从海峡中驶出。奥德手中只有 4 艘战斗舰，这个消息使他处于极度的困惑中。他是应该停在原地等候纳尔逊呢，还是应该向阿善特集中呢？当斯特罗恩告诉他纳尔逊正有事于埃及时，他就做了最后的决定。奥德留下了他的巡洋舰以与维尔纳夫保持接触，在与海军部通信之后，即向北进发。

奥德的通信是很高明的，尽管纳尔逊对他极表不满，不惜对他辱骂，可是从这个文件上可以看出来，他对于战略情况的了解是远比纳尔逊要清楚。这个文件的内容如下："我相信敌人在加的斯是不会停留太久的，其往西向进发的机会最大，因为这样可以突然集中几个支队的兵力。拿破仑可能是希望在海峡中获得一个暂时性的优势，以使他可以对敌人作一个致命的打击。"这的确是拿破仑的意图，当他猜透了敌人的计划之后，奥德即开始出发以增强战略重心——阿善特。

4 月 9 日，维尔纳夫在加的斯港口投锚，用讯号通知格拉维纳出来。但是他却非常害怕纳尔逊会尾随在他后面，到了下午 1 时，他不再等候格拉维纳而先起锚开船，让西班牙人跟在他后面蹒跚地前进。

不久，因为维尔纳夫并未在第勒尼安海出现，纳尔逊遂将他的位置从乌斯蒂卡移到托罗（Toro），这是一个小岛，靠近帕尔马斯湾。4 月 18 日，当他听到维尔纳夫的支队于 4 月 8 日已经在直布罗陀的海外被发现时，他遂报告英国海军部：因为他的戒备森严，敌人已经发现不可能向地中海进犯了。第二天，他又发出了另一则通信说：他感到很满意，维尔纳夫不向西印度群岛进发，而好像是以爱尔兰和布勒斯特为目标，他则正在西西里岛的附近行驶。虽然时间已经迟了，这却是绝对依照海军部早已确定的原则。

由于恶劣天气的延误，纳尔逊直到 5 月 6 日才到达直布罗陀。在那里他与正在葡萄牙服务的坎贝尔少将（Rear-Adm. Campbell）相遇，他告诉纳尔逊说，维尔纳夫已经正在往西印度的途中。纳尔逊一向是冲动性的，具有血气之勇，马上就立下决心，于 5 月 10 日率领了 10 艘战舰和 3 艘巡洋舰立即作横渡大西洋的航行。

对于这一点，格伦费尔上校曾有下述的批评：

> 纳尔逊立即向西印度进发的决定是否健全合理，是颇有疑问的。当拿破仑的“英格兰军团”(the Army of England) 在布洛涅的准备正在如火如荼的时候，维尔纳夫的行动与运输这支兵力越过海峡之间无可避免地具有关联。不管维尔纳夫到哪里去了，他却比纳尔逊早了一个月，所以比较合理而谨慎的假定，是认为法西舰队在做一种诱敌行动，以引诱英国的海军离开海峡地区。而且当这支诱敌的舰队在西方和南方失踪时，不久即可能又会掉过头来，向最后和具有决定性的目标进发。所以当维尔纳夫已经失踪很久，再向西印度群岛进发，这实在相当冒险。从全面战略的观点来看，纳尔逊实应向布勒斯特前进。在这个非常不定而危险的情况中，这似乎是最安全的办法。

格伦费尔上校也曾指出，根据另一个理由，纳尔逊也应该与康沃利斯会合在一起。英国海军部在 5 月 10 日，应该接到其在 4 月 19 日所发出的通信。该部对于维尔纳夫的行动真相必早有所知，所以应该已经自有他们的安排去追击维尔纳夫。在这种情况之中，若是纳尔逊也向西印度进发，那么追击的就不只一个支队而有两个支队了。事实上也的确是这样的。当海军部从奥德（4 月 30 日）和间谍方面得知维尔纳夫已向西印度群岛进发的消息，海军部长巴勒姆勋爵（Lord Barham）立即命令柯林乌（Collingwood）中将率领 11 艘战斗舰出发追击。仅仅是偶然的，当他已经在途中时，才知道纳尔逊早已在追击中。假使这个偶然事件不发生，那么就会有 21 艘战舰去参加这个“追逐野鹅”的工作了。[1]

6 月 4 日，在迅速航行之后，纳尔逊进入了巴巴多斯(Barbados)，

[1] 在直布罗陀，纳尔逊曾经派比克尔顿爵士（Sir Bickerton）去掩护克雷格将军通过马耳他。其次，海军部命令比克尔顿去增强在费罗尔的卡尔德（Gen Calder）。5 月 17 日，比克尔顿驶向北方，10 天后当他接近芬尼斯特（Finisterre），与柯林乌相遇，后者告诉他纳尔逊已经率领了 10 艘战舰，早在追击之中。

柯克兰尼少将（Real-Adm. Cochralne）在那里率领了 2 艘战舰加入在一起。在那里他获得了一个错误的情报，说有人看到法国舰队在圣路西亚的上风方面出现，结果他错过了他的敌人。5 月 14 日，维尔纳夫到达了马提尼克，发现米西赛已经返回罗什福尔，而冈托姆则尚未到达。后者仍被封锁在布勒斯特港中，拿破仑不想再延迟时间，已于 4 月 29 日派了马尼翁少将（Real-Adm. Magnon）率领 2 艘战舰，把一个命令送达给维尔纳夫。命令中规定他在接获之后，应在西印度群岛停留 35 天，假使冈托姆尚未能与他会合，即应驶往费罗尔，接出封锁在那里的 15 艘船，接着再放出在布勒斯特港中的 21 艘船，最后集中兵力进入英吉利海峡，而出现在布洛涅之前。

马尼翁于 6 月 4 日到达，在 6 月 7 日又接获了纳尔逊已到西印度群岛的消息。这个消息使维尔纳夫的神经大为紧张，竟不顾其新命令，于 6 月 10 日匆匆返回欧洲。两天之后，纳尔逊到了安提瓜，猜到了维尔纳夫正在返回欧洲的途中，不是到加的斯就是土伦，比较可能的为后者，因为他在这时曾经这样的写信说：“他们可能幻想以为可以直达埃及，而不受到任何的阻碍。”——所以他决定返回直布罗陀。[1]

在他尚未出发之前，纳尔逊派了贝特斯沃思上校（Gapt. Bettesworth）所指挥的“寇里克斯”号（Curieux）两桅船（brig），去通知海军部说他已经回来了。当这艘船在返国的途中，于 6 月 19 日看见法国航队正在沿地中海以北的航向进行。这就适足以证明维尔纳夫是向比斯开湾行驶，是向直布罗陀海峡前进，而并非如纳尔逊所料想的。7 月 7 日，“寇里克斯”号还到了普里茅斯，而 7 月 19 日，纳尔逊也投锚在直布罗陀海峡中。

---

[1] 拿破仑似乎十分明了纳尔逊的固执想法。4 月 20 日他写信给德克瑞斯说：“纳尔逊可能又会向埃及作第二次的航行。”23 日，他又命令在荷兰报纸上发表法军 1 万人在埃及登陆的消息，以来欺骗纳尔逊。

7 月 18 日当他在斯巴特角（Cape Spartel）岸旁时，纳尔逊会与柯林乌通信，后者正在担负封锁加的斯的任务，其给予纳尔逊的回信，应该足以使他认清当前的战略情况。柯林乌的见解是：他相信拿破仑的目的是在爱尔兰，维尔纳夫的航队现在会首先接出费罗尔支队，绕着比斯开湾走，再救出罗什福尔的兵力，于是可能集中了 34 艘船，出现于阿善特之前，在那里又可能再加上 20 多艘船只。他更补充着说："当法国政府看到了巨大的目标时，就绝不会再留心细事。他们逃向西印度是为了躲避我方的海军，这是他们行动上的最大障碍。这个夏天一定会有大事发生。"

7 月 20 日，纳尔逊在直布罗陀登岸，这是 1803 年 6 月 16 日以来的第一次。在同一天他又写信给巴勒姆勋爵说："除非俄国的巡洋舰能够代替现在正从地中海北部撤出的柯林乌的兵力，否则法国人就可以随心所欲地运送陆军往萨丁尼亚、西西里、莫里亚（Morea）或埃及。为了这个任务，我曾经一再要求多派巡洋舰和单桅船来。"从他所列举的地名上，即可以知道虽已接获 7 月 18 日柯林乌的来信，纳尔逊却还是不曾改变其旧有观念。8 月 3 日，纳尔逊才奉到了命令，要他驶往阿善特以与康沃利斯会合在一起。

正当此时，又有重要的政治性事件发生，足以使拿破仑的计划受到巨大的影响。1804 年 5 月 12 日，皮特已经再度执政，他的主要思想即为建立另一个同盟。他的计划一部分是以 1804 年迪穆里埃的《泛论英格兰的防御》一文为根据。同盟的构成分子预定为英格兰、俄罗斯、奥地利、瑞典和那不勒斯。经过了一年的谈判，1805 年 4 月 11 日，英俄两国之间签订了一个条约，接着在 8 月 9 日俄奥两国之间又签订了一个条约。他们也曾征求普鲁士参加，但却遭到了拒绝。这些条约规定俄国应出兵 18 万，奥国 30.5 万，瑞典 1.2 万。英国对于每 10 万兵的数额，每年付出补给费 125 万英镑，但总兵额以 40 万为限，用以对法西两国作战。

当"寇里克斯"号到达了普里茅斯之后，贝特斯沃思上校即前往伦敦，并于7月9日向巴勒姆勋爵提出报告。后者认清了贝特斯沃思报告的重要性，立即通知康沃利斯，要他命令斯特林少将解除罗什福尔的封锁，以来增援在费罗尔港外的卡尔德爵士。此外，康沃利斯也应命令卡尔德，一旦获得了增援之后，应立即向芬尼斯特角前行，从那里再向西巡航，用六七天的时间行走三四十里格的距离。所以到了1805年7月，拿破仑的战略目标已经达到了一大半了。除了布勒斯特与加的斯以外，所有其他的法西两国的港口都已经解除封锁了。

维尔纳夫于7月2日通过了亚述群岛，7月22日在浓雾之中，接近芬尼斯特。假使浓雾不散，则他可以驶过卡尔德的15艘船只而不被发现，即可以与在布勒斯特的冈托姆会合在一起了。但是正午时候，雾幕升起了，卡德尔的一艘前哨巡洋舰报告发现了法国舰队。下午5时，双方作了一次并无决定性的交战，有两艘法国军舰下旗投降。虽然在7月23日，双方舰队仍在接触中，但却并未再战。次日卡尔德向北进发以与康沃利斯会合，维尔纳夫也张着满帆由维哥湾（Vigo Bay）前进，于7月28日到达目的地，然后从那里再驶向费罗尔，并于8月1日到达。

这一战的精神作用是具有决定性的，因为维尔纳夫对于自已舰队的缺乏信心已经控制不住了。8月6日，他写道："在浓雾之中，因为我方的舰长对于战斗和舰队战术完全缺乏经验，除了跟随着前面的船只以外，更无其他的良策。在这里我们成为欧洲的笑料。"这个战斗使他有麻痹之感。

在费罗尔，维尔纳夫收到了拿破仑在7月16日所发出的通信，命令他解除费罗尔的封锁，然后再采取下述的行动，以使法国成为多佛尔海峡的主人翁，或是与罗什福尔和布勒斯特两个支队会合在一起，或是只与两者中的一个会合在一起。这支舰队以兼速向爱尔兰和苏格兰行驶，以便与在泰瑟尔的荷兰支队会合。假使因为会战或其他原因，维尔纳夫不能完成其任务，则无论如何均不许进入费罗尔港，而应驶向加的斯。

因为所信赖者为维尔纳夫这样一个人，所以最后的这个指示对于拿破仑而言才要算是一个极严重的错误。加的斯距离布勒斯特要算是最远的，这也正是维尔纳夫内心中所最想去的目的地。既然不准许进入费罗尔，他就把 3 艘已损毁的船只留在那里，而改向拉柯鲁尼亚前进，在那里他得到了 14 艘战舰的增援。

当斯特林为了增援卡尔德而从罗什福尔撤走时，7 月 17 日，代替了米西赛的阿勒芒少将（Rear-Adm. Allemand），也就从罗什福尔港口中溜出，奉命于 8 月 13 日与维尔纳夫会合在一起。可是德克瑞对于此事并未通知维尔纳夫，遂不免铸成大错，终于导致了 8 月 13 日的大败。

那一天维尔纳夫出海航行，当他看见一些巡洋舰时，认为那是英国人，于是立即改向南方行驶，以躲避他们。实际上，这是属于阿勒芒支队的，并正在寻找维尔纳夫的部队。假使维尔纳夫与阿勒芒会合在一起，则他的兵力可以增到 34 艘战舰，若是再继续向北而不向南航行，那么也许就会交好运。因为在 8 月 16 日那一天，康沃利斯已经把他的 35 艘战舰分为两部分，派了卡尔德率领了 18 艘船，前往费罗尔。所以维尔纳夫若能依照命令向北行驶，再能侥幸躲过卡尔德，那么布勒斯特的封锁即可能被解除。

拿破仑对此曾经有下述的感慨："维尔纳夫所丧失的机会实在是太大了！若是直向布勒斯特前进，他可能避过卡尔德的支队而攻击康沃利斯的支队，于是他的 30 艘战舰就会击败英军的 20 艘战舰，而获得一个决定性的优势。"固然就理论上来说，这种批评是对的，不过实际上却很有疑问，因为康沃利斯所保留的兵力，有他的 10 艘"三层甲板"（three-deckers）船，而照那个时候的计算，在战斗能力方面，一艘"三层甲板"船是可以相当于两艘"两层甲板"船（two-deckers）的。

维尔纳夫继续往南走，8 月 20 日进入了加的斯，封锁该港者为柯林乌，一共只有 3 艘战舰。8 月 22 日，比克尔顿爵士率领 4 艘战舰来增援；8 月 30 日，卡尔德又带了 18 艘战舰赶到。

8 月 3 日，拿破仑到达了布洛涅。时间已经很迫切，因为早已有了许多征象表示在他的后方有一个同盟在形成之中。奥国在威尼西亚和提罗尔集中部队；根据圣西尔的报告，那不勒斯也在大量召集民兵。8 月 13 日，当拿破仑听到维尔纳夫已经与卡尔德交战，对于此事他向维尔纳夫表示祝贺，并命令他与阿勒芒立即会合，扫荡其前途上的一切障碍物，把法西两国船只混合编组起来，再向海峡进发。同时他在写给德克瑞的信中，埋怨维尔纳夫的行动太迟缓。8 月 22 日他又写信给冈托姆说，维尔纳夫已在与他会合的途中，当他到达之后，不应迟误一天立即向海峡进发，以求一雪 6 个世纪以来的耻辱。同一天他也写信给维尔纳夫，并把该信寄往布勒斯特，内容是："我相信你现在已经在布勒斯特，赶紧扬帆，不要浪费一分钟。当我的舰队集中进入海峡时，英格兰就是我们的了。我们已经准备就绪，并已上船。只要有 48 小时，一切都会结束了。"

次日，拿破仑仍然不知道维尔纳夫已经到了加的斯，他写信给塔列朗说："当我对于欧洲的情况愈作深入的研究时，则我愈感觉到有采取一个决定性步骤之必要。"他又说："假使维尔纳夫和他的 34 艘船能遵照我的指示，与布勒斯特支队会合在一起进入海峡，那么时间还来得及，我仍然还可以做英格兰的主人翁。否则我就要拔起我在布洛涅的营幕，而改向维也纳进发了。"最后在 8 月 26 日，他才下了决心，命令他的参谋长贝尔蒂埃（Berthier）准备把在布洛涅的兵力向奥国移动。8 月 31 日，他写信给迪罗克（Duroc）说："军队全部在运动之中，到 9 月 27 日，我的一切都准备就绪了。我把'意大利军团'交付给马塞纳，奥国是非常的无礼傲慢，正在加速准备之中。我的支队已经进入加的斯。请保守秘密，这只告诉你一个人。请尽量搜集多瑙河、美因河和波希米亚等地区的地图，并让我知道奥俄两国陆军的组织。"9 月 2 日他离开了布洛涅。于是"英格兰军团"变成了"大军团"(Grand Army),不渡过海峡而开始准备渡过莱茵河了。

上文说过,纳尔逊已于 8 月 3 日向北往阿善特航行,8 月 15 日当他到达该处并向康沃利斯的将旗致敬时,即获得了要他乘坐"胜利"号(Victory)旗舰往普利茅斯的命令,他于 8 月 18 日在那里投锚。在英格兰,他的时间消磨在伦敦与默顿(Merton)之间,9 月 2 日,巡洋舰"欧亚拉斯"(Euryalus)的舰长布莱克伍德(Blackwood)带来了一个消息,说维尔纳夫已经进入了加的斯,于是纳尔逊的短假告以结束。9 月 5 日,他把他的重行李送往普利茅斯;9 月 14 日,他本人也上船了。次日,"胜利"号由"欧亚拉斯"号伴随着一同扬帆出发。9 月 28 日,他与柯林乌会合在一起,并接管全部舰队的指挥权。

第二天是他的 47 岁生日,在他写给某一个不知名友人的信件中,曾经有下列叙述:"当我接管这个舰队时,所受到的热烈欢迎是我毕生所不能忘记的。军官到船上欢迎我回来,在热烈的情绪中几乎忘记了我的总司令身份。"纳尔逊把他的舰长们集合起来,把他的会战计划解释给他们听,这是他在默顿时所拟定的,通常被称为"秘密备忘录"。

在没有说明这个计划之前,最好先回顾他的前一个计划,那是他在往西印度途中所构想出来的,因为在这两个计划中,前者更可以清楚地显示出来:作为一位战将,纳尔逊与当时其他的海军将领有些什么不同之处。

第一个计划的要点即为一个"接近的和决定性的会战",这是纳尔逊的一贯目标。在这种会战中,部将们不应等待信号,而应根据他们自己的主动精神来采取行动。为了使他们在这种行动中不至于使整个会战秩序发生混乱的危险,他们对于总司令的攻击"典型"(Mode)必须要有充分的认识。纳尔逊并不是用战斗为手段,以求达到执行一个计划的目的；反之，他是用计划为手段，以求达到执行一次战斗的目的。这两者之间是大有差别的。

这个备忘录的特点并不在于其攻击的“典型”方面，而是当部将在执行攻击时，可以有极大的行动自由——关于攻击典型，这里一共提到了两个，以便依照环境可以替换使用。在圣文森特角之战中，纳尔逊还是一个部将，他却发挥了最高度的主动精神，所以他也希望他的船长们也都能以他为模范。他和拿破仑完全不同，后者是不能容许他的元帅们具有主动精神的，而纳尔逊却希望他的舰长们都具有“纳尔逊”式的心灵。除了他的勇敢好斗以外，他的主动精神，再加上其部下的主动精神，实在是使纳尔逊变成英国最伟大的海军战将的主要原因，尽管后者违背了当时严格的海军纪律。

纳尔逊在默顿时，曾经首先与基茨（Adm. Sir Richard Keats）讨论他这个秘密备忘录。其基本假定是纳尔逊的舰队有 40 艘战舰，维尔纳夫的舰队则为 46 艘。要想不花太多的时间，而把 40 艘船都列成战斗序列，这似乎是不可能的。所以为了节省时间，全部舰队分为两线，每线 16 艘船，另有一个“前进支队”（advanced squardon）或是“预备线”（reserve line），共为 8 艘船。此外，也是为了节省时间，航行的序列也就是战斗的序列，而且为了能够充分利用机会，这两条战线是可以完全独立行动的。一由纳尔逊指挥，另一由柯林乌指挥，后者对于他的战线具有完全的指挥权。

攻击的“典型”有如下述：当柯林乌攻击敌方战线后段的 12 艘船只时，纳尔逊即应攻击敌军的中央部分，以阻止他们攻击柯林乌，同时他的船只应夹在敌方中央与前卫之间，不让后者转过身来以援助其后卫部分。此时，“前进支队”也插入进来，他们的位置应在敌人中央的前头相隔三四艘船的距离，其目的为倾全力来捕获敌军的总司令，因为他是敌人舰队在指挥上和精神上的中心。纳尔逊说：“有些东西必须委之于机会，尤其是在海战中没有任何事情是有一定把握的。炮弹可以击毁敌船，同样也可以击毁友船。但是当敌方前卫未能援助其后卫之前，我对于胜利是确有信心的，此后英国舰队对于敌人的20艘战舰，即可以准备受降；若是他们企图脱逃，则可以倾全力来加以追击。”

纳尔逊的观点与艾帕米隆达斯（Epaminondas）在路克特拉（Leuctra）的观点是颇为相似的。在那一个会战中，底比斯军的右翼监视着斯巴达军的左翼和中央两部分，而底比斯军的左翼则击毁斯巴达军的右翼。在特拉法尔加之战中，纳尔逊也是用攻击的手段来控制着法西联合舰队的中央和前卫，而好让柯林乌来击毁敌人的左翼——后卫。因为这个战术观念事实上是古已有之，所以不一定要归功于在鲁滕会战中的腓特烈，或是在特拉法尔加会战中的纳尔逊。在战争中，基本观念是往往会再生的——它们从这一代又传到了那一代。

纳尔逊曾经写信给他的情妇汉密尔顿夫人（Lady Hamilton），对于这次与各位舰长间的会议有极生动的描写：“当我把这个‘纳尔逊秘诀’（Nelson Touch）解释给他们听了之后，这简直像触电一样的灵效。有些人落下了眼泪，所有的人都异口同声地说：‘它是真新奇，真特殊，真简单！’自将级人员以下，也都莫不一再地说：‘只要让我们把他们抓着了，那么就一定会成功！我的勋爵，你给予了我们以信心！’”在10月9日或10日，这个秘密备忘录又以书面的形式在传送着。

在加的斯的维尔纳夫发现他的处境是空前的恶劣。他的金库已经一空如洗，一切的粮食、供应品都莫不感到缺乏。除了原有缺额2000人以外，还有1731名病兵。更坏的是，法西两国的官兵之间又经常发生争吵。9月2日，他写信给德克瑞，大诉其苦。虽然如此，到了9月24日，他却能够报告说，已经装好6个月的补给，准备出发了。

拿破仑此时放弃了一切侵英的意图，可是对于这个“可怜的”

维尔纳夫却另外指定了一个新的“送终”计划。从圣克劳德（St. Cloud）他对于维尔纳夫发出了下述的训令：

> 兹决定把集中在加的斯港中的我方海军力量投入地中海中，以当作一个强大的牵制作用。你应明了我方的意图，立即寻找机会率领联合舰队向该海进发。
>
> 首先向卡塔赫纳进发，以与在该港中的西班牙支队会合在一起。
>
> 再向那不勒斯进发，并在海岸的某一点上，让你船上所搭载的陆军登陆，以便与圣西尔将军所指挥的部队会合。
>
> 依照你自己的判断，如认为有必要时，你所指挥的舰队可以尽量留在那不勒斯的海岸边上，以求对敌人造成最大的损害，并拦截其意图派往马耳他岛的船队。
>
> 在这个远征行动之后，这个舰队即应驶入土伦，以便整理和修补。
>
> 我们的意图是这样的，当你无论在何处，若遇到一个劣势的敌人时，都应毫不犹豫地加以攻击，以求对于他们获得一个决定性的胜利。
>
> 这个作战的成败，就要看你是否能够立即离开加的斯出发。

两天之后，拿破仑又命令德克瑞撤换维尔纳夫，而以罗西里（Adm. Rosily）来代替他。但是考虑到不愿意刺激维尔纳夫的感情，德克瑞没有立即通知他。10 月 10 日，罗西里到达了马德里。

10 月 1 日，维尔纳夫开始做最后的准备，预定在 10 月 7 日出海，可是风向突然转变，使他在港中停留了 10 天之久。10 月 8 日，他召开了一次作战会议，向他的舰长们解释他对于未来的会战认为应该如何打的观念。他说他主张把这个 33 艘战舰的舰队，分为两个集团：(1) 战斗集团（corps de bataille），共 21 艘船，由他自己指挥；

（2）预备集团（corps de reserve），共 12 艘船，由格拉维纳将军指挥，应部署在前者的上风方向上。[1]

接着，维尔纳夫又推测敌人所可能采取的战术，这可以说是非常的准确。他说："英国舰队不会构成一个与联合舰队平行的战线。纳尔逊会企图切断我方的战线，包围我方的后部，然后集中力量来打击其可以孤立和切断的船只，愈多愈好。"至于究竟应该怎样来应付这样的攻击，他却并无高见，很明显他知道他的舰长们只能够采取鱼贯而行的方式。他所补充说明的只有下述两点：（1）假使联合舰队占了上风，则应该迫近敌人，然后一船对一船地作战；（2）假使在下风，则应排成一个紧接着的战线等候攻击，而每个舰长也应各自为战。

依照拿破仑的命令，法西两国的船只是采取混合编组的。他们中间有 1 艘"四层甲板"（four-deckers）的船，名叫"三叉岭"号（Santissima Trinadad），一共有 131 门火炮，为当时最大的船只；3 艘"三层甲板"的船，2 艘为 112 门火炮，1 艘为 100 门火炮；6 艘 60 门火炮的船只；22 艘 74 门火炮的船只；1 艘 64 门火炮的船只；7 艘巡洋舰和中型巡洋舰。战舰中有 18 艘为法国的，15 艘为西班牙的。所装置的"侧舷"（broadside）火炮共为 2626 门，短炮（carronades）还计算在外。所搭载的官兵全部共为 21 580 人。所搭载的陆军是由加的斯守备部队中抽调出来的，其中有非洲团（Regimento de Africa）和索里亚团（Regimento de Soria），都是过去曾经参加过西班牙无敌舰队的部队团号。

[1] 到了 10 月 16 日，最后的战斗序列已完全决定。战斗集团又分为三个支队，每队 7 艘船。前卫为第二支队，由阿拉瓦中将（Vice-Adm. Alava）指挥，旗舰为"圣安娜"号（Santa Ana）。第一支队为中央部分，由维尔纳夫自己指挥，旗舰为"布森陶尔"号（Bucentaure）。第三支队为后卫，由迪马努瓦尔少将（Real-Adm. Dumanoir）指挥，旗舰为"杜古陶因"号（Duguay Trouin）。预备集团，由格拉维纳指挥，旗舰为"阿斯土里亚"号（Principe de Asturias）。

英国舰队本应有33艘战舰，但当纳尔逊接管指挥权不久，路易少将（Rear-Adm. Thomas Louis）所率领的支队共有战舰6艘，奉令去保护一个驶向马耳他的运输船团，所以纳尔逊手中只余下了27艘战舰。在这些船只当中，7艘为“三层甲板”的，3艘100门炮，4艘98门炮；20艘为“两层甲板”的，1艘80门炮，16艘74门炮和3艘64门炮。此外他还有4艘巡洋舰，1艘双帆二桅船，1艘单桅快船。全部官兵16 820人。除了短炮以外，一共有“侧舷”火炮共2148门。

因为路易的支队不在，纳尔逊遂改变了其原有的计划，不再把舰队分为三线，而代之以两个纵队：（1）前卫或上风纵队，共有船12艘，由他自己指挥，其旗舰为“胜利”号；（2）后卫或下风纵队，共有船15艘，由柯林乌指挥，旗舰为“王权”号（Royal Sovereign）。这是他第一次改变了其在秘密备忘录中的原有计划，接着还有其他的改变。这些改变曾经引起了许多的腐儒之论，但却更足以说明纳尔逊在这一会战中的心理变化。

他的目的是获得一次决定性的胜利，俘获或击沉敌方的20艘战舰，因为当他在临死时曾经说过：“我曾经估计应有20艘。”诚如其秘密备忘录所云，旧式的平行战斗序列通常总是不具有决定性的，因为它们是如此的迟缓，无法集中兵力打击敌人的弱点。他认为那好像是两个“单臂”的拳师在互相格斗，而他所希望的却是能同时用“双臂”来搏斗。他的舰队可以同时向左右两方打击。上风纵队保护着右面，而下风纵队则打击在敌人的后卫上。他为什么要选择敌人的后卫来当做打击目标，而不选择前卫呢？因为要支援其后卫，敌人的前卫必须调过头来，所以需要很长的时间；反之若是打击其前卫，则敌人的后卫只要继续照原有的方向前进，而不必调过头来。

为了使他的打击能具有极大的有效性，他并不严格遵守传统的横线或直线的战术。反之，他却代之以两个船团，只是依次航行而已。关于这一点是毫无疑问的，因为当他在默顿向基茨将军解释其战术时，他曾经这样说："这样会立即引起一场混战，这也正是我所希望的。"在特拉法尔加之战两个月以后，柯林乌所写的一封信也足以当作证据，他说："纳尔逊决定用两个独立的集团，来代替一个严正的攻击序列。它的执行是非常的良好，所以获得了优异的成功；也许其新奇性对于我们极为有利，因为敌人是料想我们一定会形成一个好像一条线的东西。"这也正是纳尔逊所早已预料到的，因为在默顿讨论战术时，他曾经突然转向基茨说："但是我要告诉你我所想的是什么。我认为它足以奇袭敌人，使他莫知所措。他们不会知道我要做什么。"奇袭加上集中，另外再加上优越的炮术。

秘密备忘录与实际情形之间所具有的差异，也正是思想中的观念与行动中的观念之间所具有的差异。战术目标还是一样的，但是达到这个目标的手段，就可以依照当时的情况而有所改变。这不是腐儒之流所能够解释的。

10 月 15 日，维尔纳夫从巴永那获得了一个消息，说是罗西里已经启程往加的斯，因为他知道罗西里已经有 12 年以上的时间不曾下过海了，所以他认为一定是派他来担负某种行政上的任务。接着，从马德里又传来了消息，说罗西里是奉命来接替他的，维尔纳夫觉得这是一个奇耻大辱，于是决定在他尚未到达之前，即先行溜出加的斯港去。10 月 17 日，当他听到纳尔逊舰队中又调走了路易支队的消息——已经知道太迟了——遂使他的决心更为增强。风向也是有利的，在与格拉维纳会商一番之后，他就命令其旗舰的舰长，发出"准备开船"的信号。当他发出了信号，突然风又息了，接着是一点都没有了。

第二天，纳尔逊在他的日记中写道："天气清明，东风，联合舰队要想出海，这就要算是最好的天气了。"虽然如此，维尔纳夫却踟蹰不前，一直等到 10 月 19 日上午 6 时他才命令他的舰队扬帆出发。

两个半钟点之后，当纳尔逊正在加的斯西南西方向上约 50 英里远的地方，从其在岸边监视的巡洋舰上获得敌军已经出港的信号，他立即发出了“全面追逐”（general chase）的信号，因为他的目的是切断联合舰队往地中海的进路。接着又发出了“敌方舰队已在海上”的信号，这是不正确的，因为在 10 月 19 日，只有马尼翁的支队曾经驶出加的斯，一直到 10 月 20 日的正午时维尔纳夫的全部舰队才开始行动。

10 月 20 日天明时，纳尔逊正在直布罗陀的附近，还不曾发现敌踪，于是命令舰队掉转方向，向西北前进。上午 7 时，纳尔逊发现了维尔纳夫的舰队，在正午时据报它是向西进行。一个钟点之后，“胜利”号停泊，柯林乌上船来接受最后的指示。以后纳尔逊知道维尔纳夫已经改变方向向东南进行，在日落之前，他命令他的巡洋舰在夜间应与敌人始终保持着视力上的接触。

10 月 21 日星期一，拂晓时，当英国舰队仍然还是没有严整的序列或阵线时，敌人却组成了密接着的战线，采取东微南的方向，双方相距约为 10 英里到 12 英里。因为天还太黑暗，不能辨识旗语，所以一直等到上午 6 时 10 分，纳尔逊才发出了一个普遍的信号：“成两个纵队依次前进。”于是柯林乌的纵队走到了右前方，接着以后又发出了“依照东北方向行驶”；6 时 22 分，又命令“备战”。

维尔纳夫正向着直布罗陀海峡前进，当他认清了因为风力的轻微使他不可能避免会战时，于是在上午 8 时发出信号，命令全部舰队转向，这样好使加的斯港可以处于下风的位置，以便被击毁的船只有一个避难之地。这个在最后一分钟又改变计划的行动，实在是十分不幸，因为这不仅像退却，足以影响到部队的士气，而且这样掉一个头，需要两个多钟点的时间，结果所组成的战线仍然凌乱不堪。有些部分太挤，有些部分又太松而留有缺口，其中大部分向下风方向弯曲，整个舰队形成了一个不规则的新月形，长度约为 3 英里。这个调动使格拉维纳的支队拖在战线的后方，而杜马诺瓦的支队反而变成了前卫。一旦方向变换完成之后，联合舰队即向北缓缓运动，其时速大约为 1 英里或较快一点。

当联合舰队正在调换方向之际，英国舰队分为两个纵队——毋宁说它是船团——在满帆之下，慢慢地赶来了。上风的纵队由纳尔逊指挥，下风的则由柯林乌指挥。从西北面吹来的风力甚微，海中只有向西推送的巨浪，英国舰队前进的时速最先估计为 3 英里，不久即降到了 1.5 英里。因为纳尔逊并不收帆，所以这两纵队不可能构成正规的战线。此后，他和柯林乌就好像两个小学生竞走一样，各自埋头疾走：前者又不照原定的计划，不以敌方中央前段为目标，而改向其前卫的中央冲去；后者则向敌人后卫部分的前段进攻。

纳尔逊调换方向的原因，似乎是当他看到敌人转变方向时，突然获得了一个结论，认为维尔纳夫是准备逃入加的斯。下述的事实可为明证，在上午 11 时 40 分之前不久时，他向柯林乌发出信号说："我的意图是越过或通过敌线，以阻止敌人进入加的斯。"换言之，即为挡住他们的进路，接着在上午 11 时 48 分时，他又发出其著名的通令："英格兰要求每个人恪尽厥职。"

当这个信号发出时，柯林乌已经接近敌人的后段，因为时间早已过了 11 时 30 分。维尔纳夫已经发出开火的命令，接着在中午 12 时 15 分时，又发出"各舰长各自为战"的信号。上午 11 时 45 分，"圣安娜"号后面的"热情"（Fougueux）号发射第一炮，这是以"王权"号为目标的，此时双方相隔尚在 0.25 英里以外。此后，双方好像是一致行动一样，都升起他们的国旗。在法英两国的船上，鼓乐齐鸣，士兵举枪敬礼。

于是会战展开，这又可以分为三个阶段：柯林乌的攻击、纳尔逊的攻击和杜马诺瓦的反攻失败。以下即顺着这个次序叙述：

当"热情"号向"王权"号开炮时，柯林乌的船团遂向左进行，每船之间的间隔约为两链（cables，约 0.25 英里），成为一个不规则的斜线。因为敌线的弯曲，所以双方几乎是平行的。

在“热情”号开火后 5 到 10 分钟，“王权”号仍继续保持其航向不变，接着“圣安娜”号又向它开了一炮。于是“王权”号靠近了，钻入了敌线，在“圣安娜”号之后，“热情”号之前。当“王权”号正对着“圣安娜”号的船尾时，就从左舷上向它发了两炮，使它受到巨大的损失。接着“王权”号又对着“热情”号发射右舷的火炮，此后又驶近“圣安娜”号的右后段，再向它射击。

柯林乌不久发现他周围都是敌船，经过了 40 分钟的猛烈射击之后，“王权”号变成了一个无法控制的空船壳。不久就由“欧亚拉斯”号拖曳行驶了。下午 2 时 20 分时，“圣安娜”号已经完全丧失了战斗力，乘员死者 104 人，伤者 236 人，开始下旗投降。于是布拉克吴德上校把重伤垂危的阿拉发将军运到“欧亚拉斯”号上来。

在“王权”号作战后 8 分钟时，“贝里岛”号（Belleisle）也从“热情”号的后面切入了敌线。也和“王权”号一样，它立即为几艘敌船所包围。因为它的船桅损毁了，有一段时间连一炮都发射不出去。虽然如此，它却把军旗钉在后桅杆上，继续不屈地奋斗，之后它才由 3 艘英舰救出。

在“贝里岛”号投入战斗之后约一刻钟，“火星”号（Mars）也投入了战斗，以后其他每一艘英国军舰，也都是这样分别切入敌线，向首尾两端的敌船用侧舷炮火猛击。其结果是每艘敌船都受到了连续的集中火力攻击。

在柯林乌的后方各船中，“无畏”号（Dreadnought）加入作战时，已经在“王权”号后一个小时了，最后一艘船是“亲王”号（Prince），直到下午 3 时才开始有作战的机会。

当这个下风纵队的战斗结束后，柯林乌的胜利完全实现了。与他交战的一共有 15 艘法西两国的战舰，其中被俘者 10 艘，炸沉者 1 艘——“阿奇勒”号（Achille），逃去者只有 4 艘，其中有 1 艘为格拉维纳的旗舰“阿斯土里亚”号，上面载着垂死的格拉维纳将军。

在柯林乌纵队开始作战后 25 分钟时，纳尔逊也投入了战斗。

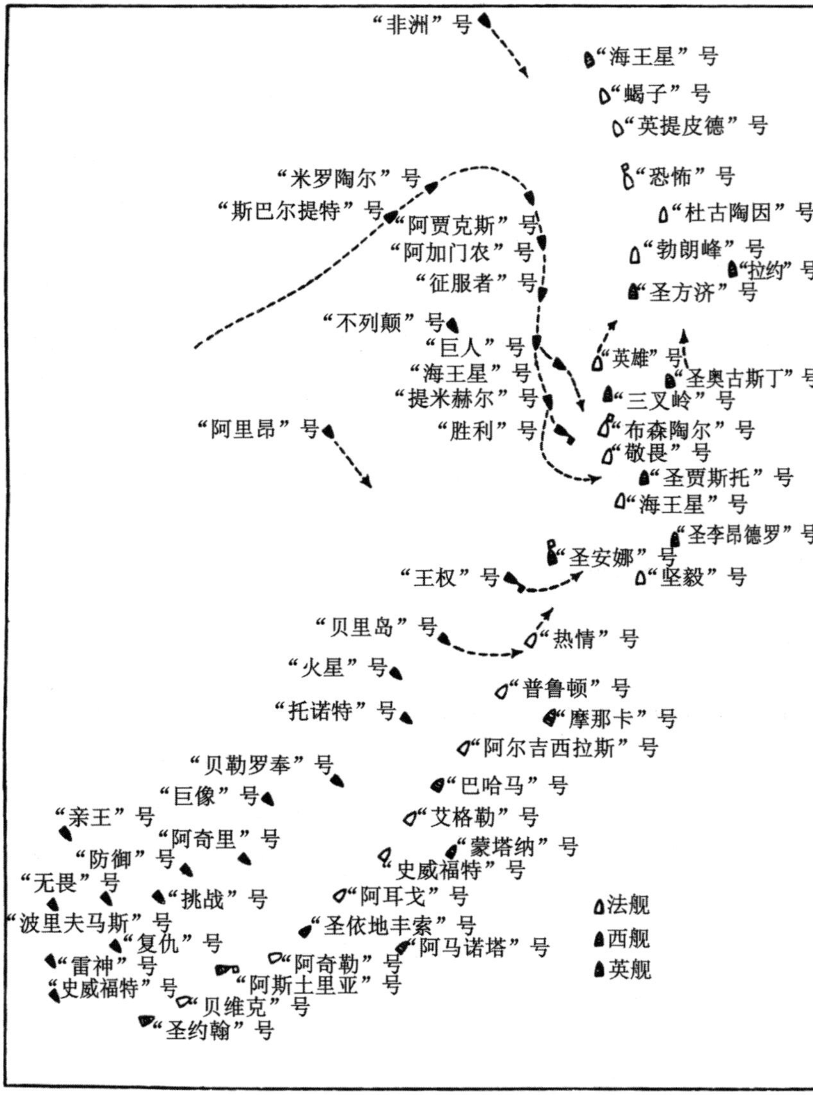

图二十三　特拉法尔加会战，. 1805 年

和前者不同，它始终保持着不规则的鱼贯队形。依照“胜利”号上军士长阿特金森（Thomas Atkinson）私人的日记，它是继续向敌人的前卫行驶。他的记载说：“在 11 时 50 分（实际上为中午 12 时 10 分），敌人开始向我们射击；在 12 时过 4 分时（实际上为中午 12 时 24 分），我们的左舷炮开始向敌人的前卫射击。”

从北到南，杜马诺瓦率领着 5 艘领先的船只，可能为从“海王星”号（Neptuno）到“杜古陶因”号等 5 艘。依照杜马诺瓦的记载，纳尔逊领导着 3 艘“三层甲板”船，向他的前卫中央挺进，于中午 12 时 15 分与它交战。经过了 40 分钟的炮战，纳尔逊向右旋转。

专以纳尔逊的 3 艘领先船只而论，其炮击的时间是要远比杜马诺瓦所说的为短，因为当法舰“恐慌”号（Formidable）开火了之后，“胜利”号和“提米赫尔”号（Téméraire）即开始向右旋转。纳尔逊是在寻找维尔纳夫的旗舰，因为他的主要愿望就是与它船靠船。虽然“胜利”号上的所有望远镜都在搜寻之中，想发现法军总司令的旗帜，但结果还是一无所获。于是“胜利”号趋前攻击“三叉岭”号，假定维尔纳夫可能在这艘最大的敌舰上。[1] 根据“斯巴尔提特”号（Spartiate）舰长的记载，当“胜利”号在中午 12 时 57 分向“三叉岭”号前进时，即发现在该舰后面的一艘法国“两层甲板”船的前桅上，挂着总司令的将旗——即“布森陶尔”号。“胜利”号冒着敌火，不久即钻到了“布森陶尔”号的后方，用其船头上的短炮——为 68 磅——和侧弦的火炮，向“布森陶尔”号的舱窗中猛射，使它受到了极大的损毁。其次，当英舰“海王星”号和“征服者”号（Conqueror）接近了“布森陶尔”号之后，“胜利”号遂向右一转，与法舰“敬畏”号（Redoubtable）平靠着，该舰由鲁卡斯（Capt. Lucas）指挥。

两舰立即纠缠在一起，双方的乘员都准备跃上对方的甲板，但

[1] 纳尔逊相信指挥法军者为德克瑞。

是法国人的企图却为英方火力所制止，死伤人数颇多。差不多又过了一个钟点，两艘船还是绞在一起，当纳尔逊正在后甲板上与舰长哈迪（Capt. Hardy）一同行走时，从“敬畏”号的船桅上突然射来了一颗子弹。弹丸打在他左肩的肩章上，透入了其胸部，落在他的脊椎骨上。他扑倒在船面上，但他爬起来之后就说：“他们终于把我解决了。哈代……我的背脊骨已经被射穿了。”他被抬入了船舱，到了下午 4 时 30 分，知道了会战已经胜利的消息之后才安心地死去。

当“胜利”号正在与“敬畏”号交战时，“提米赫尔”号驶向前去，向“三叉岭”号开炮，接着又向“海王星”号和“敬畏”号射击。不久，“热情”号在与“贝里岛”号交战之后，又转过来协助“敬畏”号，于是又为“提米赫尔”号抓住。在解决了这两艘敌舰之后，“提米赫尔”号又用其前炮痛击“三叉岭”号达半小时之久。

在“胜利”号突破敌线 10 分钟之后，英舰“海王星”号先开始向“布森陶尔”号射击，然后再去进攻“三叉岭”号。一个半小时之后，“三叉岭”号乘员战死 245 人，负伤 173 人，这艘巨型的四层甲板船开始下旗投降了。对于在这艘船上的景象，英舰“海王星”号上的船员巴德科克（Badcock）曾有下述的描写，颇足以说明 19 世纪初叶的海战情形。他说：“我踏上了这艘大船去收容俘虏，死伤人员有三四百，到处都是血肉，后甲板上堆满了伤兵，有的没有脚，有的没有手。”

“不列颠”号（Britannia）接着也跟上来，其后面即为“巨人”号（Leviathan）和“征服者”号。后述的两舰夹击“布森陶尔”号，下午 2 时 5 分，维尔纳夫落下了他的将旗。在其船上的景象，“征服者”号上的陆战队上尉阿彻利（Atcherley）曾经有下述的记载：“到处都是死尸，景象是非常的凄惨。死伤总数在 400 人以上，死者多数都是没有头的。”

在“胜利”号开始作战的 40 分钟后，“阿贾克斯”号（Ajax）才开始作战，而“阿加门农”号（Agamemnon）还要更迟。“非洲”

号（Africa）是一艘64门炮的船，也是双方最小的一艘战舰，其所遭遇的冒险也不平凡。在10月20到21日的夜里，它与全部舰队丧失了联络，在拂晓时位置在其北面，相距已有数英里远。在发现了舰队的位置时，它就立即向“胜利”号前进，在“王权”号开始发动战斗之际，它就已经达到了敌方前卫的射程之内。依照它的日志，在11时40分时，它开始与敌方最前面的一艘船交战，然后经过了整个的前卫，每经过一艘敌船都向其射击，最后又协助“海王星”号攻击“三叉岭”号，并与“英提皮德”号（lntrépide）交战。

“阿里昂”号（Orion）也是独立行动的。它的舰长科德林顿（Codrington）看到敌方中央部分的兵力比较强大，所以他单独向南行驶，以协助“王权”号。以后他又回北方来协助“胜利”号。当维尔纳夫下旗投降时，纳尔逊纵队中的最后两艘船“米罗陶尔”号（Minotaur）和“斯巴尔提特”号还不曾参加战斗。

现在再叙述杜马诺瓦的反攻，这不过只是勉强的如此定名而已。

当中午12时30分纳尔逊钻入了联军中心之后，维尔纳夫即发出了一个通令，要所有尚未参加作战的船只都一律自动地投入战斗。杜马诺瓦对这个通令并无反应，此后维尔纳夫即再没有注意他。半点钟以后，杜马诺瓦仍继续向北航行，结果使前卫与中央之间出现了一个空洞。此时他仍不知发挥主动精神，反而要求命令。虽然如此，维尔纳夫又不立即回答，直到下午1时50分，他才命令杜马诺瓦赶来协助正受着强烈压迫的中央部分。

风力非常的微弱，杜马诺瓦要想转变方向相当困难，他本应使其整个支队集中在一起，以便作一个全力的打击，可是他却把兵力又分为两部分。[1] 他的行动是如此的迟缓，直到下午3时15分到30分之间，在“胜利”号上的哈迪舰长才看见杜马诺瓦的10艘船

---

[1] 可能是在转向时丧失了联络，也可能是有5艘船不听命令。

中有 5 艘是逐渐向北行驶的。于是他立即发出信号，通知纳尔逊纵队中的各船准备迎敌。

哈迪所看见的 5 艘船是 :“英雄”号（Heros）、“英提皮德”号、“圣奥古斯丁”号（San Augustin）、“圣方济”号（San Francisco de Assis）和“拉约”号（Rayo）。当他发出了信号之后，它们就与英舰“征服者”号、“阿贾克斯”号、“阿加门农”号和“巨人”号等发生了遭遇战。不久，“圣奥古斯丁”号即下旗投降，“英雄”号摆脱了战斗，逃往加的斯。“圣方济”号和“拉约”号也企图逃走，前者船破沉没，后者于 10 月 23 日向“巨人”号投降。“英提皮德”号由安弗尔内上校（CaPt. lnfernet）指挥，首先受“非洲”号的英勇攻击，以后又受到“阿贾克斯”号、“阿加门农”号和“阿里昂”号 3 艘船的攻击，经过了一番苦战之后，才向柯德林顿舰长投降。

此时，杜马诺瓦的另外 5 艘船也调转了航向，“恐慌”号和其他 2 艘船都是用小船拖曳着才转过头来的。现在也向南驶来，由“恐慌”号领先，跟随在后面的为“蝎子”号（Scipion）、“勃朗峰”号（Mt. Blanc）、“杜古陶因”号和“海王星”号。它们首先向“征服者”号开火，然后向前进，一路用侧舷炮火射击“胜利”号、“提米赫尔”号和“王权”号等船。不久，英方尚未参加过战斗的“米罗陶尔”号和“斯巴尔提特”号也立即赶上，切断了“海王星”号的退路，迫使它投降。此时，其余 4 艘法舰都向南逃逸失踪了，11 月 4 日，才为斯特罗恩爵士的支队所捕获。

下午 4 时 30 分，会战已经接近尾声。维尔纳夫所属的 33 艘战舰中，有 9 艘逃向加的斯，4 艘逃向直布罗陀海峡方面，其余 20 艘之中，7 艘完全丧失了作用，12 艘为敌人所俘，1 艘正在起火燃烧。当夜幕将垂时，风暴大作，一连就是 4 天，多数负伤的船只都自动沉没，包括所有的英军战利品在内，只有 4 艘例外。可是在整个会战和风暴之中，英国都未损失一艘船。

死伤的数字有各种不同的估计。依照 1805 年 11 月 27 日和 12 月 3 日的《伦敦公报》所记载的，英方的损失为死 449 人，伤 1214 人。弗拉泽（Fraser）在《特拉法尔加的敌军》一书中所估计的法西两国的损失，如下所述：法军被杀死和淹死共 3373 人，伤 1155 人；西军死 1022 人，伤 1383 人，被俘者有三四千人。因为法军被俘人数至少与西军相等，所以联军全部损失可能应有官兵共 1.4 万人。这个数字虽然已经很高，可是若与李班多一战的数字作一个比较，则似乎还是很微小。

在这次会战中，双方的人员都很英勇，虽然法西两军在最初阶段是要打点折扣，可是其顽强的程度并不亚于英军。同时，若与以后的会战作一个对比，则更值得追忆的是双方都具有古代侠士之风，彼此都很有礼貌。举例以言之，在被俘之后，鲁卡斯（“敬畏”号的舰长）在伦敦社会中获得了大家的尊敬。而维尔纳夫将军和马让迪上校（Capt. Magendie）也获准参加纳尔逊的丧礼。尽管已经发生了革命，战争却仍然还是绅士阶层的职业。

10 月 27 日，柯林乌派拉波诺提耶中尉（Lt. Lapenotière）所指挥的小船“皮克尔”号（Pickle）回国去报捷。11 月 4 日，拉波诺提耶到了法尔茅斯，在那里只停留了半小时，即出发往伦敦。他一路调了 19 次马，于 11 月 6 日凌晨 1 时赶到了英国海军部的大门前。几分钟之后，海军大臣即接见他。一见面他所说的第一句话是：“报告，我们获得了一次伟大的胜利，但是却丧失了纳尔逊勋爵！”[1]

纳尔逊之所以能成为一代名将，主要是他能够摆脱当时平行战斗序列理论的束缚，虽然他并非采取这种做法的第一人，可是他却比以前诸人更能认清这种理论的基础是一种纯粹防御性的观念。依照这个理论，一个由战舰所组成的横线，可以发出优势的火力，若

[1] 拿破仑对于纳尔逊也是推崇备至的，他命令在每艘法国军舰上都应挂着纳尔逊的画像。

是敌人成鱼贯而行的纵队来犯，则其结果将无异于自杀。可是纳尔逊却看出了这个理论的漏洞，他知道那个时代的火炮射程极为有限，命中率也不高，所以为敌人横线集中火力所击毁的危险事实上只限于最后几百码的接近距离之内。此外，他也认清了一旦双方发生接触，则决定性因素为优越的射击能力，而不是数量优势和横线队形。在射击方面，英国人比他们的敌人完全超过了一级，不仅射击的命中率较高，而且射速也快一倍，所以其毁灭力也高了一倍，只要比较双方的死伤数字，即可以知道此言之不谬。至少有一部分的原因是在封锁之中，法西两国的海军丧失了练习的机会，而英国海军则正好相反。

当柯林乌在指挥“无畏”号战舰时，我们从他的书简中，可以知道他的人员是经常在操练“大炮”，几乎很少有其他的船员在把握火力的迅速和精确上能与他们相比。柯林乌经常告诫他们：“假使我们在五分钟之内，能使侧舷的火炮作三发精确的射击，则没有任何船只能够抵抗我们。可是若能有经常的练习，则只要有三分半钟的时间就够了。”这些话的意义就是说，只要一旦接近战斗之后，一艘船的射击若能比敌人快两倍，其火力就相当于两艘船。所以依纳尔逊看来，整个的战术问题就是迅速地与敌人接近。用今天的流行语来说，也可以称之为“海上的闪击战”。

无论从哪一方面来说，特拉法尔加会战都是一次值得记忆的会战，它对于历史具有广泛的影响。它把拿破仑的侵英梦想完全击碎了。它也使一百年来的英法海上争霸战从此告以结束。它使英国成为一个海洋帝国，这个帝国维持达一个世纪以上，使所谓的“不列颠的和平”（Pax Britannica）变得具有可能性。比较直接的重要后果是，它告诉了1805年的世界，拿破仑并非天下无敌。它也迫使拿破仑不得已而采取他的“大陆组织”（Continental System），企图建立一个大帝国，以求在经济上绞杀英格兰，而结果却是作茧自缚，使自己在政治上受到了绞杀。若无特拉法尔加之战，则不可能会有半岛战争，若无半岛战争，则又不可能会有滑铁卢会战了。威尔逊先生（Mr. H. Wilson）在《剑桥近代史》中对这次伟大的海军胜利，所作评语一点都不夸张。他说："特拉法尔加会战在拿破仑战争中，的确是一次真正具有决定性的会战。"

大事记（十三）

英法两国的陆上斗争（第一阶段）

虽然拿破仑已经被迫放弃了其直接攻击英国的计划，可是间接路线却还是畅通的。前者的解决，其基础即为对英吉利海峡的控制；而后者所依赖的，却是对于欧洲沿海港口的控制。假使他能控制这些港口，则英国的财源——其海外贸易——将完全被绞断，若无此项巨大的财源，则英国政府即不可能贴补它在欧陆上的同盟国，而没有这些同盟国，则英国人也就不可能希望击败拿破仑。所以昂当（P. H. Emden）在《19 世纪和 20 世纪的欧洲财力》一书中，曾经这样说："在所有联合起来对付拿破仑的力量之中，最强大者莫过于英国的财力。"

福克斯（Charles James Fox）和法国驻伦敦的大使安德烈奥西（Count Andréossy）似乎都能明白这个道理。前者，当他主张撤出马耳他岛时，曾经这样说："我们应该为了商人的贪欲，而大量牺牲英国人的血液吗？我宁愿为了亚历山大式的浪漫性远征而流血，但不愿为了满足少数商人的贪欲而流血。"后者在 1803 年战争爆发之前的几个星期中，曾经写信给第一执政（即拿破仑）说："假使在一个国家中，其主要的兴趣即为贸易，其商人阶层是如此的繁荣，而政府又必须向商人要求供给额外的费用，那么他们就有权利要求政府，在采取政策时必须考虑他们的利益。”因为法国的禁运英货，是英国贸易不景气继续增高的主因，所以商人和银行家所要求者为比较自由的贸易。

但是拿破仑却不考虑这一点，因为他认为自由贸易将使英国成为法国的债主。他的经济思想是和卢梭的一样，依照卢梭的想法：“一个理想的国家是对于它的一切需要都能自给自足，而不需国外的贸易。”因为追求这种“自给自足”的理想，1793 年秋季，法国国会已经议决凡是非法国船只载运的英国货品，一概不准进口。三年之后，为了刺激法国工业的发展起见，法国国会禁止一切敌国的制品进口。

拿破仑不仅拒绝修改这个政策，而且更把它扩大成为他的“大陆组织”——即为他的对英贸易战争。在《亚眠和约》破裂前两个月，在与惠特沃思勋爵的一次谈话中，拿破仑曾经这样说过：“你们认为我是想用权力和荣誉来作孤注，以此来进行困兽之斗吗？假使我要与奥国交战，我就会计划如何直捣维也纳。假使我与你们交战，我一定会使你们丧失一切在欧陆上的同盟国，从波罗的海一直到塔兰托湾，都要切断你们达到它们的途径。你们固然会封锁我，但我也一样会封锁你们。”

这并不是一种空洞夸大之词，因为当战争在 5 月再起时，拿破仑的第一批行动之一即为夺占汉诺福，以便控制易北河口；并派圣西尔率领部队，占领塔兰托和那不勒斯王国中的其他港口，以求在地中海内获得一个立足点。虽然如此，但如我们在上章中所分析的，直到 1805 年 8 月，当第三次反法同盟的威胁已经日益显现时，拿破仑才终于被迫放弃侵英的企图。

此时集中起来对付他的兵力虽然很巨大，却很分散：在意大利有 8.4 万人，由查尔斯大公（Archduke Charles）指挥；在提罗尔有 3.4 万人；在多瑙河上有 5.8 万人，由斐迪南大公和麦克将军（Gen.

Mack）指挥；另有俄军 5 万人，由库图索夫（Kutusov）率领，预定在 10 月中可以达到莱茵河之上，估计比拿破仑到达多瑙河的时间可以早三个星期。在库图索夫之后，另有两个军团，分别由班尼希森（Bennigsen）和布克斯豪登（Buxhöwden）指挥。此外另有俄、瑞（典）、丹（麦）、汉（诺福）、英五国的联军共 5 万人，以收复汉诺福和侵入荷兰为目标。俄、英、那（不勒斯）三国的联军 5 万名以把法军逐出意大利南部为目标。

虽然同盟国方面是已经尽量地保密，可是拿破仑却早已完全明了他们的意图，为了阻止普鲁士也加入同盟起见，他表示愿将汉诺福送给腓特烈 · 威廉，并于 8 月 24 日派迪罗克将军往柏林，授予签订条约的权力。同时他又告诉腓特烈 · 威廉说：他已经向奥国提出警告，假使它的部队不恢复平时的状态，则他即将率领 10 万大军进入巴伐利亚。

9 月 3 日，这个最后通牒被拒绝了，到了 9 月 8 日，当奥军越过莱茵河时，巴伐利亚即把他的部队撤到维尔茨堡和班贝格，以等候法军之援助。9 月 26 日，“大军团”开始渡过莱茵河，从那里以最快速度前进，以求在库图索夫的俄军尚未到达之前，先打击斐迪南和麦克所率领的奥军。

10 月 6 日，拿破仑到达了多瑙河，并于 10 月 17 日他再使用其马伦戈式的运动，逼迫麦克率领了 1.5 万人在乌尔门投降，而同时也围捕了魏尔尼克将军（Gen. Werneck）所指挥的 1.3 万余人。

当腓特烈 · 威廉正在考虑是否接受汉诺福这个赠与时，贝纳多特（Bernadotte）的军队却经过了安斯巴赫（Ansbach）而触犯了普鲁士的中立。于是俄皇遂倾全力要求普王加入这个同盟，因为贝纳多特的行动使后者极感怒恼，所以他于 11 月 3 日在波茨坦（Potsdam）与沙皇亚历山大会晤。为了酬答俄国的支援，他宣布当他的使臣豪格维茨伯爵（Count Haugwitz）到达后，若再过了四个星期，拿破仑还不撤离奥国的领土，那么普鲁士即将对法国宣战。

这位使臣是反对普鲁士投入战争的，所以他故意迟延，直到 11 月 14 日才离开柏林。

在这个时间以前，拿破仑已经进入维也纳，因为奥皇法兰西斯仍然拒绝讲和，所以他决定再继续向前推进。11 月 19 日，库图索夫和布克斯豪登两个军团在阿穆兹（Olmütz）会师；第二天，拿破仑率领了 4 万人进入了布留恩（Brunn）——不久即增到了 6.5 万人。拿破仑现在的处境颇为危急，因为不仅他的兵力颇为分散，而且在阿穆兹，即在他东北 40 英里处，正面临着 8.25 万人的俄奥联军，由亚历山大和法兰西斯亲任指挥，而到了 12 月中旬，由于班尼希森和查尔斯大公的部队也会到达，其兵力还会再增加一倍。此外，到了那时，18 万人的普鲁士军也可能已经进入战场了。

对于拿破仑而言，可以说是很幸运，因为在阿穆兹感到补给缺乏，所以尽管库图索夫提出抗议，亚历山大还是决定不等待班尼希森的到达而先攻击拿破仑，以阻止其集中更多的兵力。结果遂发生了奥斯特里茨（Austerlitz）会战[1]，其时间为 12 月 2 日。被拿破仑引入了一个虚伪的位置上之后，联军被切成两段，其左翼全被歼灭。联军死伤人数为 1.2 万人，被俘者 1.5 万人，加上火炮 180 门。法军损失共为 6800 人。奥斯特里茨会战要算是拿破仑的一个杰作，也是他自己最引以为豪的一次会战。自从腓特烈大帝之后，似乎还不曾看见过这样精彩的表演。

在精神方面，联军所受到的打击极为巨大，奥皇法兰西斯立即要求休战，拿破仑作了有条件的同意，即要求俄军撤出奥国和不准普军进入奥国。最初拿破仑愿意让奥国不受一点损失，其条件为俄国也同意抵制英货，因为亚历山大不愿考虑这个问题，于是继续谈判，终于在 12 月 26 日签订了一个和约。对于奥国而言，其条件是非常残酷的：威尼西亚、伊斯特里亚（lstria）和达尔马

[1] 又名“三皇大会战”。

提亚都割让给拿破仑——他以意大利国王的身份接受。奥皇也放弃对于巴伐利亚、符腾堡（Würtemberg）和巴登的宗主权，于是巴登、巴伐利亚和符腾堡都变成了独立的王国；奥格斯堡、纽伦堡、布里克森（Brixen）、特伦多（Trent）、提罗尔和弗拉尔堡（Vorarlberg）等地也都割让给巴伐利亚。除了萨尔斯堡和贝希特斯加登（Berchtesgaden）以外，奥国是一无所获，此外还要赔偿4000万法郎。

塔列朗一直都在反对这些严厉的措施，因为他认为奥国对于防御野蛮的俄罗斯人是一道必要的堤防，所以应设法使其维持着一个强国的地位。可是拿破仑却不愿意听这一套理论，因为照他看，奥国实际上是一个内陆国家，在他的大陆组织中是没有什么重要性的，而他的目的，是要使英国船只不能进入波罗的海，所以他的眼睛是钉在普俄两国的头上。

对拿破仑而言，他的问题主要是如何拆散普俄两国并孤立英国。虽然他并不知道波茨坦协定的真正内容，但他却已经起了疑心。为了争取时间起见，当豪格维茨到达时，拿破仑让他等候着，一直等到奥斯特里茨会战已经结束之后才接见他。于是到了12月15日，豪格维茨在维也纳谒见拿破仑时，不特不敢把腓特烈 · 威廉的最后通牒提出来，反而被迫同意签订一个条约，使法普两国进入了攻守同盟的关系。后者把克里弗斯（Cleves）、纳沙泰尔（Neuchâtel）和安斯巴赫割让给法国，以来当做汉诺福的交换物。两个月之后，这个条约又为《巴黎条约》所代替，依照后者这个同盟关系变成了完全防御性的，而普鲁士也正式兼并汉诺福，并封闭埃姆斯、威悉和易北等河的河口，不准英国船进入。1806年2月24日，这个条约在柏林获得了批准。接着英国人就没收了300艘普鲁士船只，并封锁普鲁士的北海港口。

拿破仑认为对于普鲁士，这些条件可以算是满意了，接着遂开始建立他的王朝，并巩固他的收获。3月，他封他的兄弟约瑟夫为两西西里的国王，又封他的另外一个兄弟路易为荷兰国王。此外他又建立了一个新的贵族制度，贝尔蒂埃、塔列朗和贝纳多特，都分别变成了纳沙泰尔、贝内文托（Benevento）和蓬泰科尔沃（Pontecorvo）的亲王，其他的重要将领们也都分别获得了各种封号。同时，他又解散了神圣罗马帝国，建立了一个新的“莱茵邦联”（Confederation of the Rhine）。它较重要的成员有巴伐利亚、符腾堡、巴登、伯格（Berg）和拿骚，以后更加扩大，包括了所有易北河以西的地区、波希米亚（除贝劳斯［Baireuth］和汉诺威）和梅克伦堡（在易北河以东）在内。

构成这个“邦联”的条约于 7 月 19 日在圣克劳德获得了批准，并宣布拿破仑为它的保护者。8 月 1 日，皇帝法兰西斯二世宣布取消所有一切选侯和亲王对于他的臣属关系，并自己改称为奥地利皇帝法兰西斯一世。于是延续了一千年的神圣罗马帝国从此遂告以结束。

当拿破仑成立这个“邦联”时，他同时又再向俄英两国暗送秋波。对于俄国方面，他想要求亚历山大承认约瑟夫为两西西里国王，以增加其在地中海的地位，并获取西西里岛——此时尚在英国人手中。对于英国方面，他又建议归还汉诺福，另外再用别的东西来抵偿普鲁士的损失。

这个提议的消息泄漏出去了。8 月 9 日，腓特烈·威廉在普鲁士主战派——其领袖为露易斯王后（Queen Louise）和路易·斐迪南亲王（Prince Louis Ferdinand）——压迫之下，命令其陆军局部动员。接着又有一个意外事件发生，遂构成了战争的导火线。

7 月，在纽伦堡有一个叫作巴尔门（Palm）的书商，发行了一个无著作者姓名的小册子，题目叫作《在深辱中的日耳曼》。拿破仑大怒，命令将他拘押。8 月 25 日，巴尔门受到了军法审判，定了死罪，执行枪决。这个高压手段使普鲁士境内发生了广泛的骚动。9 月 6 日，普王命令重新开放北海方面的海口，准许英国船只进入。

9 月 21 日，普王离开了柏林，前往其设在瑙姆堡（Naumburg）的陆军大本营中。5 天以后，他把一个最后通牒送往巴黎，要求现在驻留在日耳曼南部的法军在 10 月 8 日以前全部撤到莱茵河以西去。

第十三章

耶拿会战和奥尔施泰德会战

在世界上伟大的君主和征服者之中，只有两个人可以与拿破仑相比拟——亚历山大大帝和奥古斯都。他具有前者所具有的战士精神，也具有后者所具有的行政能力，虽然他未能建立一个统一的大帝国，可是他却把中世纪的国家观念连根铲除了。此后从他的时代起，许多国家都在摸索着前进，想完成他的统一美梦。

他的出生之年是极为幸运的，因为在 1769 年，千年来的欧洲文明正要开始崩溃。[1] 而工业革命也正在摇篮之中，在那一年，瓦特在英国获得了他的蒸汽机专利权；屈尼奥（Cugnot）也在法国驱动了其第一部蒸汽推进的车辆。美国革命正在徐徐沸腾之中，上面烹煮着更大的法国革命。一个新的时代已经在铸造之中，正等候着一个天才来把握它，并依照其意志将其铸造成形。

可能在 1779 年，吉贝尔即已经预料到了这一点，因为他这样写道：

[1] 拿破仑出生于 1769 年 8 月 15 日，地点为阿雅克肖（Ajaccio）。

> 有一个人会升起来，可能在此以前，他是隐埋在群众之中；无论是在言语和文章上，他都是没没无名的。这个人可能在静默的沉思之中，他可能一直都不知道自己所具有的才能，直到实际运用时，他才认清了其自己的权力。他也可能不学无术。这个人会把握着意见、环境和机会。他会向伟大的理论家说，正好像实际的建筑师向雄辩的演说家所说的一样："凡是我的对手所告诉你们的一切，我都可以使其实现。"

这个人就是拿破仑，一个超级的自我主义者和建筑师，一个完全孤立和自我中心的人，他是完全只依赖他自己，而对于任何事情都加以集中化。梅纳瓦尔（Méneval）对拿破仑曾经这样批评说："他不仅在思想上有主动能力，而且对于所有的事情都更能够躬亲细务。他的天才和超人的活动力，足以带着他走；他感觉到他具有一切的能力和时间来管理一切的事情，实际上，他亲自做一切的事情。"

科兰古（Caulaincourt）的回忆录非常的生动，他对于拿破仑的批评也大致相同，不过也许还更透彻："为了达到他的目的，他不避免任何痛苦，不考虑任何困难。而且这个原则是事无巨细，都一样适用。他这个人可以说是全部被吸引在他的目标之上。对于眼前的任何行动和谈论，他都总是使用其全部的能力、资本和注意力。对于所有一切的东西他都是把热情放在里面。所以这也是他比他的对方所要占有的巨大利益，因为很少有人能在同一个时间之内，把全部的精力都完全集中在一个思想或一个行为之上。"

作为一位政治家和一位将军，这也就是拿破仑成功的秘诀。要明了这个以耶拿—奥尔施泰德（Jena-Auerstädt）双重会战为顶点的战役所具有的重要性，必须首先认清他的政治目的。这个双重会战又可以算是一个连串的开始，而其结束即为滑铁卢之战。

第一为使法国具有秩序、繁荣，而更重要的还是光荣。第二为建立一个统一的大帝国，采取王国同盟的形式，而以法兰西为宗主。

当他做了第一执政时，关于第一点即已奠定了基础，在《亚眠和约》签订之后，他就乘机巩固其所得。他兴建巨大的公共工程，发起伟大的法律和社会改革，提倡科学、艺术和工业。简言之，为了填补革命所造成的深渊，他热诚地希望和平。可是诚如我们所知道的，他的保护政策与英国的自由贸易需要是绝对冲突的，所以遂使和平变得不可能。

所以这场斗争并非是非善恶之争，而是从早期的工业革命中所产生的两种生存价值间的决斗。为了要想维持繁荣和强大，英国必须输出其制成品；为了要想变得繁荣和强大，法国又必须保护其弱小的工业。诚如梅特涅（Metternich）所说的："每个人都知道英格兰绝不会放弃这个问题（海洋问题），因为这对于它是一个生死的关键。"拿破仑也能认清这一点，所以他也就依赖他的"大陆组织"来缢杀英国的贸易和破坏它的信用，若是没有这两个因素，则英国也就不能继续与他为敌了。

他说："英国人的权力仅只是依赖在他们加于其他国家的专利权上，而且也完全靠这个来维持。为什么要让他们独享其利呢？其他的人也应该可以分取利润的。"拿破仑又说："伦敦的商人是一切唯利是视的。他们不惜牺牲欧洲的每个国家，甚至于整个世界，以满足他们居奇投机的目的。假使他们的负债不是那样的巨大，那么他们也可能比较会合理一点。因为必须要还债和维持他们的信用，所以才会逼着他们向前走……"

在他对英国的斗争中，拿破仑看清楚了一切问题的基本解决，就是要煽动全世界，甚至于每一个人。所以他告诉科兰古说：英国是他的唯一敌人。他仅仅以英国人为目标。但因为他们的贸易在各处都有分支，所以他也就到处加以追逐。而在这个追逐中，他的伟大帝国观念也就油然而生了。"大陆组织"本是一个以毁灭英国为目的的兵器，但同时也变成了一个可以使新世界观念实现的工具：这也正是亚历山大式的梦想，使欧洲合而为一。

以法兰西为他这个帝国大陆组织的原动力，他的“伟大目标”如下所述：重建波兰王国以作为防御“北方野蛮人”的屏障；使西班牙脱离迷信的束缚，并给它建立一部宪法；在英格兰和爱尔兰建立独立共和国；宣布匈牙利独立并解放希腊，瓜分奥地利和普鲁士，控制埃及，开辟苏伊士运河，瓜分土耳其，把土耳其人赶出欧洲之外，并约束“莫斯科的野蛮人”——欧洲的最大威胁。[1] 简言之，即诚如费歇尔教授（Porf. Fisher）所说的：想建立一个世界秩序，如利奥一世、铁锤查理、查理曼和奥托一世所曾经建立者，他们曾经挽救了希腊和拉丁文化的结构，使其不至于毁灭在野蛮人的手里。

当他已经被囚在圣赫勒拿岛上的时候，他经由拉卡沙（Las Casas）的记载，向全世界宣布其目的即为联合欧洲各大国家。这些国家由于受了革命和政策的影响，一直是四分五裂的，他想利用统一的法典、原则、意见、情感和兴趣，以使它们结合成为一个伟大的“邦联”（Confederation）。在其帝国的保护之下，他的梦想是要想建立一个最高的中央会议，以美国国会和希腊的同盟为模范，专门负责保护这个大欧洲家庭的公共福利。虽然他的梦想还未能实现，可是他却预言迟早还是会实现的，因为这是势所必至。他说：“在我败亡和我的体系毁灭了之后，我相信除非主要的国家能够集中和联盟，否则在欧洲是不可能建立任何的伟大平衡。在这最伟大的冲突中，君主若能明了人民的希望，则可以成为全欧的元首，一切均从心所欲。”[2]

不管我们对于他这个伟大计划的观感如何，但英国人却对它表示深恶痛绝。因为假使欧洲成了一个邦联，则英国即不可能希望再维持海上霸主的地位了。所以英法之间的冲突是一种生死之争，拿破仑凭着他的将才曾经一再向联盟的势力挑战。在这个斗争中，他

[1] 拿破仑曾经说过：“我认为北方的野蛮人早已太强了，也许不久即将压倒全欧。”
[2] 见拉卡沙所著的《拿破仑皇帝在圣赫勒拿岛上的私生活和谈话》一书。

的第一个最大的资本即为他能确保指挥上的统一，因为他同时为法国的独裁者和总司令。他的第二个资本是他坚定地认为在战争中的推动力不是恐慌而是荣誉，这是合于革命精神的，而使新兴的法兰西民族主义对于其命运发生了一种英雄性的信心。第三大资本为他的天才。作为一位将军而言，福伊将军（Gen. Foy）对于他的描写可以说是最能表现其特点的。福伊说：

> 凭着拿破仑的热情，即令他也有错误，但他仍为近代最伟大的战士。他在会战中显出过人的勇气，有精密计算的耐性，其心灵中充满了突发的灵感，善于猜透敌人的计划。拿破仑具有军事这一行职业所要求的各种特性：温和和雄健，善于出敌不意，对于有时能产生重要结果的细节也绝不放松。他在会战中具有一种冷静和无比的英勇，他的心灵不仅善于沉思，而且更能随机应变，充满迅速和突发的天才。

在战场上，他的行动也是很特别的。在前进时，他通常总是留在后方，但是接近敌人时，他就马上赶到前面去。他对于一切的事情都必须亲眼看过才算，因为他曾经说过："一位将军若是利用其他人的眼睛来观察一切，那么就永远不配指挥一支军队了。"他对于时间极为重视，白天去视察，夜间回来工作。科兰古说："皇帝总是在夜里 11 时起来，或者至迟为 12 时，此时各军的报告都已经送到他的手中。在工作了两三个小时之后，即开始颁发第二天的命令。"他采取这个办法以使其部队在明天吹起床号的时候，即可以收到以最新情报为根据的命令。他曾经说过："在战争中，时间的损失是无法弥补的，任何一切的解释都是不妥当的，因为只有迟误才能使作战失败。"

作为一名军人，拿破仑的出生时代又使其蒙受了双倍的利益。因为从七年战争结束之后到这个世纪终了时为止，法国的军事组织和战术，都已经发生了广泛的改变。虽然燧发的火枪并无太多的进步，可是格里包伐却已经使炮兵方面有了重大的进步。拿破仑本是炮兵出身的，他在青年时期曾经研究过罗宾斯（Benjamin Robins）的《炮术新原理》。在这个时代的会战中，因为火枪的有效射程太短，所以野炮兵可以迅速地进到距离敌人在350码以内的地方，而将敌人的步兵击成粉碎。可是说也奇怪，这个事实的充分意义，直到拿破仑战争末期，才被人完全认清。

1759年，应该感谢萨克斯元帅的试验，布罗伊元帅才开始建立了师的制度，到了1804年，它又变成了拿破仑的军（army corps）的基础——这是一个完全自给自足的部队。但是最伟大的发明实为征兵制的建立，这是1798年由约尔丹将军和五百人会议最后建立的。虽然强迫服役的观念并不是一个新的东西，可是督政府却使其具有全国性的基础，每一个身体强壮的男性公民从20岁到25岁，根据法律有被迫为国家服役的义务。征兵制不仅使拿破仑的征服政策有实现的可能性，而且因为一般兵员的智力水准提高了，所以步兵战术也发生了彻底的改变。

虽然法国所征召的新兵是缺乏训练的，可是他们的战术却是具有个别性和弹性，以一人一枪为基础，而不是机械化的发射排枪。这些“散兵”，诚如威尔逊爵士所说的，是眼光锐利如雪貂，行动活跃如松鼠。一位普鲁士军官也说：“在森林中，士兵们都解散了行列，也不采取任何操典上的行动，仅仅是靠着树木的掩护来射击，他们不仅是可以与我们相等，而且还更优越。我们的人员是惯于在开阔地上比肩作战的，所以反而很难适应这种似乎是没有秩序的情况，而易于成为敌人的目标。”同样重要的，法国军人是在敌国中就地取食的，所以法军纵列所需要的牲口，其数量仅相当于普鲁士补给纵队的几分之一。这也使法军的机动性大为提高。

这就是拿破仑所承继得来的陆军——积极的、机动的、聪明的和狂热的，但是纪律方面却具有弱点。所以科兰古批评这位皇帝说：

"他是早已默认他的这种战争体系，是不能忍受严厉纪律的，正好像部队若无适当的给养，即不能勉强生活一样。"虽然如此，这却是一个很危险的原则，颇难应用。在艾劳（Eylau）之战后，有6万人逃亡；在华格南（Wagram）之战前，有数以千计的人员是被酒灌醉的。但是以士气而言，这支军队的精神还是异常的坚定。这支军队是以精神胜过训练的，而与奥、普、俄、英等国的军队都不同。关于后者，古尔戈（Gourgaud）曾经告诉我们说："陛下（即拿破仑）认为英国军队的纪律未免太严了，结果使一个人无法发挥其荣誉心。"

作为一位战略家，拿破仑可说是前无古人，而他的那个时代也使他深受其利，因为当时的道路情况已经大有进步。繁荣的增进遂需要较好的道路，而道路发展之后，这个地区就又会更进一步地繁荣。其结果遂使军队在行军时较易于就地觅食，于是从马尔波罗和屠云尼时代起的仓库兵站旧有体系，就可以完全不用了。

拿破仑本人是一位伟大的道路建筑家，充分认清了这个变局，他的战略大都是以此为基础的。在乌尔门战役中，他的部下说："皇帝已经发现了一种新的战争方法，他所利用的是我们的双腿，而不是我们的刺刀。"或者如他自己说的："在战争的艺术中，也正和在力学中是一样的，时间是重量与力量之间的一个重要因素。"[1]

假使说速度即为其战略的灵魂，那么计划就可以算是它的躯壳。拿破仑心中总是有一个计划的——这是战略性的，而不一定是战术性的——拟定这个计划的根据为他自己的意图，他对于敌人的意图是很少考虑，甚至于完全不考虑。1807年，他曾经向索尔特说："一个人应永远不必去猜想敌人的意图，因为我的意图总是一样的。"这句话的意义也就把他的主动精神发挥到了最高限度。他的计划总

[1] 在耶拿战役中，普军每天的行军距离很少超过12英里半到15英里，而在法军方面有时行军的速度是很惊人的。有一次，拉纳军在50小时中走过了65英里；另一次，贝纳多特军在69小时中走过了75英里。拿破仑的许多成功都是受了高速行军之所赐。

是采取攻势的。早在1793年，他就曾经说过："那个躲在堑壕后面的人是必败无疑的，在这一点上经验与理论是合而为一的。"以后在圣赫勒拿岛上，他还是说："简言之，我的思想是与腓特烈一致的，一个人一定要先下手为强。"

他的战术也和战略一样，几乎全是攻势的。在他所打的许多次战役中，一共只有一次战例是完全防御性的会战，那就是1813年10月18日的莱比锡会战。其原因之一是他的秉性进取，另一个原因是诚如他自己所说的："从防御的态势改变为攻击的态势，实为最微妙的行动之一。"

作为一名战术家，他又具有一种奇异的眼力。他说："一次会战的命运就是一个单独时间、一个单独思想的问题。决定性的时机到了，精神的火花点燃了，于是一个最小的预备队即足以解决一切。"他又说："在一次会战中有时只要一次最小的行动，即足以具有决定性而获得胜利。一滴水即足以使水瓶中的水溢出来。"科兰古在批评他的战术才能时，也有下述的一段话："即令是在对敌人作乘胜的穷追时，或者是在他最伟大胜利的热浪中，皇帝不管他自己是如何的困乏，他对于地形却总是别具只眼、特别注意，准备一旦遭到顿挫时，可以有一个退守之地。在这一方面，他对于各地的局部情形，颇有惊人的记忆力。一个地区的图形好像是已经在他的头脑中雕成了一个模型一样。从来没有第二个人会同时是具有这样的记忆力和创造性的天才。他似乎是在同一碗泥土中，撮成了人马和枪炮。"

当他的战争一延长，他的步兵水准便降低了，虽然他曾经说过："士兵只会射击还不够，一定还要能够命中。"事实上，他对于步枪的射击术却并无太多的兴趣。譬如说在1800年，当他的大军在越过圣贝纳德隘路的前一天时，他的麾下的军团司令[1]贝尔蒂埃曾经

[1] 当时法国的宪法规定第一执政不得亲自领军，拿破仑遂以心腹贝尔蒂埃为司令，并以"随军行动"的方式指挥，以回避上述规定。

命令所有的新兵都应射击几发子弹，以便知道用哪一只眼睛瞄准和怎样装子弹。一直到 1811 年，我们才听说拿破仑批准新兵们应做实弹射击的练习，即令如此，还是只准使用次等的火药。事实上，在他的全部战争中，拿破仑所依赖者，主要的是炮而不是枪。他说："无论是在攻城战中，还是在野战中，担负主角的都是炮，它已经造成了一个完全的革命……制造战争的就是炮兵。"下述的数字也可以支持这种说法：在马尔普拉凯（Malplaquet）之战中法军发射了炮弹 1.1 万发，在华格南之战中为 7.1 万发，而在莱比锡之战则为 17.5 万发。在亨利四世的时代中，法军所有的火炮为 400 门，在路易十四的时代中，即已增为 7192 门，路易十五世时又增为 8683 门，路易十六世时再增到 10 007 门。1815 年，在拿破仑的指挥之下，一共有火炮 27 976 门。

说也奇怪，虽然拿破仑是一位炮兵出身的军官，可是他却只慢慢地改革他的炮兵战术。一直到艾劳（1807）、弗里德兰（1807）和阿斯本（1809）诸战中，他的步兵还是直向敌方的炮兵冲锋，而被他们击成了碎片。阿斯本（Aspern）之战以后，他才开始把炮兵集中在攻击点上。在华格南（1809）和波罗底诺（Borodino，1812）两次会战中，他都是用炮兵在敌人的战线和纵队中撕开巨大的缺口。假使因为兵器的缺乏，而使炮兵不能完成其任务时，拿破仑就不免要采取一连串的攻击，结果遂使他消耗了不少的人力和时间。在滑铁卢之战中，因为缺乏榴弹炮，或者也可以说是使用不适当，结果才使拿破仑无法把威灵顿从有良好掩蔽的阵地中赶出来，终至于丧失了这一场会战。假使是腓特烈代替了拿破仑，则可能于两个小时之内就把威灵顿完全击溃。虽然如此，拿破仑却还是一位伟大的炮兵专家。

假使普王腓特烈·威廉参加了 1805 年的对法同盟，那么他对于这位杰出的军人，还可以说是处于一个有利的挑战地位。但是若在 1806 年来作此项挑战，却可以说是一个相当的愚行，因为奥国已经被击碎了，俄国人也已经撤过了维斯瓦河。英国因为恼恨普鲁士占领汉诺威，已经与瑞典联合起来向它宣战，而那不勒斯已经不能再算是一个强权了。此外，在1805年时，拿破仑还得要从布洛涅进到多瑙河上；现在他的胜利之师就早已宿营在法兰克福与莱茵河之间，到普鲁士的边界，已在14天的行程之内了。在这种环境之下向拿破仑挑战，实在是无异于自杀。

那么为什么腓特烈 · 威廉会这样做呢？因为在普鲁士的一切，还都是在向往腓特烈大帝的全盛时代。他们还是靠腓特烈的余荫生活，所记忆的是罗斯巴赫一战的余威。腓特烈 · 威廉本人和他的将领臣民，对于当前的事实是完全盲目的，他们不曾认清自从1792年以来，战争的性质已经改变了，战争已经不再是两个有野心的国王之间所作的荣誉性决斗，而是两个民族之间的生死之争。在这种战争中应该重视的为狂热的精神、个人的主动性和机动性，至于无条件的服从、集体行动和巧妙的迂回运动则是其次。

从战术方面来说，普鲁士军实在是博物馆中所陈列的古董。他们的组织和序列都是为了在平原上作堂堂正正的会战。以方阵来对抗方阵，其决定性的因素就是一个整齐的行列，进到距离敌人四五十步远时，全体发射排枪。这种接近射程的战斗可以具有可怕的杀伤力。1758年在克里费德（Crefeld）之战中，普军的第一发排枪据说即曾把敌军击倒了75%；而在1745年的丰特努瓦之战中，英国近卫军的第一发排枪也曾击倒了690名法国人。虽然在这样的战斗中，法军因为缺乏普军那样的操练，所以是远不如普军的，但是在以散兵线作战时，他们却远为优秀。在蜂群式的散兵掩护之下，普鲁士的横线实在不是他们的机动营纵队的对手。此外，普鲁士人仅仅在战争开始爆发之际才组织他们的轻步兵，他们的纪律很差，一般说来是毫无价值的。而且自从腓特烈大帝谢世之后，他的精锐骑兵即开始被分割了，他的预备炮兵也大部分名存实亡。他们的后勤制度迄未改良，依然如故，其笨重的普鲁士补给纵列限制他们作迅速的运动。

除了这些弱点以外，普鲁士的高级指挥可以说是一个九头鸟式的怪物。它的权力分别由不伦瑞克公爵（71 岁）、霍恩洛厄亲王和吕歇尔将军（Gen. von Rüchel）来掌握。沙恩霍斯特（von Scharnhorst）将军为不伦瑞克的主要幕僚长，而马森巴赫上校则为霍恩洛厄亲王的参谋长。为了减轻这 5 个人之间的摩擦起见，腓特烈 · 威廉遂亲自担负名义上的统帅，因为他自己对于战争实在一无所知，所以又选定了 82 岁的默伦多夫元帅（F. M. von Möllendorf）为他的亲信顾问，同时又把战时内阁（Ober Kriegs Collegium）也带着一同走上战场，这个内阁由各部首长和训练总监所组成。因为每一名指挥官和顾问都可以向国王提出他自己的计划，所以就是在永远争执不决之中。

依照拿破仑在 9 月 28 日所接获的一个秘密报告中所记载：不伦瑞克因为害怕有损他的一世英名，所以是反对战争的，他的态度是懦怯、迟缓和不决。默伦多夫也害怕影响到他的名誉。霍恩洛厄和吕歇尔是热烈主战的。卡尔克鲁斯多病无能，路易 · 斐迪南亲王是腓特烈大帝的侄子，他可以称之为“普鲁士的阿尔西比亚德斯（Alcibiades）”，虽然是一个精力充沛的人，可是私生活放浪，每天都是烂醉后才上床睡觉。唯一可以算是名将的人，只有 64 岁的布吕歇尔（Blücher），这却是该报告中所未曾提及的。他是一个果敢的骑兵将领，具有巨大的精力和决断。

当 8 月 9 日下达动员令的时候，普鲁士陆军的总数约在 20 万人以上，除了预备队和留守兵力之外，所余下的部队就分为三个野战军团：第一军团由不伦瑞克指挥，人数为 7 万；第二军团由霍恩洛厄指挥，人数为 5 万；第三军团由吕歇尔和布吕歇尔指挥，人数为 3 万。为了增强兵力，普鲁士又与萨克森和赫斯—卡塞尔谈判同盟条约，前者也勉强地同意支持普鲁士。9 月 13 日，霍恩洛厄进到德累斯顿，于是有两个师的萨克森军加入了他的军团，每师 1 万人。

所以他的军团在数量上，是和不伦瑞克一样的重要，而他个人则更蛮横不讲理。

一直等到 9 月 25 日，当不伦瑞克的军团已经进到了莱比锡和纽伦堡之间，霍恩洛厄在德累斯顿，吕歇尔在莫尔豪森（Mühlhausen），布吕歇尔在哥丁根（Göttingen）的时候，普军才开始召开第一次战争会议，以考虑作战的计划。不伦瑞克假定一切的人都是采取守势的，所以拿破仑当然也不例外，因此建议取道爱尔福特进到维尔茨堡，以切断法军的交通线，并奇袭他们的营地。他相信法军的营地位置是在维尔茨堡与安贝堡之间。霍恩洛厄激烈反对他的意见，主张通过班贝格的法朗肯森林（Frankenwald）前进。事实上，他对于这个行动是早已在准备之中，因为他已经命令陶恩青（Tauenzien）所率领的一个师的萨克森部队，推进到了霍夫（Hof）以来当做前卫。于是开始发生了冗长的辩论，一个会接着一个会像是永无休止，最后腓特烈 · 威廉终于决定同时采纳双方的计划。因为这个裁决使双方都不满意，于是结果又有一个人提出另一个新计划，可是仍然争论不决。到了 10 月 5 日，大家才同意指派莫芬上尉（Cant. Mtüffiing）去探查法军的交通线究竟在哪里。当他回来之后，报告说法军的交通线是并无掩护的。于是不伦瑞克即命令对于希尔德堡豪森（Hildburghausen）和诺伊施泰特（Neustadt）作骑兵的搜索，并以威玛公爵所指挥的师来当作支援，预定它应占领迈宁根（Meiningen）。同时他又通知吕歇尔，决定留在绍令吉森林的北坡上不动。他自己的军团大约在爱尔福特，吕歇尔在爱森纳赫（Eisenach），霍恩洛厄则在布兰肯海因（Blankenhain）。因为这个计划使向维尔茨堡进攻的观念完全打消了，霍恩洛厄不禁得意洋洋，立即命令他的两个萨克森师进到米特尔波尼兹（Mittel-Pöllnitz），路易 · 斐迪南从耶拿进到萨尔费尔德（Saalfeld），以便掩护在萨勒河上的全面运动，这却是当时所尚未决定的。

对于这些行动的意义，是的确令人有高深莫测之感，所以我们只好同意沙恩霍斯特的意见。10 月 7 日是腓特烈 · 威廉于 9 月 26 日所发出的最后通牒期满的前一天，沙恩霍斯特曾经用失望的语气这样记载道："关于我们应该怎样做，我是知道得非常清楚；可是我们将要怎样做，那却只有上帝知道。"实际上，腓特烈 · 威廉所应该采取的对策，是退到易北河的后面——普鲁士的莱茵河——静候俄军的加入。迪穆里埃现在正在英格兰避难，他就曾经一再提出这样的建议。他正确地指出击败拿破仑的最可靠方法，就是利用距离、气候和补给上的困难来对付他。这也正是拿破仑所意料中的事情，所以当他知道普鲁士军正在易北河以西集中兵力，不禁使他大感惊异。虽然他们的这种推进运动无异于自投罗网，可是拿破仑却还在准备长期作战，因为他料想到可能会有另一次的同盟产生，奥国可能会加入作战，而英国则会攻击他的背面。所以他的问题，第一就是确保其自己的基地——法兰西；第二个就是乘俄国人尚未能发动之前，即先击败普鲁士军。

当 8 月，腓特烈·威廉开始动员之际，在贝尔蒂埃指挥之下（他本人在慕尼黑）的大军团，其兵力的分布如下：第一军，2 万人，由贝纳多特指挥，部署在安斯巴赫和纽伦堡[1]；第三军，2.7 万人，由达弗指挥，在讷德林根（Nördlingen）的附近；第四军，3.2 万人，由索尔特指挥，在美茵河之上；第五军，2.2 万人，由勒菲弗指挥，在美因河的下游地区中（以后改由拉纳指挥）；第六军，2 万人，由赖伊（Ney）指挥，在伊勒河（Iller）和上多瑙河之上；第七军，1.7 万人，由奥热罗（Augereau）指挥，部署在法兰克福的周围。帝国近卫军和精选军（Corps d'Elite），共 1.64 万人，由奥地诺指挥，留驻巴黎，后改由勒菲弗指挥。骑兵军共为 2.8 万人，由缪拉（Murat）指挥。可是拿破仑直到 9 月 5 日才颁发他的第一号命令。

那一天他写信给贝尔蒂埃，命令他侦察所有从班贝格到柏林的

[1] 第二军军长马蒙特，此时被派往征服达尔马提亚，故未在南日耳曼的大军团序列中。

道路，并准备使第四、第六和第七等三军，在接到了行军命令后的八天内全部集结在班贝格。四天之后，他又再写信给贝尔蒂埃，告诉他说一旦战争爆发，他的作战线为史特拉斯堡—曼汉—马因斯（Mayence）—维尔茨堡之线。第二天他又写道："普鲁士人的行动还是继续地莫名其妙。他们是想要受到一个教训。我的骑兵于明天出发，近卫军在几天之内也将出发。假使消息继续传来，显示出普鲁士人已经丧失了他们的头脑，那么我就会直接趋向维尔茨堡或班贝格。"所以诚如波纳将军（Gcn. Bonal）所指出的，拿破仑此时还不曾决定他的最后方向。假使普鲁士军进入美因河下游的谷地，他就会把维尔茨堡当作他的集中点，假使普军仍继续徘徊不进，则他就会把班贝格当作集中点，于是再取道德累斯顿或莱比锡，即可以直驱柏林，迫使敌人后退和接受会战。9 月 13 日，他又写信给贝尔蒂埃说：假使普鲁士军进入萨克森，则维尔茨堡即将成为集中点。9 月 15 日他又改变了初衷，最后决定了还是班贝格。9 月 18 日，他知道普军已经于 9 月 13 日进入了萨克森，认为这就是宣战的表示，遂于那一夜 11 时发出命令，要求近卫军沿着驿站从巴黎向马因斯进发。同时，他又写了一封长信给他的继子尤金亲王，命令他注意提防奥国的行动。尤金此时指挥意大利境内的军事，他的部队有驻在意大利北部的马塞纳军共 7 万人，在达尔马提亚的马蒙特军共 1.2 万人。

拿破仑对于奥国方面，似乎已经获得了确有把握的消息；他在 9 月 18 和 19 日，一共口述了 102 件信件、通信和命令，由他的军政部长克拉克将军（Gen. Clarke）加以笔记。其中最重要的是"有关大军团集中的一般指示"——此为耶拿战役的基本文件。根据这个文件，大军团所占领的位置如下所述：

第三军（达弗）于 10 月 3 日占领班贝格。

第七军（奥热罗）于 10 月 2 日占领法兰克福。

第五军（勒菲弗）于 10 月 3 日占领柯尼斯霍芬（Köningshofen）。

第四军（索尔特）于10月4日占领安贝堡。

第一军（贝纳多特）于10月2日占领纽伦堡。

第六军（赖伊）于10月2日占领安斯巴赫。

辎重纵队于10月3日集中在维尔茨堡。

野战司令部于10月3日设立在班贝格。

这个命令十分的冗长而详细；它是在9月20日发出，在慕尼黑的贝尔蒂埃于9月24日才收到。

9月19日，拿破仑也发了一封信给他的兄弟荷兰王路易，在信中他这样写道："依照我的意图，你是不必进攻的，但是我希望你能虚张声势以威胁敌人，以便吸引敌军北向。"以后他又告诉路易应在公报上，故意夸张其在威塞尔（Wesel）的部队数量。他说："我希望这些部队在10月初即已在道路上行动，因为你的行动只是虚张声势，以吸引敌人的注意力，而我即可以乘机对于他们加以迂回。"

同一天，他在法兰克福又成立了一个新军，番号为第八军，由莫尔捷指挥，与路易合作共同担负据守莱茵河的任务。

当他的基地已经完全巩固之后，在9月24日到25日的夜间，由其皇后和塔列朗随伴着，拿破仑旋由巴黎向马因斯进发，并于9月28日到达该处。第二天，他从贝尔蒂埃方面获知在9月27日那一天，普鲁士军还逗留在爱森纳赫、迈宁根和希尔德堡豪森等地附近，所以他可以有充分的时间来进入萨克森境内而不会受到严重的干扰。这也正是拿破仑所希望知道的消息，所以于9月29日，指示贝尔蒂埃命令贝纳多特占领萨克森隘路，勒菲弗监视弗尔达道路（Fulda Road）；因为假使敌人若企图切断他的交通线，则一定会是取道弗尔达而来，然后攻击维尔茨堡或马因斯。

其次，他又发了一封长信给荷兰王，在这里他发表了他的战役计划。一共分为四大要点，在其第一点中，拿破仑这样写道：

> 我的意图是要把我的全部兵力，都集中在我的极右方上，

而让莱茵河到班贝格之间的地区，几乎是完全处于不设防的状态。这样我在同一个战场中，即可能集中大约20万人的兵力。假使敌军从马因斯与班贝格之间挺进，也不会使我感到烦恼，因为我的交通线是以福希海姆（For-chiem）这个小要塞和维尔茨堡为基地的。可能发生的事情是无法计算的，因为敌人是假定我的左翼在莱茵河上，而右翼则在波希米亚，并相信我的作战线是与我的会战正面相平行的，所以也许会认为迂回我的左面是大有利益的。假使是这样，我将可以把他赶入莱茵河中……大约在10月10日或12日，第七军即可到达马因斯，其兵力约为1.8万人到2万人。它所奉到的指示为不要让它与莱茵河之间的联系被切断了，可以袭击敌人，远到法兰克福为止，必要时应退过莱茵河，并与你的左翼部队取得接触。

第二个要点的开头是这样写的：

我的第一个要点中所说的一切，都是属于预防性质的。我的第一个行军就要威胁到普鲁士王室的心脏，我的兵力部署是会像迅风疾雷一样；所以在西发里亚的全部敌军可能会退到马格德堡，然后会合一切的兵力，用强行军赶回柏林，以防御他们的首都。一直到这个时候，你才有将前卫推进并占领麦克、明斯特、奥斯纳布吕克（Osnabrück）和东弗里西亚（East Frisia）等地之必要。在战争的第一阶段中，你仅仅是一个旁观者，那就是说一直等到敌军被赶入易北河时才会有你的事情。我只希望你的兵力可以分散敌人的注意，直到10月12日为止，到了那时，我的计划也就可以公开发表了。最后，假使遭遇到严重的挫折，例如输掉了一次巨大的会战，那么我就会退向多瑙河上，而你就可以用你自己的兵力和第八军来防守威塞尔和马因斯，后者无论在何种环境中都不应从马因斯再向后撤，应努力阻止敌军渡过莱茵河和侵犯我的国境。

第三和第四两个要点，都是根据前面两个而再作进一步的解释。后者之中又包括着下述的一段著名的文字：

> 即使你受到了一点最小的挫折，也都会使我感到焦急，因为这种情形会使我的帝国北部丧失了领袖。反而言之，不管我这一方面发生了什么事情，只要我知道你还守在莱茵河的后方，那么都仍然可以具有较大的行动自由；即令我遭到一些巨大的不幸，只要我还能剩下5万人，则我仍能击败我的敌人。因为只要能保持着运动的自由，不受一切作战的牵制，而在国内多数要点上仍能维持平静，则我一定总还是有足够的资源和工具的。

这封长信，其整个的基础即为拿破仑的一句最重要的格言："战争的全部艺术就是一个非常合理而十分慎重的防御，继之以一个迅速而大胆的攻击。"

10月1日，拿破仑离开了马因斯，次日很晚的时候到达了维尔茨堡，在那里接管了贝尔蒂埃的指挥权。10月3日，他命令第一军和第三军进军克罗纳赫（Kronach），第四军和第六军进军福希海姆，第七军进军维尔茨堡，第五军进军施韦因福特（Sehweinfurt）。10月5日，拉纳元帅从勒菲弗的手中，接掌了第五军的指挥权。在那一天拿破仑又向索尔特发出了下述的一封信件，这也是全部会战中最具有启发性的文件，因为他在这里把他的大战术轮廓都详细说明了出来。

> 我已经使维尔茨堡、福希海姆和克罗纳赫三个地点成为兵力和补给的集中点，并决定把全军分为三个纵队，开始跃入萨克森。你是右纵队的领先者，在你的后面即为赖伊元帅的军队，

与你相隔为半天的行军里程，再后面即为 1 万人的巴伐利亚部队，与赖伊相隔为一天的行程。这样总共使这个右纵队有 5 万人以上的实力。贝纳多特元帅在中央纵队中居于领先的地位，在他的后面为达弗的军队和骑兵预备队的大部分，总兵力约为 7 万人。他的前进路线为经过克罗纳赫、洛本施泰因(Lobenstein)和施莱茨（Schleiz）。左翼纵队由第五军领先，接着就是第七军，他们取道科堡（Coburg）、格内芬沙（Gräfenthal）和萨尔费尔德前进。这又是一共为 4 万人。当你到达霍夫时，全军也都会分别到达其指定的位置。我个人与中央纵队一同前进。

把这样强大的优势兵力，集中在这样狭窄的一个空间之内，你一定可以感觉到我是决心不让任何事情受到机会的影响。无论敌人选择哪一个方向，我都可以用比他强过一倍的兵力来攻击他。

假使敌人用来对抗你的兵力不超过 3 万人，那么你应与赖伊元帅合作，以攻击他。当你一到达霍夫之后，你的第一个工作就是接通到罗本斯坦、埃伯斯多夫（Ebersdorf）和施莱茨的交通线。那一天（10 月 10 日）我将驻在艾贝尔斯多夫。

你一定要经常与我通信，把你所知道关于德累斯顿方面的敌情随时详细地向我报告，至嘱至嘱！

你可以想象得到，用一个 20 万人所组成的“营方阵”（bataillon narré），绕着这个地方（德累斯顿）运动，那是一个多么壮观的事情。我们所需要的只不过是一点艺术和某些运气而已。

那么拿破仑所说的“营方阵”，其意义究竟是什么？这是一种时间和空间的配合，不管敌人的位置在哪里，其前进是采取何种方向，拿破仑都可以用他的兵力之一部分，采取攻势来围困他，另用一部分兵力来迂回其侧翼或后方，而第三部分兵力则保留作为预备队。

所以在现有的情况中，假使普军趋向法军的左翼或交通线，于是第五军在第七军的支援之下，即担负着前卫的任务，以便把敌军盯住不放松。此时，第一和第三两军则实行迂回，打击在敌军的侧翼上面，至于第四和第六两军则保留为预备队。反之，假使敌人向法军正面进攻，那么第一和第三两军即趋前迎敌，而第五和第七两军，或第四和第六两军则担负迂回的任务。

10 月 7 日的黄昏时，大军团的兵力分布如下所述：在右翼方面，索尔特的第四军在贝劳斯，赖伊的第六军在他的后方，相隔一天的行军距离；中央方面，贝纳多特的第一军和骑兵预备队的主力（由缪拉指挥）已经到了克罗纳赫附近，达弗的第三军和近卫军追随在后面；左翼方面，拉纳的第五军正在接近科堡，后面跟着的是奥热罗的第七军。

10 月 8 日，大军越过了萨克森的边界，缪拉的轻骑兵向洛本施泰因和萨尔堡（Saalburg）前进，逐退了在他们前面的普军骑哨。第二天，贝纳多特的先头部队与在施莱茨 · 陶恩青指挥的萨克森师发生了接触，后者丧失了秩序，向霍恩洛厄的主力所在地米特尔波尼兹退却。为了支援陶恩青，霍恩洛厄首先命令越过萨勒河，作全面的进攻；接着他又收回成命，可是已经太迟了，遂使路易 · 斐迪南亲王无法从萨尔费尔德撤出。10 月 10 日，他在那里遭遇到了拉纳的部队，全师覆没，他个人也战死。当他阵亡的消息传到了耶拿之后，普军普遍大感震惊，这种恐慌现象一直传到了威玛。

那一天黄昏时，拿破仑在施莱茨接获了索尔特所送来的消息，说在前一天的夜间，敌军已经撤出了普劳恩（Plauen），正在向格拉（Gera）撤走。拿破仑本已写好了一封信，要发给索尔特，于是他立即在后面加上一个“又及”说：“根据你刚刚送给我的情报，使我认为格拉是敌军的集中点这已经毫无疑问了。可是我很怀疑他能否在我的前面先完成集中。”此后他又发了第二封信给索尔特说：“在格拉一切的事情都会明朗化。我相信我仍能赶在他们的前面先达到德累斯顿，只要我感到我的左翼已经巩固了，则一切的局势就都会急转直下了。”

此时，因为害怕法军的前进，霍恩洛厄已经退向卡拉（Kahla），而腓特烈 · 威廉和不伦瑞克则正在担心他们与易北河之间的交通线。在获得了路易 · 斐迪南在萨尔费尔德失败的消息后，他们遂决定在威玛集中其全军兵力。由此我们可以认清，虽然拿破仑对于其敌人的详细位置并不太清楚的，可是他对于敌情的一般判断却是完全正确。换言之，他的行动目的就是要迫使普军向他的交通线上退却，所以向格拉前进其大致的方向还是正确的。

从卡拉，霍恩洛厄又向耶拿转进，在 10 月 12 日，当他的军队从后者再撤退时，又发生了另一个恐慌现象，因为拉纳的前卫正在从南面逼近。此时，在爱尔福特正有谣言在传播着，说法军已经占领了纽伦堡。等到下午 11 时，这个谣言被证实了，普王遂立即召开一次战争会议。这次开会的时间是在 10 月 13 日的清晨，会中决定取道奥施泰德、弗赖贝格和梅泽堡向易北河之线撤退，并且在途中纳入在哈雷的维滕贝格公爵预备队，约 1.5 万人。为了掩护这次退却，霍恩洛厄奉命应进军卡皮仑多夫（Capellendorf），这是威玛—耶拿公路上的一个小村，位置在两者中间。霍恩洛厄在那里充任主力的侧卫，而奉命进到威玛的吕歇尔则对他担负支援。一直等到主力完全撤过了奥施泰德之后，他和吕歇尔才再会合在一起，改充主力的后卫。大约在 10 时，普军主力开始向奥施泰德背进。霍恩洛厄一到了卡皮仑多夫，即将其前进部队作了如下的部署：（1）陶恩青的师共 8000 人，3 个营位置在克罗斯维兹、鲁齐罗达（Lützeroda）和依塞尔施泰德森林（lssersetdt Wood）中，9 个营位置在克罗斯维兹的后方、多恩堡（Dornburg）以及其西坡上的森林中；（2）在这些兵力的后方即为 10 个骑兵中队和 2 个炮兵连部署在鲁齐罗达；（3）霍尔岑多夫（Holzendorf）的支队，约 5000 人，部署在克罗斯维兹东北的各村落中，而其前哨在森弗特（Senft）指挥之下，一直远到多恩堡和坎堡（Camburg）为止。

大约在上午 10 时左右，在雾幕之中，霍恩洛厄听到了南面有枪炮声，他即命令他的步兵预备队趋前接近敌人。当这个命令正在执行时，马森巴赫单骑赶来，带来了国王的命令，嘱咐霍恩洛厄不要与法军发生任何激烈的战斗，因为他的任务是纯守势的。对于拿破仑而言，这可以说是十分的侥幸。因为假使霍恩洛厄前进了，并用相当的兵力占领了兰德格拉芬堡（Landgrafenberg），这是一个可以俯瞰耶拿的高原，那么 10 月 14 日的会战就会有完全不同的发展了。

此时，10 月 12 日凌晨一两点时，拿破仑从缪拉方面，获得了普军并不在格拉集中的消息；同时从俘虏的口中，也知道了普王仍留在爱尔福特，手里保有 20 万人的兵力。以这个情报为基础，拿破仑遂获得了两点结论：（1）普军的意图是想在爱尔福特的附近接受会战；（2）他们首先在爱尔福特集中，然后退向哈雷（他知道他们的预备队在那里），再退向马格德堡。为了应付这两种可能性，拿破仑决定分派第一军和第三军以及其骑兵的大部分，取道萨勒河的左岸，进行一个迂回的运动。而其余的兵力则从卡拉与耶拿之间，强渡萨勒河，向威玛—爱尔福特之线前进。所以，假使普军决心挺身而斗，则法军的主力可以钉住他们，而那两支分遣的军队则可以攻击他们的左翼。若是普军继续后撤，法军的主力即将尾随追击，而分遣的兵力则切断其与易北河之间的联系，迫使他们接受会战。其结果就是一连串的命令，造成了下述的运动：缪拉从纽伦堡向莱比锡搜索前进：第一军从格拉进到了蔡茨（Zeitz）；第三军从米特尔波尼兹进到了劳伦堡；第六军从施莱茨进到了米特尔波尼兹；第四军从维达（Weyda）进到了格拉；第五军从诺伊施泰德进到耶拿；第七军从卡拉进到了萨尔费尔德。所有这些点都已在 10 月 12 日到达，而拉纳把敌人的一个前哨逐出了耶拿城，达弗的前卫也进入了纽伦堡。

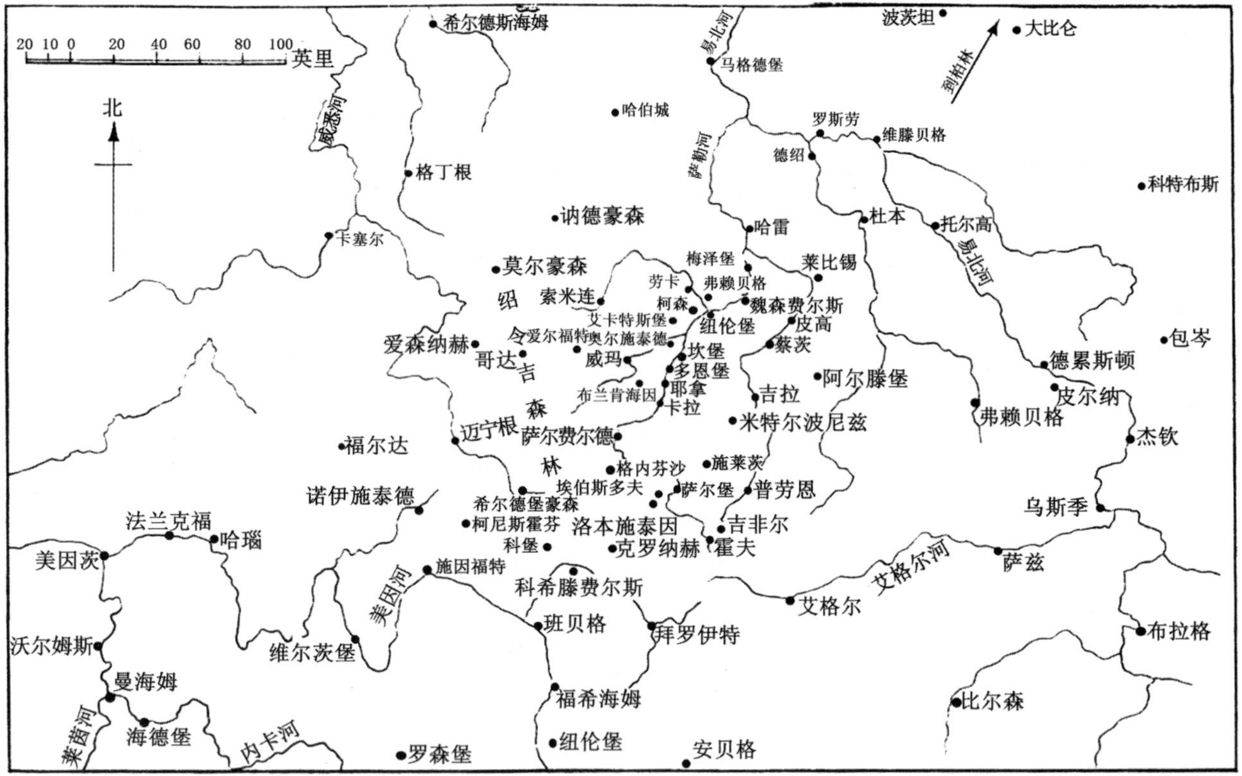

图二十四　耶拿会战，1806年

拿破仑于10月12日到达了格拉，在晚上8时开始睡眠，休息了几个钟点，于午夜又起床了。一直到10月13日上午7时到9时，才有重要的报告送来，一连就是三个。第一个报告是奥热罗在卡拉送来的，他报告说敌军已经离开耶拿向爱尔福特转进，这是普王与其主力的所在地。第二个报告是达弗从纽伦堡送来的，他报告说从逃亡者和俘虏的口中，获知普军主力是在爱尔福特，而普王则在威玛。第三个报告是缪拉在柴兹送来的，他转来了一个间谍的报告，上面说从弗尔到达威玛，沿途都可以看见普军的部队，普王和王后都在爱尔福特。拿破仑始终认为普鲁士人绝不会一愚至此，而居然会在爱尔福特接受会战——那就是说面对着柏林，而背向着绍令吉森林——所以他就认定敌人可能是会采取其所猜想中的第二条路线。虽然如此，在他写给缪拉的回信中，起头固然是很坚定的，但后来仍然表示怀疑。他说："黑幕最后揭开了。敌人已经开始向马格德堡撤退。你应与在多恩堡的贝纳多特军尽可能地加速前进。"接着他又说："我相信敌人若不是想攻击在耶拿的拉纳元帅，就是决心退却了。假使他攻击拉纳元帅，你在多恩堡的位置仍足以允许你支援他。"

当他口授了这个命令之后，拿破仑即启程前往耶拿；下午3时，当快要靠近该城的时候，他接获了拉纳所送来的一个报告，说在该城之上的高原上，已经有了敌军1.2万到1.5万人。拿破仑立即命令勒菲弗率领近卫军进向耶拿，索尔特和赖伊也以尽最快的速度赶往耶拿，而达弗则从纽伦堡出发以迂回敌人的左翼。接着拿破仑遂继续向耶拿进发，4时稍为过一点，在兰德格拉芬堡与拉纳会合在一起，以后这个地方即改名为拿破仑堡（Napoleonsberg）。

一旦到达了该地之后，拿破仑根据他所能看见的情况，遂获得了一个错误的结论，认为普军的意图是想在这个高原上接受会战。所以他决定把拉纳的全军和近卫军都送上这个高原，以钉住敌军，其次再分配两个军以钉住敌人的侧翼，而达弗和贝纳多特的两个军则乘机打击在他的背面上。

虽然取道缪尔沙（Mühlthal）是可以迂回兰德格拉芬堡，也就是耶拿—威玛公路所通过的地区，但是从耶拿城起，却只有一条小路可以直通到那里。这条小路很窄，虽然步兵是可以通过的，可是炮兵和车辆却无法通过。于是工兵立即奉命去拓宽其较窄的部分，拿破仑亲自提着灯笼在那里监工。当他亲眼看到第一辆炮车通过之后，他又赶回兰德格拉芬堡，并命令把他的御营安置在近卫军所组成的一个大方阵中央，这个地点现在还留着一块“拿破仑石”（Napoleon Stone）以为纪念。从那里他可以看见霍恩洛厄的营火闪闪发光，占满了大部分的高原，较远的地方还可以看到不伦瑞克的营火和艾卡特斯堡（Eckartsberg）的故垒。这个景象更使他确认普鲁士全军是并不想撤退，而且有准备会战的意图。

接着在营火的照明之下，拿破仑又口授命令决定第二天上午的行动；他的目的是要在高原上获得足够的空间，以便部署兵力，并且在 10 月 15 日以前避免与普军决战。他命令奥热罗从卡拉前进，取道缪尔沙以迂回陶恩青的右翼；索尔特则从格拉进到罗布施泰德（Löbsted），再向克罗斯维兹跃出，以打击陶恩青的左翼；至于赖伊和缪拉则奉命迅速前进，以来支援拉纳。[1]

由于认为普鲁士全军会向他进攻，所以在夜间 10 时，拿破仑又指示贝尔蒂埃命令在纽伦堡的达弗于 10 月 14 日的清晨向阿波尔达（Apolda）推进，然后从侧面或后方攻击敌军。在这个命令中有一段是这样写的：“假使朋特柯尔弗公爵（即贝纳多特）是和你在一起，则你们可以一同前进。不过皇帝却希望他已经达到了所指定给他的位置，即为多恩堡。”达弗于凌晨 3 时收到了这个命令。

霍恩洛厄对敌情判断也是完全错误的。他绝不曾怀疑到他所面

---

[1] 在这个命令中丝毫不曾提及任何的村落名称，其可能的原因是营火的光线太弱，使他无法看清地图。

对的，即为法军的主力。他相信敌人是只在兰德格拉芬堡和纽伦堡留着一个侧卫以为掩护，而其主力必已正在向莱比锡和德累斯顿赶进，所以他觉得在目前是并无严重的危险。

10 月 14 日的上午异常寒冷，在日出之前，拿破仑即开始出发视察拉纳的部队。浓雾掩盖着这个高原，由侍卫人员举着火把随护着，皇帝骑着马从一个军营走到另一个军营，与军官和士兵谈话，鼓励他们并且告诉他们说，普鲁士人今天的处境，正好像一年前奥国人在乌尔门的情形同样的窘迫。他每到一处，部队都欢声雷动，高呼皇帝万岁！虽然雾幕是极为厚密，可是敌人的前哨却极为接近，所以他们可以看见火炬的光辉。当他们听到法军的欢呼时，萨克森部队不禁为之股栗。

上午 6 点，拿破仑发出了攻击命令。在浓雾掩护之下，絮歇的师从右面进攻克罗斯维兹，贾宗（Gazan）的师从左面进攻柯斯皮达（Cospeda）。到了 8 时 30 分，这两个村落连同鲁齐罗达，都已经落入了他们的手中。半小时后，在絮歇的右面，索尔特左翼的领先师也从罗布施泰德跃出，向柴维提勒森林（Zwätener Wood）挺进，在那里面对着霍尔岑多夫。同时，在贾宗的左面，奥热罗的领先师也取道缪尔沙前进，达到弗罗堡（Flohberg），以便展开在贾宗一师的左面。所以到了大约 9 时，当雾幕开始消退时，拿破仑即已经使其计划的第一部分完全实现了：他已经获得了足够的空间，可以展开他的兵力。所以他现在决定暂停前进，好让他的部队有时间到达他们的指定位置，并构成战线。第六军已经达到了耶拿，因为等待得不耐烦和害怕丧失了参加会战的机会，赖伊不等到命令的到达，即先率领了 3000 精兵赶去助战。

在遇见陶恩青师的逃兵之后，霍恩洛厄最后才认清了他所面临的已经不是一个侧卫的作战而已。他留下了 3 个萨克森旅在重要的威玛大路上，他命令他们不惜付出一切的代价死守，接着就命令格拉韦特将军（Gen. Grawert）率领大部分的普鲁士步兵去夺回陶恩青已经丧失的阵地。为了支援陶恩青，他又命令狄希尔将军（Gen. Dyherr）的萨克森旅跟在后面前进。他又命令陶恩青的溃兵在后方集合，并补充他们的弹药，于是在向吕歇尔发出了求救的紧急呼吁之后，他就率领着他的骑兵和骑炮兵前进，以掩护格拉韦特的展开。

上午 10 时，雾已经完全消尽了，霍恩洛厄的骑兵一共是 45 个中队，已经接近了费尔曾海里根（Vierzehnheiligen）村落，于是分为两翼，当他们正准备向絮歇和贾宗两个师的散兵群体冲锋时，却突然受到了一阵猛烈的攻击而不能不暂行停顿。这并不是那几位法国师长所发动的，而是赖伊乘着大雾的掩护，已经率领其 3000 精兵进到了拉纳和奥热罗之间的地区，这是连拿破仑也不知道的。不久他即与普鲁士骑兵发生了激烈的战斗，终于完全被切断。于是被迫把步兵组成方阵，以防止骑兵的冲突。

此时在兰德格拉芬堡的拿破仑，听到了在费尔曾海里根的附近突然发生猛烈的枪声，不禁大感奇异；等到他听到这是赖伊所为，就更使他莫名其妙，因为他还以为赖伊是留在后方的。他立即派贝特朗（Bertrand）率领两团骑兵前进，这是他手中所仅有的全部骑兵，因为缪拉还没有能够赶上，同时也通知拉纳前进。拉纳立即照办，攻下了费尔曾海里根，达到与格拉韦特的战线对峙的地位，后者正展开在该村的北面。在遭遇到了猛烈的排枪火力之后，拉纳的人员遂缩回，并在房屋和果园之内，利用掩护物向普军还击，其火力也是非常可怕的。霍恩洛厄的幕僚们力劝他命令格拉韦特发动突击，以夺回这个村落，但是他却不听，决定坐待吕歇尔的来到，此时他也已经派马森巴赫上校去催促吕歇尔赶紧前进。毛德上校（Col. Maude）在他的《耶拿会战史》一书中说：“现在接着就发生了一件怪事，这是军事史上最出奇和最不幸的怪事。”一个外表极为壮观的步兵阵线，人数约为 2 万人，在整整两个小时内站立在开阔地上，暴露在法军无情火力之下，而法军本身却都躲在垣墙之后，几乎使他们找不到可能还击的目标。结果是到处都死伤枕藉，只留下了少数人还在继续射击。

当格拉韦特的人员正在做无益的牺牲时，拉纳和赖伊的步兵却已经透入了依塞尔施泰德森林，切断了在威玛路上的萨克森旅与普军中央兵力之间的联系。为了填塞这个缺口，霍恩洛厄命令狄希尔的旅以及他手中所控制的若干萨克森预备队都投掷进去。到了一点钟时，除了陶恩青师的残部以外，他所有的全部兵力都已经列成了阵线，以等候吕歇尔的到达。

奥热罗的左翼正在与威玛公路上的萨克森部队交战，这个地点叫蜗牛弯（Schnecke）——是一个一连串的弯道。在右翼方面，索尔特的领先师，在圣希莱尔（St. Hilaire）的领导下，除了留下少数部队以监视霍尔岑多夫以外，其余兵力都向内旋转以来攻击普军的极左翼。此时，缪拉的骑兵也开始达到了近卫军的后方，至于赖伊和索尔特两军的主力也已经集中在他们的侧翼上。所以在大约下午12时30分时，除了已经交战的5.4万人以外，拿破仑手里还有4.2万人可作为总预备队。

拿破仑监视着两翼方面的发展，当他判断会战已经达到了最高潮时，就命令全面前进。他的部队也都感觉到胜利已经在他们掌握之中，于是立即迅速前进，压迫敌军向下坡退走，把他们赶入了苏尔巴赫（Sulbach）的河谷中。最后霍恩洛厄才承认大势已去，命令部队向大小罗门施泰德（Gross and Klein Romstedt）撤退。可是到了此时，他的人员已经疲惫不堪，组织瓦解了，所以除了一个萨克森的营方阵以外，其余各部队都开始一哄而散——他自己也就以那个方阵为避难所。法军在逐步推进时，到处都可以收容到俘虏，全部的炮兵都同时投降。

现在只有一件事可以阻止霍恩洛厄军团的完全毁灭，那就是吕歇尔能在卡皮仑多夫与汉麦尔施泰德（Hammerstedt）之间的苏尔茨巴赫（Sulzbach）上构成一个防御阵地，于是所有的残部就都可撤到它的后面，加以收容重组，然后等到夜间再向后撤退。可是事

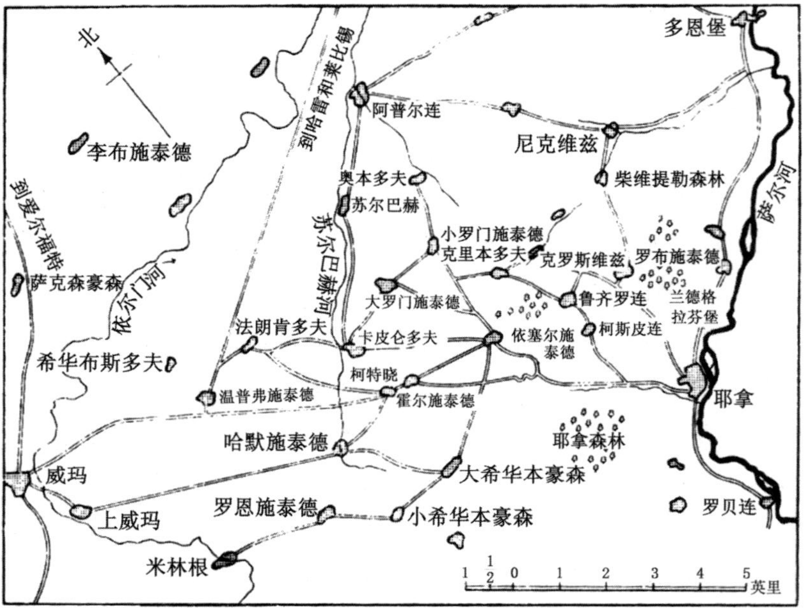

图二十五　耶拿会战，1806 年

实上并不如此，当马森巴赫在法朗肯多夫（Frankendorf）的附近与吕歇尔相遇时，就指示他应全速向卡皮仑多夫前进，并攻击在霍恩洛厄右面的敌军。

当获得了霍恩洛厄的求救通知之际，吕歇尔已经离开了威玛，虽然他与马森巴赫相遇的地点距离卡皮仑多夫并不超过 6 英里，但是他的前进是如此的迟缓，一直等到下午 2 时，他的先头部队才到达了该村。他走过了该村，把他的主力展开在大罗门施泰德与柯特晓（Kötschau）之间，那就是在斯皮林斯堡（Sperlingsberg）的山脚下，后者是一个山脊，在依塞尔施泰德的西北，相距为 1 英里有余。当他刚刚站住的时候，就有一部分法国的轻型炮兵开始在斯皮林斯堡的山头出现，并立即向他们射击。虽然如此，普军还是继续前进，突然，法军步兵如蜂群一样拥上，在炮兵的支援之下，冲过了起伏地并发射着强烈的火力。在 15 分钟之内，吕歇尔的多数步兵营即已减少了一半的兵力，再过 15 分钟，法军骑兵发动攻击，普军即开始完全崩溃向威玛逃窜。在这一战中吕歇尔本人也受到了致命的重伤。

因为吕歇尔的溃退是如此迅速，所以霍恩洛厄收集前者的残部再来支援他的企图也完全变成了泡影。于是，他退过了依尔门河（Ilm），向萨克森豪森（Sachsenhausen）和李布施泰德（Liebstadt）逃走。此时，萨克森军在威玛公路上作了一个非常英勇的战斗，拒绝放弃托付给他们的阵地，结果不是被杀就是被俘，没有一人幸免。

到了下午 4 时，会战已经结束，法军开始追击。缪拉的骑兵一口气挺进到了威玛，又俘获数以千计的普军残兵。那一天夜里，拉纳进到了温普弗施泰德（Umpferstedt），奥热罗和赖伊进到了威玛，索尔特进到了希华布斯多夫（Schwabsdorf）。拿破仑和他的近卫军又启程回到耶拿，他深信已经击败了普军的主力。

当他在回程的途中，拿破仑首先注意到的就是伤患的后送问题，一直到夜幕低垂之际才回到了他的总部，在那里发现达弗元帅的一位参谋托布里安上尉（Capt. Trobriant）已经在那里等候。后者向皇帝报告说，第三军已经单独击败了 7 万普军，地点是在奥施泰德的附近，率领普军的主将即为普王本人和不伦瑞克。这个消息使拿破仑大吃一惊，他不禁向托布里安说："你的元帅一定是把一个人当两个人来用的。"但是不久他就搞清楚了这个事实，于是对于达弗和他的部下大加赞扬。以下即为事实的经过。

当拿破仑在耶拿会战时，因为他具有数量上的优势，是立于不败的地位；可是当达弗在北方 13 英里的奥施泰德进行另一个会战时，依照一切的战争规律，他都是不可能获胜的。上文已经说过，在 10 月 13 日那一天，普军开始在威玛—纽伦堡公路上运动。它一共有 5 个师，分为 52 个步兵营、80 个骑兵中队和 16 个炮兵连，共有步兵 4 万人、骑兵 1 万人和火炮 230 门，包括团炮兵在内。其领先的师

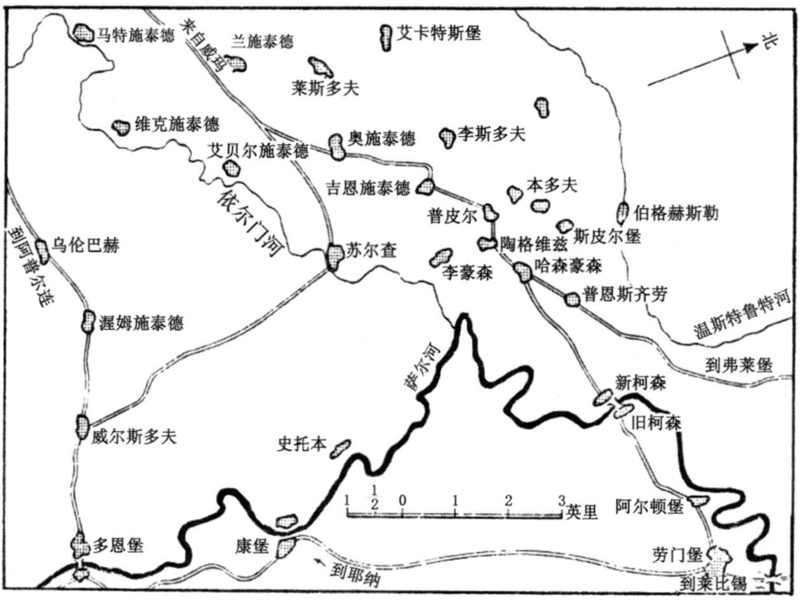

图二十六　奥施泰德会战，1806 年

长为希米陶将军（Gen. Schmettau），当他达到了阿波尔达时，听到了南方有炮声，即命令停止前进。以后发现没有什么情况，遂又命令继续前进。那天夜间，普军宿营奥施泰德，依据路程计算，它在柯森桥以西，相距为八九英里。

10 月 14 日，普军的命令是以一师的兵力，前面再加上一个骑兵中队，进到柯森以掩护这个隘路，而其余的军队在到达了哈森豪森（Hassenhausen）之后，即利用弗赖贝格道路向北转进，越过温斯特鲁特河（Unstrut），并在弗赖贝格和劳卡（Laucha）宿营过夜。因为已经知道法军在纽伦堡，那么在 10 月 13 日的清晨，不伦瑞克为什么不先派一支强大的骑兵兵力，并加上一个步兵师的支援，去抢先攻占柯森隘路，而要一直等到后卫已经撤出了哈森豪森时为止，这一点似乎是很难了解的。不伦瑞克所做的事情可以说是坏到了极点。在 10 月 13 日的黄昏，他派了少数的骑兵去进行搜索，这实在无异于先警告敌人，在与达弗的前哨在陶格维兹（Taugwitz）附近进行了一些手枪的射击之后，即退回来报告说这个隘路已经有敌军据守。

当这个接触发生时，达弗正在纽伦堡，听到了这个消息，就立即策马前进。从俘虏的口中才知道普军的主力，在国王率领之下，已经接近了。他立即派了一个步兵营去增强柯森桥的防御。

达弗在纽伦堡，一共有步兵 2.45 万人，骑兵 1500 人，火炮 44 门，他所奉到的命令是采取最短的路线，即经过柯森向阿普尔达前进。从那里起，道路在萨勒河的左岸上成之字形延伸，一直通到一个高原上。在这个高原的中央，即为一个相当大的村落，那就是哈森豪森，它距离奥施泰德约有 5 英里远。

贝纳多特的司令部也设在纽伦堡，而他的部队则沿着纽伦堡到多恩堡之间的道路上宿营。他也奉命向阿普尔达前进，但是却应取道多恩堡，因为当拿破仑下命令的时候，他还是认为贝纳多特可能会遇到普军的主力。因为达弗所获得的情报，已经证明敌军的半数现在都在奥施泰德，所以这个命令当然应该改变。当 10 月 14 日上午 3 时达弗收到贝尔蒂埃在前一天下午 10 时所发出的命令时，他就力劝贝纳多特与他一同取道柯森前进。也许是因为妒忌之故，后者却表示反对，决定依照前面的命令行事。他向多恩堡前进，并于上午 11 时到达该地。虽然阿普尔达沿着大路走距离多恩堡只有八九英里远，可是他到了下午 4 时才到达该地，此时耶拿会战已经结束了。[1]

尽管贝纳多特拒绝合作，达弗却还是毅然地前进，毫不犹豫地迎击普军，虽然他相信他们的总数是有 7 万之多。在拿破仑的诸将中，达弗也许要算是最能干的。上午 6 时，他率领他的三个师向柯森进发。这三个师分别由居丹（Gudin）、弗里昂和莫朗（Morand）三位将

[1]　拿破仑明了贝纳多特的用心，本已下令审讯他，以后因为他的妻子求情，遂收回了成命。

军指挥。大约在 8 时，三个师跃进到哈森豪森周围的平原上。在浓雾之中，布吕歇尔率领了600名骑兵直向他冲来。在布吕歇尔的后面，即为希米陶的师，普王、不伦瑞克和默伦多夫也都在一起。应该感谢雾幕的掩蔽，达弗才有时间来展开居丹的这一个师，它是该军的领先师。它一共有第十二、第二十一、第二十五和第八十五等四个团——后者留在哈森豪森。居丹把第二十一和第二十五两个团列成战线，部署在该村的右面（北面），而控制着第十二团为预备队。

当居丹正在部署兵力时，普王、不伦瑞克和默伦多夫三人也正在考虑应该如何对付。不伦瑞克一向是谨慎有余的，他主张暂停前进，等到后面的华腾斯里本（Wartensleben）师赶到后再采取行动。但是默伦多夫却主张立即进攻，而国王也同意他的见解，于是希米陶也开始展开他的兵力。当他正在进行展开时，雾幕已经消退了，可以看清楚居丹的全部阵容。普军方面于是又决定命令布吕歇尔率领 2500 名骑兵攻击居丹的右翼，但是后者却马上看清楚了敌人的意图，立即把第二十一和第二十五两个团的侧面各营构成方阵，而第十二团则在后方构成一个单独的团方阵。布吕歇尔一连进攻了四次，每次都被击退，到了上午 9 时，弗里昂一师也赶到了，因为达弗看到敌人是以其右翼方面为主攻方向以求打通弗赖贝格公路，所以遂把居丹的师摆在哈森豪森的周围，把弗里昂安排在他的右方，即夹在哈森豪森与斯皮尔堡（Spielberg）之间。

现在华腾斯里本的师已经赶上了，后面接着就是奥伦奇亲王的师，他们都是因为行李车辆阻塞了道路而迟误了时间。前者进到了哈森豪森的南面帮助希米陶进攻，因为莫朗尚未到达，居丹就动用了他的预备队第十二团以增援这个村落。在这次攻击中，希米陶受到致命的重伤，不伦瑞克公爵看到法军的抵抗是如此激烈，遂亲自率领一个团的榴弹兵向该村冲锋，但结果双眼都为弹丸所击伤。他被抬出了战场，于 11 月 10 日死于汉堡附近的奥滕森（Ottensen）。于是普军实际上已经没有指挥官了，因为普王既不指派一个接替的人员，而自己又不亲自指挥。

不久以后，奥伦奇师的两个旅也赶上了，一个旅由鲁左（Lützow）指挥，被派往支援华腾斯里本的左翼；另一个旅由亨利亲王（Prince Henry）指挥，则趋向希米陶师的左方，在那一方面，弗里昂已经开始向齐克华（Zeckwar）进展。莫朗的师也已经到达，即展开在哈森豪森的左方（南方）。尽管面对着重炮的火力，它逐渐压迫华腾斯里本和鲁左后退。因为他们的撤退又使希米陶师的右翼暴露了出来，为了避免它受到包围，于是也只好命令它撤退。

为了阻止莫朗的进攻，普王集中了所有的骑兵交给威廉亲王指挥，他是在华腾斯里本之后才到达的。此后莫朗就又把他的各营构成方阵，他进入了这个方阵，达弗本人也进入了这个方阵。当普军的骑兵冲来时，像所有一切对于步兵方阵的冲锋，结果总是会被击退的。普军一再进攻，一直到精疲力竭之后，才开始向苏尔查（Sulza）和奥施泰德撤退。接着莫朗即进到了李豪森（Rehausen）。

当莫朗正在达弗左翼方面作战时，弗里昂在他的右面攻占了斯皮尔堡和普皮尔（Poppel），后者曾经失而复得，然后进到了李斯多夫（Lisdorf）。所以到了正午时，居丹仍然扼守着哈森豪森，而莫朗在南，弗里昂在北，都用他们的炮兵实行纵射，以威胁希米陶、奥伦奇和华腾斯里本的撤退。当这些师后退时，居丹也随之前进，攻下了陶格维兹，向吉恩施泰德（Gernstädt）挺进。在普军方面，卡尔克鲁斯已经在那里集中了其两个预备师的主力。有了这个兵力，再加上全部的骑兵，布吕歇尔和卡尔克鲁斯现在就力劝普王再奋勇一战。可是腓特烈·威廉却深信霍恩洛厄和吕歇尔两个军团还是完整无恙的，所以决定退向他们那一方面，准备大家会合了之后，再在第二天向法军挑战。

普军于中午 12 时 30 分开始撤退，法军的追击以远到艾卡特斯堡为限度，因为达弗的部队已经精疲力竭，而且他的骑兵也不足以逐退普军。在卡尔克鲁斯的掩护之下，普军保持着相当良好的秩序，一直退到马特施泰德（Mattstedt）为止。从那里可以看见阿普尔达周围地区的营火，他们还认为那是霍恩洛厄的部队，可是不久即遇到了惊弓之鸟似的溃兵，才知道霍恩洛厄的部队已经被击溃了，那些营火是属于法军的。这也就是说威玛道路已经被切断了，普王立即命令他的军队向北，改从索米达（Sömmerda）道路行走。在布特尔施泰德（Buttelstedt），这些精神已经涣散的人员遇到大批的溃兵，如潮水一样从耶拿方向撤退而来。于是情形益为混乱。因为他们相信法军正在跟踪追击，所以各个部队逐渐分裂，人员都纷纷落荒而逃。在这一天之内，普鲁士的三个军团都已经溃不成军了。法军一共俘获了 2.5 万人、火炮 200 门和军旗 60 面。

除了第三军以外，法军其他部队的死伤数字都已经不可考。这一个军损失了军官 258 人，兵员 6794 人，约相当于其全部兵力的四分之一，此即可以证明这场战斗是如何的激烈。居丹一师的单独损失约为五分之二，在会战中，胜利部队的损失高到如此的程度，真可以说是破了有史以来的记录。

10 月 15 日，拿破仑在他的第五次公报中，曾经这样说：“耶拿会战扫除了罗斯巴赫的耻辱。在我们的右翼方面，达弗元帅的军队表现最为优异。不仅阻止了敌军的前进，而且还击败了敌军的主力。这位元帅表现出来过人的英勇和坚定的性格，这都是战士的第一流品性。”

10 月 15 日的上午，法军开始作历史上最著名的一个追击：缪拉、索尔特、赖伊和贝纳多特，分别痛剿敌军的残部，并消灭其抵抗力；而拿破仑则率领达弗、奥热罗、拉纳和近卫军，沿着大路向柏林进发。此外，路易和莫尔捷则也奉命向赫斯进攻。

10 月 27 日，拿破仑以胜利者的姿态进入了柏林，虽然和约的条件已经讨论并决定了，普王却接到了圣彼得堡送来的一个报告，说假使他仍与俄国保持同盟关系，则沙皇即将亲率14万人来援助他，所以他遂拒绝批准和约。在这个时候，普国境内的要塞，都相继向法军投降，其中包括爱尔福特、普林兹劳（Prenzlau）、斯潘道、斯退丁、库斯特宁、马格德堡和哈米仑（Hameln）等地。11 月 7 日，布吕歇尔也在卢比克投降了。所以在 24 天之内，普鲁士和萨克森的全部军事力量都已经毁灭殆尽了：战死和负伤者共 2.5 万人，被俘者为 10 万人，其余的兵力也都完全瓦解了。法军所获得的战利品更是多到无法计算，专以柏林而论，即有火炮 4000 门、战马 2 万匹和枪 10 万支。

从战略和战术两方面来看，很少有哪个胜利所具有的决定性，能够与这个耶拿和奥施泰德双重会战相比拟的。不过在政治方面，拿破仑却并未能达到他的目的。普鲁士的失败并不曾使英格兰退出战争，而也正是因为这一点，才使这两个会战在历史上具有广泛的影响。它们并不曾带来和平，反之在它们之后，欧洲还是连年苦战，终至于民穷财尽，结果当拿破仑最后被推翻时，英国的世界霸权也从此奠定了基础。从此英国变成了全世界上的工厂和银行，这也正是拿破仑所想要竭力阻止发生的事情。

若与这个后果比较一下，则一个绝对王权的被推翻、1.6 亿法郎巨额战费的赔偿和萨克森和威玛的被迫加入莱茵邦联，都还只能算是次要的事件。拿破仑对于这一点也是十分明了的，因为在他大获全胜之后，马上就想转过身来解决其尚未能解决的难题：即如何消耗英国人的存金和如何最后毁灭英国人的信用。

第一点，他没收了在普鲁士和萨克森境内的一切英国货物。[1] 其次，他命令莫尔捷占领汉堡和汉斯（Hanse）的其他城镇。最后于 11 月 21 日，他发布了他的柏林敕令（Berlin Decree），这就是他准备用以毁灭不列颠贸易的伟大计划。它一共包括着十一条，其中头八条是最重要的，其内容可以略述如下：

[1] 在莱比锡，他就没收了大量的英国衣料。所以他对于每一个法国军官都赠送一套全新的军服，对于每一名士兵都赠给一件外套和一件上衣。

第一条：大不列颠各岛被宣布处于封锁的状态中。

第二条：一切往大不列颠各岛的旅行和通信均应禁止。

第三条：所有在我军和联军所占领的国家中，若发现任何英国臣民，均一律当做战俘收容。

第四条：所有的仓库、一切的商品和一切的财产，无论其属于何种性质，只要他们是属于英国人的，都一律加以没收。

第五条：一切买卖英国商品的商业都在禁止之列，一切属于英国的商品，或是从其工厂和殖民地中出来的，都一律宣布为没收的对象。

第六条：一切充公没收的财产中，应提出半数来赔偿因为商船被英国巡洋舰所捕获而受损失的商人。

第七条：自本敕令公布之后，一切直接从英国及其殖民地开来的船只，以及曾经到过该地的船只，都一律不准进入欧洲的任何港口。

第八条：一切假借名义，企图违反上述规定的船只，都一律加以没收，对于船只本身和所载的货物都一律视同英国货来处置。

这个敕令就成为拿破仑政策的奠基石。凡是愿意接受其约束者，即视为法国的友人，否则即被认为是法国之敌。

英国当然也就立即发动反攻。1807 年 1 月 7 日，英国发布了一项命令，禁止任何中立国的船只，在任何两个法国港口之间或其同盟国的港口之间进行贸易。若是违反了这个规定，其船只和货物都一律加以没收。为了报复，1 月 27 日，拿破仑命令没收汉斯各镇市中的英国货，连同其殖民地所生产者在内。这样，真正的战斗就开始了。

不过俄国却尚未屈服，因为沙皇亚历山大为欧洲大陆上英国信用制度的大主顾，既然拒绝接受条件，所以拿破仑决心先击毁他。

班尼希森已经率领了6万俄军，驻在华沙；而布克斯豪登还有4万余兵力，在一个月内即可准备就绪。11月25日，拿破仑已经离开了柏林前往波森（Posen），缪拉于11月28日，进入了华沙；接着于12月18日，拿破仑也到了该城。此时，两个俄国军团已经联合在一起，由卡门斯柯伊（Kamenskoi）指挥。1807年2月8日，在大风雪之中，拿破仑在普鲁斯艾劳（Prüssisch-Eylau）向他们发动攻击。结果为一场惨烈的血战，可是法军却并未获得决定性的收获，因为俄军保持着良好的秩序撤退了。拿破仑在一个激烈的会战中曾经失败，这似乎还是第一次；4月26日，普俄两国签订了《巴滕施泰因（Bartenstein）条约》。根据这个条约，沙皇和腓特烈·威廉应联合一致，把法国人赶出日耳曼的境外。英国人对于他们则作幕后的支援，他们贴补普鲁士军费100万镑，并派兵力2万人到斯塔桑，以增援古斯塔夫四世所率领的1.6万名瑞典兵。

接着，拿破仑就围攻但泽城，当它投降之后，班尼希森即开始愚笨地采取攻势了。6月10日，在弗里德兰会战中，他被法军击溃了。这是一个具有决定性的胜利，因为沙皇不仅求和，并且还提议与其征服者签订一个同盟条约。

6月25日，这两位皇帝在尼门河中游的一个木筏上会晤，花了三个小时来谈判和约的条件，而腓特烈·威廉则冒着大雨在河岸上等候他们的决定。拿破仑所最希望的，即恢复保罗一世时代“武装中立联盟”，其意义即封闭波罗的海，不让英国船只进入。结果俄国人同意了。于是法俄两国在7月7日签订了和约。两天之后，法普两国也在蒂尔西特（Tilsit）签订了和约，依照这个和约，普鲁士丧失了其在易北河以西的领土——1793年所兼并的波兰省区和1772年所获得的西普鲁士南部，而科特布斯（Kottbus）则被割给萨克森。但泽则变成了一个自由城。普鲁士的面积变得只有从前的一半大，并且还要与法俄两国采取一致的行动，以对抗英国。当此之时，拿破仑的胜利似乎是已经完全了。

大事记（十四）

英法两国的陆上斗争（第二阶段）

虽然拿破仑的地位已经是如日中天，达到了其权力的顶点，可是他的任务还是并未完成。因为英国仍然拒绝议和，而当英国不肯议和之前，在欧洲也就还是没有和平之可言。所以，当他一回到巴黎之后，马上就着手扩大其大陆组织的范围。1807 年 7 月 19 日，他向葡萄牙提出警告说：为了它本身的利益起见，最好是能从 9 月 1 日起，开始禁止英国船只进入其港口。7 月 31 日，他又向丹麦提出类似的要求，接着在 8 月 16 日又要求丹麦舰队与法国合作，但是英国却早已注意到这支舰队。7 月 26 日，英国派甘比尔上将（Adm. Gambier）率领了一支强大的远征军去要求它投降。因为丹麦人拒绝屈服，9 月 2 日并未经过宣战的手续，英军即炮轰哥本哈根。9 月 7 日，该城投降，于是 18 艘战舰和 52 艘其他的船只都被英国没收。在这个高压行动之后，丹麦即开始与法国联合，并向英国宣战。

因为有了哥本哈根的前车之鉴，葡萄牙人遂拒绝封闭他们的港口。为了强迫他们就范，拿破仑遂与西班牙签订了一个条约，准备联合侵入葡萄牙。他派了朱诺将军（Gen. Junot）率领了 2.8 万人，通过西班牙向里斯本进发。这样就发动了“西班牙半岛战争”，其累积的效果终于促成了拿破仑的最后失败。这个因素所具有的决定性，并不比侵俄之役小。葡萄牙的舰队溜走了，因为它的摄政在英国人的引诱之下，勉强地上了在塔古斯（Tagus）的英国旗舰，并连同葡萄牙的舰队一起开往巴西。这个挫折使拿破仑大感恼怒，于是他决定要确保西班牙的港口，尤其是加的斯。

1808 年 3 月，西班牙的查理四世自动退位，让他的儿子斐迪南七世（1808—1833 年在位）来执政。拿破仑拒绝承认后者，强迫他退位，并立他的兄弟现任那不勒斯国王约瑟夫（Joseph Bonaparte）为西班牙国王。这个选择是既不聪明，复不吉利。因为西班牙早已在蠢动之中，而约瑟夫这个人是绝对没有平乱之才的，虽然除了在葡萄牙的朱诺军团之外，他在西班牙境内还有 9 万名士兵的法国部队可以动用。拿破仑相信这种叛乱不过只是土匪性的行动而已，所以指示他的兄弟应用快速的纵队去击败他们。约瑟夫果然照办了。他命令杜邦将军（Gen. Dupont）率领了 2.2 万人的兵力，去镇压塞维利亚（Seville）和加的斯境内的叛乱。1808 年 7 月 19 日，杜邦遇到困难，四天以后，他很可耻地在拜伦（Baylen）向西班牙卡斯塔尼奥思将军（Gen.Castaños）投降了。

自从 1801 年，贝里亚尔（Beliard）和美劳（Menou）在埃及投降之后，拜伦之降要算是法军最近所遭到的一次最大屈辱。而比较起来，这更是一个不好的预兆，因为这只是一次叛变，并没有国王的领导，而只是平民起来反抗拿破仑的暴政。若无人民的拥护，则不管其他的情形怎样，拿破仑的失败似乎即已成定局了。拜伦之降以后，其随即的后果即为法军于 8 月 1 日撤出了马德里。两天之后，在魏里斯雷爵士（Sir Arthur Wellesley）率领之下，一支英国的远征军也开始在葡萄牙境内登陆，并于 8 月 21 日在费米罗（Vimiero）击败了朱诺。此时，拿破仑又已经命令三个军的精兵，分别由维克托、莫尔捷和赖伊率领，开入了西班牙。他又与俄皇联名写信给英王乔治三世，要求他考虑全面的和平，可是也毫无回音。10

月 30 日，拿破仑离开了巴黎，亲自率领着 20 万大军，侵入了西班牙。12 月 2 日，他进到了马德里城下——那一天正是奥斯特里茨会战的三周年纪念日。

当此之时，于 10 月 6 日英国在葡萄牙的军事指挥权已经改由约翰 · 莫尔爵士（Sir John Moore）来担任。为了吸引拿破仑离开西班牙南部的港口，遂开始企图切断位于布尔戈斯（Burgos）的法军交通线。当英军在 12 月 23 日达到了沙哈根（Sahagun）之后，才知道拿破仑已经离开了马德里，并正在对着他前进，于是遂又撤向维哥和柯鲁尼亚。拿破仑一直追到了阿斯托加（Astorga），然后才把指挥权交给索尔特，自己却赶回巴黎。他这样匆匆离去的原因，是因为他知道塔列朗、富歇（Fouché）和缪拉正在制造一个阴谋，在与奥国驻巴黎大使梅特涅伯爵秘密勾结想鼓动奥国反对他，而约瑟芬（他的皇后）也被牵涉在内。他认为在幕后操纵者即为伦敦和阿姆斯特丹的银行家和商人，这是所谓"无形的敌人"。在中欧的确已经有另一场大火正在酝酿之中，他开始准备征集 80 万人，当 3 月奥国宣战之际，他在西班牙境内已经有可用的兵力 30 万，法国 10 万，从莱茵地区抽来的 20 万和意大利的 6 万人。奥国的野战军总数为 26.5 万人。

1809 年 4 月 10 日，奥国军队在查理大公爵指挥之下，越过了巴伐利亚的边界，4 月 22 日在艾尔克缪尔（Eckmūhl）被击得惨败，损失了将近 4 万人。5 月 13 日，拿破仑进入了维也纳，9 天之后，即发生了惨烈的阿斯本—艾斯林会战，拉纳元帅即在这一战中殒命。拿破仑在这一战中几乎失败，于是使全欧又似乎显出了一线新希望。7 月 5、6 两日中，又发生了惨烈的华格南会战，查尔斯又被击败了。于是 10 月 15 日遂签订了《匈布仑（Schönbrunn）和约》，依照这个和约，奥国割让了大量的土地给巴伐利亚、法国、俄国和萨克森。陆军兵力限制为 15 万人，并偿付赔款 7500 万法郎。1810 年 1 月，法国与瑞典之间也签订了一个和约，在这一个月当中，拿破仑也和约瑟芬离了婚。3 月 11 日，他与奥皇法兰西斯一世的女儿玛丽·露易斯结婚，其目的是要想做奥皇的继承人，并增强其对俄国的钳制作用。为了加紧封锁起见，7 月 9 日，他又以帝国敕令把荷兰合并在法国之内；一个月后，瑞典国会也承认贝纳多特为瑞典王室的承继人，10 月瑞典也向英国宣战。

一直到这个时候为止，法英两国之间的经济战争，还始终是拿破仑占优势的，尤其是对荷兰的兼并，更足以使不列颠的贸易受到严重的打击，再加上 1809 和 1810 两年中，英国农业又歉收，所以更使其财政危机显得十分严重。英国人一方面准许谷物输入英格兰（但课以重税），另一方面又必须维持威灵顿在西班牙的军费，所以伦敦的存金很快开始减少了，这个消耗是如此的巨大，于是以后就只有法国一国在银行内还有金条的储存。为了打破这个经济危机，被称为欧洲第一商人的巴林爵士（Sir Francis Baring）和他的朋友们都认为除非能引诱俄皇亚历山大脱离这个大陆组织，否则英国就只有破产和屈服了。

拿破仑并不想要战争，他所想要的是和平，但是这个和平却必须依照他自己所希望的条件，那就是要毁灭英国人的贸易体系。尤其是，他绝不想与俄国之间发生战争，因为沙皇不仅是他的同盟者，而且更是其大陆组织中的一个主要关键。

1810 年，亚历山大的态度转趋和缓，开始接受英国人的货物。其次，他允许 600 艘英国商船把货物运入俄国。为了报复和加强封锁起见，拿破仑遂兼并了奥尔登堡公国（Oldenburg），这一个行动使沙皇大感恼怒，因这个大公爵正是他的小舅子。于是情形迅速的恶化，拿破仑说："战争已经无可避免，尽管为了我，为了亚历山大皇帝，为了法、俄两国的利益，都是不应该有战争的。凭着我过去的经验，我常常可以猜想到将来的发展。这都是歌剧中的一幕布景，而操纵这个机关的却是英国人。"以后他在圣赫勒拿岛上的时候，又曾经向拉卡沙这样说："俄国是英国的最后法宝，世界的和平就寄托在俄罗斯的身上。但是不幸之极！英国人的黄金却要比我的计划更有力量。”

危机终于来临。1812 年 1 月 12 日，在与英国缔结了一个秘密条约之后，亚历山大就向拿破仑发出了一个最后通牒，要求所有的法军都撤到奥得河以西去，这个要求是拿破仑无法接受的。

拿破仑对于这个挑战已经有很好的准备，因为他已经召集了一个 68 万人的大军，其中大约有步兵 50 万人，骑兵 10 万人，野战炮及攻城炮共约 1400 门。5 月初，拿破仑在维斯瓦河上，集中了 45 万人的兵力。面对着他的是两个俄国军团，一个由巴克莱 · 托利（Barclay de Tolly）指挥，另一个由巴格拉季翁（Bagration）指挥。前者的兵力为 12.7 万人，展开在一个宽广的正面上，从夏夫利（Schavli）到维尔纽斯（Vilnius），以至于普鲁夏尼（Prushany）。后者与前者是完全隔开的，它位于鲁兹克（Lutzk），在普里皮亚季（Pripjat）上部的南面，人数为 6.6 万人。

拿破仑的想法（不能说是一个计划）是先进到维尔纽斯，突破巴克莱 · 托利军团的右翼；接着再打击在其中央和左翼的交通线，最后完全切断他与巴格拉季翁的联络。1812 年 6 月 24 日的清晨，大军团开始在科夫诺（Kovno）、皮罗那（Pilona）和格罗德诺三处渡过了尼门河。巴克莱 · 托利也立即向后撤退。6 月 28 日，法军进入了维尔纽斯，在那里一直停留到了 7 月 16 日为止。这个迟误的原因是补给纵队破裂了，这对于法军而言是一个致命伤，因为它使两个俄国军团终于在 8 月 1 日于斯摩棱斯克会合在一起了。此后在维捷布斯克（Vitebsk），拿破仑又决定停留 14 天，这一次是为了收容掉队的人员和建立补给基地。接着在 8 月 16、17 和 18 日三天之中，他都向敌军进攻，但是他却又未能切断莫斯科公路，以至于俄军又溜走了。

通常的议论都是主张拿破仑应留在斯摩棱斯克宿营过冬，等到第二年春季再继续作战。这种意见实际上是不可能实行的，因为在那里他无法供养他的大军，而且贝纳多特已经叛变了，与俄国联合一致，又可以获得英国的协助以打击他的背面。所以当时他只有两条路好走：不是放弃这场战役，就是继续打下去。前者即无异于使英国坐获胜利，后者却是一个赌博，那就是想在占领了莫斯科之后，再来压迫沙皇屈服就范。拿破仑容许政治的因素来影响他的战略，这还是第一次。因为这次他的目标不是毁灭敌人的兵力，而只是占领一个地理上的要点。

拿破仑知道他的敌人在不断的退却中，已经丧失了士气，现在以勇猛著名的库图索夫既然已经代替了巴克莱·托利，所以其意义就是说俄军要不惜挺身而斗了，因此他决定参加这一次赌博。9月7日在波罗地诺——即莫斯科瓦（Moskowa）——血战了一场，但仍然不具有决定性。法军死伤了2.8万人，俄军则为4.5万人。库图索夫穿过莫斯科城退走，并放弃了该城，9月14日，拿破仑进占了莫斯科。

以下的故事就可以用一个名词来叙述，那就是“废墟”（Ruin）二字。9月15日到19日，莫斯科城的四分之三都被焚毁了，这可以说是一个意外的火灾，并非阴谋。俄军早已对于法军的交通线展开了激烈的游击战，因为沙皇既然不肯讲和，再留在莫斯科已经不可能了。10月19日，拿破仑放弃了该城，率领着10.8万士兵和569门火炮，开始退回到斯摩棱斯克。第二天就第一次降霜了，到了11月4日，天就开始下雪。11月28日和29日，发生了伯利及那河之战，法军在这一战中死伤了2.5万人之多。康布雷（Marquis de Chambray）在他的《征俄史》中说：“这一战使大军团的生命从此告以结束。这个过去曾使欧洲为之战栗的大军团，从军事的意义上来说，是已经不再存在了。”12月5日，拿破仑在斯莫尔哥尼（Smorgoni）把最高指挥权交给缪拉，由科兰古等少数人员随伴着自己先返回巴黎。在途中，这个一向总是乐观主义的大皇帝，曾经向科兰古说：“所有的人都应该把俄国人当做瘟疫看待，对俄国的战争是为整个欧洲和它的文明而战的。法国的这一次挫败，应该使所有妒忌它的心理和害怕它的心理都完全一扫而空。欧洲人应该认清只有一个敌人，那就是这个俄罗斯巨怪。”

12 月 18 日的夜间，皇帝的车驾用疾驰的速度穿过了凯旋门。当时钟正在敲打着午夜 12 时差一刻的钟声，他安详地走入了杜伊勒利宫的正门中。

第十四章

莱比锡会战

自从拿破仑从莫斯科撤退之后，战争的全部性质遂为之一变。在此以前，除了在西班牙以外，对抗他的都是一些旧有的王室；从此以后，对抗他的却是一般的人民了。正和他自己的青年时期一样，法国革命曾唤醒法兰西的民族精神，使法国人民获得自信自强的精神，凭着这种精神，法军才能在瓦尔米之役中把不伦瑞克的大军扫出法国之外。而到了 1813 年，由于法国在欧洲已经居于征服者的地位，所以也就把叛变的种子洒遍了其所征服的地区。莫斯科的火焰在精神上点燃了整个的欧洲大陆，所以在莱比锡平原上的斗争，是的确可以称之为“民族的会战”（the Battle of the Nations）——一个新的欧洲就是从这次会战中产生出来的。

拿破仑对于这样巨大的变局却似乎很少认识，所以当他回到巴黎之后，虽然感觉到情况已经变得很复杂，但却仍然并不感到失望。虽然他的威望受到了打击，可是他的军事力量却只不过暂时消沉一下。在他的后面还站着法兰西，虽然已经饱经征战但却忠诚不变，此外意大利、伊利里亚、尼德兰和除了普鲁士以外的全部日耳曼也都还是属于他的，而奥普两国也还是与他保持着同盟的关系。他的敌人就只有英俄两国，前者的兵力正陷在西班牙境内，而后者则已经破产，并且也分裂成为两派：库图索夫是主和派的领袖，认为在普鲁士的国界上一定就非要结束战争不可；沙皇本人是主战派的领袖，其目的是想要彻底歼灭拿破仑。可是亚历山大也知道凭他一个人的力量，也无法使俄国人跟着他走。

对于拿破仑而言，普鲁士和奥地利却是两个不可靠的因素。不过前者在军事上已软弱无力了，假使它背叛他——这是很可能的——拿破仑也认为他很有把握可以击碎普俄两国的联合兵力。后者的问题就比较严重，因为如果奥俄普三国联合在一起，那么他可能就要在两个正面上作战，或者是在一个正面上遭遇到压倒性的数量优势。所以当他一回到巴黎之后，就马上与他的岳父展开谈判。

此时英格兰也早已在与奥国进行谈判，拿破仑从他的驻维也纳大使奥托伯爵（Count Otto）的报告中，也已经知道了这个事实。奥国人所玩的是两面讨好的把戏：他们一方面不愿意让野蛮的俄国人进入他们的国土，到处抢劫烧杀，但另一方面也想摆脱法国人的控制。因为他们的战争准备尚未完成，所以其政策的要点就是争取时间。

此时在尼门河上，却又发生了一件意外的事件，足以证明它是具有决定性的。12 月 30 日，指挥着 3 万普鲁士部队的约克将军（Gen. Yorck von Wartenberg）——指挥麦克唐纳元帅的一半后卫兵力——突然自作主张地与俄军签订了《陶罗根（Tauroggen）条约》，依照这个条约，他这个军遂宣告中立。

这个意料之外的背叛所产生的结果是双重的。（1）现在仍指挥着大军团残部的缪拉，只好被迫撤退，在俄军主力越过了尼门河三天之后，即为 1 月 16 日，他又把指挥权交给尤金亲王。这位亲王是意大利的总督，完全是一个软弱无能的宫廷将军。[1]（2）约克的

[1] 现在这个残破的军团只剩下了 10 万人。在侵入俄国的 60 万大军中，其中只有 20 万人是法军，所以法国的损失并不如想象中的严重。

叛变又为普鲁士全面叛变的一个讯号，结果 2 月 26 日，腓特烈 · 威廉遂在卡里希（Kalisch）与俄国签订了一个攻守同盟条约。依照这个条约，俄国出兵 15 万人，普国出兵 8 万人。3 月 13 日，这个条约正式公布，普鲁士也同时向法国宣战。所以俄国人的目的已经有一部分算是达到了。

自从宣战之后，在普鲁士境内即开始掀起了热烈的狂潮。政府宣布采取全国皆兵的办法。凡是不加入正规陆军和国民兵的人，也都应该用针对敌方交通线和后方作战的方式，以支援陆军的行动，人民都应决死抗战，使用他自己所有的一切工具。大家阻挠敌人的行军，切断他们的补给，杀害他们的散兵游勇。这些游击队也不穿着军服，在敌人的进军路线上实行焦土抗战，一切的粮食都加以销毁，磨坊、桥梁和船舶都全部予以焚毁，村落也应放弃，人民都躲在森林和山地中去避难。诚如拿破仑的阁员费恩男爵（Baron Fain）所说的："这些都是拿破仑的敌人所想使用的新手段。"这也正是 1792 年法国革命后情形的重演。

当此之际，俄军也于 1 月 18 日渡过了维斯瓦河，并于 2 月 7 日进入了华沙，尤金在但泽、格劳登兹（Graudenz）、索恩（Thorn）、莫德林（Modlin）等要塞中都留下了一些守兵，一共是 5.4 万人，其中有 3.3 万人是法军。到了 3 月初，因为害怕普鲁士人民揭竿而起以及俄军的前进，尤金又放弃了奥得河之线而退回到了易北河上。他在那里接到了拿破仑的命令，要他放弃德累斯顿，而把兵力集中在马格德堡。3 月 12 日，由于受了距离的限制，迫使尤金又非放弃汉堡不可。于是提腾布恩（Tettenborn）率领了他的哥萨克骑兵，在人民欢呼声中进入了该城。

拿破仑正在忙于一个最伟大的工作，那就是要在四个月之内建立一支新军。诚如科兰古所写的："法兰西已经变成了一个大工厂。整个法兰西民族都忘记了过去的挫败，而纷纷表现出他们的热诚和信心。这也是法国人性格上的一个光荣例证，同时也是皇帝个人的胜利。他发挥了其过人的精力，指导着一切的工作。对于这种伟大的民族性努力，只有他的天才才能够供给组织和指导。一切的工作都好像是有神助一样。”

拿破仑的目的是要想征召 65.5 万的大军。在前一年 11 月，他已经命令召集 1813 年的新兵，预计可以有 13.7 万人。在更早的时候，他还在往莫斯科的路上，为了增强国内的治安，他已经命令召募“国民兵”（National Guard）8 万人，这个兵力现在他是以外国人充任为原则的。此外，他又召集了 1814 年的全部新兵，共 20 万人，以及 1808、1809、1810 这三个年次的缓召人员，共 10 万人。他又从西班牙的 27 万人中间，抽出了许多的老兵和四个团的近卫军。从海军中又抽出了 4 万名有经验的炮手。从宪兵中抽出 3000 名骑兵军官和军士。命令意大利供给一个军，共 3 万人，由贝特朗将军指挥。但因为逃亡的人数颇多，所以这些数字并不完全可靠。

就其全体而论，新召集的步兵似乎还是很好的，虽然科兰古说他们只不过是一个有组织的“乌合之众”而已，但是尽管科兰古把他们鄙薄得一钱不值，可是我们都不能不同意戴阿地里本（D’Odeleben）的说法。他说：“在战争中要找到像他们这样的军人，简直似乎是不可能的。他们英勇奋战，视死如归，而且在一切的困难和危险中，他们都还是照样地效忠于他们的将领和部队。”也和从前一样，炮兵还是极优秀的，但是骑兵的数量和素质却都不够水准，到了 4 月，人数只不过 1.5 万人，而且其中只有一半能够作战。其原因是因为全部的老骑兵几乎都在俄国牺牲殆尽了，在法国再也找不到那样多的补充人员；新的青年骑兵军官还缺乏训练，而新的鞍具和恶劣的调马术也使许多战马丧失服役的能力。由于缺乏有效的骑兵，使拿破仑在这次战役中，从头到尾都受到了拘束。

3 月 12 日，拿破仑颁发了一个敕令，决定了新军的编制如下所述：第一军由达弗元帅指挥，第二军由维克托元帅指挥，第三军由赖伊元帅指挥，第四军由贝特朗将军指挥，第五军由劳里斯东将军

（Gen. Lauristofl）指挥，第六军由马蒙特元帅指挥，第七军由雷尼耶将军（Gen. Reynier）指挥，第八军由波尼亚沃夫斯基亲王（Prince Poniatowski）指挥，第九军由奥热罗元帅指挥，第十军由拉普将军（Gen. Rapp）指挥，第十一军由麦克唐纳元帅指挥，第十二军由奥地诺元帅指挥。此外还有一些日耳曼的部队。

到了 4 月中旬，拿破仑已经准备妥善，可以一战了。他所控制的兵力，共为官兵 22.6 万人，火炮 457 门，分组为两个军团。他自己指挥“美因”军团，包括着第三、第四、第六、第十二四个军，另加上近卫军和近卫骑兵。尤金亲王则指挥“易北”军团，包括着第五和第十两个军，第一、第二和第七三个军的一部分，还有第一骑兵军。

在这样短的时间之内，召集了差不多 25 万人的兵力，而且还要供给他们的装备，此外在他们的后方还准备有等量的预备部队，凡此种种都要算是一次杰出的成功。假使拿破仑的前途就是完全靠物质的力量来决定，那么很可能不到 4 个月之内，他就可以索还俄国人的旧债了。他不能成功的原因，并非由于他缺少物质力量，而是因为过去使他累战累胜的指挥体系已经不再适用了。自从华格南之战以后，战争的条件就已经改变。陆军的数量愈来愈大，作战的地区变得那样的广大，所以即令在内线作战时，一个单独的指挥官也都已经无法指挥全盘的部队运动。不仅是战略方面，而且连战术方面也是一样的。在莱比锡会战中，人数太多，情况也太复杂，所以拿破仑的个人指挥体系无法适用了。

同样重要的，过去拿破仑一向总是采取攻势的，使用他的兵力好像是雷霆一样。但是到了 1813 年，他却被迫采取守势，而在这个战场上的居民又是具有强烈敌意的。由于人民的敌对态度，不仅迫使他不能不用较多的兵力来防护交通线、仓库和桥头阵地等，而且也更使他难以搜集情报；又因为他缺乏轻骑兵，所以使这个困难分外加剧。对于这个问题，戴阿地里本曾经有下述的评论：“拿破仑的将领们虽然花尽了心力，结果都还是无用的。一方面由于居民的敌视态度，他们都曾受到了法军的虐待；另一方面由于哥萨克骑兵的骚扰，那是到处都可以找到他们的。几乎唯一的情报来源就是俘虏的报告，那却是数量稀少而内容不够详细的。简言之，只有在敌军已经撤走的地区中，我们才可以知道一切的情形。这样的情报若在攻势作战中，也许还勉强够用，但是在守势作战中却是毫无价值的。”[1]

另外还有一个重要的因素，那就是过去的成功，已经使拿破仑变得愈来愈专横独裁了。他认为他自己是无敌于天下的，在全世界上只有他一个人够资格指挥一支伟大的军队。这也使他瞧不起他的敌人，正和查理十二世一样，认为世界上没有不可以克服的障碍物。费曾沙克（Fezensac）曾经说过：“不管所能使用的工具是否合用，他的命令都还是一样要彻底执行。他有一种用不充足的工具来完成一切工作的习惯，一种不承认任何不可能的决心和对于成功的无限信心。在开始的时候，这都是我们胜利的原因，到了结束的时候，又成为失败的原因了。”

有些史学家在讨论拿破仑晚年的将道时，认为促成其失败的原因，是因为生活放纵、体重增加之后身体变得不健康和体力减退。这种看法似乎很少有根据，而可以驳斥它的证据却很多。在 1812 年的征俄战役中，根据科兰古的记载，可以看出拿破仑的行动还是非常活跃的，例如：“当皇帝在维尔纽斯的时候，他的活动简直使人难以置信。似乎一天 24 小时对于他还是不够长一样。”“他白天都是在马鞍上度过，到处侦察地形，甚至于走到很远的距离。回营的时间通常都极迟，一切都必须他亲自看过，并加以检查。”“他在整个白天和一部分的夜间，都是在工作之中。虽然在前线上，他还要治理法国，而日耳曼和波兰也可以感觉到他的心跳。”在 1813 年，

[1] 戴阿地里本是一个萨克森的军官，在拿破仑总部中充当译员，他的观察是非常公正的。

戴阿地里本的记载也可以证明他还是照样的活跃。[1]

事实上，造成他的覆亡也正和造成他的兴起相同，其原因是一样的，不是因为他的惰怠而是因为他的活跃。他始终相信他一个人可以身兼总司令和参谋长的双重职务，其结果是等到军队的数量愈来愈扩大，而优秀的参谋人员成为必要时，他却已经无法去寻找这种人才了。现在请再看科兰古的记载。他在 1812 年曾经这样说过："参谋人员几乎毫无先见之明，反过来说，因为皇帝一切都要事必躬亲，亲自发布一切的命令，所以任何参谋人员，甚至参谋长，都不敢负责，连一个极不重要的命令都不敢做主。"虽然在 1812 年，拿破仑在写给贝尔蒂埃的信中曾经说："像这样组织的参谋本部，几乎是毫无用处。"可是到了 1813 年，戴阿地里本却说："在这场战役中，似乎贝尔蒂埃总部中的参谋人员，在经验上和技巧上又远不如过去。"整个说来，在这场战役中的军队，实在是一个太复杂和不完全的机器。随时都会发生许多困难，这是拿破仑的权威也无法克服的。

拿破仑对于他的元帅们，所希望的不是指挥而是服从，他们都是奴才而不是领袖之才，有许多升到了高位的人，都是由于宫廷、政治和私人的关系。其中多数的人都是出身寒贱，所以大都不学无术。拿破仑使他升官发财，他们的收入多到百万法郎以上，被封为王公等爵位。当他失败之后，在刚刚要离开法国前往厄尔巴岛（Elba）时，拿破仑曾经告诉科兰古说："他很后悔在他的晚年不应该再用这些元帅们，因为他们都已经太有钱，已经是养尊处优，对于战争已经具有厌倦的心理了。假使他能够提升好的师长，因为这些人是刚刚抓着元帅的权杖，那么也许情形就会完全两样了。"

对抗法国新军的为俄普两国的联军，前者人数约为 11 万，其

[1] 在莱比锡战役尚未开始之际，拿破仑曾经向戴阿地里本诸人说："我要以庞纳帕特将军的身份来打这一仗，而不是以皇帝的身份来督战。"他的确是如此的。

中有 3 万人是骑兵和哥萨克人。哥萨克人都是没有纪律的骑士，他们仅攻击法军的后勤部队，而日耳曼的农民也饱受他们的蹂躏。在他们中间还有许多巴什基尔（Baskirs）人和鞑靼人，还是使用弓箭作为武器。

耶拿会战使普鲁士从一个封建国家变成了半自由的国家，普鲁士的陆军也从此走上了改革的途径。1807 年 10 月 9 日，普鲁士取消了农奴制度；军队的半封建组织也改良了，而以一般的爱国心来当作兵役制度的精神基础。虽然依照 1808 年 9 月 8 日的《巴黎条约》，拿破仑曾经限制普鲁士陆军的官兵总数为 4.2 万人，可是沙恩霍斯特却建立了预备兵制度，使许多的兵员都迅速而秘密地变成了预备人员。沙恩霍斯特的目的是要建立一支真正的民族性军队，但是实际上一直到 1814 年才成功。

当约克叛变时，在普鲁士境内留守的兵力不超过 3.8 万人，但是在此以前，为了补充在俄国的损失，拿破仑曾经命令腓特烈 · 威廉再多召募 3 万人。其次在 1813 年 2 月 9 日，普王曾发布敕令，成立国民兵（Landwehr），这是一种征召式的民兵和志愿性的轻步兵（Jäger）单位，以及一些所谓“自由连”，这大部分是由外国人充当的。所以到了 4 月中旬，拿破仑准备完成时，普鲁士陆军总数也已经增到了 8 万人。

3 月 11 日，拿破仑曾经把他的第一个作战计划解释给尤金听，虽然这个计划始终没有实现，但却具有相当的趣味，因为在整个战役中，拿破仑对于它是从来不曾完全忘记的。这个计划是准备在哈费尔堡（Havelbeg）渡过易北河，率领 30 万进到斯退丁，然后解救但泽之围。这样就可以增加 3 万人的兵力。但是这个计划的意义却不仅此而已，因为这次北面的战役可以把战争带到普鲁士的心脏地区，使柏林受到拿破仑的宰割，可以使普鲁士的动员完全发生混乱。此外，再从北面威胁俄军通过波兰的交通线，也更足以把普俄两军都向北面吸引，使他们远离奥国，而使后者处于孤立的地位。更进一步，假使拿破仑的行军速度能超过敌军——这是很可能的——则他可以绕到敌人的后方而再创造一次耶拿会战式的机会，这一次他的正面是面对着法国的。诚如约克伯爵所说的："这个计划，无论是从智勇哪一方面来看，它都要算是最好的。"

可是它却始终未能付之实现，因为到了5月，当拿破仑正想采取这种行动时，他所有的兵力还不够这个需要量，仅有30万人的三分之二。所以当他进军哈费尔堡和斯退丁时，就不可能再有余力来把敌人钉死在德累斯顿的地区中。此外，在莱茵邦联的诸国中，人心也都在蠢动，所以也不容许他前进得太远了。日耳曼境内，民族主义的精神已经正在高涨之中，开始使他的战略受到了限制。

拿破仑的第二个计划是直接进军莱比锡，然后再向德累斯顿，这样即可迫使他的敌人不是接受会战，就是退到易北河的后面。因为他的骑兵力量薄弱，不足以屏障他的运动以及给予其基地和交通线以适当的保护，所以他被迫只好倚赖设防的河川之线。固然联军的实际位置他并不能确切知道，假使联军决定向他前进，尤金即应打击他们的右翼；反之假使联军决定向尤金前进，则他自己就应打击其左翼。照我们看来，第二个计划似乎并不是用来代替第一个计划的，而只是完成第一个计划的初步而已。拿破仑的主要观念还是想要攻占柏林和进行北方的作战。但是为了实现这个要求，又必须在南方先获得一个决定性的胜利以重振他的声威，使日耳曼地区不敢乱动。

4月15日，拿破仑离开了圣克劳德前往马因斯，两天之后才到达了该地。4月25日他推进到了爱尔福特，这是其兵力的集中点，只有贝特朗的军为唯一的例外。依照戴阿地里本的记载，"他似乎是非常的不安"，很明显因为他缺乏骑兵，所以使他无法发现敌人在做什么。他进到了艾卡特斯堡，4月28日，因为路上到处都有敌人轻骑兵的骚扰，使他的马夫们迟迟未能到达——这对这次战役来说可以算是一个不祥的预兆。

在 4 月 30 日的黄昏，易北军团共 6.2 万人，正留在梅泽堡的附近，而主力军团则在纽伦堡附近和它的西面。此时，联军共为步兵 6.4 万人，骑兵 2.4 万人，火炮 552 门，由俄国元帅维特根斯坦亲王（Prince Wittgenstein）指挥，也正在柴温考—阿尔顿堡（Zwenkau-Altenburg）地区集中，这是在纽伦堡—莱比锡大路的南面。[1] 拿破仑能立即动用以对抗他们的兵力只有 14.5 万人，火炮 372 门，而其中仅有 7500 人为骑兵。他十分需要获得一次迅速而具有决定性的胜利，不仅是为了使他这个青年的部队获得一次经验以激励他们的精神，而且也更是为重振他的百胜威望。

5 月 1 日，他命令易北军团从梅泽堡进到希拉德巴赫（Schladebach），而主力军团的运动则如下所述:（1）第三军（赖伊）连同近卫骑兵从魏森费尔斯（Weissenfels）进到鲁滕，第六军（马蒙特）则担负支援；（2）近卫军进到魏森费尔斯；（3）第四军（贝特朗）和第十二军（奥地诺）进到纽伦堡。在这一天之内，贝舍尔元帅为一颗流弹所击毙，在这一天终了时，拿破仑也进入了鲁曾。

5 月 2 日，赖伊奉命在鲁曾站稳，并用相当兵力据守鲁曾以南的大小果尔辛（Görschen）、拉纳（ Rahna）和卡加（Kaja）等村落，以掩护易北军团进到莱比锡和主力军团的后续部队向鲁滕靠拢。假使敌人从柴温考方向来攻，赖伊的侧卫即应变成前卫。当它钉住了敌人之后，即可以获得时间，以便其余的兵力可以对之实行迂回。

此时，俄军的骑兵已向联军的总司令部报告说：法军正分成了行军纵队，从魏森费尔斯以达莱比锡，在卡加有一个兵力薄弱的侧卫。

这个报告是正确的，因为赖伊忽视了其在上午 4 时所接受的命令，并未向皮高（Peggau）和柴温考方向实行侦察。他并未把该军的主力集中在卡加地区中，而把他的 5 个师中的 3 个都留在鲁曾。

[1] 库图索夫已于 4 月 28 日逝世。

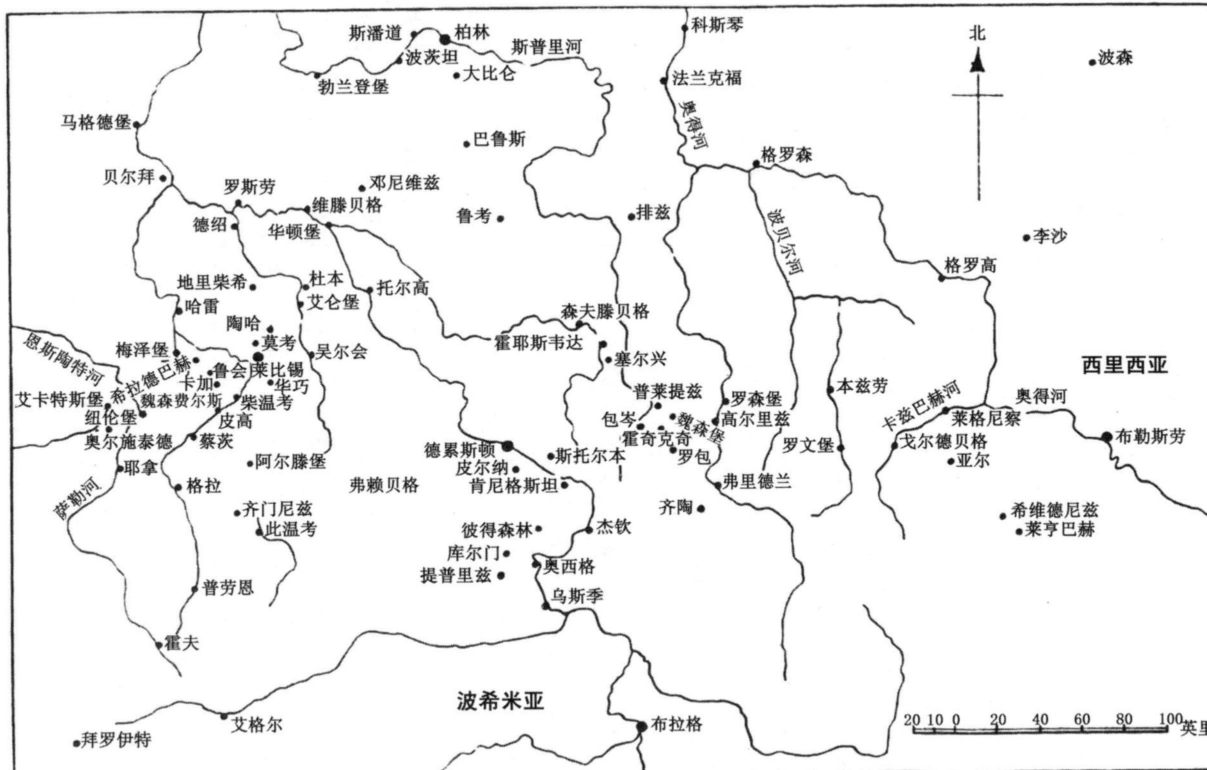

图二十七　莱比锡会战，1813 年

此外，他的前哨也不太活跃，所以对于仅仅相隔 2 英里远的敌人都不曾发觉。当维特根斯坦获得骑兵的报告之后，即决定先击毁法军的侧卫，把敌军切成两半，并把所有在鲁曾以东的敌军都赶入艾尔斯特（Elster）沼泽之内。

拿破仑并不曾料想到在 5 月 2 日会受到敌人的攻击，所以在大约上午 9 时，离开了鲁曾骑马前进加入劳里斯东的所部，后者曾经奉命把克莱斯特（Kleist）逐出林德瑙（ Lindenau），并占领莱比锡。在上午 11 时，他由尤金和赖伊陪伴着快要到达莱比锡的时候，突然听到在卡加方面传来了猛烈的炮声。赖伊马上疾驰回到他的军部。拿破仑立即命令所有在莱比锡大路上行军中的部队都转过来向卡加行军，至于仍留在鲁曾以西的马蒙特和贝特朗也奉命做同样的转进。此后拿破仑也赶回鲁曾。

此时，在拉纳和大小果尔辛等地都已经发生激烈的苦战。当下午 2 时 30 分拿破仑骤马赶来时，第三军已经处于极危险的情况中，可是他的出现对于其部下足以产生魔术性的效力。从各方面都一致发出了“皇帝万岁——”的呼声。戴阿地里本的记载说：“任何负伤的人员走过皇帝的前面时，也都一律向他敬礼并高呼万岁，即令是已经丧失了一个肢体，甚至于几小时内就会必死无疑的人也都是一样的。”拿破仑为赖伊的部下打气，并率领他们前进。马蒙特的记载上说：“可能在他的一生事业之中，拿破仑在这个战场上所亲冒的个人危险要算是最大的。他一再地暴露着他自己的身体，率领第三军的败兵反复冲锋。”在这次苦战之中，普鲁士的沙恩霍斯特将军也负了重伤。

大约在下午 5 时 30 分时，麦克唐纳在右，贝特朗和马蒙特在左，都已经逼近联军了。[1] 于是拿破仑命令德劳特（Drouot）在卡加西

[1] 在下午 1 时，贝特朗的领先部队距离卡加的距离已经不到 4 英里，可是他却不立即前进，在那里停留到下午 3 时为止以等候新的命令。这是一个标准的例子，可以证明拿破仑的将领是如何缺乏主动精神。

南面不远的地方集中了 80 门火炮。[1] 其次他把青年近卫军组成了 4 个纵队，由老年近卫军和近卫骑兵担负支援，于下午 6 时 30 分开始冲锋，一口气把拉纳、大小果尔辛等村落次第攻占。到了夜幕低垂时会战才结束。联军方面得知克莱斯特已经被逐出了莱比锡城，遂害怕其退却线会被切断，于是决定撤退。他们在撤退时秩序极为井然，携带着他们的伤兵，并由骑兵担负掩护。

法军所赢得的胜利却丝毫不具有决定性。假使还有两个小时的白昼时间，那么毫无疑问即可以具有决定性，在这种情形之下，除非有奇迹发现，否则联军必然会被赶入艾尔斯特沼泽，而全部被歼灭在那里。法军并未追击，因为他们的骑兵不是俄军的对手。这个胜利的成本极高。法军损失了 1.8 万人（包括死伤被俘者都在内），其中有 1.2 万人可能都属于赖伊军的。联军方面损失了 1.15 万人。

5 月 3 日上午 3 时，拿破仑命令赖伊的部队在鲁曾休息 24 小时，然后取道维滕贝格（Wittenberg）向柏林进发。易北军团则向联军追击，他们现在正向德累斯顿全面退却。比罗（Bülow）率领了普军 3 万余人留守柏林。经过了许多的争吵和辩论，俄普两军才决定取道德累斯顿，撤往包岑，到那里他们可以获得巴克莱所率领的 1.3 万名俄军的增援。

5 月 8 日，拿破仑进入了德累斯顿，他决定在那里建立他的主要前进基地。他的交通线从马因斯到威玛，然后分为两路，一路取道耶拿和阿尔滕堡，以达德累斯顿，一路取道纽伦堡，以达莱比锡。接着因为增援源源涌到，他又开始改组他的军队，使其同时可以向柏林和包岑两方面作战。他把无能的尤金送回意大利，首先把易北和主力两个军团合并起来，然后再分为两个独立的军团，一个由赖伊指挥，一个由他自己指挥。前者包括第三军（赖伊），第五军（劳里斯东），第七军（雷尼耶），第二军（维克托），此外再加上一个

[1] 在鲁曾法军一共发射了炮弹 3.9 万颗。

轻骑兵师和第二骑兵军，共为步兵7.95万人，骑兵4800人。后者包括第四军（贝特朗），第六军（马蒙特），第十一军（麦克唐纳）和第十二军（奥地诺），此外再加上近卫军、近卫骑兵和第一骑兵军，共为步兵10.7万人，骑兵1.2万人。

当他正在进行这个改组工作时，拿破仑又探悉奥国人已经在与俄普两国进行谈判，但因为联军在鲁曾的战败，所以现在也在拖时间了。他认为这是一个达到其主要目的的开端，即建立一个全面的和平，所以在5月17日，他命令科兰古前往敌军的前哨要求谒见沙皇，向他提出一个休战的建议，以作为在布拉格召开和会的准备。同时为了加强这种步骤，认定联军可能会在包岑接受会战，他命令第十一军、第六军和第四军，并以第十二军担负支援，向该镇前进；同时也指示赖伊，要他率领第三军和第五军取道霍耶斯韦达（Hoyerswerda）向包岑推进，并把第二军和第七军向柏林推进。不久之后，他又取消了这个命令，改令赖伊的全部兵力也都向包岑进发。不幸得很，赖伊早已命令雷尼耶停止运动，而第二军（维克托）且早已启程，所以尽管有了拿破仑的这个补充命令，第二军甚至于第七军，还是可能赶不上这场会战。柏林最多只是一个次要的目标，如果联军在包岑受到了决定性的失败，则柏林的失陷也就是一个必然的后果。可是当拿破仑在给予第一个命令时，却居然不曾看到这一点，也实在是很奇怪。假使他能够早料到这一点，那么包岑会战就不会是鲁曾第二了，而一定能为他赢得一个所热望的和平。

5月19日，拿破仑亲自去侦察在包岑的联军阵地，它位于斯普里河（Spree）的东岸上，由俄军6.4万人、普军3.2万人加以据守，其名义上的统帅为维特根斯坦。接着拿破仑即决定在5月20日以正面攻击来钉住敌军，而在第二天把赖伊的兵力从北面倾倒在敌人的后方上，以切断他们的交通线，把他们赶向波希米亚的山地上而加以击碎。若是这个目的达到了，则奥国现在因为准备尚未妥善，就不敢再动，若无奥国的协助，这个已经被击碎的俄普两军就会被迫接受他所指定的和平了。

5 月 20 日的战斗是完全有利于拿破仑方面的，因为沙皇完全不听其将领的忠告，相信敌军的意图是想要迂回联军的左翼，而将他们向北驱逐使其远离奥国。这样的想法是无异于自动地钻入了拿破仑的罗网，他坚持着要增强左翼，而不惜减弱中央和右翼的兵力。这个时候，赖伊的军团也正在用强行军赶来，到了 5 月 20 日的黄昏时节，他们已经分别到达了下述的位置：第三军在斯地尔（Sdier），第五军在塞尔兴（Särchen），第七军在霍耶斯韦达，第二军在森夫滕贝格（Senften-berg）。前两者已经接近斯普里河边，第三者尚隔 35 英里，最后者则尚在 50 英里以外。

5 月 21 日上午 4 时，赖伊奉到了一个命令，要他进向魏森堡（Weissenberg），于上午 11 时在普莱提兹（Preititz）暂停，准备当拿破仑发动其最后一次总攻击时，也同时打击在敌军的背上。第三和第五两军在上午 4 时到 5 时之间离开了他们的宿营地，在克里克斯（Klix）渡过斯普里河，于上午 10 时达到普莱提兹。于是赖伊命令他们暂停，等候总攻击的发动。可是这个总攻击一直迟到下午 3 时才发动，而发动之后，赖伊并未能向魏森堡压迫，而为敌军右翼所纠缠住了。假使赖伊的全部兵力都已经赶到，那么这个问题就不会发生了，因为他还是可以命令第二和第七两军继续向魏森堡前进。

联军认清了他们的处境之危险，遂于下午 4 时摆脱了会战，由其强大骑兵负责掩护，保持着良好的秩序向高尔里兹（Görlitz）退去。虽然如此，他们的情况还是十分的危急，因为他们之间已经互相丧失了信心，彼此之间发生严重的争吵，假使拿破仑此时若能作一个强力的骑兵追击，那么他们也很可能会迅速地瓦解。

这一次，法军之所以未能获得决定性胜利，拿破仑和赖伊两个人都应该负责的。由于拿破仑第一个命令的错误，遂使维克托军完全丧失参战的机会，而雷尼耶军也只是在会战结束时才刚刚赶到。赖伊这个人也的确是冥顽不灵，他虽然一生追随拿破仑，却始终不曾明了拿破仑战略的真意，所以在普莱提兹才会发生混战。不过我们也可以这样反问一句，既然赖伊是预定作决定性打击的，那么为什么在 5 月 21 日的上午拿破仑不亲自赶往指挥呢？实际上克里克斯距离包岑不过八九英里远。

双方的损失数字有各种不同的估计，可能双方都在 2 万人左右。法军虽付出了这样的高价，但其收获却极为有限。正和鲁曾之战一样，包岑会战又只是一个虎头蛇尾的胜利。拿破仑对此也有所认识，当敌人开始退却时，他即准备不顾一切地进行追击。几分钟之后，站在他身边的迪罗克元帅（M. Duroc）突然为一颗炮弹所击毙。他的死使这位皇帝的神经也大受震动，于是他命令吹停火号。

当 5 月 22 日再开始追击时，奥地诺奉命留在后面收集他的兵力再向柏林进发。5 月 27 日，他达到了霍耶斯韦达，同一天法军主力也渡过了卡兹巴赫河（Katzbach），联军向西利西亚退却，以求与奥国保持接触。两天之后，达弗和范达米（Vandamme）收复了汉堡。6 月 1 日，联军撤到了希维德尼兹，拿破仑也进入了布勒斯劳。

虽然在 5 月 19 日那一天，沙皇曾经拒绝接见科兰古，可是在 6 月 1 日，三个交战国还是同意休战，以后于 6 月 6 日在普拉斯维茨（Pläswitz）又同意延期到 7 月 20 日，然后又再延到 8 月 16 日，以便拟定和平条件，好提到布拉格会议中去讨论。虽然当时派驻联军总部的英国代表伯格什勋爵（Lord Burghersh）认为这次休战对于拿破仑是大为有利的，可是若米尼[1]却认为这是拿破仑一生事业中的最大错误，自此以后，除了毛德上校是一个显著的例外，其余的一切史学家都莫不采取若米尼的见解。

若是专门考虑战略情况，毫无疑问，若米尼的看法是正确的。因为假使联军在希维德尼兹接受会战——拿破仑并不知道他们已经决定如此——则他所要做的事情就只是在正面上钉住他们，然后迂

[1] 在鲁曾之战中，若米尼是赖伊的参谋长，但不久以后他却逃亡到联军方面去了。

回他们的右翼，而把他们击成碎片赶入李生河（Riesen Gebirge）中去。那么为什么拿破仑会同意这个奇怪的休战呢？他于6月2日，曾经写了一封信给在巴黎的克拉克将军，从这里即可以找到他的理由："我决定休战是有两点理由的：（1）因为我缺乏骑兵，使我难以作巨大的打击；（2）因为奥国方面已经表现了敌意的态度。"可是约克却说："我们很怀疑这两个原因是否能完全解释这个奇怪的行动。"的确是如此的，在许多战史学者当中，毛德上校是曾经对于这次战役作过详细研究的一个人。他所指出来的理由如下所述：（1）因为此时拿破仑的人员中有9万人是挂了病号的，而且截至此时为止，他的损失已经比对方超过了2.5万人，所以他已经没有足够的兵力来进行另一次的会战，而假使这一战打败了，则毫无疑问就会使奥国投入战争。（2）对于拿破仑的战法而言，一个强大有效的骑兵兵力实为不可缺少的因素。毛德又说："他的炮兵固然可以用强大的火力，在敌人的战线上撕开一些缺口，可是面对着敌方的优势骑兵，他的步兵是很难于跟进。换言之，这种延迟即足以使敌人有时间摆脱战斗。"所以没有骑兵，即不能有决定性的战果。（3）同样重要的，是他的弹药已经不够了，因为他行军太快，所以补给纵列赶不上。此外他的交通线也经常为哥萨克骑兵和游击队所扰乱。5月25日，哈雷曾受到突袭；5月30日，一个炮兵的纵列由一个1600名部队护送着，也在哈尔伯施泰德（Halberstadt）附近被敌人俘获了。所以事实的真相可能是这样的，固然联军的战略形势是十分的恶劣，可是拿破仑的军事力量也已经用完了，所以正好像皮尔哈斯（Pyrrhus）一样，他自动放弃了这次战役。

6月10日，拿破仑回到德累斯顿，因为从汉堡到德累斯顿之间的易北河渡口都是在他的控制之下，所以他决定要把这条河流当作他的补给基地。他后来写信给圣西尔说："最重要的，是不要让到德累斯顿和易北河上的交通被切断了，至于到法国的交通是否被切断了，我却并不太注意。"

当此之时，他的敌人也并非闲着不做事的。6 月 15 日，英国依照条约，给予俄普两国以辅助费 200 万镑，并且宣称若是奥国也参加同盟，则也可以获得 50 万镑。7 月 7 日，瑞典的皇太子贝纳多特也倒向了联军方面。于是 7 月 19 日，各国在赖兴巴赫（Reichenbach）开会，奥国也参加了。依照条约，他们大家约定无论在何种环境之下，都不冒险单独与拿破仑交战。若在战场上单独遭遇到他，就应立即退却，一直等到联军兵力集中了之后再来对付他。不久之后，奥国即向法国提出下述的和平条件：取消华沙大公国和莱茵邦联，伊利里亚各省应归还奥国，普国恢复其在 1805 年所据有的地位。因为拿破仑拒绝接受这些条件，于是普俄两国在 8 月 10 日宣布废止休战，两天之后，奥国也向法国宣战。

8 月 15 日，也就是休战期的最后一天，根据戴阿地里本的报导，拿破仑的态度是非常的忧愁而沉闷。他这种态度是绝对有理由的，因为敌方所集中的兵力的确十分强大。截至此时为止，他自己已经集中了 44.2 万人的兵力，其中有 4 万余人为骑兵。他们共分为 559 个步兵营，395 个骑兵中队，只有 1284 门火炮的支援。此外，拿破仑还有 2.6 万人据守着易北河上的要塞，5.5 万人据守着波兰和普鲁士境内的要塞和 4.3 万人的第二线兵力。他的对方为俄军 18.4 万人，普军 16.2 万人，奥军 12.7 万人，瑞典军 3.9 万人，还有盎格鲁—日耳曼（Anglo-German）联军 9000 人，其中包括着由布古上尉（Capt. Bogue）所指挥的英国火箭连在内。这四大野战军共分为 556 个步兵营，572 个骑兵中队，68 团哥萨克兵和 1380 门火炮。在他们的后面还有预备队和担负围攻的兵力 14.3 万人以及驻守普鲁士和波希米亚境内要塞的兵力 11.2 万人。联军的野战军一共分为三个军团，波希米亚军团由施瓦岑贝格亲王（Prince Schwarzenberg）指挥，西利西亚军团由布吕歇尔指挥，北面军团由贝纳多特指挥。

可是拿破仑却并不知道敌人有如此强大的兵力，8 月 12 日，他在德累斯顿所做的估计，认为敌军的主力不过 20 万人，是由沙皇和普王亲自指挥，位置在西利西亚。因为奥国人必须监视着莱茵河和伊松左河上的法军，所以他们在波希米亚能够集中的兵力应该不会超过 10 万人。为了应付这种局面，他决定采取两方面作战：(1) 在南面取守势，以德累斯顿为基地；(2) 在北面取攻势，以汉堡为基地。第一方面包括预定在 8 月 17 日到达德累斯顿的第一军（范达米），在罗滕堡（Rothenburg）的第二军（维克托），在莱格尼察（Liegnitz）的第三军（赖伊），在戈尔德贝格（Goldberg）的第五军（劳里斯东），在本兹劳（Bunzlau）的第六军（马蒙特），在罗文堡（Löwenberg）的第十一军（麦克唐纳），在皮尔纳（Pirna）的第十四军（圣西尔），在德累斯顿的近卫军，以及第一、第二、第四和第五等四个骑兵军。这支兵力的第一个任务即为侧击西利西亚军团的前进线——向北通往柏林，向南通往波希米亚。

对柏林的攻击由奥地诺负责指挥，并由达弗从汉堡来加以支援。前者的兵力有在排兹(Peitz)的第四军(贝特朗),在卡拉的第七军(雷尼耶)，在巴鲁斯（Baruth）的第十二军（奥地诺）和第三骑兵军。后者的兵力为汉堡附近的第十三军（达弗），加上格拉德（Girard）的师。

圣西尔和马蒙特两位元帅都反对进攻柏林，前者向拿破仑指出来，他对于贝纳多特兵力的战斗价值不免估计过低。后者也似乎是预言着说："我感到非常害怕，不要以为你已经赢得了一场决定的会战，也许你会输掉两个。"在他的回忆录中，马蒙特说拿破仑之所以想迅速进攻普鲁士，是因感情冲动之故，不过更合理的解释却还是像 3 月 11 日的计划一样，一个趋向柏林的运动可以把普俄两军向北面拉，以使其远离奥国。

8 月 15 日，拿破仑率领他的近卫军离开德累斯顿前往包岑。8 月 17 日，他在包岑听到了一个消息说，从布吕歇尔军团中已经有相当数量的俄军被分遣了出来，正在转往波希米亚的途中。于是拿破仑立即决定趋向布吕歇尔，一旦把他击败之后，则分别扑向波希米亚和北面两个军团，实行各个击破。为了达到这个目的，拿破仑命令范达米进到包岑，其意图有两方面：或者是把他移向齐陶（Zittau）——但若敌人乘机威胁德累斯顿，则又可派他去支援圣西尔。对于圣西尔，拿破仑所赋予的任务为："争取时间，放弃土地，但却坚守德累斯顿，与范达米和总司令部之间都确保积极的联络。"

8 月 18 日在高尔里兹，拿破仑又获得了情报，证实有 4 万名俄军正在从西利西亚调往波希米亚，他遂决定进到齐陶，以便侧击他们的行军路线。可是到了 8 月 20 日，他又知道布吕歇尔正在向第三、第五和第六军的方向前进，于是又把这个计划摆在一边，而改向他进攻，并于 8 月 21 日越过了波贝尔河（Bober）。但是当布吕歇尔知道他来到之后，即根据以前大家议定的计划，立即撤退。很明显，拿破仑并未曾认清这是一个战略性的运动，事先并未已有完整的计划。

8 月 22 日，拿破仑在罗文堡，从那里写了一封信给在巴黎的马赫（Maret），其中有下述的警语："一般说来，我们情况中的最坏方面即为我的将领们对于他们自己殊少信心。只要我本人不在那里，他们就会故意夸张敌方的兵力。"这也许是指他曾经接到圣西尔从德累斯顿所寄来的报告而言，因为圣西尔告诉他说波希米亚军团已经接近了，德累斯顿城正在危险之中。因为如此，拿破仑就马上把西利西亚的总指挥权交给麦克唐纳，命令他把布吕歇尔逐退到亚尔（Jauer），然后在波贝尔河上占领一个防御阵地。若是布吕歇尔想向德累斯顿或柏林进发，即可以侧击其行军线。接着拿破仑又犯了一个错误，这是对于整个战役具有密切关系的。他突然幻想到有作一个大迂回运动的可能性，遂忽视了圣西尔的危险情况，不派范达米去支援他，反而命令他进到斯托尔本（Stolpen）。

这个所谓大迂回运动是这样的。首先于 8 月 25 日集中近卫军、第一骑兵军和第一、第二、第六等三个军的兵力于斯托尔本。第二天夜间，使 10 万人在肯尼格斯坦（Königstein）渡过易北河，占领皮尔纳，打击在波希米亚军团的背面上，把它歼灭之后，再进至布拉格以迫使奥国退出战争。

8 月 25 日凌晨 1 时，拿破仑出发前往斯托尔本，从那里他派遣高尔高将军（Gen. Gourgaud）到德累斯顿去察看圣西尔的情况。下午他听到了一个谣言，说奥地诺已经在大比仑（Gross Beeren）为贝纳多特和比罗所击败，这个地点在柏林之南，相距约数英里，现在法军正在向维滕贝格退却。晚间 11 时，高尔高回来报告说，德累斯顿的情况颇为危急。因为他不敢冒险让德累斯顿失陷——这是他的主要补给基地——所以他又决定向这个萨克森的首都前进，8 月 26 日凌晨 1 时，他下达了下述的命令：近卫军和第一骑兵军都指定在凌晨 4 时出发，而范达米则仍继续向皮尔纳方向前进。等到他们达到了斯托尔本时，马蒙特和维克托也立即随着近卫军后面走。于是诚如戴阿地里本所说的，“大军如洪水一样奔流”。上午 9 时，拿破仑在疯狂的“皇帝万岁”呼声之中，乘马进入了德累斯顿。上午 10 时，近卫军开始到达了，他们在过去四天之内，已经行走了 120 英里。到了夜间，维克托和马蒙特也赶到了。

当我们检讨这一个迅速的变局时，不禁有下述的感想：假使拿破仑当初能够不变初衷，而派范达米去增援圣西尔，则很可能集中他们两人的兵力，即可以使德累斯顿坚守到 8 月 28 日为止，若是这样则皮尔纳的迂回运动即可不至于中途变卦。在拿破仑的亲自指挥之下，波希米亚军团的被击毁应该是已成定局了。但是他却不图谋于此，虽然他亲自赶往德累斯顿，是足以确保他的主要基地，可是命令范达米单独向皮尔纳前进，却终于丧失了这场战役。假使他曾经派维克托或马蒙特两军中的一个去增援范达米，那么也许就可以赢得一场第二次的“耶拿会战”，使他再度变成欧洲的主人翁。这种可能性也即足以表示这次的休战，对于拿破仑而言，并不像多数史学家所认为的那样大错。

当拿破仑转向布吕歇尔时，施瓦岑贝格即开始向莱比锡进攻，以求切断法军的交通线，因为他误以为这是拿破仑的生命线。8 月 20 日，当他听到拿破仑去齐陶的消息，于是害怕他会向布拉格前进，遂指挥他的兵力转趋德累斯顿，于 8 月 25 日达到该城之下。

第二天他决定在下午 4 时攻城——其信号为三声炮响。8 月 26 日上午，奥普俄三国的君主（法兰西斯、腓特烈 · 威廉和亚历山大）也都赶来看他的准备，上午 9 时，从雾幕之中传来了“皇帝万岁！”的呼声，不禁使他们大吃一惊——拿破仑又来到了！于是他们立即召开了一次战争会议，经过了冗长的辩论，终于决定撤退。可是正当此时，不知道是谁放了那个号炮，于是没有进一步的命令而攻击便自动开始了。

虽然拿破仑手里只有 7 万人要面对着 15 万人的敌军，但是他却很轻松地把他们击败了。[1] 当战斗在下午 9 时结束之后，马蒙特和维克托也开始赶到了。此时，范达米已经在肯尼格斯坦渡过了易北河，并且把维滕贝格的尤金亲王所指挥的联军支队逐回到彼得森林（Peterswalde）。

8 月 27 日，拿破仑的计划是钉住敌人的中央部分，攻击他的两翼，将他们逐入山地，而范达米则进军提普里兹（Teplitz）以阻塞他们的退路。

上午 6 时，在大雨如注之下，会战重新展开。联军的左翼实际上完全被歼灭，法军俘获了 1.3 万人以上。到了下午 4 时，联军开始撤退。拿破仑全身湿透地回到德累斯顿，认为会战在明天还要继续进行。那一夜，他匆匆写了三行信给巴黎的康巴西赫（Cambacérēs）：“我是如此的疲倦和忙碌，所以无法多写。巴沙诺公爵（Duke of Bassano）可以为我代笔。一切的发展都很顺利。”所以史学家们认为他已经是“疲惫无活力”，由此即可知其不尽然。

---

[1] 约克对于这次作战曾作下述的批评：“这是一个极显明的例证，虽然数量和士气都是重要的因素，可是一个人的天才却足以胜过他们。”

8月28日清晨，法军开始追击，拿破仑亲自率领向前，到处都是被抛弃的兵器，还有许多其他的情况，都足以使他确信敌军已经被击溃了。因为他感到不适，所以坐上了马车回德累斯顿休息，而把追击的任务交给他的军长们去执行。有许多人批评他在8月28日为什么那样的不活跃，这就是一个合理的解释。下午4时，他命令范达米——此时在海仑多夫（Hellendorf）——向杰钦（Tetschen）、奥西格（Aussig）和提普里兹压迫，打击在敌人的背面上。下午8时30分，他获得了两个坏消息：麦克唐纳在卡兹巴赫被布吕歇尔所击溃，损失了1.5万人（被俘）和100多门炮。此外，奥地诺失败的消息也被证实了，他已经损失了3000人。

8月29日，当拿破仑仍在德累斯顿时，范达米已经前进到了库尔门（Kulm），8月30日上午8时，当他正想击退一个俄国军团的时候，突然在背面上受到了攻击，全军被击溃，被俘者达1.3万之多，包括范达米本人在内。当8月31日凌晨2时，拿破仑获得了这个战败的消息之后，他无语地望着地图，心里想这已经是决定命运的时候了。

沙皇的副官布屠林上校（Col. Butturlin）说："库尔门之战把本来已经遍布波希米亚谷地中的失望气氛都一扫而空，变成了万众欢呼的声音。"因为自从这一战之后，整个日耳曼都为之震动，而且也确定了奥国对于三国同盟的效忠。

似乎是一种很奇怪的现象，虽然连续的挫败，却并不曾使拿破仑放弃其占领柏林的计划，这是一个重要的因素，使他的战略受到了牵制。因为急于想阻止北面军团进到易北河上，他命令赖伊代替了奥地诺，并于9月2日命令赖伊在9月6日进到巴鲁斯，在那一天他自己也应该进到鲁考（Luckau）以支援他，然后再从巴鲁斯前进到柏林，在9月9日或10日占领该地。可是到了第二天，拿破仑又被迫放弃这个联合计划中他自己所担负的部分，因为他接到了麦克唐纳的紧急要求，他在波贝尔河上正受着严重的压迫。

9 月 3 日，拿破仑又从德累斯顿进到包岑，催促麦克唐纳的残部向霍奇克奇（Hochkirch）前进。布吕歇尔从法军攻击的激烈程度上来判断，知道拿破仑又在亲自指挥了，于是立即退走。这种情形使拿破仑不禁暴怒如雷。

9 月 6 日，圣西尔又送来了警报，使拿破仑不能不赶回德累斯顿。9 月 8 日，他在德累斯顿又听到了一个坏消息，说赖伊于 9 月 6 日在邓尼维兹（Dennewitz）受到了一次惨败，损失了 2.2 万人，其中有 1.3 万人是被俘的。虽然如此，圣西尔却说：拿破仑还是能够保持着冷静的态度，好像是讨论在中国发生的事情一样。

接着在其他联军的胜利之后，邓尼维兹的胜利使提罗尔倒向奥国方面，而巴伐利亚也决定背弃拿破仑。此时，哥萨克部队在汉诺福、哈尔兹（Hartz）、西发里亚等地大肆活动。当他们一来到之后，当地的人民也跟着揭竿而起。整个日耳曼都起来反抗拿破仑。

9 月 5 日，当拿破仑正在压迫布吕歇尔后退时，波希米亚军团又已经恢复了它的力量，于是施瓦岑贝格再度向德累斯顿进发。不过当他出发之后，又听到拿破仑已经回来了的消息，于是立即退往提普里兹。9 月 10 日，拿破仑向他进攻，但当他发现了施瓦岑贝格的阵地是太坚强无法攻下时，遂留下了圣西尔去监视它，而自己遄返德累斯顿。

四天后施瓦岑贝格又再度前进，而拿破仑却前往皮尔纳，并且在 9 月 17 日和 18 日亲自侦察联军的阵地。正当此时，他又接到了赖伊的一个言之过早的报告，说贝纳多特已经率领了 8 万人在罗斯劳（Rosslau）渡过了易北河。9 月 21 日，拿破仑回到德累斯顿，次日他率领近卫军加入麦克唐纳逐退布吕歇尔的行动中，后者退到了他在包岑附近的既设坚固阵地中。其次，当他正在面对着这个阵地时，他突然再次获得了赖伊言之过实的报告，说贝纳多特在华顿堡的易北河上已经架好了桥梁。于是他决定放弃易北河以东的一切领土，除了一些桥头阵地以外，并命令麦克唐纳也撤到左岸上来。

这是迫于他当时的情况而不得不如此。自从 8 月 16 日以来，他已经损失了 15 万人和 300 门火炮，另有 5 万名伤兵，而其余人员中间还有许多处于半饥饿的状态中。9 月 23 日，他写了一封冗长而详细的信给后勤部长达鲁伯爵（Count Daru），讨论到补给问题，在信中他说："军队的营养很差。若认为不如此那才是欺人之谈。"虽然如此，直到 9 月底，他还可以在战场上集中 25.6 万人的兵力和火炮 784 门，不过其中有许多都是未经过训练的新兵。

贝纳多特在到达了易北河上之后，即在罗斯劳和维滕贝格以南的地方架桥渡河，9 月 24 日他率领其全军出现于华顿堡之前。布吕歇尔决定向北移动，以求与他会合在一起。施瓦岑贝格则决心放弃对德累斯顿的作战，而向莱比锡前进。10 月 3 日，布吕歇尔率领了 6 万人在华顿堡击败了贝特朗的 1.5 万人，并于次日渡过了易北河。同一天，贝纳多特率领了 7.6 万人也在罗斯劳和贝尔拜（Berby）渡河，进到了莫尔德河上。这一行动又迫使赖伊退向代利奇（Delitzsch）。

拿破仑可以集中他的 25 万人，向北面攻击布吕歇尔和贝纳多特的联合兵力 14 万人，也可以向南面攻击施瓦岑贝格的 18 万人。因为他是占着内线的便利，所以他的确有把他们各个击破的希望。所以并不如一般人所想象的，他已经是一个被围捕的野兽，事实上从战略方面来看，他还是全部情况的主人翁。12 月 2 日，他把第二军（军长维克托，1.6 万人）、第五军（军长劳里斯东，1.4 万人）、第八军（军长波尼亚沃夫斯基，7000 人）以及第五骑兵军都交给缪拉指挥。并且指示他，当圣西尔（第十四军，2.8 万人）和罗包（Lobau，第一军，1.25 万人）坚守德累斯顿时，他就应阻止波希米亚军团向莱比锡前进。在这个时候，拿破仑即拟亲率其主力，向布吕歇尔和贝纳多特前进，在施瓦岑贝格尚未能到达莱比锡之前，即先把他们击溃。

现在就发生了这次全部战役中的一个最奇怪的事件。在 10 月 6 日的下午，拿破仑曾经与圣西尔进行了一次长谈，向他特别强调防御德累斯顿的重要性。可是到了午夜时，拿破仑又召见他，告诉圣西尔说他已经决心放弃该城，要他和罗包都一同北上。圣西尔的回忆录中记载着拿破仑的话说："我可以确定会有一场会战发生；假使我赢了，我对于没有把我所有的部队都掌握在我自己的手中会感到遗憾；假使我输了，把你留在这里也毫无用处，而对于我的会战将毫无贡献。而且，德累斯顿在今天又有什么价值？"所以在10月7日，他命令圣西尔于10月8、9两日撤出德累斯顿城。可是12小时之后，拿破仑又改变了他的决心，违反了他一向所重视的集中原则，又命令圣西尔留在德累斯顿不动。为什么呢？我们可以猜想到的理由是因为他害怕若是放弃了德累斯顿，则萨克森即将倒向联军方面。

10月8日，拿破仑集中了15万人的兵力，在莱比锡以东的武尔岑（Wurzen）地方。贝特朗在希尔道（Schildau）构成了他的右翼，而马蒙特与拉托尔（Latour-Maubourg）在陶哈（Taucha）构成了他的左翼。他认为布吕歇尔是在杜本，贝纳多特是在德绍（Dessau），这个猜想也是不错的，不过对于他们的兵力却不免估计过低。10月9日，他趋前攻击前者，可是当他的先头部队进入杜本时，他们却发现布吕歇尔又已经溜走了。事实上，10月10日，布吕歇尔在哈雷附近，已经与贝纳多特会合在一起，这却是拿破仑所不知道的。

对于这个玩弄他的老把戏，拿破仑感到非常的愤怒，那么他现在该怎么办呢？他不能够无限制地向北前进，因为他知道施瓦岑贝格已经正在向莱比锡前进，而缪拉并不能够抵挡他太久的时间。但是假使他现在迅速地回转过来进攻施瓦岑贝格，那么毫无疑问，施瓦岑贝格也会立即撤退。所以很明显的，唯一的正确办法就是让施瓦岑贝格前进，等到他与缪拉纠缠在一起的时候，再像一个雷霆一样打击在他身上。所有的史学家都责备拿破仑，不应在杜本徘徊不定，照本书作者的看法，认为这都是一种误解。拿破仑把他的司令部设在艾仑堡（Eilenburg），该地在杜本以南，相距颇近，他在此一直停留到10月14日为止。戴阿地里本说，他看见皇帝在他自己房间里悠闲地坐在一把沙发上面。费恩说他老是关着房门，召见他的各位将领。这些都可能是事实，不过从10月10日到10月13日，他还口授了62封信，这在他的《通信集》中占了42页之多。同时在这个时候，他也听到了巴伐利亚已经降敌的消息。10月12日，他正式放弃了追击布吕歇尔和贝纳多特的念头，通知缪拉说他已经决定向莱比锡前进，拟于10月14日集中20万人在那里。同时他也写信给马赫，其内容亦复相同。10月14日凌晨3时，他命令部队开始运动。下午7时，他写信给麦克唐纳说："毫无疑问，明天（15日）会受到波希米亚军团和西利西亚军团的攻击。"

10月14日正午时，拿破仑达到了莱比锡，从那里他可以听到缪拉所部从南方传来的炮声。那一天在李贝特吴尔克维兹（Liebertwolkwitz）曾经发生了这场战役中最大的骑兵战斗，但并无决定性的结果。15日的上午，由缪拉陪伴着，拿破仑视察了整个战场，到了夜幕低垂时，法军的部署大致如下所述：

第四军（贝特朗）在欧提兹希（Eutritzsch），第六军（马蒙特）在林登沙（Lindenthal），第八军（波尼亚沃夫斯基）在麦克里堡（Markkleeberg）和杜森（Dösen），第二军（维克托）在瓦豪（Wachau），第五军（劳里斯东）在李贝特吴尔克维兹，第九军（奥热罗）在周克尔豪森（Zuckel-hansen），第三军（索汉［Souham］）在莫考（Mokau）和杜本，第十一军（麦克唐纳）在陶哈，第七军（雷尼耶）在杜本。近卫军作为总预备队，位置在劳德尼兹（Reudnitz）和克罗顿多夫（Crottendorf）。第五骑兵军（雷里提耶［L' Héritier］）在南段正面的右方，第一和第四两个骑兵军（拉托尔和克勒曼）在中央的后方，而第二骑兵军（希巴斯坦尼［Sebastaini］）则在其左面。

在联军阵营中也发生了怪事。布吕歇尔在哈雷，而贝纳多特则在他的北面，相距约为15英里。前者希望在波希米亚军团从南面前进时，他们也从北面向拿破仑逼近。可是后者却害怕拿破仑，希望避免与他接触，而主张保护其与柏林之间的交通线。结果是布吕歇尔单独前进，后来贝纳多特也只好勉强跟着走，最后还是到得太迟，赶不上 10 月 16 日的重要会战。

施瓦岑贝格率领着 16 万人，于 9 月 26 日出发，但是行军速度极慢，直到 10 月 14 日才达到了阿尔滕堡。17 天一共只走了 70 英里。他也希望不要与拿破仑发生直接的冲突，宁愿迂回而不会战。但是 10 月 13 日，他接到了布吕歇尔的通信，上面说："现在 3 个军团已经是如此接近，若是能够同时向敌人集中兵力之点进攻，则可能一下子把敌人击溃。"于是沙皇亲自主战，派了维特根斯坦率领了大批骑兵去进行有威力的搜索。这就是与缪拉之间所发生的巨大骑兵战斗。10 月 13 日，联军方面正在忙于准备次日的会战，布吕歇尔奉命加速前进，以便在莱比锡西南面 9 英里处的麦克南施泰德（Markranstädt）与波希米亚军团会合在一起。

在 1813 年的时候，莱比锡还是一个居民只有 3 万人左右的城市，周围都是古老的要塞工事，在它们的外面即为郊区。在它的西面为普莱西河（Pleisse）和艾尔斯特河，中间构成了水道网，上面设有桥梁，其最主要者是在林地劳，道路由此通往梅泽堡和魏森费尔斯。在该城的北面有巴尔塔河，它在巴芬多夫（Paffendorf）村与普莱西河会合在一起。南面为一连串的低缓山岭，其中最高的为加尔根堡（Galgenberg），在李贝特吴尔克维兹以西不远的地方。

联军的攻击计划是由施瓦岑贝格所拟定的，并由沙皇加以修正，其内容如下：当布吕歇尔率领兵力 5.4 万人向莱比锡的西北面前进时，另外有三支兵力分别从西面和南面也向该城进攻。格莱（Gyulai）率领 1.9 万人攻击林地劳，并切断法军的交通线。米尔费尔德（Meerveldt）率领 2.8 万人从柴温考向北前进，达到普莱西与艾尔斯特两河之间的地区。维特根斯坦率领着 9.6 万人从左翼在普莱西河上，负责攻击缪拉于 10 月 14 日所占领的阵地，它的中央位置在瓦豪。这种广泛的兵力分布结果形成了四个独自的战斗，在北面为莫克恩（Möckern）和林地劳的会战，在南面为多里兹（DöLitz）和瓦豪的会战。

关于第一方面，拿破仑尽管在写给麦克唐纳的信上曾经提出这一点，但他却不相信布吕歇尔会参加 10 月 16 日的会战。在这一次战役，他似乎已经丧失了其所具有的精力和勇气，在 1815 年的战役也是这样的。10 月 15 日下午 10 时，他写信给在林登沙的马蒙特说，贝纳多特据报已经到了梅泽堡，同时也可以看见在麦克南施泰德有许多的营火，于是他补充着说："这使我相信敌人是不会采取哈雷大路前进，而会取道魏森费尔斯，以便在柴温考或皮高与波希米亚军团会合。"他假定如此，所以于 10 月 16 日上午 7 时，他指示马蒙特把他的军移到莱比锡与李贝特吴尔克维兹之间中点上的位置，从那里假使林地劳受到攻击——拿破仑说"这似乎是不可能的"——他可以接应和支援，同时也可以向南运动。而采取第二个行动的原因，是拿破仑已经决定了用麦克唐纳的军来迂回正面在瓦豪的联军右翼，所以为了使这个侧击能确实生效起见，他就想要马蒙特去支援麦克唐纳。

对于拿破仑而言，他的假定是错误了，这真可以说是不幸之至。虽然在 10 月 15 日到 16 日的夜里，马蒙特从林登沙的教堂尖塔上，可以很清楚地看见远处布吕歇尔的营火闪闪发光，但是在接到了上述命令之后，却还是勉强地准备奉行。当他刚刚开始行动以后，布吕歇尔的前卫已经把法军的前哨逐出了拉地费尔德（Radefeld）、斯塔米仑（Stahmeln）和华仑（Wahren）等地。马蒙特认清了现在已经不可能执行那个命令，于是回过身来在莫克恩和艾尔斯特河之间，采取了一个防御措施。接着他就向赖伊求救，后者现在负责指挥北面的整个战线。大约在上午 10 时，赖伊指示贝特朗率领第四军去代替马蒙特的位置，前进到距离集合点上的半途中。贝特朗开始出发，可是在途中却受到阿利吉（Arrighi）从林地劳发来的紧急求救呼吁，因为他正受到格莱的优势兵力的攻击。贝特朗深知林地劳桥梁对于全军所具有的重要性，遂立即赶往应援。他前进之后就把格莱击退了。以后当索汉第三军从杜本赶上之后，赖伊遂派其中的一个师去支援马蒙特，而其余的两个师再继续执行贝特朗的原定任务。他们出发之后在接近麦克唐纳之时，马蒙特的情况又变得十分的危急，于是一再地派人来恳求他们快回去。所以结果遂如费恩所说的，在这一整天当中，他们是奔走于两个战场之间，连一枪都不曾放过。费恩说："从皇帝的眼中看来，这是那一天极大的不幸。"

在莫克恩，马蒙特受到了约克军的猛烈攻击，这个村落曾经一再地易手，但是最后到了下午 5 时，在损失了其兵力的三分之一以后，约克终于在该村中站稳了脚跟，于是马蒙特退向哥里斯（Gohlis）和欧提兹希。

日出后不久，拿破仑与缪拉一同骑马到了加尔根堡。这个上午寒冷而阴雨，地面上盖着一层厚雾。到了 9 时，雾才开始消散。于是三声炮响表示联军开始攻击了。接着双方开始了猛烈的炮击，一连打了五个小时都不曾停止。

在炮兵掩护之下，联军分为四个纵队，采取一个宽广正面前进，这是一个致命的兵力分配，因为彼此都看不清楚，所以他们的攻击是毫无协调的。维滕贝格的尤金前进到了瓦豪，在那里发生了激烈的肉搏战，直到上午 11 时为止。最后，他的人员还是被逐出了该村。在尤金的左面，克莱斯特向麦克里堡冲锋，但在那里为法军的炮兵所钉住了；在尤金的右面，高尔特卡可夫（Gortchakov）进到了李贝特吴尔克维兹，也还是为炮火所逐回。这个撤退又使他与克里劳（Klenau）纵队之间，出现了一个缺口，后者于上午 10 时已经向大波斯那（Gross Possna）前进。最后，在普莱西河与艾尔斯特河之间，米尔费尔德也被击退，并被迫采取守势。

上午 11 时，法军的部署大致如下所述：波尼亚沃夫斯基守住了麦克里堡、孔尼维兹（Connewitz）和多里兹。奥热罗在杜森支援他。维克托扼守瓦豪，劳里斯东扼守李贝特吴尔克维兹，莫尔捷

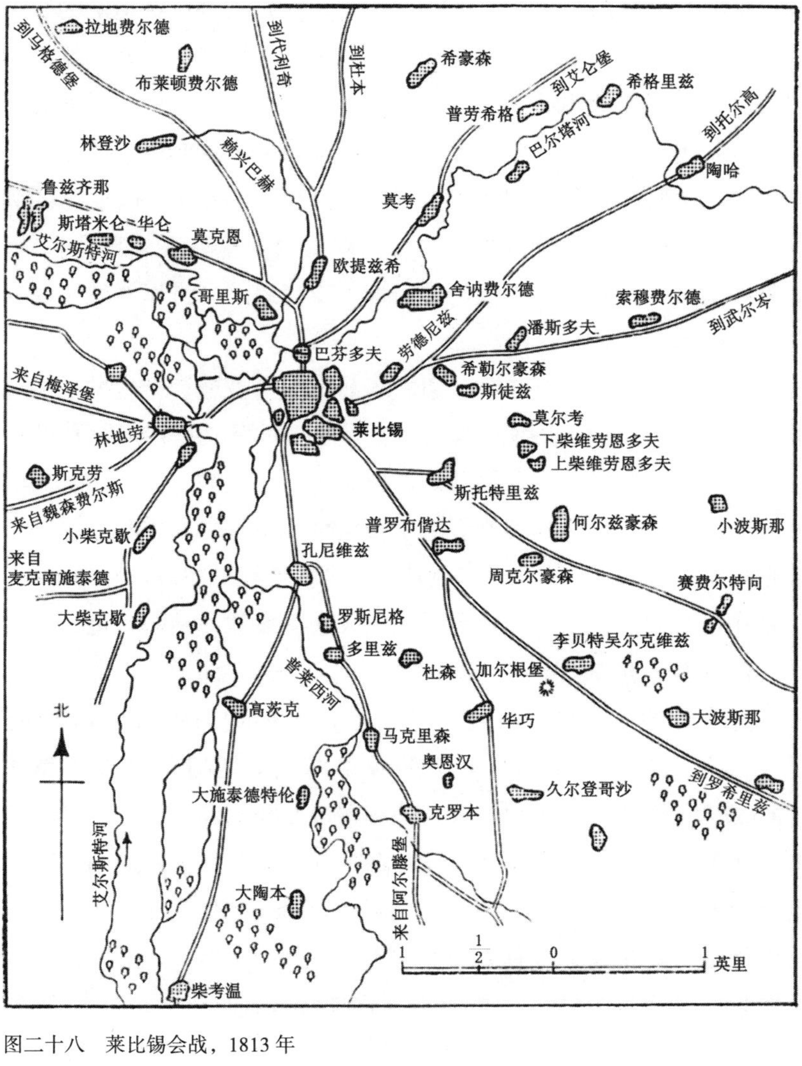

图二十八　莱比锡会战，1813 年

和奥地诺各指挥两师青年近卫军充作预备队。老近卫军则在加尔根堡的后方，而麦克唐纳则在何尔兹豪森（Holzhausen）等待马蒙特的到达。此时，德劳特已经奉命在瓦豪与李贝特吴尔克维兹之间集中 150 门火炮，以准备作决定性的攻击。

拿破仑的意图是想要用他的全部骑兵（扣除希巴斯坦尼的军），在久尔登哥沙（Güldengossa）地区突破敌军的中央部分，然后乘着混乱之际用步兵纵队来进行攻击。此时麦克唐纳和跟在后面的索汉，就打击在联军的右翼上面，把他们向已经碎裂的中央逼去。

下午 2 时以前不久的时候，拿破仑已经不能再等待索汉的到达，遂命令进攻。在炮兵掩护之下，缪拉领导着骑兵 1 万到 1.2 万人直冲向前，步兵则集中他们的后方。麦克唐纳则进军赛费尔特向（Seiffertshayn）。

最初缪拉横扫着他前面一切的东西，当者披靡，一连冲散了两营步兵并俘获 26 门火炮。假使步兵能够立即跟在马蹄后面前进，则这一场会战可能已经获得胜利。但是正在这个紧要关头上，突然听到北方远处有轰然的声音。贝尔蒂埃认为是远处的雷鸣，可是拿破仑却立即认清了这是炮声。他转过了马头向莫克恩方向飞奔而去。可是在瓦豪方面，此时却正需要他个人在场督战，他一走之后，一切就都丧失了重心。

这个时候，缪拉已经透入到了久尔登哥沙的南面，维克托已经进入了奥恩汉（Auenhayn）的牧羊场，奥地诺正在向克罗本（Cröbern）前进，莫尔捷正在向大学林（University Wood）前进。劳里斯东向久尔登哥沙前进，而麦克唐纳也向赛费尔特向前进。但是此时联军方面也已经召集了他们的预备队。缪拉的骑兵现在正受到联军的炮击，而侧面也受到了俄国骑兵 13 个中队的攻击。劳里斯东的军也被击散了，向德劳特的炮兵阵地退却。在法军方面，这种混乱逐渐扩大到全军：维克托被迫放弃了牧羊场，奥地诺也被迫退出了赛费尔特向。在法军右翼方面，米尔费尔德已经渡过了普莱西河并进入了多里兹，不但被法军逐退，其本人也被法军所俘虏。

当这次战斗结束之后，拿破仑命令把他的御营设在斯托特里兹（Stötteritz）的干泽之内，按照惯例周围由老近卫军围护着。于是他召见被俘的米尔费尔德将军，这本是他的熟人，从米尔费尔德方面，他才知道巴伐利亚的吴芮德将军（Gen. Wrede）已经在茵河之上与奥军携手了，并正准备进攻法军在马因斯和法兰克福的交通线。这个消息使拿破仑认为必须要退却了，为了争取时间，他又决定把米尔费尔德送回联军司令部，并请他转达一个谈判休战的建议。这自然是不会有结果的。

现在拿破仑决心退却，照我们看似乎是已经毫无疑问的，因为在下午 7 时，他已经命令贝特朗率领第四军准备出发，以确保在梅泽堡、弗赖贝格、魏森费尔斯和柯森等地的萨勒河和恩斯陶特河上的渡口，而莫尔捷则率领了两师青年近卫军以接替他在林地劳的防务。不过也似乎可以看出来，基于他个人的偏见，他一直等到 10 月 18 日，才真正打算实行退却。这是一个致命的大错误，因为他现在手中仍然还集中有 16 万人的兵力，若是能在 10 月 17 日出发向莱茵河上转进，则虽然这是自动放弃了日耳曼，但毫无疑问，却仍然可以确保法国的东疆，这比起他以后在 1814 年的处境可以说是好得太多了。

10 月 17 日，只有少数的零星战斗，双方都是准备明天的行动。10 月 18 日凌晨 2 时，雨仍然在下着，法军从他们的宿营地中撤出，开始向孔尼维兹—多里兹—普罗布偕达（Probstheida）—周克尔豪森—何尔兹豪森—柴维劳恩多夫（Zweinaundorf）—潘斯多夫（Paunsdorf）—舍讷费尔德（Schönefeld）之线退却，此后即沿着巴尔塔河到巴芬多夫和哥里斯。雷尼耶的军于该日到达。

也和法军一样，联军于 10 月 17 日这一天留在原地不动，以等待柯罗里多、贝纳多特和班尼希森的到达。当他们到达之后，联军的兵力即可以增到 29.5 万人和 1466 门火炮。施瓦岑贝格对于 10 月 18 日的行动计划是准备分为 6 个攻击纵队：希森洪堡（Hessen Homburs）亲王攻击罗斯尼格（Lösnig），巴克莱攻击普罗布偕达，班尼希森攻击周克尔豪森—何尔兹豪森，布吕歇尔攻击莱比锡的东北面，格莱攻击林地劳，贝纳多特则在他与布吕歇尔之间。

10 月 17 日的下午 11 时，拿破仑命令把他的总部移到斯托特里兹的烟草工厂中，3 个小时后，他乘马前往普罗布偕达，由那里又转往劳德尼兹去与赖伊元帅会晤。他在劳德尼兹一直停留到上午 5 时为止，然后再前往林地劳，依照费恩的记载，他曾经命令在那里架设额外的桥梁。上午 8 时，他已经回到了斯托特里兹，正在吃早餐的时候，敌方的火炮开始发射了。他立即命令贝特朗向萨勒河上进发。

直到下午 2 时为止，法军的前哨还只是缓缓地被逐退，联军极小心地前进。仅只有希森洪堡亲王所率领的左面纵队在多里兹和杜森经过了激烈的战斗，并把该两地攻占。接着他前进到孔尼维兹，但被波尼亚沃夫斯基的波兰部队所逐回。巴克莱在前者的右面，向普罗布偕达进攻，由于法军炮火猛烈，受到了惨重的损失，暂停下来以等待班尼希森的到达。后者还落后很远，正缓慢地向柴维劳恩多夫前进，但是仍然没有贝纳多特到达的消息。此时在林地劳，贝特朗已经完全击败了格莱，并挺进到了魏森费尔斯。

下午 2 时，在罗斯尼格周围发生了激烈的战斗，但是奥热罗和波尼亚沃夫斯基仍然坚守孔尼维兹；而在普罗布偕达，维克托在劳里斯东的支援之下，也一再地逐退巴克莱的纵队。巴克莱一再地突击，都不能成功，以后奉到了施瓦岑贝格的命令才改取守势。此时班尼希森因为数量上远比麦克唐纳占优势，经过了激烈的战斗之后，占领了何尔兹豪森和周克尔豪森。他再前进又占领了柴维劳恩多夫，但是在斯托特里兹还是被逐退了。于是贝纳多特终于在他的右方出现，下午 3 时，他们二人合力又攻下了莫尔考（Mölkau）。其次在强大炮兵火力支援之下，其中还包括着布古上尉的火箭炮在内，他们又向潘斯多夫进攻，也把它攻下了。不久之后，拿破仑又用青年和老年的近卫军，把该地夺回，但发现无法据守时又自动撤出。赖伊也把他的右翼撤回到舍讷费尔德、希勒尔豪森（Sellerhausen）和斯徒兹（Stüntz）。当正在进行这次撤退时，雷尼耶所属的两个萨克森旅和一个野炮连，本来是部署在希勒尔豪森正面上的，现在却开始投降敌方了。当他们通过时，法军的骑兵还以为他们是向前进攻，所以不禁向他们欢呼。

虽然孔尼维兹、普罗布偕达和斯托特里兹三个据点仍在坚守之中，可是到了傍晚时，其他各点上的法军都已经被迫退到了莱比锡的城郊了。马蒙特已经被逐出了舍讷费尔德，退到了劳德尼兹，在下午 4 时，赖伊和索汉也都已经负伤。到了此时，拿破仑才认清了他这个军事据点已经不可再留，所以当夜幕低垂之后，他就在营火之下，用他习惯的精确态度，开始口授撤退的命令。这个命令本身已经遗失了，但是其所规定的行军序列却是大致如下：老近卫军领先，接着就是奥地诺所率领的两师青年近卫军、第四骑兵军、第一和第二两军，最后是第二骑兵军。以上各部队在其余兵力掩蔽之下，应立即经过林地劳开始撤退，直到下午 8 时，拿破仑还留在野营之中，以后才回到莱比锡城内，留宿在普鲁士旅馆（Hotel de Prusse）中。他在那里与巴沙诺公爵（即马赫）一同工作到深夜。

布吕歇尔在黄昏时才知道贝特朗已经在向萨勒河上行军，于是也立即命令约克军开始行动，占领了梅泽堡和哈雷。

当 10 月 18 日的战斗停止时，联军还是不曾获得决定性的战果。法军仍守着从孔尼维兹到普罗布偕达、斯托特里兹、克罗顿多夫、劳德尼兹一直抵达莱比锡城北之线，而在西面，拿破仑的退却线也还是畅通无阻。关于这一夜中的情况，达尼里斯基（Danilewski）曾经有下述生动的描写：

夜幕垂下了，天空被照耀得通红。斯托特里兹、舍讷费尔德、多里兹和莱比锡城的郊区，都已经起火燃烧。我军（联军）方面充满了欢乐的气氛，从各个方向上都有捷报传来，反之敌军方面则陷于无比的混乱之中。他们的辎重、炮兵、残破的团队、

> 几天没有吃饭的士兵，都挤在一块，因为莱比锡周围河流上的桥梁不够用。当我们的炮弹落下时，在狭窄的街道上就到处都可以听到无数伤兵的呼号声。在战场上，刚刚还有2000门火炮在那里怒吼着，现在却已经是像坟墓一样的沉寂。这种会战后的沉寂带着一种说不出来的恐慌意味，使人感到别有一番滋味在心头。

10月18日黄昏时候，施瓦岑贝格颁发了他的次日作战命令。还是和他的惯例一样，完全是一个平行的攻击，仍然和过去的攻击命令一样，并不曾企图集中在任何某一点上。此外，除了布吕歇尔曾经采取上述的步骤以外，也不曾再有任何其他切断法军交通线或准备追击的企图。

10月19日凌晨2时，法军留下了前哨在孔尼维兹、普罗布偕达和斯托特里兹等处，这些地方还正在燃烧着的营火，其余都撤出了那些村落；麦克唐纳率领着第七军和第十一军，一共约3万人，奉命坚守莱比锡城，以掩护大军的退却。同时拿破仑也命令在德累斯顿的圣西尔，设法自行逃脱。

10月19日上午7时，联军继续展开攻势，不久以后又暂时停顿下来，以便谈判这个城市的投降，因为沙皇希望能够兵不血刃而攻下该城。同时，拿破仑已经听到贝特朗站稳了魏森费尔斯的消息。上午9时，拿破仑与他的盟友萨克森国王道了再会之后，遂在混乱之中策马走过了林地劳桥。当时的混乱情形，戴阿地里本曾经有下述的描写："车辆、火炮、牛羊、妇女和兵员，伤的、死的和幸存无恙的都挤在一起。这种混乱情形之下，连继续行军都已经不可能，当然更谈不上自卫抵抗。"

在这个混乱之中，沙托将军（Gen. Châtteau）在距离桥头不远的地方，看到一个人只带着少数的随从走过来。他以为不过是一个普通的人，等他走过时正想去盘问他，哪知道他正是大皇帝。拿破仑还是保持着他的冷静常态，似乎对于周围的毁灭景象并不关心一样。

拿破仑于上午 11 时过桥，在林地劳的磨坊里下马，只授了一些命令之后，即开始熟睡了。此时，与沙皇的谈判也已经决裂，于是在莱比锡的战斗开始爆发了，法军和波兰部队在绝望之中，仍然是死战不休。

下午 1 时还没到的时候，拿破仑仍在熟睡之中，虽然炮声并不足以惊扰他，可是一声巨响却把他惊醒了。一个工兵班长，过早地把林地劳大桥炸毁了，他的上校并不在场，正走上前方去看看是哪一个军最后渡河。这对于法军的后卫兵力而言，是一个惨重的打击，因为另外那一座便桥早已垮了。麦克唐纳、波尼亚沃夫斯基和许多的官兵都纷纷跳入河中。麦克唐纳侥幸到达了西岸，而那位英勇善战的刚刚在战场上晋升法国元帅的波兰亲王却不幸淹死了。不久以后，在艾尔斯特河东岸上的战斗就以全面投降而结束了。

10 月 20 日，败军的主力在魏森费尔斯渡过了萨勒河，10 月 23 日进入了爱尔福特，在那里一直停留到 10 月 26 日以补充他们的给养。在爱尔福特，拿破仑知道吴芮德亲王已经率领了 4 万名巴伐利亚部队在汉劳（Hanau）挡住了他的退路。他一点都不在乎，领兵直向吴芮德前进，从 10 月 28 日到 31 日把吴芮德所部击得惨败，使其损失在 9000 人以上。拿破仑一直通过法兰克福前进，于 11 月 2 日到达了马因斯。他在那里停留到 11 月 7 日为止，然后再返回巴黎，于 11 月 9 日到达了圣克劳德。两天之后，圣西尔在德累斯顿投降了。这场战役就此告以结束。

10 月 18 日的损失数字并无确实的统计，可能双方都在 2.5 万人左右。在 10 月 16 日到 19 日，联军的死伤总数估计约为 5.4 万人，而法军则为 3.8 万人，若是把俘虏、医院中的病兵和逃亡者都计算在内，则这个数字可能要加倍。联军所获得的战利品十分的可观，包括 28 面军旗、325 门火炮、900 辆弹药车和 4 万支步枪。

在法国的大将中，有 6 个战死了，12 个负伤，将官被俘者共 36 人，包括劳里斯东和雷尼耶在内。此外费恩还告诉我们说，在 10 月 18 日那一天，法军一共发射了 9.5 万颗炮弹，而从 10 月 16 日到 19 日，又加上 20 万颗。在 10 月 19 日，法军炮兵所余留的炮弹只有 1.6 万颗了。

戴阿地里本说：“在他一生之中，这还是第一次，这位法兰西的领袖曾经在文明的欧洲中心于众目睽睽之下被敌人击败了。换言之，他已经丧失了一场决定性的会战。”这一次是一点借口都没有，既没有波兰的烂泥，也没有俄罗斯的严冬。他已经输掉了第二个“特拉法尔加”之战，这次是在陆上。他的主动权已经丧失了。

虽然他忍受着这个震动，充分地表现出其英雄本色，但这却是一个致命的打击，使他的元气永远无法恢复。联军的胜利已经在欧洲史上点燃了一盏新的烛光。胜利之前与胜利之后，是完全两种局面。欧洲大陆上到处都是一片欢呼声，正好像李班多之战以后的情形一样，到处都展开了反对拿破仑的激烈宣传。

可是这个“民族的会战”，自今日视之，还具有更深远的影响；这是英国体系的胜利，近代的普鲁士从此兴起，而法国开始衰颓。此外，它们也指示出个别国家之间的斗争已经逐渐成为过去，这种原始性的冲突不久即将为世界性战争取而代之了。

拿破仑的战略是失败了，不仅是因为他的工具不适当，或是因为他的假定错误了，而主要的原因却还是他的政策已经不合于他这个时代的精神。他的目的是想要建立一个宇宙性的大帝国，跟着过去那些伟大征服者的足迹前进。可是时代却已经改变了。欧洲已经不再是一盘散沙，许多种族都已经团结起来而形成了一个结晶化的民族国家。它们各自分道扬镳，使他的个人神化主义的假定无法实现。

在耶拿会战中，拿破仑不仅毁灭了一个封建的陆军，而且也肃清了封建观念的最后一点余孽。从这些灰烬之中，却产生了新的民族性陆军，终于在莱比锡会战中把他自己击败了。在艾尔斯特河边的战场上，尸积如山，血流成河，近代的欧洲却从此脱掉了中世纪的蜕壳。

大事记（十五）

1814年的战役

虽然在1813年的战役中英国并无太大的直接贡献，可是自从1808年英国人在西班牙发动了战争以后，即使拿破仑处于腹背受敌的情况中。如果不是这样，则莱比锡的会战即不可能获得胜利。此外，英国的财政援助也是胜利的主因之一。在许多同盟国之中，英国好像是鹤立鸡群一样，对于推翻拿破仑的工作，它始终是一个永久性和支配性的因素，自从特拉法尔加之战以后，它一直都在继续努力之中。自始至终，英国的目的是商业与政治并重，每当和平在望之时，英国的政治家永远都不会忘记，对于英国而言，所有的欧陆强国都无一不是其假想敌人，所以就会马上致力于权力平衡的重建。英国人并不要求瓜分或征服法国，而只想使它退回到原有的地理性疆界上——莱茵河、阿尔卑斯山和比利牛斯山。

奥国也赞成这个政策，因为它害怕俄普两国的势力会日益强大，沙皇却表示反对，因为他想一雪拿破仑进入莫斯科之耻，所以希望能在巴黎签订和约。不过最后，同盟国还是决定暂时采取英国的建议，于1813年11月16日把和平的条件传达给拿破仑。因为拿破仑的答复是闪烁无诚意的，所以这些条件立即被撤回，而代之以一个公开的宣言，说明联军将不惜侵入法国以推翻拿破仑，但仍希望在触及其土壤之前先获得和平。这个宣言并不能感动已经开始厌战的法国人民，反之，其唯一的效力却是唤醒了1792年的精神。神圣的国土面临着危险时，法兰西开始奋起武装迎敌。

法国的形势极为恶劣，因为在北面的麦克唐纳和在南面的马蒙特一共只有可用之兵5.3万人，却防守长达300英里的莱茵河之线。联军一共有五个军团面对着法兰西：在北面为贝纳多特和布吕歇尔，其兵力分别为10.2万人和8.2万人；中央为施瓦岑贝格，其兵力为20万人；南面为奥意联军，共为5.5万人；在加斯科尼（Gascony）还有威灵顿的8万人。

拿破仑估计他的敌人在1814年的春季之前是不会前进的。这一次他又算错了，新年一过之后，坏消息即接二连三地传来。正月11日，那不勒斯王缪拉倒向联军方面；三天之后，丹麦的腓特烈六世也采取同样的行动。更坏的是在东北两方面，联军开始以意想不到的高速前进：比罗和格莱汉（Grahram）冲入了荷兰；施瓦岑贝格率领着联军的主力，经过巴塞尔和贝尔弗特（Belfort）前进；而布吕歇尔率领的西利西亚军团也进入了洛林，并将维克托逐出了南锡（Nancy）。1月25日，施瓦岑贝格率领着15万人，部署在兰格尔（Langres）与巴尔（Bar-sur-Aube）之间，而布吕歇尔则已在圣狄则尔（St. Dizier）渡过了马恩河接近布里尼（Brienne），该地由维克托和麦克唐纳负责据守。

同一天，拿破仑离开了巴黎进到马恩河上的沙隆，展开了一次新的战役。这次战役比之他过去所进行者，其卓越性似乎是并无逊色的。他在圣狄则尔附近有4.2万人，麦克唐纳正率领着1万人前来，而莫尔捷则率领着2万人驻在特鲁瓦。他立即在圣狄则尔附近，击溃了一师敌军，然后于1月29日打击在布吕歇尔的头上，希望阻止他与施瓦岑贝格会合在一起。他这一个行动失败了，布吕歇尔撤回到巴尔，2月1日在拉侯提耶（La Rothière）使拿破仑受到了重创，于是后者也退回了特鲁瓦。联军方面相信拿破仑的力量已经崩溃了，所以认为战争已经赢定了，可是当他们正在彼此设宴庆功之际，其临时的利害结合也就快到了破裂边缘。

当拿破仑退回特鲁瓦时，联军方面召开了一个战争会议，决定由布吕歇尔率领 5 万人从西北方向巴黎前进，而施瓦岑贝格则率领 15 万人从西南方向取道桑斯（Sens），以接近法国首都。这种不合于战略原则的分散兵力，其原因纯粹是政治性的。奥国对于俄国的野心深感忧虑，他也和英国一样，不愿意法国被宰割。反之沙皇却希望有一个脆弱的法国，以改变权力平衡的形势，而使他坐收其利。他的目标是获得波兰的全部，为了赔偿普鲁士在波兰的领土损失而准备把萨克森给予普鲁士。

此时，英国的外长卡斯尔雷勋爵（Lord Castlereagh）也在联军总部中，他强烈地反对俄国的政策，因为他认为要想获得一个持久和平的唯一途径，就是建立一个中等实力的法国，最好是由其旧有的王朝来统治。梅特涅支持卡斯尔雷的主张，但是沙皇却不信任梅特涅，决定向巴黎挺进，不过他也同意让法国人自由选择未来的统治者。

这种兵力的分散，对于拿破仑而言，可以说是非常有利的，因为他是采取内线作战的，这可以使他用少量的兵力达到各个击破的目标。尤其是因为布吕歇尔现在所指挥的，已经是以俄军为主力，分成了三个独立的纵队前进，所以使他更为有利。为了击败他们，2 月 7 日，拿破仑命令马蒙特占领塞扎讷（Sézanne），并于 2 月 9 日亲自出发支援他。第二天，马蒙特和赖伊在香波贝尔（Champaubert）打击在阿尔苏西夫（Alsusiev）军上，几乎把他们全部歼灭；次日，拿破仑又率领 2 万人，在蒙特米瑞（Montmirail）击败了沙肯（Sacken）的军，把他们赶过了马恩河向北逃走。拿破仑留下了莫尔捷去追击沙肯，他自己则于 2 月 13 日的夜间，出发增援在沃尚（Vauchamps）的马蒙特，他正受着布吕歇尔的第三纵队的严重压迫。他攻打布吕歇尔的第三纵队，经过了顽强的战斗，又把敌人逐退到了贝吉赫（Bergères）。就这样在四天之内，他用不到 3 万人的兵力，击溃了布吕歇尔的 5 万人，并使他受到了 1.5 万人以上的损失。这次胜利的效力好像是触电一样，使巴黎恢复了它的神经，农民都奋起抵抗侵入者，切断他们的征发队和狙击他们的巡逻兵力。

当把布吕歇尔应付完毕之后，拿破仑又听说施瓦岑贝格已经分兵两路前进，一个纵队取道塞纳河畔布赖（Bray-sur-Seine），另一个则在枫丹白露。因为他必须放弃对于布吕歇尔的追击，使他颇感怒恼，他回头向南，于 2 月 18 日，在蒙特娄（Molltereau）打击在符腾堡的尤金身上，将他逐退，夺回了在塞纳河上的重要桥梁。

骄傲使拿破仑的优秀战略失败了。他知道亚历山大的野心已经引起了其他同盟国的忧惧，于是企图使奥国退出同盟。但是他拒绝放弃比利时和莱茵河上的疆界，谈判遂终于决裂。1 月 1 日，同盟国代表在肖蒙（Chaumont）集会，大家同意不单独与拿破仑议和，必须等到法国人接受其旧有的国界时才停止战争。在这些谈判中，英国人的主要贡献即为又给予其同盟国 500 万镑的补助费。

此时布吕歇尔继续前进，当 2 月 25 日拿破仑在特鲁瓦听到了这个消息之后，他又出发去攻击他，可是当拿破仑来到时，布吕歇尔却又巧妙地向北撤退，在拉费提（La Ferté-sous-Jouarre）利用一座断桥使拿破仑延迟达 36 小时之久。直到 3 月 7 日，拿破仑才追上了他，在克拉翁（Craonne）拿破仑又把他击败了，并把他赶回到了拉翁（Laon）。3 月 9 日到 10 日的夜间，布吕歇尔又用奇袭击败了马蒙特，于是拿破仑撤回到斯瓦松（Soissons）。3 月 17 日，他知道在南面的施瓦岑贝格又在向巴黎进攻，他立即赶往迎击。3 月 20 日双方在阿尔希（Arcis-sur-Aube）发生了血战，法军有 2.3 万人，而奥军则有 6 万人。战斗结束后，拿破仑只好撤回到塞查恩。

拿破仑的兵力不足以阻止施瓦岑贝格攻入巴黎，所以他决定先进入洛林，召集那里的要塞守兵，然后打击在施瓦岑贝格的后方和交通线上，以迫使他回头过来。这是一个无可奈何的赌博。在圣狄则尔他发表了“全国皆兵”的布告，命令洛林的守军突围而出以和他会合在一起。可是 3 月 23 日，他的一个传骑送一封信给在巴黎的皇后，途中却为哥萨克的巡逻队所截获，这封信落入了沙皇的手中，使他知道了拿破仑的心思。此时，施瓦岑贝格已经在退却了，沙皇力劝他再回转过来，暂时放弃他的交通线与布吕歇尔联合在一起，继续向巴黎前进。于是拿破仑的行动不特不能迫使奥军后退，反而使向巴黎的道路上门户洞开，毫无阻拦。

3 月 25 日，施瓦岑贝格开始前进，布吕歇尔也从沙隆出发，采取与他平行的运动。那一天，马蒙特和莫尔捷两军，在拉费尔（La Fère-Champenoise）被击溃。在它的附近，派克沙德将军（Gen. Pacthod）的一师国民兵，只有 4500 人，在苦战之后几全被歼灭，实为这场战役中最英勇的一页。现在只剩下了马蒙特和莫尔捷两军的残部在担负巴黎的守城任务。领导他们的人又是皇帝的兄长约瑟夫，这个人软弱无能，早已在惊惶失措之中。

在蒙马特（Montmartre）山脚下，这两位元帅还在做背城一战的打算。3 月 30 日，这场战役中的最后一战开始了。约瑟夫和他的兄弟杰罗姆在高处观战，当他们看到大势已去，即命令马蒙特和莫尔捷与敌人谈条件。于是双方同意休战，巴黎获得了荣誉投降的待遇。

拿破仑正在维特里（Vitry），当他听到巴黎已经备受危险时，他立即催促部队向枫丹白露赶进。在那里他听到马蒙特降敌的消息，因为他的元帅都拒绝再追随他，所以于 4 月 11 日宣布退位。4 月 20 日，他告别了他的近卫军，于 4 月 28 日的夜间在弗雷巨由贝特朗和德劳特两人陪伴着，上了英国的巡洋舰“无畏”号，到厄尔巴岛去过流放生活。

5 月 30 日，签订了一连串的条约，总称为《巴黎第一次条约》，其内容为确定法国的国界以回到 1792 年 11 月 1 日的态势为原则。依照这个条约中的一条，所有各交战国应在维也纳集会，以决定一个全面的和约。9 月，这个会议召开了，不久即使各同盟国几乎达到了战争的边缘。沙皇要求兼并整个的波兰。卡斯尔雷在梅特涅和塔列朗的支持之下，坚决地表示反对。英奥法三国对于俄国的势力大增，都同样地感到不放心，认为假使它的国界向西推进到了日耳曼的境内，则欧洲的均势即将全部被推翻。所以到了 1815 年 1 月 3 日，他们达成了一个密约，准备集中 45 万人来向俄国宣战。会议还在继续开着，然而在 3 月 4 日，他们获得了拿破仑从厄尔巴逃走的消息。

当会议正在进行之时，拿破仑对于其间的争吵都有很好的情报，到了 2 月 13 日，他听到富歇正计划要推翻路易十八，他决心再回法国去碰碰运气。2 月 26 日（星期天）夜间，他在费拉爵港（Porto Ferrajo）率领官兵 1050 人上了 7 艘小船，躲过了法国的看守船，于 3 月 1 日在圣胡安（St. Juan）湾中登陆。

3 月 7 日在格勒诺布尔（Grenoble）附近，他发现拉弗里（Laffrey）隘路正由第五团扼守。当他走近时，一位王党的军官大声喊道："他来了，向他开枪！"拿破仑回过头来向指挥卫队的马勒上校（Col. Mallet）说："命令士兵把枪持在左手上，枪口朝下。"然后他单独向前说："第五团的弟兄们，你们认识我吗？我是你们的皇帝。你们开枪吧！"一阵"皇帝万岁！"的呼声掀起了。滑铁卢战役的第一个回合他已经赢了。3 月 20 日，他回到了巴黎，那是他儿子的生日。

第十五章

滑铁卢会战

因为滑铁卢（Waterloo）战役曾经受到了如此彻底的研究和批评，所以其中所犯的错误便显得更特殊而鲜明。事实上并非如此，它们也正是多数战役中的一般错误而已。但是这场战役却有一个最特殊的地方，那就是这个时代中的两位名将，经过了22年的战争时期，在这一战中才第一次正式交手，而他们两位也的确都是杰出的将才。在此以前，除了查理大公以外，拿破仑所面对的敌人，都是才能不过中人的将领而已，反之威灵顿的情形也是一样的。现在这两位伟大的将领面对面碰上了，所以他们所犯的错误，以及其部下所犯的错误，在他们个人的大名和特殊能力的对照下，就似乎更显得怵目惊心。

因为在两个人之间，拿破仑的名气又更大，所以当他被威灵顿击败时，遂引出了许多无稽的神话，有人认为拿破仑的天才已经在衰减之中，有人认为他已经是一个病夫，或者是因为养尊处优而丧失了原有的活力。凡是用来支持这些看法的证据，都是故意歪曲的，因为比起在马伦戈、奥斯特里茨、耶拿和莱比锡诸战中，拿破仑是既没有变好也没有变坏。当一个人对于他自己的天才是那样的自负时，有时遂不免会生活在一个幻想的领域之中。[1] 他对于他自己的能力和运气都具有极强的信心，所以科兰古也说："对于一切他不喜欢的思想和观念，他简直完全不予理会。"6 月 21 日，当他在滑铁卢战败之后，他曾经对科兰古这样说："好吧，科兰古，这还是很不错的，这场会战失败了，这个国家如何忍受这次挫败？物质上已经损失了，这是一个可怕的灾难，但是那一天还是胜利的。军队的表现还是极为优异，敌人在每一点上都被击败了，只有英军的中央仍然还能够坚守。当一切都已过去之后，军队才突然为恐慌所乘。这是不可解释的……"事实上并非如此，这是由他的幻想所产生的必然结论。他始终认为他一个人可能控制一切和做到一切，而只要有一个完善的计划，则不管使用什么样的工具，结果都照样能够获得圆满的解决。

在威灵顿的身上，拿破仑遇到了一个与他自己完全不同的将才。威灵顿的兵力是小型而精锐的，它的指挥是集中于一人的，对于部下所要求的不是自动而是服从。虽然他也和拿破仑一样的专制和独裁，但是威灵顿却有一个特长，就是能把远见与常识结合在一起，他的想象力很少与理性脱节。他的兵力比起对方总是居于劣势，所以他被迫必须采取冷静谨慎的态度。但若认为他只是一个谨慎有余的将才，那却是大错特错，许多人都犯了这个错误，连拿破仑本人也不例外。虽然他是防御性战争的能手，但是当条件有利时，他也一样会大胆进取，敢冒极大的危险。这种例证是很多的，不必赘述。他的费宾战术是完全合于常识的：当条件需要慎重时，他能够慎重；但条件改变了，他也能够像雷霆一样地打击敌人。

在他那个时代中的将军们，没有几个人对于战术的认识能有他那样彻底的。他认清那个时代中步枪的弱点，虽然在近距离是一个

---

[1] 科兰古的回忆录上曾经说过："当有一个观念在他的脑中生根之后，皇帝就会被他自己的幻想带着走。他沉醉在幻想之中，甚至于沉溺在幻想之中。"

致命的兵器，可是对于远距离却毫无用处。他认清了英国士兵的特性就是坚定和迟钝，这是法国士兵所没有者。所以他常常喜欢用两列的横线来迎击敌人的纵队，换言之，他至少可以使火力增加四倍。为了保护他自己的人员和迷惑敌人，他总是尽量设法利用地形的掩护。因此在费米罗之战中，朱诺完全受了欺骗，而在布沙柯（Busaco）之战中，马塞纳也把英军的中央误认为其右翼。在萨拉曼加（Sslamanca）是如此，在滑铁卢亦复如此。

就大体而言，他的大战术是属于所谓的“防御攻势”（defensive-offensive）的范畴；那就是说，他总是先鼓励敌人进攻，而等到敌军在混乱之中，自己再依赖枪烟的掩蔽而开始发动反攻。他很少集中他的火炮，不仅是因为他很少能有足够数量的火炮，更因为他的横线战术所要求的是炮兵的疏开，而不是集中。此外，他也很少追击一个已经被击败的敌人，因为通常他的骑兵总是脆弱无能的。另外还有一个事实也必须记着，因为这与他善于利用地形的事实配合在一起即足以使他升到最优等战术家的地位，那就是他对于一切的事情，都是以亲眼看过为原则，除非是不可能时他才会依赖间接的情报。诚如他自己所说的：“我会成功的真正原因，是因为我总是亲自在场的——我看见了一切的东西，并且亲自动手做一切的事情。”正和拿破仑一样，他也是一身兼任总司令和参谋长的职务，因为如此，他的指挥方式事实上也正是“拿破仑式”的。假使他所指挥的是一支大军，而必须要分裂为几个独立或半独立的部分时，那么毫无疑问，他这种中央集权的控制体系也一定会像拿破仑在奥斯特里茨之战后的情形一样感到力不从心了。

一旦回到了巴黎之后，拿破仑即开始进行其伟大、惊人的工作，要想重新建立一支大军。人员多的是，因为在法国境内到处都充满了被解散的退伍老兵和释放的战俘。但是枪械、装备、马匹和弹药却十分缺乏，而皇家的陆军 10 万人则已经年老力衰了。不过他的主要问题却还是其主要军官的选择，因为他的元帅和将军中的大部分都已经宣誓向路易十八效忠，其中包括着索尔特、贝尔蒂埃、麦克唐纳、圣西尔、絮歇、奥热罗、赖伊等人在内。虽然有些人重新投靠他，但其中又有许多人对他的前途已经丧失了信心。更坏的，在已经出仕于路易王朝的人员与未出仕者之间，又相互猜忌着。[1]

为了有效地执行其大战术起见，他至少需要有四个人是能够彻底明了其“营方阵”体系的：一个参谋长能够明白地把他的观念，作成书面的命令；一个骑兵将领能够掌握集中的骑兵；两个侧翼指挥官，当他不在场时，也能够执行他的计划，达到他的目标。在过去他一向是依赖贝尔蒂埃来担负参谋长的职务，虽然这个能干的“书记长”是愿意再为他效力，可是6月1日他却不幸死了。为了接替他的任务，拿破仑选定了索尔特。这可以说是一个错到底的决定，因为索尔特固然是一个很能干的指挥官，但他却从来不曾做过一个军团的参谋长，甚至于一个军的参谋长也不曾做过。这次战役的失败，恶劣的参谋工作实在是一个主要的原因。

拿破仑拒绝再收留缪拉来担任骑兵指挥官，而改用格劳齐(Grouchy)。可是当战役开始不久之后，他又指派格劳齐指挥他的右翼。这又是一个错误的选择，因为格劳齐虽然是一个很优秀的骑兵将领，可是他从来不曾指挥过一个军，更不要说是一个军团的一翼。他把左翼的指挥权托付给赖伊，也是同样的错误，因为早在1808年，他就曾经说过，赖伊对于他的思想是一点都不了解。

在这“百日复辟”之中，拿破仑所犯的一切错误，要以这四个位置的任命最足以决定他的命运，若认为这是造成其失败的主因，也似乎一点都不夸大。在圣赫勒拿岛上时，他也认清了这一点，因为他曾经告诉拉卡沙说，假使缪拉在那里，则胜利即可能是属于他的。而他也告诉高尔高说：索尔特对于他殊少贡献，任用赖伊也是一个极大的错误，他应该让絮歇指挥右翼而不用格劳齐。

[1] 不过这一点却被过分夸大了，结果几乎使威灵顿的思想走入歧途。

有一个人他却不曾提到，那就是达弗，那可能是他诸将中最优秀的一个。他把达弗留在巴黎充任总督，因为他说把首都交给任何一个人，他都不放心。可是达弗的答复却毫无疑问是对的，他说："但是陛下，假使你是胜利者，则巴黎当然是你的，反之若你战败了，则我和任何人对于你都将毫无用处。"

法国的元帅们固然是已经这样的缺乏生气，可是其团级以下的官兵，却仍然具有充沛的热情，不过已经无所用了。威灵顿说，有一个侦探把他们与 1792 年的法军相比拟；而霍沙依（Houssaye）对于 1815 年的法军，则有下述的评论："他们是冲动的、易怒的、没有纪律，对于长官缺乏信心，害怕阴谋，可能随时发生惊恐的现象，但是在一怒之下，可以有极英勇的表现。拿破仑从来不曾运用过这样的战争工具，它一方面是那样的锐利，而另一方面又是那样的脆弱。"

尽管有许多的困难，到了 5 月底，拿破仑却已经召集了正规陆军 28.4 万人，支援他们的还有补助兵力 22.2 万人。不过其中有许多都不过是名单上的数字而已。在正规军中，他把其中的 12.45 万人组成北面军团，由他亲自指挥；其余的兵力则分为莱茵、罗亚尔、阿尔卑斯和比利牛斯等军团，以及其他的要塞、后方部队等。

北面军团分组为五个步兵军、近卫军和骑兵预备队。这五个军是：第一军，军长德隆（d'Erlon），19 939 人；第二军，军长莱里（Reie），24 361 人；第三军，军长范达米，19 160 人；第四军，军长格拉尔（Gérard），15 995 人；第六军，军长罗包，10 465 人。近卫军又分为老年近卫军由弗里昂指挥，中年近卫军由莫朗指挥，青年近卫军由杜斯米（Duhesme）指挥，另外还有吉约（Guyot）和勒菲弗的两个近卫骑兵师，一共是官兵 20 884 人。骑兵预备队由格劳齐指挥，共分为四个军：第一军，军长派加尔（Pajol），3046 人；第二军，军长艾尔克斯曼（Exelmans），3515 人；第三军，军长克勒曼，3679 人；第四军，军长米尔豪（Milhaud），3544 人。这个军团共

图二十九 6月15日到19日拿破仑的集中，1815年

有骑兵23 595人，步兵89 415人，炮兵11 578人，火炮344门。

在维也纳这个由七个国家所组成的同盟，正准备组成五个军团：（1）英荷军团，9.3万人，由威灵顿指挥；（2）普鲁士军团，11.7万人，由布吕歇尔指挥，上述两个军团都在比利时境内；（3）奥地利军团，21万人，由施瓦岑贝格指挥，在莱茵河上游；（4）俄罗斯军团，15万人，由巴克莱指挥，在莱茵河中游；（5）奥意军团，7.5万人，由弗里蒙特（Frimont）指挥，在意大利北部。

他们的计划是格奈泽瑙（Gneisenau）所拟定的，简言之，即用数量的优势来压碎拿破仑。威灵顿、布吕歇尔和施瓦岑贝格三个军团，都直向巴黎前进，假使其中有一个军团被击败了或被迫撤退时，则由巴克莱趋前援助，而其余两个军团仍继续前进，不必加以援救。弗里蒙特则以里昂为进攻目标，而不趋向巴黎。威灵顿负责指挥在比利时境内的全部兵力，各军团于 6 月 27 日到 7 月 1 日之间，同时越过法国的国界。

4 月初，威灵顿从维也纳启程前往布鲁塞尔，5 月 3 日他在台里蒙特（Tirlemont）与布吕歇尔会晤；虽然他们两人都不相信拿破仑会采取攻势，但是似乎他们却都同意，假使他采取这种行动，则他们应集中兵力在夸特里布拉斯—松布里费（Quatre-Bras-Sombreffe）之线。不管是否真是如此，第二天布吕歇尔即把他的司令部从列日移到了那慕尔，并命令他的四个军前进：（1）第一军，32 692 人，由齐曾指挥，前进到弗勒吕斯（Fleurus）；（2）第二军，32 704 人，由皮尔齐（Pirch）指挥，前进到那慕尔；（3）第三军，24 456 人，由提里曼（Thielemann）指挥，前进到于伊（Huy）；（4）第四军，31 102 人，由比罗指挥，前进到列日。布吕歇尔军团共有步兵 99 715 人，骑兵 11 879 人，炮兵 9360 人，火炮 312 门。

威灵顿的军团是一个混合性的部队，有英国人 31 253 人，英王的日耳曼兵团 6387 人，汉诺福人 15 935 人，荷兰、比利时人 29 214 人，不伦瑞克人 6808 人，拿索人 2880 人和工程人员 1240 人等，一共有步兵 69 829 人，骑兵 14 482 人，炮兵 8166 人，火炮 196 门和工兵 1240 人。在名义上，他的步兵是分组为两个军和一个预备队：第一军，共 25 233 人，由奥伦奇亲王指挥；第二军，共 24 033 人，由希尔勋爵（Lord Hill）指挥；预备队，共 20 563 人，则由威灵顿直接指挥。到了 5 月底，第一军占领了蒙斯（Mons）、鲁乌列斯（Roeulx）、弗斯纳（Frasnes）、塞尼费（Seneffe）、尼费尔（Nivelles）、吉那普（Genappe）、苏瓦尼（Soignies）、昂吉安（Enghien）和博纳来孔特（Braine-le-Comte）。第二军占领了卢色

（Leuze）、阿斯（Ath）、格拉蒙（Grammont）、根特（Ghent）、阿罗斯（Alost）、奥地那尔德（Oudenarde）。骑兵由阿克斯桥勋爵（Lord Uxbridge）指挥，沿着丹德河（Dender）宿营。预备队则宿营在布鲁塞尔的周围，威灵顿的司令部也设在那里。

拿破仑充分认清了联军在比利时境内的分布是拉得太长，而且也正确地判断他们在 7 月 1 日以前是不能完成前进准备的。因此他决定争取主动，进入比利时顺次击败英普两军，不让他们会合在一起。此外，他又认为比利时人在内心里是亲法的，可能会起来帮助他作战，而英国战败之后，英国内阁即可能倒台，取而代之的新内阁将是一个亲法派的政府。假使英普两军被击毁后，战争仍不能结束，那么他就要与阿尔萨斯的莱茵军团会合在一起，以打击奥俄两军。莱茵军团现在由拉普指挥，人数约 2.3 万人。还是和在 1814 年的情形一样，他计划尽量利用其所占的中央位置，而他所最希望的就是在战争一开始之际，即能获得一个惊人的光荣胜利，以巩固法国内部的团结和打击敌人的精神。

6 月初，北面军团奉命在毛布基—阿韦讷—罗克鲁瓦—齐梅（Maubeuge-Avesnes-Rocroi-Chimay）地区集中。6 月 12 日，上午 3 时 30 分，当各军正在向指定位置前进时，拿破仑也出发前往阿韦讷。赖伊元帅在那里加入了他的阵营，三个月前，赖伊还在狂吹说，要把拿破仑关在铁笼里呈献给路易。在阿韦讷，他发布一个富有刺激性的命令，一开头就说："军人们，今天是马伦戈和弗里德兰会战的纪念日。"其结尾处说："时机已经来到了，不是征服就是灭亡！"6 月 14 日，他又把司令部移往包蒙特（Beaumont），到了夜幕低垂时，除了第四军以外，所有的部队都已经完成了集中的任务。

当法军正在集中之时，英普两军对于敌情却毫无所知，仍然分散地住在他们的营地中。一直等到 6 月 13 日到 14 日的夜里，齐曾军设在松布耳河（Sambre）的前哨才向军长报告说，在包蒙特的周围可以看见许多营火，于是齐曾才猜想到是敌人来到了。[1] 他立即把这个消息传达给布吕歇尔。在 6 月 14 日黄昏时的布吕歇尔，心中的盘算是以为根据台里蒙特协定，威灵顿会来救援他，所以命令他的第二、第三和第四等三个军一起集中在松布里费。他同时也命令齐曾应作顽强的抵抗来掩护他的集中，若被压迫即应撤到弗勒吕斯。从战略上来说，这种在敌人打击距离之内的前进地区中集中兵力，可说是一个极大的愚行，它使拿破仑在战役开始后的 48 小时之内，即有机会获得一次光荣的胜利。虽然布吕歇尔还是一直在黑暗中工作，可是到了 6 月 15 日，他的眼睛终于睁开了，因为在那一天清晨，指挥格拉尔军中领先师的包尔蒙将军（Gen. de Bourmont）逃到了齐曾的军中，把拿破仑的实力和计划全部泄漏出来了。但是布吕歇尔却仍然相信他自己的实力强大，继续保持着盲目的态度，从那慕尔赶往松布里费，他于下午 4 时到达，并决定接受会战。

6 月 15 日上午 3 时，拿破仑骑上了他的马，于正午在万众欢腾的疯狂场面中进入了查利瓦（Charleroi）。下午 3 时略过一会儿之后，他在那里会见了赖伊，因为缺乏马匹，所以后者在阿韦讷耽搁到现在才赶上。拿破仑对他的态度很友好，命令他指挥第一和第二两个军，以及勒菲弗的近卫骑兵师，并要他“前进追击敌人”。当然他所说的要比这个更为复杂，因为依照高尔高的记载，他曾经指示赖伊扫清在查利瓦—布鲁塞尔大路上的敌人，并占领夸特里布拉斯。6 月 15 日的公报记载，也可以证明拿破仑曾作上述的指示，因为它的记载上说：“皇帝已经把左翼的指挥权交给莫斯科亲王，在本日黄昏时，后者的司令部应设在布鲁塞尔道路上的夸特里—齐明斯（Chemins）。”虽然赖伊并不曾照办，可是这个记载却可以证明拿破仑的意图是希望他能够如此。

---

[1] 以前当然也有谣言，但未经证实。

当赖伊已经去接掌他的部队时，格劳齐也上场了，不久以后，拿破仑即命令他指挥第三和第四两军，以及派加尔和艾尔克斯曼的两个骑兵军。拿破仑又命令他逐退普军，使其向松布里费退却，但是格劳齐的行动却十分迟缓；到了下午 5 时 30 分，拿破仑感到不耐烦了，亲自骑马上前，催促他赶快行动。接着就是一个猛烈的攻击，齐曾军的主力被逐退到了弗勒吕斯。此时，赖伊也已经把一个普军的支队逐出了哥塞利（Gosselies），可是他已经不再是耶拿会战中的赖伊了，他现在变得谨慎持重起来，命令莱里的军暂停进发，而只派勒菲弗的近卫骑兵师在无支援的状况下前进。下午 6 时 30 分，后者在弗斯纳遭到了敌人的强烈火力。这支敌人是荷比军的一个支队，由贝纳德亲王所指挥的拿索旅（Nassau Brigade）正向夸特里布拉斯退却。勒菲弗虽然追踪着，但发现敌军的阵地太坚强，不是专凭骑兵所能攻下的，于是又退回到弗斯纳。

那天夜间，法军分为三个纵队宿营在一个 10 英里见方的地区中。据拿破仑自己说："这样的部署是使其兵力在对付普军和英荷军时，都可以同样的便利，因为它早已是夹在两者之间了。"在这个正方形地区中，三个纵队的部署如下所述：（1）赖伊方面——勒菲弗的骑兵师在弗斯纳，莱里的第二军在哥塞利与弗斯纳之间，其中格拉德的师则已经推进到了弗勒吕斯公路上，德隆的第一军则在马尔青尼（Marchienne）与哥塞利之间；（2）格劳齐方面——派加尔和艾尔克斯曼的两个骑兵军位置在兰布沙特（Lambusart）附近，在弗勒吕斯之南，范达米的第三军和骑兵预备队在查利瓦与弗勒吕斯之间，格拉尔的第四军则在沙特莱（Châtelet）横跨在松布耳河上；（3）总预备队——近卫军在查利瓦与吉里（Gilly）之间，罗包的第六军在查利瓦以南。

下午 9 时，拿破仑回到了他设在查利瓦的司令部中，他已经感到筋疲力竭，自从上午 3 时起一直都在马鞍之上，所以现在立即开始休息了。午夜时由于赖伊的到达使他起床，他两人在一起谈话直到 6 月 16 日上午 2 时，赖伊才辞出。关于这次会晤，赖伊的副官黑梅上校（Col.Heymès）曾经这样记载着说："皇帝要他共进晚餐，并给予他命令，把自己对于 16 日这一天的计划和希望解释给他听。"所以，这似乎是不用说明的，赖伊必曾把他为什么不曾占领夸特里布拉斯的理由解释给皇帝听，而后者也必曾指示他应于 6 月 16 日的清晨加以占领。这都只能算是常识，因为假使威灵顿前来救援布吕歇尔，则拿破仑计划的唯一要点就是在一个时间之内，只应付一个敌人，因此尼费尔–那慕尔道路是有加以封锁之必要。若不做如此的假定，那才简直是把拿破仑当做战略上的蠢材看待了。

那么在这个时候，威灵顿又在做什么事情呢！虽然他在这次战役中的一切行动，都曾经由许多高明的史学家加以详细的分析，可是所表现出来的唯一正确的事实，就是说他对于这个情况是根本毫无准备。他根本不相信拿破仑会采取攻势，似乎他已经为布鲁塞尔的安逸生活所迷惑住了，因为 6 月 13 日还有谣言说拿破仑仍在毛布基，所以他一点都不紧张，正在陪着李诺克斯夫人（Lady Jane Lennox）玩耍，心中所想的就只是如何讨好她而已。虽然在 6 月 14 日，也还有其他的谣言传来，可是直到次日下午 3 时，他才获得了一个确实的报告，说在蒂安（Thuin）附近的普军前哨已经受到攻击了。威灵顿认为拿破仑的意图是取道蒙斯前进，然后打击在英荷军的交通线上，所以他在下午 5 时到 7 时，命令他的各师都集中在其早已指定的位置上，并且通知他们做好准备，以便一接到命令即可开始行动。[1] 依照这个命令，奥伦奇亲王应在尼费尔集中其第二和第三两师的兵力，师长分别为普尔潘齐（Perponcher）和钱斯（Chassé）。

在黄昏时候，布吕歇尔有一个通信送来，说明他的军团已经集

[1] 威灵顿的这种想法，可以说是完全误解了拿破仑的战略思想。因为这样的运动只会把威灵顿和布吕歇尔两人愈逼愈近，而不会使他们隔开。

图三十　6月15日到19日的作战地区，1815年

中在松布里费。于是在下午10时，威灵顿又发出了他的第二道命令，其内容如下：第三师，师长为阿尔顿（Alten），从博纳来孔特进到尼费尔；第一师，师长为柯克（Cooke），从昂吉安进到博纳来孔特；第二师师长为克林顿（Clinton），第四师师长为柯费尔（Colville），分别从阿斯和奥地那尔德进到昂吉安。这个命令的意义就是说英军

的集中使距离布吕歇尔愈拉愈远，很明显的，他的意图是想掩护从蒙斯和阿斯到布鲁塞尔的道路，而不是想要与布吕歇尔合作。

当这些命令发出之后，威灵顿即前往出席里士满公爵夫人的宴会，一直在那里闹到次日上午2时为止。快到午夜时，他接获了多恩堡将军从蒙斯送来的一个报告，说拿破仑已经把他的全部兵力都移到了查利瓦，在蒙斯的前方已经没有敌军了。这样一来，威灵顿害怕敌军攻击其右方的想法是可以休矣。在他的官方报告上，他告诉我们说：他已经命令全军向夸特里布拉斯前进。

包里斯上尉（Capt. Bowles，以后升了上将）的记载可以证实这个决定。他说在晚餐的时候，威灵顿和里士满公爵离开了宴会，走入书房中去看一张地图。把门关上之后，威灵顿说："上帝为凭！拿破仑已经欺骗了我。他已经占去了24小时的行军时间。"当里士满问他的意图是怎样，他回答说："我已经（应该是将要）命令军队集中在夸特里布拉斯，但是我们不仅是要在那里阻止他们，若可能的话，我还应该在这里与他决战。"他说这话时，用指头指了地图上滑铁卢的位置。此后威灵顿就立即离去，于上午7时30分出发往夸特里布拉斯。

假使梅尔克上尉（Capt. Mercer）的经验可以算是一个标准的例证，那么这次英荷军团的前进集中，其情形就可以说是十分的混乱。前后的命令互相冲突，有些部队根本不曾接到命令，有些命令也不完全，有些军官身上还是穿着赴宴的礼服，许多人都不知道发生了什么事情。在尼费尔，梅尔克的记载如下所述："路上挤满了军人，有些负了伤，有些则是完全无恙。离开战场的人数多到了出奇的程度。一个伤兵可能有七八个甚至于更多的人伴送着。问他们为什么离开战场，回答也是莫名其妙的。夸特里布拉斯之战已经开始了。"

当威灵顿匆忙向夸特里布拉斯前进时（该地在布鲁塞尔之南，相距约25英里），齐曾的普军正沿着李格尼（Ligny）溪流占领着一个突出的阵地。其右翼在华格尼里（Wagnelée），中央在圣阿曼德（St. Amand），左翼在李格尼。直到正午为止，他们都是孤立无援的，以后皮尔齐的第二军和提里曼的第三军才开始到达了。前者立即部署在齐曾的后面，而后者则展开在它的左翼，夹在松布里费与马齐（Mazy）之间，并沿着李格尼溪流部署一支强大的掩护兵力。比罗的第四军相距太远，不可能赶到，所以在李格尼战场上，布吕歇尔只能集中8.4万人的兵力。

此时，拿破仑假定联军的行动是会依照战争规律的，那就是说为了掩护其集中会先向后撤退，所以他遂突然获得了一个结论：威灵顿会撤向布鲁塞尔。因此他就决定向该城前进，假使威灵顿在那里立定不动，他就准备与他决战，并把他赶到安特卫普为止，换言之即使他远离布吕歇尔，因为后者的基地是设在列日。但是在这个行动之前，又必须把齐曾的兵力逐退到耿布卢（Gembloux）的后方，以使布吕歇尔不能利用那慕尔—华弗尔—布鲁塞尔公路。他心中存着这样的念头，拿破仑遂于上午6时口授了两封信，一封给赖伊，一封给格劳齐，以解释他的意图。

在给格劳齐的信中，他说普鲁士军若集中在松布里费—耿布卢，那他就要攻击他们，但一旦占领了耿布卢之后，他就要把他的预备队移向赖伊方面，以对威灵顿作战。在给赖伊的信中，他又把这些话重述了一遍，并且指示他在预备队一加人到他这一方面来之后，即应准备向布鲁塞尔进发。当此之时，他应把一师的兵力推进到夸特里布拉斯以北约5英里的地方，保留六个师在夸特里布拉斯，另外派一个师到马尔拜（Marbais），以与格劳齐左翼相联系。此外，他又告诉赖伊应用克勒曼的军来代替勒菲弗的师。而且似乎他也更记得赖伊的头脑是如何的顽固，所以更不厌其详地把他的作战方法解释给他听。他说："在这次战役中，我已经采取了下述的一般原则，把我的军团分为两翼和一个预备队。预备队由近卫军充当，依照情况的演变，我会使它加入两翼方面的作战。同时，依照环境的变化，我也会从两翼中抽调兵力，以增强预备队。”

当这些信件发出之后不久（大约是上午8时），拿破仑又接到了格劳齐所送来的一个报告，说已经发现有强大的纵队，正在从那慕尔的方向向松布里费接近。这个情报指明普军的全部或是大部分，正在向松布里费集中，而且英军也有前来接应增援的可能性。因为这个事实使他的计划受到了阻挠，所以拿破仑拒绝相信它，一点都不加以修改，继续从查利瓦出发，于上午11时前到达了弗勒吕斯。他在那里发现范达米的军，已经列好了战线面对着圣阿曼德—齐曾突出阵地的西面，并且也才知道格拉尔的军还留在很远的后方，其原因似乎是受了恶劣的参谋业务的影响。拿破仑立即前往侦察敌情，虽然他所看见的只有齐曾的一个军，但从部署上可以知道它并不是后卫，而是一个掩护全面前进的前卫，同时也确保着松布里费—夸特里布拉斯道路，因为这是威灵顿来增援时所能使用的唯一大路。于是一切都明朗化了，尽管他的固定观念和战争规律都不是如此，可是联军却的确是在作前进的集中，并意图会合在一起。但是在格拉尔军尚未赶到之前，拿破仑感觉到攻击力量还是不够，后者于下午1时才开始到达。此时，皮尔齐和提里曼也开始展开了，当拿破仑看到敌方的兵力已经不止一个军时，不禁大喜过望，因为他决定在这天下午与布吕歇尔算总账。

他的计划的确是十分卓越，首先派加尔和艾尔克斯曼的骑兵军把布吕歇尔的左翼（提里曼军）钉住，其次再来歼灭他的右翼和中央部分（齐曾与皮尔齐）。在后面这场作战中，他的意图是从正面压迫普军的中央和右翼，以强迫布吕歇尔消耗他的预备队。一方面从夸特里布拉斯把赖伊调过来，打击在布吕歇尔右翼的背面上，而近卫军则同时击碎他的中央部分。照这个计划，他希望能击毁布吕歇尔全军的三分之二，而迫使其余的三分之一向列日撤退，即远离威灵顿。

下午2时，他指示索尔特通知赖伊说：格劳齐在下午2时30分时，即将攻击在松布里费到布里（Brye）之间的敌军。下面一段话就是这样说的：“陛下的意图是希望你先攻击你所面对的敌人，将他们逐退之后，即回转到我们这一方面来，然后包围我前面已经提及的部队。假使后者若已先被击溃，那么陛下即将移转到你这个方向上来，用相似的方式来帮助你作战。”

于是他又转向格拉尔方面，他的军正面对着李格尼展开在齐曾突出阵地的南面。他说：“很可能在此后三个小时之内，即足以决定战争的命运。假使赖伊能彻底执行所奉的命令，则普军可能会全军覆没。”

下午 2 时 30 分，当格劳齐的骑兵纠缠住提里曼时，范达米军和格拉德的师（他已经配属给前者）向圣阿曼德发动猛烈的攻击，而格拉尔则攻击李格尼。但是普军的抵抗却是如此的激烈，所以在下午 3 时 15 分时，拿破仑指示索尔特把下述的命令传达给赖伊：

> 陛下要我告诉你立即对敌军的右翼采取迂回行动，并打击在他的背面上。若是你能努力以赴，则我们正面上的敌军即可崩溃。法国的命运操在你的手中。
>
> 对于这次迂回运动的执行，不可以再犹豫一分钟。指挥你的兵力向布里高地和圣阿曼德前进，这个胜利可能会具有决定性。

当这个命令送出之后，拿破仑又从查利瓦的罗包方面，获得了一个消息说，赖伊正在与兵力约 2 万人的敌军相周旋之中。他害怕这个 3 时 15 分所发的命令还不够清楚，因为他假定只要有莱里一个军，赖伊即足以击退当面的敌人，所以又命令比多耶尔伯爵（Count de la Bédoyère）带着他那个著名的“铅笔命令”，亲自送给赖伊。[1]

---

[1] 这个命令已经遗失了。

因为环境阻止赖伊率领其全军向布里前进，所以他指示赖伊只派德隆一个军去攻击普军的后方。同时，他又命令罗包的军进到弗勒吕斯。

这个最后的命令，足以说明拿破仑在 6 月 16 日的战役中，实在是犯了一个严重的错误。当他在大约上午 10 时从查利瓦向弗勒吕斯前进时，同时也应该命令罗包的军向前推进。假使他曾经下达这样一个命令，那么姑且假定罗包的军在正午时开始行军，因为弗勒吕斯与查利瓦之间相距只有 8 英里，所以他的先头部队在下午 3 时 30 分时是应该已经到了弗勒吕斯，那么若是如此，他就可以不必再将那个手令送给赖伊了。即令说在上午 10 时，拿破仑还不能决定应该在什么地方使用罗包的兵力，那么他也应该命令他先推进到梅耶（Mellet）——靠近罗马大路和查利瓦、布鲁塞尔道路的交点上——这里无论是用以援助赖伊或是他自己，都似乎要比查利瓦方便得多了。实际上，罗包到下午 7 时 30 分才达到弗勒吕斯，因为弗勒吕斯到华格尼里的距离在 4 英里以上，所以时间是已经太迟了，他无法再向布吕歇尔的右翼运动。德隆军的徘徊歧路，固然是一个严重的意外事件，但这却并非不常见的，在耶拿和莱比锡的会战中，也曾发生类似的事件。可是在 6 月 16 日的上午，把罗包的这个军留在查利瓦却是一个不可原谅的重大错误。

当此之时，战斗仍继续激烈地发展着；格拉德在向圣阿曼德突击时阵亡了，而格拉尔则攻入了李格尼。因为普军的右翼受到了强烈的压力，所以布吕歇尔被迫一再抽调其预备队，到了下午 5 时，他们差不多已经用完了。到此时为止，拿破仑带到这个战场上来的 6.8 万人当中，已经使用的还不过 5.8 万人，但却已经钉住了布吕歇尔的 8.4 万人。所以现在已经到了作决定性打击的时候了，他估计在下午 6 时，即可以听到德隆的炮声在普军右翼的后方开始雷鸣了，所以他准备挥动近卫军，杀入敌军在李格尼的中央部分，从那里冲入，切断布吕歇尔右翼与松布里费之间的联络，而将齐曾和皮尔齐的兵力歼灭殆尽。

当近卫军正在准备作他们的大突击时，突然，范达米单骑跑来见拿破仑，带来了一个惊人的消息。他说在后方约2.5英里远的地方，看见有一个敌方的纵队，人数有两三万，正在向弗勒吕斯接近。那是赖伊吗？那是德隆吗？可是范达米却硬说那是敌军。[1]拿破仑现在不免感到困惑了，因为他估计德隆应从罗马大道上趋向布里高地，而不应以弗勒吕斯为目标，它是在普军中央之南的。他立即命令近卫军暂停行动，准备迎击前进中的纵队，同时另派青年近卫军中的杜斯米师去支援范达米，因为他的人员已经惊慌到了极点。此外又派了一个副官去确定这个纵队是属于谁的。下午6时30分，这位副官回来了，报告说那是德隆的部队。接着他又派了另外一个副官，去催促德隆赶紧向华格尼里挺进，可是当这个副官到达之后，才知道只有他的领先师——师长杜吕特（Durutte）——是朝这个方向前进，而其余的师则已在撤退之中，这是遵从赖伊所送来的命令。再派一个副官去命令德隆转过头来前进已经无用了，因为差不多还要三个小时的时间才能使他们达到华格尼里，到了那时天却已经黑了。

很少有人认清，由于德隆所出现的方向是完全出乎意料之外，结果几乎使拿破仑丧失了这一次的会战。这使范达米军的士气完全崩溃了，以致其师长中之一人，勒弗将军（Lefol），为了阻止其部队的逃走，甚至于把炮口面对着逃兵。普军乘着法军混乱的机会，猛烈地突击圣阿曼德，若非青年近卫军的到达，作了一个坚强的逆袭，否则范达米的全军就都会一哄而散了。这一次德隆引起的虚惊所造成的结果是，等到情况稳定住了之后，拿破仑所余下的时间已

[1] 范达米只派了一位军官去侦察这个纵队。他才刚刚接近，即仓皇地跑了回来说："他们是敌人！"说也奇怪，德隆却并未派一个先遣的传骑，来报告他的到达。

经是太少了，[1] 即令近卫军的最后突击能够生效，可是要具有决定性意义却已经是很困难了。事实上的确如此，因为直到下午 7 时 30 分，拿破仑才再度开始发动其最后的突击。

虽然太阳还高高地在地平线以上，可是巨大的风暴卷积云层却使战场上的景色十分黯淡。于是风暴大作，雷声吞没了炮声，在大雨如注之中，夹杂着“皇帝万岁！”的呼声，近卫军冲锋了。因大雨使枪械无法发射，他们好像是一道钢铁的洪流一样，把普军扫出了李格尼。

当大雨停止时，在凌乱的云层之间，落日又射出了最后的光辉，此时布吕歇尔也疾驰地赶到了这个战场之上。他想要用罗德尔（Röder）的骑兵——32 个中队——来抵抗法军，他亲自率领他们向近卫军的方阵冲锋，后者正缓缓向布西（Bussy）磨坊前进（在布里之南）。在混战之中，布吕歇尔的坐骑为枪弹所击中，把他掀倒在地上。他的副官诺思提兹纵马赶来营救。虽然已经为法军所包围，但因天色已经昏黑，而情形又十分混乱，所以他就地拖起这个已经半失知觉、受了擦伤的 73 岁老元帅安全地逃走了。假使不是如此，则滑铁卢之战也许就不会发生。

虽然布吕歇尔的中央部分已经完全被击碎了，而他的右翼与左翼之间的联系也完全被切断，可是在黑暗掩蔽之下，第一和第二两军的残部还能够无秩序地向松布里费与罗马大道之间的地区撤退。假使德隆跟在他的后面追击，则他们可能会全部毁灭。而且只要再迟两个小时天黑，那么专靠近卫军的力量，也还是可以获得同样的结果。贝克上尉（Capt. Becke）在他的《滑铁卢战史》中的评论似乎是一点都不夸张：“像这样一个大捷的消息，是可以使欧洲的基础都发生动摇，同时也可以唤起法国人的热情，以使拿破仑获得最后的胜利。”尽管如此，李格尼会战还要算是一个极大的胜利，它

[1] 日落的时间为下午 8 时 20 分，会战结束时已经是 9 时 30 分，天已经全黑。

使拿破仑在第二天获得了一个攻击威灵顿的机会，而不必害怕布吕歇尔的扰乱。

快到晚上 11 时，拿破仑才回到弗勒吕斯，在前哨掩护之下，整个法国军团都宿营在李格尼溪流的左岸上。还是和惯例一样，对于双方的损失有许多不同的估计，但似乎普军的死伤和被俘总数约为 1.6 万人，而法军则有 1.1 万到 1.2 万人。关于普军的损失还应加上下述的数字：在那天夜间另有 0.8 万人到 1 万人放弃了他们的军旗，自动逃向列日去了。[1] 这个逃亡对于 6 月 17 日的情况，也具有重大的影响，对于布吕歇尔而言，他们至少有一个军的兵力。

当此之时，在夸特里布拉斯方面的情形又是怎样呢？当上午 10 时威灵顿到达该地之际，他发现撒克斯—威玛和拜兰德（Bylandt）的两个旅正据守着十字路口和村落。虽然普尔潘齐师的这种集中方式是违反了威灵顿在 6 日下午 5 时所下的命令，可是对于这位公爵而言，却可以算是不幸中的大幸，因为假使该部真的服从了他的命令，则他可能永远不会到达夸特里布拉斯了。事实上的真相如下所述：

当奥伦奇亲王离开尼费尔去参加里士满公爵夫人的宴会时，他的参谋长李比克将军（Gen. Rebecqus）听到了撒克斯—威玛的旅已经受到了攻击，并已退到了夸特里布拉斯，就命令普尔潘齐把他的另一个旅（拜兰德）开往增援。以后在下午 11 时，李比克才又接到了威灵顿于下午 5 时所发出的命令，他遂不加按语的照转给普尔潘齐师长，这位师长凭借着主动的判断，把这个命令搁在一边，不把他的兵力集中在尼费尔，而仍然留在夸特里布拉斯不动。他当时也不曾料想到他这个聪明的不服从却救了布吕歇尔的全军；因为假使他服从命令，那么赖伊赶到夸特里布拉斯时，就会发现它已经

[1] 根据格奈泽瑙的解释：这些人所属的省区，过去曾为法兰西帝国之一部分，所以他们是同情拿破仑的。

没有守兵了。于是他对于拿破仑在上午 6 时所发出的命令，以及后来索尔特在下午 2 时所传达的指示，都可以一律照办不误了。

威灵顿发现在他的前方几乎没有敌军之存在，于是在上午 10 时 30 分，写信给布吕歇尔说明其部队运动的情形。这似乎是以一个备忘录为根据的，当他尚未离开布鲁塞尔之前，他的参谋长戴朗西上校（Col. De Lancey）曾经把这个备忘录交给他。这个文件的内容是完全不准确的，因为上面所提及某些部队，由于距离所指定的位置还很远，所以他们何时可能到吉那普和夸特里布拉斯是无法确定的。这封信送出不久之后，一切都还是平静无事，威灵顿亲自骑马走过了布里高地，于下午 1 时在布西磨坊里与布吕歇尔会晤。

关于他们会晤的详细情形已经不可考，不过根据莫弗林男爵（Baron von Müffling）[1] 的记载，威灵顿同意给予布吕歇尔以支援，不过其条件却是他自己不受到攻击。至于威灵顿对于布吕歇尔的部署，其观感如何，我们可以用他答复哈丁爵士（Sir Henry Hardinge）的话来代表。后者是他派驻布吕歇尔总部的代表，当后者问他对于布吕歇尔的部署有何意见时，这位公爵回答说："假使他们在这里战斗，那么他们一定会惨败。"

下午 2 时，威灵顿返回自己的防地，于下午 3 时回到夸特里布拉斯。由于戴朗西的备忘录，他发现他自己的部署也许比布吕歇尔的更糟。实际上，他能回到该地都要算是奇迹，假使赖伊不是徒负虚名的话，则他可能就会回不来了。

在午夜与拿破仑会晤之后，赖伊回到了哥塞利，他本应立即命令莱里集中兵力，于拂晓后用最快的速度赶往弗斯纳——此时由巴齐路（Bachelu）师和皮里（Piré）的骑兵来加以据守，同时也应命令德隆向哥塞利靠拢。他一直等到上午 11 时才开始调动兵力。这

[1] 他是布吕歇尔派驻威灵顿司令部的联络官。

种毫无必要的延误，长达五六小时之久，实为尔后失败的根本原因，这与普尔潘齐的果敢主动精神恰好形成对比。

上午 11 时 45 分，莱里的军才出发，并在下午 2 时接到赖伊的命令要他去肃清夸特里布拉斯南面森林中的敌军。莱里害怕这种所谓“西班牙式的战斗”，那就是说英军会隐藏起来，直到最紧急关头又突然出现，所以前进时非常的谨慎。他一共有 1.9 万人的步兵，得着 3000 名骑兵和 60 门火炮的支援，这是可以一呼即至的；此外在他的后面，还有德隆的全军，在 2 万人以上，不过距离尚远就是了。实际上，虽然莱里此时并不知道奥伦奇亲王所拥有的兵力只不过是步兵 7800 人、骑兵 50 人外加火炮 14 门。所以只要赖伊或莱里能够具有一般的果敢程度，则任何奇迹也都救不了夸特里布拉斯了。当威灵顿在下午 3 时回到该地时，即发现情况已经颇为危急。夸特里布拉斯村落已经快要失陷了，若非皮克顿（Picton）的师从布鲁塞尔的道路上赶来，而梅尔仑（Merlen）的骑兵旅也从尼费尔赶来，否则它就输定了。不久之后，不伦瑞克公爵的军才到达，于是莱里军在数量上才略处于劣势。

下午 4 时过去不久之后，赖伊才接到了索尔特下午 2 时所发出的命令，要他先把敌人压退，然后再趋向布吕歇尔的右翼后方。这时，赖伊才算是终于认清了攻占夸特里布拉斯的重要性，遂命令全面进攻。在这个攻击中，不伦瑞克公爵负了重伤，正好像他的父亲在奥施泰德一战中的情形一样。

赖伊现在希望德隆能够支援莱里，对于他的迟迟未到感到十分的焦急，实际上在老早之前即应有所调度，那么现在就不必着急了。事实上，德隆军的先头部队距离并不太远，因为在 4 时到 4 时 15 分的时候，他的军有一半早已到了罗马大道的北方，而他自己曾经骑马赶来，先侦察夸特里布拉斯的情况。正当德隆走后，传送拿破仑“铅笔手令”的比多耶尔将军又赶到了，他本应先直接把这个命令的意义告诉德隆的先头单位指挥官，然后再把它交给赖伊。可是

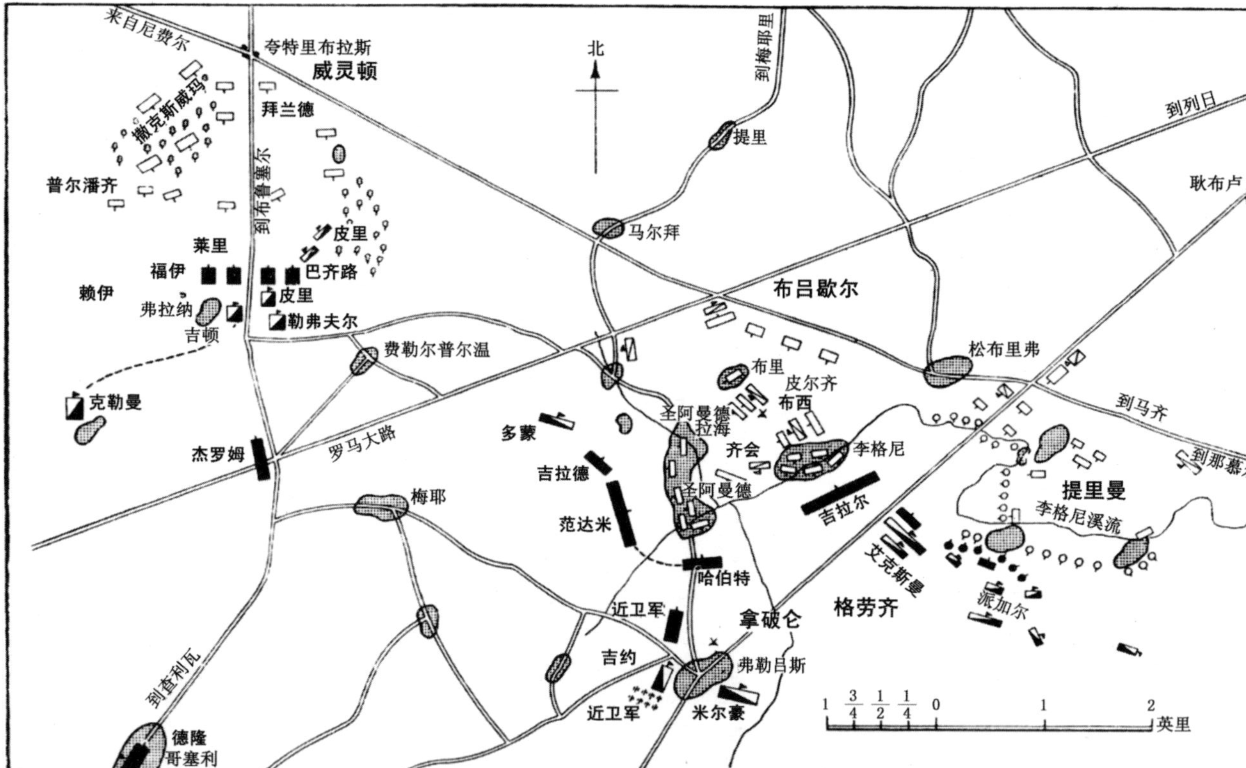

图三十一　夸特里布拉斯与李格尼会战，1815 年 6 月 16 日

他却根据自己的主见，直接命令这个纵队向李格尼方向前进。似乎这个“铅笔手令”写得非常的潦草，很可能是比多耶尔把命令宣读错了，没有说纵队应向华格尼里的方向前进，反而说是应向圣阿曼德前进。

当德隆回去后，才知道方向又改变了，他立即派他的参谋长狄拉康布里将军（Gen. Delacombre）去向赖伊询问究竟。此时，赖伊在数量上已经逐渐趋于劣势，正在盼望德隆的兵力到来，以帮助他赢得当前的战斗。所以当他听到这个消息之后，不禁大发脾气，几分钟之后，索尔特在下午 3 时 15 分所发出的命令又送达，那就是“法国的命运操在你手中”的那一个。于是赖伊的脾气更是愈发愈大。使情况更加恶化的，是英军的阿尔顿师又恰好在此时从夸特里布拉斯的村落中向外出击，这许多的因素使赖伊的心理丧失了正常性，他在一怒之下，又把皇帝的命令放在一边，不去遵办了。可是他却并不曾冷静地考虑一下，从战术上的观点上来看，德隆的军已经越走越远，现在再召它回来也无用处。赖伊要狄拉康布里回去，向德隆传达一个肯定的命令，要他再回过头来。后者当然照办，到了夜幕低垂之后，他才赶回来与赖伊会合在一起。

对于赖伊而言，假使德隆的部队不因为这个荒谬的错误，则一定可以早到，于是威灵顿就可能会受到一个惨重的失败。对于拿破仑而言，假使这个“铅笔手令”是可以看得清楚的，则不至于惹起这一场虚惊，那么布吕歇尔就不能获得一个喘息的机会，以准备对付拿破仑的最后突击。这个突击就可能提早两个小时发动，于是法军即可以乘胜追击，而把普军完全歼灭掉。

这两方面机会的丧失，主要的原因都是因为集中的时间发生了延误。格拉尔的第四军，至少延迟了三个小时才到达弗勒吕斯，而集中在弗斯纳的莱里第二军，则延误了五个小时以上。在这两方面作战的各个军长之中，还要算德隆最不应受责备，不过当狄拉康布里在费勒尔普尔温（Villers Perwin）追上他的时候，他对于赖伊的疯狂命令本不应服从，因为事实上时间已经不够了，再转回去是毫无意义的。

因为德隆中途被调走了，赖伊不仅大发脾气，而且也丧失了他的判断力。他命令克勒曼以一个重骑兵旅的兵力单独向威灵顿的步兵方阵冲锋，用马蹄来践踏他们。克勒曼对于这个命令却英勇地奉行了，他击溃了哈尔克特（Halkett）的第六十九团，把他的第三十三团逐入了森林中，但却为第三十和第七十三两个团所挡住了。虽然如此，他仍然还是进入到了十字路口上。

当这种英勇而并无结果的冲锋还正在进行的时候，巴达斯少校（Maj. Badus）又来了，他是把皇帝的口头命令传达给赖伊。其内容是说不管赖伊的处境怎样，对于调走德隆的命令却是必须绝对予以执行的。赖伊在愤怒之中简直疯狂了，他突然跑出去，冲到溃散的步兵中间，把他们终于集合拢了。

到了下午 9 时，战斗以僵局结束，两军都重占他们在上午占领的位置。即令到这天白昼将终了之际，由于他自己在 6 月 15 日的延误和戴朗西命令的模糊，威灵顿所能集中的兵力还是很有限：步兵不到一半，炮兵三分之一，而骑兵则只有七分之一，一共为 3.1 万人。不过赖伊方面也同样不高明，一共交给他指挥的兵力为 4.3 万人，而他却只能集中 2.2 万人。死伤数字双方也大致相等，都有四五千人。

不过直到此时为止，拿破仑的计划还要算是进行得颇为顺利。他已经击败了布吕歇尔，所以现在所剩下来的工作，就只是击败威灵顿而已。现在，如何击败威灵顿就变成了主要的问题，所以当他在下午 11 时遄返弗勒吕斯时，因为这一整天之内，几乎完全不曾听到赖伊方面的消息，所以他应该派一位军官到弗斯纳斯去为他搜集有关赖伊情况的报告，并且更应该指示赖伊对于威灵顿的行动，应每隔一个小时向他报告一次。拿破仑之所以不曾如此者，也许是他已经疲倦不堪了。[1] 若真是如此，则索尔特以参谋长的地位，是应该主动为他处理这些事情的。还有一个可能，就是他假定在夜间，布吕歇尔会向其在列日的基地后退，而威灵顿也会从夸特里布拉斯后撤。事实上，威灵顿是准备如此的，但因为他手中所有的骑兵和炮兵都太少，不足以掩护撤退，所以才没有实行。

6 月 17 日上午 7 时，拿破仑知道格劳齐在上午 2 时 30 分时曾经派加尔的骑兵前进搜索，他们于上午 4 时报告说，敌人已经向列日方向全面撤退。这个报告更增强了上述的第一个幻想。实际上，派加尔的骑兵中队所遭遇到的，不过是数以千计的溃兵，他们正在漫无目的地游荡着。拿破仑接获这个消息时正在吃早餐，同时前一天派往赖伊方面传达命令的弗拉豪特将军（Gen. Flahaut）也从弗斯纳回来，带来了有关夸特里布拉斯战斗的一切情报，并且说威灵顿仍留在原有的位置上未动。于是索尔特立即写信给赖伊，告诉他布吕歇尔已经失败并退却的消息。接着他就这样写道：

> 皇帝即将前往布里磨坊，大路经过那里从那慕尔以达夸特里布拉斯隘路。这个行动使英军将不可能在你的正面上作战。以后，皇帝将取道夸特里布拉斯道路，直向英军进攻，而你则从正面上加以夹击，于是该军团就会立即被击为粉碎了。
>
> 陛下他的希望是，你应该守住你在夸特里布拉斯的位置，若是不可能时，请即送详细的报告来，皇帝就会照我上文中所说的办法行事。反之，假使英军所留下的只是一个后卫，那么就应立即进攻，并占领他们的阵地。

---

[1] 在 6 月 15 日，拿破仑于上午 3 时起身，从下午 9 时到午夜是在查利瓦休息，与赖伊谈话到上午 2 时为止。16 日上午 2 时到 4 时，可能继续休息。上午 10 时，他离开查利瓦前往弗勒吕斯，于下午 11 时才到达弗勒吕斯，然后一直休息到 6 月 17 日的上午 6 时 30 分为止。所以从 6 月 15 日的上午 3 时起，到 6 月 17 日的上午 6 时 30 分止，一共为 51 个半小时，他一共只休息了 12 个半小时。

> 今天必须结束这场作战，并补充物资，集合散兵和召回所有的支队。

这是一个很特殊的文件，因为它指明，不但拿破仑并不能确定威灵顿的军团是否仍留在夸特里布拉斯，而且他也无法断定威灵顿是否在那里。所以既然知道布吕歇尔已经正在撤退中，那么不管威灵顿军团是否也正在撤退，他都应该明白地命令赖伊向前面的敌军进攻，而同时率领第六军和近卫军去支援他。可是拿破仑却命令罗包去协助在那慕尔道路上的派加尔骑兵，并另外派遣骑兵去侦察，看英军是否仍留在夸特里布拉斯不动。在做了这些措施之后，他就上车驰往格劳齐的司令部去慰问伤兵和检阅部队。当他正在忙于这种工作时，在上午 10 时到 11 时，指挥搜索部队的军官回来报告说，英军仍留在夸特里布拉斯未动。同时，派加尔也报告普军正在耿布卢集中。拿破仑终于从幻梦中醒来，他立即下定他的决心，命令罗包和德劳特把第六军和近卫军调到马尔拜，以支援赖伊对于夸特里布拉斯的攻击。接着他又口授了两封信，一封给格劳齐（他本已经当面给予了口头命令，这是一个补充），另一封给予赖伊。在给前者的信中，他说："立即率领骑兵和第三、第四两军的步兵向耿布卢前进。你应向那慕尔和马斯垂克的方向探索（即在松布里费的东南和东北），并追击敌人。对于敌军的运动，应随时向我报告，以便可以让我测知他们的意图。测知敌人的意图是非常重要的，他们是在与英军分开呢，抑或是有联合一起的意图？是掩护布鲁塞尔还是列日呢？是否想在另一次会战中试试他们的运气？……"

给予赖伊的命令，时间是正午，其内容如下：

> 皇帝刚刚已经命令一个步兵军和近卫军向马尔拜进发。陛下要我告诉你说，他的意图是希望你攻击在夸特里布拉斯的敌军，把他们逐出阵地之外，而在马尔拜的部队即可以支援你的

作战。陛下现在正要向马尔拜出发，非常焦急地等候你的报告。

当布吕歇尔负伤之后，格奈泽瑙已经命令普军向提里（Tilly）和华弗尔（Wavre）退却，不仅是为了与威灵顿保持接触，而且因为大部分的部队都已经被赶到了尼费尔—那慕尔大路的北面，所以退向鲁文（Louvain）方面而再与列日重新建立交通线，似乎是要比直接退向列日更安全一点。以后当布吕歇尔被抬到梅耶里（Mellery）之后——在提里以北相隔约一两英里——他已经恢复得差不多了，于是开始与他的参谋长格奈泽瑙和军需总监格罗尔曼（Grölmann）讨论下一步应该如何行动。格奈泽瑙素来不信任威灵顿，认为他是一个流氓，所以力主普军应向列日撤退；但是布吕歇尔却仍然充满了雄心，他获得了格罗尔曼的支援，表示不同意，仍决定与英军保持接触。

当这个决定性争论尚在进行之中时，威灵顿正在吉那普，因为自从下午2时以后即完全不曾再听到有关布吕歇尔的任何消息，于是在6月17日上午2时，派了古尔东上校（Col. Gordon）率领了一支骑兵去侦察他们的情况。古尔东在上午7时30分时回来，报告说他已经与齐曾发生接触，并获悉普军已被击败，正在向华弗尔退却。于是威灵顿决定他也应该退却。接着到上午9时，当他的军队已经准备就绪正要开始撤退时，布吕歇尔方面又派了一位联络官来，也更证实了古尔东所报告的。此外，他又向威灵顿说，元帅非常希望能知道他的意图。这位公爵回答说他准备向圣杰安山（Mont St. Jean）退却，假使布吕歇尔能用一个军来支援他，他就准备在那里与拿破仑一战。上午10时，在阿克斯桥的骑兵掩护之下，向圣杰安山的撤退开始了。

威灵顿之所以能够安然无恙地撤走，其主要原因是由于赖伊的消极无能。虽然他曾奉到攻击的命令，可是他却一事不做，等到正午时，他的敌人已经在全面撤退之中，而他的人员却还坐在那里准备吃他们的午餐。

这个时候，拿破仑已经从布里出发，于大约下午 1 时到达了马尔拜。因为他听不到夸特里布拉斯方面有任何的炮声传来，这使他感到大惑不解。于是他催促他的骑兵前进，当他跃上了布鲁塞尔大道上时，发现赖伊的部队仍在营地未动，不禁大为震惊。他立即命令所有的部队马上出发，可是一直等到下午 2 时，才看见德隆的先头部队走上前来。拿破仑认清了他已经丧失的机会是有多么的巨大，所以向德隆说："法国已经要垮了；上前去，我亲爱的将军，请你自己跑在骑兵的前面，对着英军的后卫加以猛烈的压迫。"其次，当他看见米尔豪的骑兵正沿着道路行走，拿破仑立即亲自领导着他们，用折断颈子的高速度向吉那普前进。

当法军开始追击时，梅尔克的记载如下所述："自从上午起，大地笼罩在密云不雨之中，到了此时，几块巨大孤立的'雷云'，颜色是深黑的，恰好吊在我们的头上，使我们阵地中的景色显得十分黯淡凄烈，而法军所刚刚占领的远山却仍浸浴在光辉的阳光之中。"接着，他又这样记载着说：

> 当阿克斯桥还正在说话的时候，突然有一个骑马的人（拿破仑）出现了，后面紧跟着几个骑兵，疾驰而上地冲入了我刚刚离开的高原，他们的黑影为远处的阳光照耀着，向前投射显得距离我们要比真正的距离更近。一连就有几个中队迅速地冲上了高原，阿克斯桥勋爵大喊着："开火，开火！"第一枪发射出去之后，好像是触发了头上的"雷云"，因此马上雷声大作，闪电几乎使我们的眼睛都变瞎了，大雨倾盆而下，好像是一道瀑布从我们的头上倒挂了下来。[1]

[1] 大雨立即使一切的火器都不能发射。

至少可以说这一场暴雨，拯救了威灵顿的一部分部队，因为地面是如此的潮湿，所以法军无法作越野的行动，而必须束缚在布鲁塞尔大路上。假使不是如此，则拿破仑虽然已经迟误了，可是只要到下午五六点时，他仍然还可以追上敌人。这样他就会立即进攻威灵顿，趁威灵顿尚未部署就绪之前，把他钉在他的阵地上，于是到了第二天上午，威灵顿即可能会被击溃，要不然就是迫使他趁着黑夜溜走。

从夸特里布拉斯起，这个追击和撤退就好像是“猎狐”的游戏一样。梅尔克说：“阿克斯桥勋爵催促我们赶紧走。他高喊着：‘快呀，快呀！看上帝的分上快马加鞭，否则你就会被抓着。’当我们一路走去的时候，发现秩序已经十分纷乱，大家都疯狂地逃命。”当英军达到吉那普和它唯一的狭桥时，雨已经停止了。快到下午6时30分时，拿破仑率领着他的骑兵先头部队，走上了拉贝拉永斯（La Belle Alliance）高地。前面是一道浅谷，再前面是一个平行的高地，而威灵顿的部队就在它的后面，这是拿破仑所看不到的。拿破仑立即命令调动四个骑炮兵连上前，在他们火力掩护之下，米尔豪的骑兵冲上了山坡，发现英荷军已经进入阵地了。拿破仑指着太阳说：“我若是有神力，能使敌人的行军延迟两个小时就好了。”虽然他自己也并非毫无过错，但若赖伊能在一早即向敌人发动攻击，那么所收获的又岂只两个小时而已。

拿破仑回转身来，回到他的司令部中，现在已经设立在勒卡茹（Le Caillou）的一个农庄中，在拉贝拉永斯高地的南面，相距有1.5英里半远。大约下午9时，他接得米尔豪的报告，说他的一支巡逻队发现有一支普军的纵队正在从盖里（Géry）向华弗尔撤退。这个消息并不使他感到烦恼，因为他认为面对着格劳齐的3.3万人，布吕歇尔是绝不敢横越他的正面做侧进的行军，以求与威灵顿会合在一起。

大约休息了一两个小时之后，拿破仑于6月17日上午1时，又在大雨如注之下出发视察他的各个前哨。拂晓时，他才回到他的司令部，发现在上午 2 时格劳齐有一个报告送达，发出的时间为 6 月 16 日下午 10 时。这个报告的内容是说普军似乎正分为两支纵队在撤退中，一个向华弗尔，另一个向沛维兹（Perwez）。此外，它又补充说："可能其中有一部分是准备与威灵顿会合，而其中央部分在布吕歇尔亲自指挥下退向列日，另有一支纵队连同炮兵早已退到了那慕尔；今天黄昏时，艾尔克斯曼将军已经把六支中队的骑兵向沙尔塔华汉（Sart-à-Walhain）推进，三支中队向沛维兹推进。等他们报告来时，假使我发现普军的主力是在向华弗尔退却，那我就要追逐他，以阻止他们到达布鲁塞尔，并把他们隔开不让其与威灵顿会合在一起。"

与米尔豪的报告配合在一起看，这个报告是应该立即予以答复的。可是直到上午 10 时，拿破仑才派了一位军官去向格劳齐传达下述的命令："此时陛下正在攻击英军，他们已经在滑铁卢占领了阵地。陛下希望你向华弗尔进发，以便与我们接近，随时与我们的行动保持接触，经常与我们通信，逐退在你前面的那些普军以及已在华弗尔停止的普军，你必须尽最快的速度到达该地。"

像格劳齐这种智力有限的人，这样一个命令可以说是措词极不适当，实际上只要这样简单的一句话就够了："靠近我们并且阻止普军救援威灵顿。"假使索尔特能够负责在上午 3 时就把它送出，那么最迟在上午 8 时一定可以达到在耿布卢的格劳齐手中。即令在上午四五点送出，格劳齐也可以在华汉（Walhain）收到它。在这种情形之下，最多也只会有一个军的普鲁士部队可以给予威灵顿援助。

当格劳齐的报告送到拿破仑司令部时，威灵顿也接到了布吕歇尔对于其上午 10 时所发出通信的回答。其内容是说在 6 月 18 日的拂晓时，比罗军即赶来援助他，接着后面就是皮尔齐军，而第一和第三两军在准备就绪之后，也就会随在皮尔齐的后方前进。这已经超出了威灵顿的意料之外，所以他立即决定接受会战，并等候比罗的到达。

现在再回转过来叙述格劳齐方面，他在下午 1 时已经接到了追击布吕歇尔的命令。一个小时之后他开始出发，但是其前进的速度却慢到不可理喻的程度，到了夜幕低垂时才到达了耿布卢。于是他就向皇帝发出其在下午 10 时所发出的报告。一个小时之后，他从骑兵方面获得普军正在向华弗尔行军的消息，于是他马上就获得了一个结论，认为敌人的意图仅是在那里集中，然后向布鲁塞尔推进。其次，他又决定不取道盖里和毛斯提耶（Moustier）以到达华弗尔来作侧面的追击，而决心只跟着敌人的后卫走，进向沙尔塔华汉[1]。更坏的，是本应于 6 月 18 日拂晓时即开始行动，但他却命令范达米在上午 6 时动身、格拉尔在上午 8 时动身，而实际上，他们可能迟到 8 时才动身。

格劳齐在上午八九点离开了耿布卢，于上午 10 时在华汉追上了第三军的先头部队。他在那里进入了一位当地显要人物何里特先生（M. Hollert）的住宅中，为的是要写一个报告给皇帝。其内容是说，照他看普军的意图似乎是要在奇斯（Chyse）集中他们的兵力以便与追击者一战，其地点在鲁文以南相距为 10 英里，然后再与威灵顿会合在一起，所以他决定把兵力集中在华弗尔，以便夹在普军与威灵顿之间。

他把这个报告发出之后，就坐下来吃早餐，上午 11 时 30 分，他正和格拉尔在花园中散步时，突然听到在圣杰安山的方向上传来一声炮响。格拉尔立即宣称说："我想我们应该向这个炮声的方向前进。"格劳齐却拒绝考虑这一点，认为那只不过是后卫的行动而已。于是双方发生了激烈的争辩，最后格拉尔主张让他率领他的军单独前往。格劳齐不肯听从，说他应绝对服从皇帝的命令，哪知从头到

[1]　究竟为华汉还是沙尔塔华汉，颇有疑问。

尾他自己根本就不了解这个命令的意义。

这时，普军方面的情形又如何？比罗军的先头部队已经达到沙佩尔圣隆贝尔(Chapelle-St. Lambert),但是其后续部队还相距颇远，直到下午 3 时才赶上。皮尔齐后半小时动身，齐曾也是一样，他以奥汉（Ohain）为目标，而提里曼军则仍留在华弗尔。所以在上午 11 时 30 分的时候，普军有四分之三还留在华弗尔或其附近。假使格劳齐肯听从格拉尔的建议，于正午时向毛斯提耶和戴尔河（Dyle）上的奥提格尼（Ottignies）进发，其距离都是 8 英里，那么尽管道路恶劣，他在下午四五点也一定可以到达该两地，于是就可以部署在布吕歇尔的左翼和后方上。可是他却以单行的纵队继续取道柯尔拜（Corbaix）向华弗尔前进，于下午 2 时到达了拉巴拉克（La Baraque）——在毛斯提耶和奥提格尼以东，相隔约 3.5 英里远，后者的桥梁还完整无恙，而且也无人防守。从拉巴拉克或其附近，即可以看见普军正在向滑铁卢战场前进。诚如罗皮斯(Ropes)所说的，即令到了这个时候，格劳齐若能用他的骑兵监视着在华弗尔的提里曼，那么他仍可以把他的两个军都开往戴尔河的桥头上。若果如此，则比罗和皮尔齐的前进就仍然可以阻止住,只有齐曾一军为例外(见《滑铁卢战役史》)。有了像格劳齐和赖伊这样的好部下，拿破仑即令是天神降凡，也还是会打败仗的！

在上午四五点，索尔特向所有各部队下达命令说，一律应于上午 9 时整进入攻击位置。但因为大雨之故，准备工作是如此的迟缓，所以事实上这是不可能的。上午七八点，雨止了，当皇帝坐下来吃早餐时，索尔特从前一夜起即对于格劳齐感到很不放心，所以建议至少应该把他所指挥的部队收回一部分。拿破仑却鲁莽地把这个忠告推到一边去了。他的兄弟，杰罗姆也提醒他说，当前一夜晚餐的时候，伺候他吃饭的侍者在该日上午也曾伺候威灵顿吃早餐，曾经听到该公爵的一个副官谈到英普两军会合的问题。拿破仑对于他兄弟所说的话，其唯一的答复就是“胡说”。任何东西都不能改变其

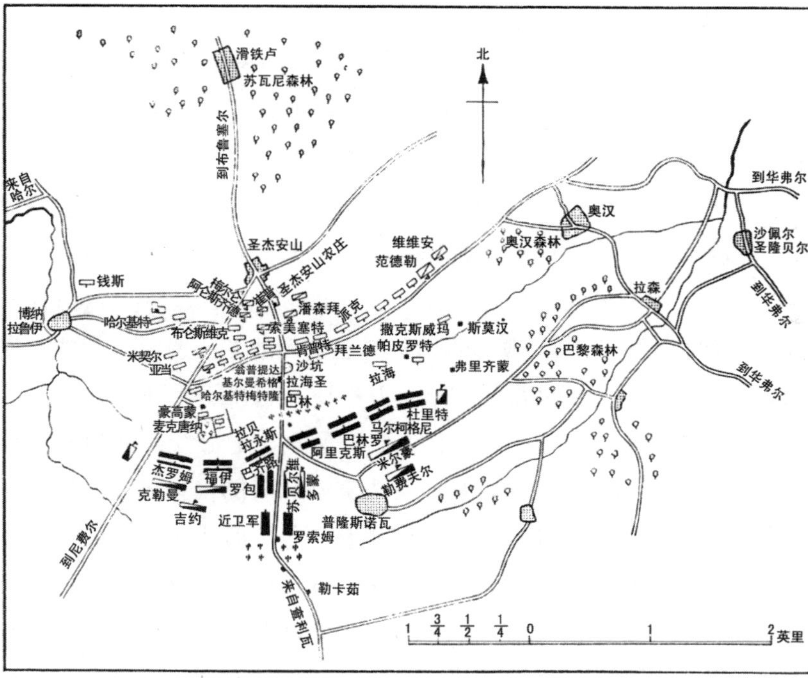

图三十二　滑铁卢会战，1815 年

已有的固定观念，拿破仑始终认为在李格尼一战之后，普军已不再有军事实力，而对于威灵顿的杂牌部队，只要一拳即可以击碎。

早餐吃完了之后，拿破仑即传令备马，他带着德劳特一同去视察地形和敌情。德劳特是一个有经验的炮兵军官，就劝他把发动攻击的时间再延缓两三个小时，其理由是地面还太湿，将使炮兵无法作迅速的运动。[1] 拿破仑本人也是一个炮兵专家，对于德劳特的意见立即表示同意，而把攻击发动的时间推迟到下午 1 时。照霍沙依的看法，这是拿破仑在这个战役中最主要的大错误。因为假使他不同意，那么英军也许不能等到普军来到，即早已被击溃了（见《1815

[1]　还有炮弹也会埋入软泥中而不跳飞。

年的滑铁卢》一书）。

上午 10 时，拿破仑在罗索姆农庄（Rossomme Farm）中，突然记起格劳齐来了，他命令索尔特回答他的最后一个报告。几分钟之后，似乎是下意识的作用，他感觉到东方会有危险发生。他命令马尔波上校（Col. Marbot）率领第七轻骑兵团在弗里齐蒙（Frichermont）占领阵地，并派巡逻队向毛斯提耶和奥提格尼的桥头上搜索，很明显他是想与格劳齐取得接触，当一发现后者接近时，即应立即报告。此后，当他的部队都已进入战斗位置时，拿破仑便开始去检阅部队，到处都是“皇帝万岁！”的疯狂呼声。

上午 11 时，他口授了一个非常简短的攻击命令，因为他的目的还是和在李格尼时完全一样，首先突破敌人的中央部分，然后再扩张这透入的战果，所以他命令赖伊在下午 1 时或稍后，即跟着浓烈的炮兵准备射击，把德隆的军向圣杰安山的村落推进，莱里军则在它的左翼上也同时作齐头的平行进展。几分钟后，为了吸引威灵顿的注意力，使他减弱其中央部分以增强他的右翼起见，拿破仑又命令莱里立即派一个师的兵力去对豪高蒙（Hougoumont）作一个强力的佯攻。此时，他又调集了 80 门火炮，使其处于拉贝拉永斯高地的前方和右面，并于正午时开炮射击。

即令是以这个时代的会战而言，滑铁卢的战场也还是太狭窄，因为它的纵深，从圣杰安山到罗索姆不过为 2.25 英里，而它的最大宽度，从博纳拉鲁伊（Braine L’Alleud）到巴黎森林（Paris Wood），一共只有 4 英里。大致说来，它是被查利瓦—布鲁塞尔道路切成两部分，在南面拉贝拉永斯高地的两边，有一道低矮的不规则山岭，在北面又有另外一条低岭，博纳拉鲁伊—华弗尔道路即沿着它走。在两个山脉之间为一个浅谷，比它们大约低了 45 英尺。

威灵顿的主战线是沿着这第二个山脉，在圣杰安山村落的南面，相距只有 0.75 英里，一直延展到布鲁塞尔道路之东，约 1.75 英里，及布鲁塞尔道路之西，约 0.33 英里。他的左正面，从它的前方 400

码到 800 码远之处，位于斯莫汉（Smohain）、拉海（La Haye）和帕皮罗特（Papelotte）等村落。在他中央的正南方为拉海圣（La Haye Saiute）农庄以及一个宽广的沙坑，在其右侧翼的前面，高耸着豪高蒙别墅，周围都是果园和花园。面对着威灵顿，拿破仑的战线以圣杰安山以南 1.75 英里的某一点（位置在圣杰安—尼费尔道路之上）为起点，越过豪高蒙的南面以达弗里奇蒙别墅为止，后者面对着帕皮罗特、拉海和斯莫汉。

两军在下午 1 时的一般部署，可以用图三十二来加以表示。依照希波尔尼（Siborne）在《法比战史》一书中的记载：威灵顿的陆军为步兵 49 608 人、骑兵 12 408 人、炮兵 5645 人，火炮有 156 门，总人数 67 661 人。拿破仑方面为步兵 48 950 人、骑兵 15 765 人、炮兵 7232 人，火炮有 246 门，总人数 71 947 人。因为害怕敌军会采取蒙斯—布鲁塞尔道路来迂回他的侧翼，威灵顿又在哈尔（Hal）和屠比兹（Tubize）留下了兵员 1.7 万人和 30 门炮，由尼德兰的腓特烈亲王来指挥。因为在前一天的上午，威灵顿曾经要求布吕歇尔给他以一个军的帮助，可是在 6 月 18 日全天中，他却把这个强大的支队，始终保留在八九英里距离之外的地方，这实在是第一等的大错误。即令没有布吕歇尔的援助，这支兵力若能用以迂回拿破仑的左翼，则也可以拯救英荷军，而且即令没有倾盆大雨，有了这支兵力威灵顿也一定可以坚守以待布吕歇尔的到达。1.7 万人，相当于其全部兵力的五分之一，可以说是完全浪费了，而且诚如肯尼迪（kennedy）所说的："法军要想达到屠比兹和哈尔而在前进的途中不被发现，这也实在是不可以想象的。"

上午 11 时 30 分，法军炮兵开始射击，莱里军中的杰罗姆师也向豪高蒙前进。可是他并未能把他的行动仅限于佯攻而已，杰罗姆不能自制，立即卷入真正的战斗，并以占领该别墅为目标。这是法军所犯的几个战术性错误中的第一个，因为结果完全与拿破仑的意图相反，不特没有吸引住英军，反而把法军吸引住了。不久福伊师中又抽调了一个旅去支援杰罗姆。他不知用榴弹炮的火力来击毁坚固的建筑物，而命令步兵一再地硬攻，一直到别墅前的树木都被枪弹削成了碎片。

当这个本末倒置的作战正在热烈地进行之际，拿破仑却忙于准备用德隆军来攻击威灵顿的中央部分。快到1时，一切都应准备就绪，他向战场上四周望，突然发现在远处，大约是东北方四五英里外，可以看到有一朵“黑云”从沙佩尔圣隆贝尔的森林钻出来。于是所有的望远镜都在对着它观察。索尔特说他已经看清楚了是部队，大家马上认为是格劳齐来了。几分钟之后，这个神秘的谜底揭穿了，有几名马尔波的轻骑兵押解着一名俘获的普军传骑回来，从截获的文件中得知这朵“黑云”其实是比罗的前卫。虽然这情况与拿破仑所认定的发展完全不同，可是他并不紧张，只不过是把它当作一个副作用看待而已。他毫不怀疑地认为在比罗来到之前，他便可以先将威灵顿击溃。虽然如此，这个新危机却还是必须要加以应付，他本来已经写好了一封给格劳齐的回信，现在就命令索尔特再加上了下述的一个“又及”：

> 从刚才截获的一个文件中，我们知道比罗将军正要向我们的右翼进攻。我们相信已经在沙佩尔圣隆贝尔的高地上发现了该军。所以希望不要再浪费一分钟，赶快与我们靠拢在一起，以击碎比罗。

依照高尔高的看法，这个传令的军官在两小时之内是应该可以把这个命令送到的。但这是不可能的，事实上，这封信直到大约下午5时才送到了格劳齐的手中，而这个时候他却在华弗尔正与提里曼苦战不休。假使在上午即已召回他的兵力，拿破仑的预测就可以灵验了。

接着，拿破仑命令多蒙（Domont）和苏贝尔维（Subervie）的两个轻骑兵师向沙佩尔圣隆贝尔特进发。在他们掩护之下，罗包即随着后面前进，以阻止比罗。在他的右翼已经感到巩固之后，差不多是下午 1 时 30 分，于是拿破仑命令赖伊开始进攻。

自从 1792 年起，法国陆军在攻击的前进阶段中，为了能迅速越过地面而不引起混乱起见，总是使用纵队的形式。以后当快要接近敌军时，为了能发展最大限度的火力，纵队又要改成横线。为了使展开便利起见，纵队通常都是以营为单位，相隔的间隔为一个或半个展开的距离。他们是很容易指挥，能够迅速展开，在遭遇到骑兵时，又可以迅速地结成方阵。攻击是以下述的原则为基础：（1）当纵队前进时，炮兵应迫使敌军留在横线的位置上，因为只有这种队形，对于火力的损失可以最轻；（2）在他们自己展开为横线之前，利用骑兵威胁敌人迫使他们把横线改组成方阵——这是对付骑兵的最可靠队形，但在应付步炮兵的火力时，却是损失最重的；（3）其次，在骑兵掩护之下，纵队展开为横线，以便用较重的火力打击在敌方的方阵上（方阵的火力远不如横线），团级火炮也协助射击；（4）最后，一旦当敌方方阵发生混乱之后，立即用刺刀执行突击，而骑兵也实行追击，以歼灭敌军的残部。

在现有的情况下，因为某种从未获得解释的原因，德隆四个攻击师中的三个并未像惯例以营纵队前进，而以正面为一个营的师纵队前进，换言之，就是每一个营分成平行的三列，前后重叠着。[1] 现在这三个师中的每一个都是采取这种笨重的队形，每个师都有八九个营，所以这种师纵队的正面为 200 人左右，前后一共有 24 列到 27 列。这种笨重的纵队不仅使他们不可能作迅速的展开，而且这许多人集中在一起，也特别容易为敌火所击中，受到重大的损失。

对于赖伊和德隆而言，也可以说是不幸之至，他们所面对的这

---

[1] 法军仍然采取这种旧式的三列制，而在威灵顿指挥之下的英军，则一向都是采二列制，所以他们一个营的火力可以比法军超出了三分之一。

位将军，不仅精通法军的战术，而且至少还懂得如何应付的对策。威灵顿并不沿着博纳拉鲁伊—华弗尔道路旁边的山脊部署他的兵力，反之他却把他的主力藏在山脊的后面，这可以使他们不受到敌人枪炮火力的侵扰，因为敌军的炮兵是由加农炮而不是由榴弹炮组成的，所以无法达到这个反斜面上。其结果是在法军的预备炮击中，他的部下只受到了极轻微的损失。他们所要做到的，只不过是成横线地卧倒在山脊的后面而已。等到法军的纵队快要接近山顶时，他们就赶紧趋前几步，在敌人展开之前，就向他们的头上发射一阵猛烈的排枪。这些战术却不能解决如何应付骑兵的问题，那还是必须用步兵组成方阵的。在这整个会战中，照我们看来，使法军突击失败的主因还是在步骑兵之间没有良好的合作，这比那个不应使用的笨重队形还更具有严重的影响。

以上所述的这些对于战术的简略分析，即足以说明德隆的突击为什么会失败。它是用四个纵队作梯形的配置，左面的一师，师长为邓齐罗（Donzelot），向拉海圣进攻，而特拉弗（Traver）的重骑兵旅则在他的左面。右面的师纵队，师长为杜里特，向帕皮罗特前进，而阿里克斯（Allix）和马尔柯格里（Marcognet）的两个师则夹在两者之间。没有多大的困难，帕皮罗特即已被攻陷，可是邓齐罗却无法攻下拉海圣，守军为一个营的日耳曼兵团部队，由巴林少校（Maj. Baring）指挥，曾经进行极英勇的抵抗。在中央部分的两个师，当他们爬上山坡，即受到了敌方的强烈火力攻击。他们爬上山坡之后，就与拜兰德的荷比旅遭遇，在威灵顿的部队中展开在前坡上的就只有这一个旅，他们在法军炮兵预备射击时，早已受到了重大的损失，所以当然守不住阵地，开始向后败退。同时第九十五步兵团中有三个连，是守着那个沙坑的，现在也感觉到无法支持，开始撤退，于是战斗遂全面地展开。在博纳拉鲁伊—华弗尔道路与查利瓦—布鲁塞尔道路的交叉点上，有一棵老榆树，威灵顿就在那棵树下，观察敌人的进攻。拿破仑在罗索姆也在从事同样的工作，后者和他的幕僚人员似乎都认为德隆的成功是已经成定局了。

天下似乎再没有比这个幻想更空虚的，德隆的纵队，因为部署的失当，早已使他们前进的速度减低，现在就开始引出一场大祸了。当他们快要接近山岭的顶点时，已经变成了一大堆乌合之众，根本就无法恢复秩序和作任何的展开了。当他们正在乱成一团的时候，英军方面的皮克顿指挥他的师（约 4000 人）向前。当他们到达山顶上，肯普特（Kempt）的旅，就隔着 40 步的距离对着前进中的法军发射猛烈的排枪。派克（Pack）的旅则从华弗尔道路边的树篱后冲出，上了刺刀向人群冲锋。皮克顿本人却中弹阵亡。

高潮已经达到了，阿克斯桥立刻抓住了它。他把索美塞特（Somerset）和潘森拜（Ponsonby）的两个近卫重骑兵旅也投入了战斗。他们首先击散了特拉弗的重骑兵旅，这个旅是随伴着德隆军前进的；接着又向已经秩序混乱的法国步兵冲锋，把他们赶下了山坡，俘虏了 3000 人和两面"鹰旗"。骑在他们的马背上，英国骑兵以全速冲过了中间的谷地，经过了法军的前哨冲上了对面的斜坡。阿克斯桥赶紧吹撤退号，但是已经无法阻止他们的前进。当他快要达到法军的炮兵阵地时，突然受到了马尔提格（Martigue）矛枪骑兵的侧击，潘森拜遂于此时战死。接着法军方面的法林（Farine）重骑兵旅也投入了战斗，当他们在战场上死伤了三分之一以上时，这两个英国的骑兵旅遂完全丧失了秩序，而仓皇地被逐回。此时，对于豪高蒙的攻击仍在继续之中，这使莱里也感到精疲力竭。

下午 3 时，战斗逐渐停息，虽然德隆的攻击已经失败，威灵顿的地位却也几于濒危：拜兰德的旅（约 4000 人）几乎全部牺牲，而由于索美塞特和潘森拜的胡乱冲锋，又使威灵顿丧失了 2500 名最优秀的骑兵。现在一切的关键就仰赖于布吕歇尔的到达，而他们的前进却是异常的迟缓。

拿破仑的地位也是同样的不安，因为他刚刚接到格劳齐于 11 时 30 分从华汉所发出的报告，这可以使他认清要靠格劳齐的帮助是已经没有可能性了。也许他可以用撤退的方式来救出他这个军团，不过撤退的意义就不仅是丧失了这次战役，而且更会引起政治性的风波。[1] 所以他决定利用比罗的迟缓行动，决定在普军尚未到达战线之前，即先击毁威灵顿。到了下午 3 时 30 分，德隆已经把他的残部集中好了，他就命令进占拉海圣，以便以此为基地，而用德隆和莱里的两个军发动一个总攻势，在他们的后面就是骑兵的主力，以及近卫军的步兵。

炮兵的火力十分的猛烈，但因为德隆军仍然还是滞留在无组织的状态中，而莱里的部队又很难于摆脱对于豪高蒙的战斗，所以赖伊能用来进攻的兵力一共只有两个旅。虽然他们是被敌军逐退了，可是当赖伊发现在烟雾之中有一些敌人的弹药车辆纷纷向后方飞奔——实际上他们是忙于向后方送负伤的人员，赖伊却武断地认为敌军是已经在退却了。他不等候皇帝传令骑兵前进，就直接通知米尔豪和他的两个师向前冲锋。当他前进之后，勒菲弗的近卫骑兵师原本位置在米尔豪的后方，于是也自动地随着向前进。这样一来，在拉海圣尚未攻下之前，法军的 5000 余名骑兵即已经投入了混战之中。为什么拿破仑不制止这个不合理的行动呢？其原因是他的注意力正被右翼方面所吸引住了。那方面的情况可以简述如下：

虽然比罗已经在下午 1 时，到达了沙佩尔圣隆贝尔，可是直到下午 4 时，他的纵队头部才开始从巴黎森林中跃出。当他们跃出之后，即为多蒙骑兵中队所制止，以后该中队不支向后退走，遂由罗包的步兵出面迎敌。虽然在数量上居于一比三的劣势，罗包却仍然趋前进攻比罗的两个领先师，然后才撤回到普隆斯诺瓦（Planceonoit）。在那里罗包因为三面受到攻击，才被迫撤出该村，于是普军的炮兵即开始从那里向布鲁塞尔大路上轰击。因为普隆斯诺瓦的失陷威胁到法军的退却线，拿破仑遂命令杜斯米用青年近卫军去收复它。杜

[1] 很可能拿破仑的军队在士气上是不能撤退的，而且撤退战也的确不是他所擅长的。

斯米完成了这个任务，于是罗包和他的第六军从他们的左方延展，以与第一军的右端相连结。

因为拿破仑正在忙于料理这一方面的战事，于是赖伊遂在兴奋过度的心情之下，下午 4 时到 4 时 15 分，亲自率领米尔豪的重骑兵直向威灵顿冲去。后者却绝不曾想到退却，因为他的唯一目的就是坚守阵地，以待普军的到达。虽然联军方面也曾料想到在这一天当中，一定会有一次巨大的骑兵攻击发生，可是赖伊用骑兵来对付完整的步兵，这却完全出乎他们的意料之外。于是联军的步兵立即奉命组成方阵，炮手奉命与他们的火炮留在正面之前，到最后一分钟为止，然后再带着他们的马匹躲到方阵之内去。

法军骑兵整队前进，满山遍野而来，几乎塞满了拉海圣与豪高蒙之间的整个空间。他们用缓驰的速度进到斜坡之上，于是法军的支援炮火停射了，而联军的炮兵却开始射击。冲锋号响了，在“皇帝万岁！”声中,5000 名法国骑兵像狂潮一样冲向联军的炮兵阵地。虽然联军的火炮全部都为他们俘获，可是他们却毫无准备以使这些火炮丧失效力。既没有马匹可以把它们拖走，也没有十字镐来把它们敲毁。他们对于这些火炮感到毫无办法，假使当时若能把这些火炮敲毁，只要有些无头钉和铁锤即可以完成这个工作，那么下一次的骑兵大突击就似乎一定是能够成功的，因为当骑兵进攻时所最害怕的还是炮弹而不是步兵的枪弹。

法国的骑兵围绕着步兵方阵冲突，一直到全部高原都为铁骑所踏遍为止。对于这次战斗,弗雷塞（Frazer）曾经有下述的记载:“法国骑兵在冲锋时的英勇程度，为我毕生所仅见。从来没有看见过骑兵的行动有如此光荣者，而步兵抵抗的坚定也足以与之相当。”

阿克斯桥正在注视着这一场混战，他手中还控制着有三分之二的骑兵生力军，突然也把 5000 名骑兵，包括着多恩堡、阿仑斯齐德（Arenschild）、不伦瑞克、梅尔仑和奇格尼（Chigny）等旅，放出来与法军交战。当他们把法军扫退了之后，联军的炮手就立即从方阵中冲出去，赶紧操纵着他们的火炮把葡萄弹和榴霰弹投射在正在撤退的敌军身上。法军的骑兵还是无所畏惧，在退到了山麓之后，把阵容整顿了一下，又冲上山来了，可是再被无情的炮火所逐回。

虽然在罗索姆，那些与拿破仑在一起的人看到这种激烈的战况，都不禁得意扬扬，可是拿破仑本人却完全不如此。他不耐烦地向索尔特说："这是一个不成熟的行动，结果可能会使我们大吃其亏。"索尔特回答说："他（赖伊）又像在耶拿一样，会使我们受到牵连。"虽然如此，明知这个行动是不成熟的，但是拿破仑却害怕若是骑兵被逐回了，则全军的神经都会受到影响而发生恐慌现象，所以他命令弗拉豪特将军去命令克勒曼前进支援赖伊。克勒曼也认为这个行动未免过早，但他正在犹豫之际，其第一师的师长雷里提耶将军却不等待命令即挥动兵力奔驰而去了，于是克勒曼只好率领卢塞尔（Roussel）的第二师也随之而进。接着，吉约也指挥着他的近卫重骑兵师，盲目地随着克勒曼走。这个行动可以算是一个致命的大错，因为不仅使这位皇帝丧失了最后的骑兵预备队，而且也使战场上挤满了骑兵，简直没有活动的余地。诚如肯尼迪所说，当联军方面看到这样 1.2 万余名的骑兵，都集中在豪高蒙与拉海圣之间的 1000 英尺长正面上发动集中的攻击，都不禁为之骇然。实际上因为两面都有围墙，所以还须空出相当的距离，因此骑兵真正前进的正面只有 500 码左右。

在米尔豪疲乏之兵的后面，下午 5 时 30 分，克勒曼等前进了，可是既无步兵的支援，而炮兵的支援也极为无力，因为一共只有一个炮兵连被拉到了骑兵的后方用来击碎敌人的方阵。毫无疑问，由于地形的恶劣，使炮兵的运动十分困难；话虽如此，当时若能使两三个骑炮兵连前进到榴霰弹的射程之内，则无论什么奇迹也都不能挽救威灵顿军团的崩溃。

虽说法军的第二次大突击也和第一次一样被击退了，可是联军战线上的紧张情况也到了最大限度。一直到现在为止，威灵顿已经把他的骑兵和步兵预备队的大部分都用光了。若是他在哈尔和屠比兹不留下那 1.7 万人，则情况就不会如此恶劣。

可是赖伊对于敌人的这种紧张情况，却没能加以利用，因为他的整个战术都是错误的，不特对于各兵种不曾加以联合的使用，反而故意将他们分开。假使他能遵照拿破仑的命令，首先占领拉海圣，然后再把他的炮兵阵地设在它的前面，则他一定可以击溃敌人的方阵。进一步说，假使他曾经用步兵来支援骑兵，结果也毫无疑问会获得成功。诚如梅尔克所记载的："有一个法军的炮兵连部署在比我们略高的一个小丘上，在我方左翼的前面相距不过四五百码。他们火力的速度和精确度都是很够惊人的，几乎是弹无虚发。我的确认为我们会被歼灭，在整天的战斗中，要以这个炮兵连使我们所付出的成本为最高。"

赖伊不仅忘记了他的目标——拉海圣，而且也忘记了他的步兵，仅仅当克勒曼的第四次冲锋都失败了之后，他才想到使用他的 6000 把刺刀。下午 6 时，他命令莱里军中的福伊和巴齐路两个师前进，但却又不用骑兵来加以支援。对于这一次的攻击，照福伊所形容的，他们遭遇到一阵"死亡的冰雹"，几分钟内就损失了 1500 人，而终于被击退了。

当这个攻击仍在进行中时，拿破仑骑着马沿着全战线巡视以安定部下的军心，同时也严命赖伊无论任何牺牲都必须把拉海圣立即占领。赖伊用邓齐罗师中的一部分兵力终于完成了任务，主要的原因是巴林支队已经把他们的弹药打光了，此外联军也丧失了那个沙丘。

这一次赖伊对于他的成功，却知道立刻加以利用，他调了一个炮兵连到拉海圣附近，该处距离联军在 300 码之内。于是他再命令阿里克斯、邓齐罗和马尔柯格尼等师的残部前进，在华弗尔道路上获得了一个立足点。但是到了此时，他的人员已经疲惫不堪，无力再向前推进，所以他又派黑梅上校去向皇帝要求增援。拿破仑不禁大叫着说：“部队吗？你们希望我从哪里去调动？你们以为我可以变得出来吗？”但是赖伊这次却并没有错，由于战术的错误，所以延误了这样久，现在却真正到了决定性的时机了。实际上，拿破仑虽然已经感到了压力很重，可是却并非完全没有预备队，不过很明显，他并不知道威灵顿的处境是已经到了山穷水尽。

关于这一方面，肯尼迪曾经有下述的记载：

> 拉海圣已经在敌人的手中……翁普提达（Ompteda）旅差不多已完全被歼灭，基尔曼希格（Kielmansegge）的旅也消耗殆尽，这两个旅都已经守不住他们的阵地。所以那一部分阵地，即在哈尔基特（Halkett）之左和肯普特之右，都已经进入了真空的状态。这一部分又正是威灵顿战线的中心，所以敌人最希望攻入的目标也正是这一点。情况已经十分的危急，在全部作战过程中，都没有比这个时候更为紧张。拿破仑此时没有调动他的预备队，以乘虚直入，才真是万幸。
>
> 因为在战线的中央，出现了这样一个大空洞，威灵顿当然也认清了这个局势的严重。他不仅把不伦瑞克的部队调来填塞空洞，而且也亲自去加以指挥。即令如此，也还是经过了最大的困难才勉强守住了这个地区。
>
> 在这场战斗的任何其他部分中，威灵顿公爵都不曾像在这个时候这样地亲冒个人的生命危险。而在这一天的其他时间当中，也从来没有像这个时候，最能表现出其最大的将才，因为这才真是生死关头。

拿破仑手中仍有八个营的老年近卫军和六个营的中年近卫军。假使他肯把一半的兵力给予赖伊，则威灵顿的中央部分毫无疑问即将溃裂；因为只要有相当少数的生力军出现，即可以使联军望风遁逃。但是拿破仑此时的情况也正和威灵顿一样的危急。青年近卫军已经被敌人逐出了普隆斯诺瓦，不仅右翼感到威胁，而且后方也随时有崩溃之可能。所以他没有立即给予赖伊增援，而把这十一个营的近卫军构成了许多的方阵，在拉贝拉永斯高地到罗索姆之间，面对着普隆斯诺瓦的方向；他把其中一个营部署在勒卡茹，另派两个营由莫朗和皮里特（Pelet）率领着去夺回普隆斯诺瓦。

在鼓声咚咚之下，老年近卫军连一枪都不放，只挥着刺刀在二十分钟之内把普军逐出了村落，然后再交给青年近卫军去占领它。

现在7时都已经过了，因为普隆斯诺瓦已经夺回，所以拿破仑决定支援赖伊，以便在日落之前作他的最后一次打击。他命令德劳特把弗里昂所率领的八营近卫军又调动到前面来，当他们达到之后，他就亲自率领着前进，并把他们交给赖伊元帅。同时，他也命令炮兵再增强他们的火力，并命令莱里和德隆以及骑兵都一律前进，以支援赖伊的突击。为了提高部队的士气，他又命令比多耶尔将军跑到前线上去宣布格劳齐已经赶到了，他们的炮声在远处已经可以听到。当近卫军正在浓烟掩护之下列成阵形时，有一个骑兵军官逃往敌方，使威灵顿知道了法军方面的准备情形。

实际上，所谓决定性时机早已过去了，自从黑梅上校来向拿破仑求援之后，邓齐罗、阿里克斯和马尔柯格尼的部队都已经被逐出了高原之外。威灵顿已经重占了原有的阵地，并且也知道齐曾的前卫在下午6时已经达到了奥汉，所以他从左翼方面抽出了范德勒尔（Vandeleur）和维维安（Vivian）的骑兵旅加入到中央方面来，并且从博纳拉鲁伊把钱斯的第三荷比师调到了梅特隆（Maitland）近卫旅和亚当（Adam）轻步兵旅的后方。后者在威灵顿的右翼中心上，为沙坑以西的华弗尔道路的路基所掩护着。

虽然记载各有不同，近卫军似乎是集中成一个纵队，其正面为两个连，每个连都是照惯例为三列。因为每个营约有500人，共有四个连，所以纵队的正面为75人到80人。有两个骑炮连，每连六门炮伴随着前进，一路用火力来掩护步兵的运动。

若是直向布鲁塞尔道路前进，则这条路的路基多少可以供给相当的掩护，以使人员免受敌火的摧残。赖伊却不这样走，他成对角线地越过在豪高蒙和拉海圣之间的斜坡，直向敌人的右翼中央前进。可是当这个攻击在执行的时候，所用的却不是一个纵队，而变成了两个纵队，其原因虽然已经不大可考，但似乎不外乎下述的两点：（1）因为发动攻击时太匆忙，[1] 领先的四个营（老近卫军）先走了，后续的四个营（中年近卫军）未能赶上。（2）这也是常有的现象，在这一个纵队之中，总是前头快而后头慢，于是一个纵队分裂成两个纵队。后者偏向前者的左后方。[2] 所以梅特隆将军的记载有如下述："当攻击军前进时，它自己分开了，轻步兵（中年近卫军）向左偏。榴弹兵（老年近卫军）则采取较直接的路线，向着我们的阵地爬上山坡，把拉海圣留在他们的右面，向第一近卫旅所占领的高地前进。"

照一般的惯例，所有目击者的叙述，依照其观察位置之不同，常常是彼此互有出入的，等到把它们拼凑起来之后，许多的细节也很可能使决定性时机反而不明显了。一共有两个决定性时机：其一为梅特隆近卫旅击毁领先纵队，另一为亚当轻步兵旅击毁后续纵队。关于第一点，英军第一近卫步兵团中的鲍威尔上尉（Capt. Powell）说：在突击之前，英军都躲在壕沟中和华弗尔道路的路基后面，若不是有这种保护，则可能全部人员都会为炮火所击毙。[3] 弗雷塞说："这个最后的搏斗几乎送了我们的老命。"接着，鲍威尔上尉说："突然，炮火停止了，当烟雾消散之后，一个非常可怕的景象出现在我们的眼前。由榴弹兵所组成的密集纵队，正面上约为 70 个人，正向着我们冲来，口中高呼着'皇帝万岁！'。等到他们一直前进到距

---

[1] 太阳已经要落了。

[2] 在用黑色火药的时代中，黑烟是那样的厚密，隔几码之外就看不清楚了，所以前后脱节也是常事。

[3] 虽然这次突击，拿破仑只用了 8 个营的近卫军，通常总是 24 个营。可是威灵顿的地位却已经是岌岌可危。

离我方正面五六十步时，我们这个旅才奉命站起身来。不知道是因为这一个旅的兵力突然出其不意地在他们的眼前变了出来，好像是从地下钻出来的一样，所以使他们大感震惊；或者是因为我们所发射的火力太强烈了，于是这个从来是无坚不摧、无攻不克的法国近卫军突然停止了他们的前进。”

梅特隆的记载有如下述：

> 这个旅在敌方炮兵火力之下，受到了很严重的损失，但是它一直保持着其火力，等候敌军纵队的接近。后者在一口气爬上了山坡之后，在大约距离本旅前列20步的地方停止住了。
>
> 敌方炮兵的缩短射程现在使我方的行列受到重大的损失；在葡萄弹之下，许多人纷纷倒地。步枪的火力也夹在炮火之间。
>
> 很侥幸，炮兵的浓烟并不曾掩护着敌方的纵队，使我们丧失可供瞄准的目标。
>
> 敌人为什么停止在这样一个危险的位置上，他们已经无时间足以表明他们的意图。
>
> 本旅的火力开始发生了可怕的效力。
>
> 敌人的纵队已经碎了，并用极大的速度向后撤走，只留下了一堆已死和垂死的人来当作他们已经占领的土地的标志。

假使近卫军的榴弹兵能获得骑兵的支援，则梅特隆的部队可能就会被他们压倒。因为要对付骑兵，这个旅就必须组成方阵，于是法军的骑炮和步枪就会使他们受到重大的损失。

此时，在后方的中年近卫军（轻步兵），可能是由于烟雾的遮障，却向着梅特隆旅的右方前进。当榴弹兵被击退后而他们已接近山顶时，柯波恩上校（Col. Sir John Colborne）命令他的第五十二团在第九十五团的支援下向左旋转。这个转动使他们的正面大致与法军正在运动中的纵队相平行。其次，他命令一个连以疏开的序列前进，以便向这个纵队射击。于是该纵队停止，构成一个面对第五十二团的横线，一开火之后使这个连受到了很大的损失。此时威灵顿骑马赶来，命令柯波恩向一个低缓的高地上压迫以逼近法军的轻步兵。柯波恩的记载上说："此时，第七十一团在我的右方，我命令吹前进号，整个横线向小山上冲去；当我们达到道路的边沿上，那一面就是由法军占领着的，第五十二团开枪了，至少多数的连是如此的。"

其次，依照第五十二团的加勒尔中尉（Lt. Gawler）的记载，大致情形是这样的：

> 敌人在高呼中向前挺进，这种喊声又超出了战斗噪声之上，他们的火力也极为强烈，虽然正面的长度只有正规的一半长，可是在四分钟之内，第五十二团至少有150个人已经倒地了。当第五十二团达到了与敌人侧翼大致平行的地位，柯波恩爵士即大呼"冲锋！冲锋！"。全团的人员报之以热烈的欢呼，纷纷向前冲击。在以后十秒钟之内，法国近卫军的纵队即被击碎了，在极端混乱之中，他们向拉海圣后方的低洼道路上飞逃，连掩护的枪声都不曾听见。依照拉柯斯特（La Coste）的供词，据说拿破仑本人也站在那里。

也还是和榴弹兵的情形一样，假使轻步兵能有骑兵的支援，则亚当可能就会被迫把他的旅组成方阵，于是这个上述的著名逆袭也许就不会发生。由于缺乏骑兵，尤其是吉约的近卫重骑兵，才使拿破仑丧失了最后胜利的机会。

当法军正在作最后攻击时，齐曾终于进到了威灵顿的左翼上，与在弗里齐蒙附近的比罗军连在一起，当这两个纵队的近卫军被击退时，他的部队也把杜里特和马尔柯格尼的两个师逐出拉海圣和帕皮罗特，于是罗包也向普隆斯诺瓦退却。威灵顿看到敌人已经是越来越混乱，遂决定完成这一天的最后一击。他用马刺夹着他的马，冲到了高原的边沿上，脱下他的帽子在空中飞舞着。大家马上认清了他这个讯号，于是从左到右开始全面前进，4 万人向洪水一样向山坡下流动，维维安的轻骑兵和范德勒的龙骑兵作为他们的先锋。

弗雷塞的记载说："我有生以来还不曾看见过这样伟大的场面。天空被黑烟弄得乌烟瘴气，太阳刚刚下山，景色是十分的阴沉。成千上万人的呼声，已经分不出敌友来了。突然的人潮起伏，意味着敌人已经退让了。于是英国人的欢呼声宣布这一天是属于我们的了。"

此时，拿破仑在拉海圣附近，尽量集中他的残部以支援近卫军，于是突然发现法军全面溃败了。他立即把溃散中的老近卫军组成三个方阵，使其右端位置在布鲁塞尔道路之上。在亚当轻步兵旅前进之前，它就开始再向后撤退。当柯波恩和第五十二团赶上来时，根据肯尼迪的记载："威灵顿公爵也跃马前进，并命令柯波恩攻击这些方阵，说他们是站不住的。于是柯波恩前进，把他们击败了。"幸存的人加上原有的逃兵，一起向查利瓦逃走。

在南方靠近柯斯特（de Coster）的地方，近卫军第一榴弹兵团中的两个营在柏提将军（Gen. Petit）指挥之下，也构成了方阵。这可以说是精兵中的精兵，拿破仑就暂时逃到第一营的方阵中去避难。他们沿着道路的两侧缓缓地撤退，并暂时停顿下来反击追兵。在其中某一次的停顿中，拿破仑甚至于推进到勒卡茹，然后再从那里退往查利瓦。

9 时过去后不久，第一榴弹兵团还留在柯斯特附近，威灵顿与布吕歇尔却已经在拉贝拉永斯高地的附近会晤，他们互相道贺之后，就决定由普军接替追击的任务。尽管是在黑夜之中，追击还是进行得十分的激烈。在吉那普也和 1813 年在林地劳的情形一样，因为在戴尔河上只有一道单独的狭桥，所以法军在撤退中都塞在一起，到处都是人员、马匹、火炮、车辆，混乱不堪。

从吉那普，拿破仑率领着索尔特、德劳特、贝特朗等人，一直退往夸特里布拉斯，于6月19日上午1时才达到该地。他休息了较短的时间，命令索尔特通知格劳齐向松布耳河上撤退。后者在这次撤退中表现出极高度的技巧，把他的部队一直带到日韦（Givet）。假使他在前进时所表现出来的决断，能够赶得上撤退时所表现出来的十分之一，那么这次战役的结果也许就会完全不同了。

拿破仑从夸特里布拉斯再往后退，在上午5时达到了查利瓦，上午9时达到了菲力普维尔（Philippeville）。在那里他草拟了他的最后一次公报，这是一个非常具有启示性的文件，对于6月16日、17日和18日三天来的经过有很详细的叙述，然后再前往拉翁那里过夜。6月20日，他离开了拉翁，于次日回到巴黎。他的兄弟路西昂（Lucien）劝他搜集少数剩余的部队，并解散元老院，但他却表示拒绝。他知道他的星宿已经陨落了，他不愿做一群乌合之众的领袖，也痛恨内战的观念。第二天他自动退位，让他的儿子罗马王承继。6月25日，他退到了马尔梅松（Malmaison）。

此时，布吕歇尔的军队继续向前推进，沿途骚扰不堪。7月3日，他们进到了凡尔赛，威灵顿则安逸地跟在他们的后面，到了7月7日，联军以胜利者的姿态进入了巴黎。7月8日，路易十八也随着他们的行李纵列一同回来了。

在这一场永留纪念的会战中，双方的损失都很惨重。汤姆金森（Tomkinson）在6月19日上午写道："在拉海圣附近的山顶上，并从那里一直到豪高蒙，到处都是死尸。"据估计，威灵顿军死伤共约15 100人，布吕歇尔军约7000人，而拿破仑则为2.5万人。此外在法军方面还要加上被俘者8000人和火炮220门。

这些数字本身即足以说明当时的战况是如何的激烈。尽管赖伊的战术是如此的恶劣，可是威灵顿却一点都不讳言，他这一次幸免于失败的机会是如何的间不容发。在会战结束的那个夜晚，威灵顿曾向费兹罗伊勋爵（Lord Fitzroy）说："我从来不曾打过这样的会战，而且我也确信今后永远不会再有这个机会了。"对于他的兄弟，他也曾在信上这样的说：“在我有生以来，都不曾经验过这样焦急不安的生活，因为我必须坦白地承认，我从来没有像这一次如此地接近失败。”

尽管拿破仑这些元帅们是如此的错误重重，可是只要有几磅的钉子和 20 多把铁锤，也许就可以抵消这一切的错误，而使他大获全胜。这些话似乎是很讽刺，但也很惊人。假如拿破仑胜利了，则这个第七次同盟就一定会崩溃。不过很可能以后还会有第八次和第九次的同盟出现，而最后拿破仑还是会被打倒。

联军在莱比锡的胜利，对于这个长期战争而言，可以算是一个战略上的顶点，因为在这一战之后，法国即开始感到精疲力竭，对于最后的胜利遂从此绝望。滑铁卢之战在这个长期战争中，只算是一个尾声，但它却具有广泛的经济性和政治性的意义。莱比锡之战所代表的为欧洲民族主义对于法兰西军国主义和大一统主义的胜利，而滑铁卢之战所代表的却是英国体系的胜利——这是拿破仑所使用的名词。它不仅战胜了法国，而且也压倒了欧洲和大部分的世界。对于大英帝国而言，特拉法尔加之战是最初的一块奠基石，而滑铁卢之战却是最后的一块墙顶石。前者使英国获得了制海权，而后者则为它打开了通往世界市场的门户。在此后两代以上的时间中，英国都一直是全世界的工厂和银行。

在 1815 年 11 月 20 日所签订的第二次巴黎条约，把欧洲地图重新画过了。它使法国实际上恢复了其在 1792 年的旧有地位，所剩下来的力量恰好足以在欧洲权力平衡局势的维持中贡献其一部分作用，这也正是为了维持英国安全所必需的。它也使普鲁士西进而成为对抗法兰西的力量。不过最重要的，却是把芬兰以及大部分的波兰给予了俄国，这样遂使莫斯科的权力像一个钉子一样地插入在普奥两国之间。于是后两者遂变成了东欧的堡垒而对着这些“北方的野蛮人”。此外，为了填补神圣罗马帝国解散后的空洞，又成立了一个由 38 个自主国家所组合而成的日耳曼邦联。这也就为了未来的沙多瓦（Sadowa）之战和色当之战预先做了准备。

英国所分得的赃物包括有马耳他、好望角、模里西斯和锡兰。不过更重要的，却是这场战争使它变成了海洋上的绝对控制者。所以费歇尔教授说：“有些作者简直认为不列颠帝国的建立，实为拿破仑事业的最重要后果。”

从海洋权力、蒸汽权力、金钱权力，以及滑铁卢之战为英国赢得的威望中，产生出来了“不列颠和平”时代。只要不列颠的海权和信用尚能维持其支配优势时，则这个时代就注定是还可以延续下去。实际上，这个局势差不多维持了100年，并控制欧洲以外的世局和使欧洲的战争局部化。在这个世纪当中，虽然革命的次数很频繁，而且有时也很激烈，可是欧洲却还是能够享受其最稳定和最繁荣的和平，这是自从安东尼时代以后所仅见的。

本书卷一大事记（八）中，曾经引述希腊诗人阿里施泰德（Aristides）对于“罗马和平”时代的歌颂。在滑铁卢之战以后40年，“不列颠和平”时代也达到了其最高点，哈尔斯曼先生（Mr, Horsman）在英国下议院中也曾发表了下述的歌颂：

> 我们似乎已经忘记了在我们的安全中，还包括着巨大的精神性和物质性的考虑。欧洲的每一个有思想的人都能认清，英格兰的安全也就是为了保存一切与人类和平进步有价值的因素。英格兰的安全也就是欧洲的安全，使欧洲诸国得以温和安静地相处。他们（外国人）都知道假使英国不存在了，则整个大陆即可能会受到暴政的统治。假使英国灭亡了，比利时的民族还能长久存在吗？日耳曼还能维持其独立吗？意大利的统一还能实现吗？否！英国在国外的精神影响力量是不可抗拒的，正与其在国内的坚强程度成比例。我们的伟大并不仅限于财富、商业、制度、军事威望，而是这些因素结合起来，足以构成一个伟大的精神力量，那是以自由为最高原则，以和平为神圣任务。凡

> 是自由思想的友人，都无一不以英国为其支援者，他们都认为英国所代表的是政治上的真理。对于英国的安全感到与有荣焉，对于英国的失败，则感到休戚与共。基于这些考虑，当我估计英国安全的价值时，所注意的就不仅英国一国的安全，而更推广到我们对于全人类所负有的责任和义务。

可是，当这个颂词正在发表之际，在欧洲、北美洲和亚洲，却已经正在酝酿着新的变化。不过半个世纪略多一点的时间，“不列颠和平”时代即告以结束，整个世界又投入了战争之中。